JASON MATTHEWS
Operation Red Sparrow

GOLDMANN
Lesen erleben

# Jason Matthews

# Operation
# Red Sparrow

### Thriller

Aus dem amerikanischen Englisch
von Michael Benthack

**GOLDMANN**

Die amerikanische Originalausgabe erschien 2013
unter dem Titel »Red Sparrow« bei Scribner,
a division of Simon & Schuster, Inc., New York.


Dieses Buch ist auch als E-Book erhältlich.

MIX
Papier aus verantwor-
tungsvollen Quellen
FSC® C014496

Verlagsgruppe Random House FSC® N001967
Das FSC®-zertifizierte Papier *Pamo House* für dieses Buch
liefert Arctic Paper Mochenwangen GmbH.


2. Auflage
Deutsche Erstveröffentlichung Februar 2015
Copyright der Originalausgabe © Jason Matthews, 2013
Copyright © der deutschsprachigen Ausgabe 2015
by Wilhelm Goldmann Verlag, München,
in der Verlagsgruppe Random House GmbH
Umschlaggestaltung: UNO Werbeagentur, München
Umschlagmotiv: FinePic®, München
Redaktion: Alexander Behrmann
KS · Herstellung: Str.
Satz: omnisatz GmbH, Berlin
Druck und Bindung: GGP Media GmbH, Pößneck
Printed in Germany
ISBN: 978-3-442-48143-9
www.goldmann-verlag.de

Besuchen Sie den Goldmann Verlag im Netz:

*Für Suzanne, Alexandra und Sophia*

# 1

Nach zwölf Stunden auf seiner Überwachungserkennungsroute war Nathaniel Nash taub von der Taille abwärts. Mit gefühllosen Füßen und Beinen stakste er über die kopfsteingepflasterte Moskauer Seitenstraße. Es war längst dunkel geworden, als Nate die Route abging, die so geplant worden war, dass sie die Beschatter anlockte, mitzog und derart in Aufregung versetzte, dass sie sich zeigten. Aber da war nichts, kein Hinweis auf Observationsteams, die hinter ihm auf den Straßen herumschlichen, aus der Deckung kamen, plötzlich um die Ecke bogen, keine Reaktion auf seine Aktionen. Funktionierten seine Ablenkungsmanöver? Oder wurde er von einem Team der Gegenseite zum Narren gehalten? Es lag in der Natur des Spionagespiels, dass man sich schlechter fühlte, wenn man seine Verfolger nicht sah, als wenn man wusste, dass sie ganz in der Nähe waren.

Es war erst Anfang September, aber zwischen der ersten und der dritten Stunde seiner Route hatte es geschneit, was geholfen hatte, unerkannt aus dem Wagen zu entkommen. Am späten Vormittag war Nate aus einem fahrenden Lada-Kombi gesprungen. Am Steuer hatte Leavitt von der Botschaft gesessen. Er hatte die Lücke berechnet, wortlos drei Finger gehoben, als sie in eine Seitenstraße in einem Industriegebiet einbogen, und Nate dann auf den Arm getippt. In diesem Drei-Sekunden-Intervall wurden die Verfolger des russischen Inlandsgeheimdienstes FSB abgehängt, denn sie rasten an Nate vorbei, der sich hinter einer Schneewehe versteckte, und folgten Leavitt. Nate hatte das Handy aus der Wirtschaftsabteilung der Botschaft, das er bei diesen Einsätzen benutzte, bei Leavitt im Wagen zurückgelassen – in den nächsten drei Stunden war der FSB herzlich eingeladen, das Mobiltelefon irgendwo zwischen den Funkmasten Moskaus zu orten. Beim Abrollen aus dem fahrenden Auto hatte Nate sich das Knie aufgeschlagen. Es war danach stark angeschwollen und fühlte sich mittlerweile genauso taub an wie der Rest von ihm. Bei Einbruch der Dunkelheit war Nate durch halb Moskau gegangen, gerutscht, geklettert und gekraxelt, ohne Überwachungsteams zu entdecken. Er hatte das Gefühl, die Luft war rein.

Nate gehörte zu einer kleinen Gruppe von CIA-Agenten, die geschult waren, unter Überwachung auf dem heimischen Terrain des Gegners zu operieren. Wenn er auf der Straße im Einsatz war, kannte er keine Zweifel. Die vertraute Angst, zu versagen, keine exzellente Leistung abzuliefern, legte sich. Heute Abend lief alles nach Plan. *Ignorier die Kälte, die deine Brust einhüllt und einengt. Schärfe deine Sinne, trotz des Stresses.* Er sah hervorragend. *Konzentrier dich auf die mittlere Distanz, such nach wiederkehrenden Fußgängern und Fahrzeugen. Merk dir Farben und Formen. Hüte, Mäntel, Fahrzeuge.* Ohne groß darüber nachzudenken, registrierte er die Geräusche der dunkler werdenden Stadt rings um ihn herum. Das Knistern der Elektrobusse, das Zischen der Autoreifen auf dem nassen Asphalt, das Knirschen des Kohlenstaubs unter seinen Schritten. Er roch die Dieselabgase, den Kohlenrauch in der Luft und, aus irgendeinem unsichtbaren Luftschacht kommend, das erdige Aroma von Rote-Bete-Suppe. Er war quasi eine Stimmgabel, die in der frostigen Luft schwang, gestimmt und vorbereitet, aber merkwürdig ruhig. Nach zwölf

Stunden war er so sicher, wie er nur sein konnte: Er wurde nicht beschattet.

Zeitcheck: 22:17. Noch zwei Minuten, dann wollte sich der siebenundzwanzigjährige Nate Nash mit der Legende treffen, dem Juwel in der Tiara, dem besten Pferd im Stall der CIA. Dreihundert Meter entfernt von der ruhigen Seitenstraße würde Nates Treffen mit MARBLE stattfinden: kultiviert, urban, in den Sechzigern, Generalmajor beim SWR, der Auslandsspionage des Kremls, die den Auslandsgeheimdienst des KGB abgelöst hatte.

Seit vierzehn Jahren war MARBLE dabei, eine bemerkenswert lange Zeit, wenn man bedachte, dass russische Informanten während des Kalten Krieges im Schnitt anderthalb Monate überlebten. Während er die Straße observierte, erschienen vor Nates innerem Auge die körnigen Fotos der verlorenen Agenten: Penkowski, Motorin, Tolkatschew, Poljakow, all die anderen, alle tot. *Aber nicht der hier, nicht, solange ich hier das Sagen habe.* Nein, er würde nicht versagen.

Inzwischen war MARBLE Leiter der Amerika-Abteilung im SWR, ein Posten mit kolossalen Zugangsmöglichkeiten. Doch er war ein KGB-Angehöriger der alten Schule. Er hatte sich seine Sporen (und den Generalsstern) während seiner Karriere im Ausland verdient und nicht nur wegen seiner triumphalen operativen Einsätze Aufsehen erregt, sondern auch, weil MARBLE die Säuberungen, Reformen und inneren Machtkämpfe überstanden hatte. Dabei machte er sich keine Illusionen über das System, dem er diente, und hatte die Scharade hassen gelernt. Trotzdem handelte er weiter professionell und loyal. Als er vierzig war, bekleidete er bereits den Rang eines Obersts und diente in New York. Damals verbot ihm die Zentrale, seine Frau zu einem amerikanischen Onkologen zu schicken. Diese gedankenlose Zurschaustellung sowjetischer Unnachgiebigkeit führte schließlich dazu, dass sie auf einer Trage im Flur eines Moskauer Krankenhauses verstarb. Es dauerte dann noch acht Jahre, bis MARBLE sich entschloss, eine geheime Annäherung an die Amerikaner vorzubereiten und sich freiwillig zu melden.

Als er Auslandsspion – »Agent« in der Sprache der Nachrichtendienste – wurde, hatte MARBLE leise und außerordentlich höflich mit seinen CIA-Führungsoffizieren kommuniziert und sich selbstkritisch dafür entschuldigt, nur dürftige Informationen zu liefern. Langley war verblüfft. Denn MARBLE lieferte ungeheuer wertvolle Informationen über Operationen des KGB und des SWR, über Unterwanderungen ausländischer Regierungen sowie gelegentlich, wenn ihm das möglich war, über die Kronjuwelen: die Namen von Amerikanern, die für Russland Spionage betrieben. MARBLE war ein ungewöhnlicher, unschätzbarer Agent.

22:18. Nate bog um die Ecke und ging die schmale Straße hinunter. Auf beiden Seiten Wohnblocks. Ein holpriger Gehsteig, gesäumt von kahlen und schneebedeckten Bäumen. Am Ende der Straße, als Silhouette im Licht der dahinterliegenden Straßenkreuzung sich abzeichnend, bog eine vertraute Gestalt um die Ecke und steuerte in seine Richtung. Der alte Mann war ein Profi: Er hatte das Vier-Minuten-Zeitfenster exakt abgepasst.

Die Müdigkeit fiel von Nate ab, und er merkte, wie er innerlich auf Touren kam. Während MARBLE näher kam, suchte Nate die leere Straße nach Auffälligkeiten ab. *Keine Autos. Sieh hoch. Keine offenen Fenster, die Wohnungen dunkel. Blick zurück. Querstraßen ruhig. Such die Schatten ab. Kein Straßenkehrer, kein herumlungernder Obdachloser.* Ein Fehler – trotz des stundenlangen Abgehens der Überwachungs-

route, der schwierigen Manöver, des Wartens und des Be-
obachtens im Schnee und in der Kälte –, ein einziger Fehler
hätte unausweichlich zu einem Ergebnis geführt: zum Tod
von MARBLE. Was für Nate nicht bedeutete, dass er eine Informationsquelle verlor oder eine diplomatische Krise aus-
löste, sondern dass dieser Mann starb. Aber Nate hatte nicht
vor, das zuzulassen.

MARBLE schlenderte ohne Eile weiter. Bisher hatte es
zwei Treffen gegeben. MARBLE war einer Reihe von CIA-
Führungsoffizieren zugeteilt worden und hatte allen etwas
beigebracht. Manche waren versiert gewesen. Bei einigen
hatte MARBLE eine unausrottbare Dummheit vermutet.
Und ein, zwei hatten eine beängstigende *langueur* gezeigt,
ein potenziell tödliches Desinteresse an Professionalität.
Nate war anders, interessant. Er hatte etwas, eine Schärfe,
eine Konzentration, eine Aggressivität, wenn es darum ging,
etwas richtig hinzubekommen. Ein wenig unerfahren – ein
wenig verbissen, dachte MARBLE –, aber nur wenige besaßen
diese Leidenschaft, und das gefiel MARBLE.

In MARBLEs Augen spiegelte sich Freude, als er den jungen Amerikaner erblickte. Nate war durchschnittlich groß
und schlank, hatte glatte schwarze Haare, eine gerade Nase
und braune Augen. Im Näherkommen sah er sich weiter um,
blickte dem älteren MARBLE über die Schulter, eher aufmerksam als nervös.

»Good evening, Nathaniel.« Leichter britischer Akzent,
seit dem Einsatz in London, abgeschliffen durch die Zeit in
New York. Es war eine bloße Laune, ihn auf Englisch zu begrüßen, denn Nathaniel sprach fast fließend Russisch, aber
er wollte seinem Führungsoffizier nahe sein. MARBLE war
klein und untersetzt, hatte dunkelbraune Augen und eine
kräftige Nase. Die buschigen weißen Augenbrauen passten

zum dichten weißen Haarschopf und verliehen ihm das Aussehen eines eleganten Flaneurs.

Eigentlich sollten sie Decknamen verwenden, aber das war lächerlich. MARBLE hatte Zugang zum Fotoverzeichnis der ausländischen Diplomaten des SWR und wusste natürlich, wie Nate hieß. »Schön, Sie zu sehen. Geht es Ihnen gut?« MARBLE sah Nate forschend ins Gesicht. »Sind Sie müde? Wie viele Stunden sind Sie heute Abend schon im Einsatz?« Höfliche Fragen zwar, aber er wollte eine ehrliche Antwort. Nie nahm er etwas als selbstverständlich hin.

»*Dobrij wetscher, djadja*«, antwortete Nate. Inzwischen verwendete er das vertraute »Onkel«; teils war das übliche Spionagepraxis, um Hochachtung zu zeigen, aber es drückte auch echte Zuneigung aus. Er sah auf die Uhr. »Zwölf Stunden. Die Straße scheint verlassen.« Jargon, den beide verstanden. Außerdem wusste Nate, dass MARBLE wissen wollte, wie gründlich er seine Route abgegangen war.

MARBLE gab keine Antwort. Seite an Seite gingen sie in den Schatten, den die Bäume entlang des Bürgersteigs warfen. Die Luft war frostig, kein Windhauch regte sich. Ungefähr sieben Minuten hatten sie Zeit.

Nate überließ MARBLE weitgehend das Gespräch und hörte genau zu. Der ältere Mann sprach schnell, aber ohne Hast, es ging um Klatsch und Intrigen in MARBLEs Nachrichtendienst, wer oben, wer unten war. Die Zusammenfassung einer neuen Operation, einer erfolgreichen Anwerbung des SWR im Ausland. Die Details würden sich auf der CD befinden. Es war ebenso sehr ein Gespräch zwischen zwei Menschen wie eine Einsatzbesprechung. Der Klang ihrer Stimmen, der Blickkontakt, MARBLEs leises Lachen. Darum ging es.

Während sie gingen, widerstanden sie dem natürlichen

Impuls, sich wie Vater und Sohn unterzuhaken. Es durfte zu keinem Körperkontakt kommen, eine schmerzliche Notwendigkeit, aus Angst vor der Kontaminierung mit *metka*, »Spionenstaub«. MARBLE persönlich hatte Bericht erstattet über das Geheimprogramm, mutmaßliche CIA-Offiziere in der US-Botschaft in Moskau zu bestäuben. Die chemische Verbindung Nitrophenylpentadienal, NPPD, war gelb, hefeartig, pudrig. Pockennarbige russische Techniker drückten die Gummiballons, dann wurde es auf Kleidung, Bodenmatten, Lenkräder verteilt. NPPD war so designt worden, dass es sich ähnlich wie klebrige Blütenpollen ausbreitete, von einem Handschlag zu einem Blatt Papier oder einem Jackettrevers. Auf unsichtbare Weise sollte der chemische Stoff alles markieren, was ein amerikanischer CIA-Mann berührte. Warst du also ein russischer Staatsbeamter, der unter Verdacht stand, und deine Hände, Kleidung oder Schreibunterlage fluoreszierten, weil sich NPPD darauf befand, dann warst du enttarnt. MARBLE hatte Langley in höchste Alarmbereitschaft versetzt, als er berichtete, verschiedene Chargen *metka* seien mit markierenden Elementen versehen, mit denen man zudem den amerikanischen Träger identifizieren konnte.

Während sie gingen und sich unterhielten, griff Nate in seine Hosentasche und zog einen versiegelten Plastikbeutel hervor. Ersatzakkus für MARBLEs Undercover-Kommunikationsausrüstung: drei stahlgraue Zigarettenpackungen, außergewöhnlich schwer. Um in der Zeit zwischen den persönlichen Treffen Kontakt zu halten, kommunizierten sie verschlüsselt. Aber der Ertrag dieser – tödlich riskanten – kurzen Treffen war ungleich größer. Denn bei ihnen übergab MARBLE enorme Mengen an Geheimdienstnachrichten auf CD oder Festplatte, darüber hinaus wurden Ausrüstung und

Rubelvorräte aufgefüllt. Zudem boten sie die Gelegenheit, ein paar Worte zu wechseln, die Möglichkeit, die verschworene Partnerschaft zu erneuern.

Behutsam öffnete Nate den Plastikbeutel und hielt ihn MARBLE hin. MARBLE griff hinein und zog die Akkus hervor, die in einem sterilen Labor in Virginia verpackt worden waren. Dann ließ er zwei CDs in den Beutel fallen. »Es müssten sich schätzungsweise fünf Aktenmeter darauf befinden. Mit den besten Empfehlungen.«

Der alte Spion rechnete also noch immer in Aktenmetern, obwohl er digitale Geheimnisse stahl. »Vielen Dank. Haben Sie die Zusammenfassung beigefügt?« Die Computerexperten hatten Nate bekniet, MARBLE daran zu erinnern, eine Zusammenfassung beizufügen, damit sie wussten, was sie von den unbearbeiteten Berichten zuerst übersetzen und bearbeiten mussten.

»Ja, diesmal habe ich daran gedacht. Auf der zweiten CD habe ich außerdem ein neues Mitarbeiterverzeichnis beigefügt. Ein paar Änderungen, nichts allzu Aufregendes. Und Termine für meine geplanten Auslandsreisen im kommenden Jahr. Ich bin noch dabei, mir Gründe für nachrichtendienstliche Operationen auszudenken, die Details habe ich beigefügt.« Mit einem Nicken zeigte MARBLE auf den Beutel.

»Ich freue mich darauf, Sie außerhalb von Moskau zu treffen«, sagte Nate. »Den Ort können Sie bestimmen.« Ihre Zeit lief ab. Sie hatten bereits das Ende der Straße erreicht, waren umgekehrt und gingen jetzt langsam wieder zurück.

Nachdenklich sagte MARBLE: »Wissen Sie, ich habe über meine Karriere nachgedacht, über mein Verhältnis zu meinen amerikanischen Freunden, über das Leben, das vor mir liegt. Wahrscheinlich habe ich noch einige Jahre bis zur

Pensionierung. Intrigen, das Alter, ein unvorstellbarer Fehler. Vielleicht drei oder vier Jahre, vielleicht zwei. Manchmal denke ich, es wäre schön, den Ruhestand in New York zu verbringen. Was halten Sie davon, Nathaniel?« Nate hielt inne und drehte sich halb zu ihm um. Was war das? Die Straßengeräusche schwanden. Steckte sein Informant in Schwierigkeiten? MARBLE hob die Hand, als wollte er sie Nate auf den Arm legen, hielt aber plötzlich inne. »Keine Sorge, bitte. Ich denke bloß laut.« Nate blickte MARBLE von der Seite an: Er wirkte zuversichtlich, gelassen. Für einen Agenten war es ganz natürlich, über die Pensionierung nachzudenken, vom Ende der Gefahr und des Doppellebens zu träumen, nicht mehr auf das Klopfen an der Tür zu lauschen. Am Ende macht das Agentenleben müde, und das führt zu Fehlern. Lag da Erschöpfung in MARBLEs Stimme? Morgen musste Nate in seinem Einsatzbericht präzise auf die Nuancen des Gesprächs eingehen. Steckte ein Agent in Schwierigkeiten, fiel das unweigerlich auf den Führungsoffizier zurück, Probleme, die er nicht brauchte.

»Läuft irgendetwas schief, gibt es ein Sicherheitsproblem?«, fragte Nate. »Sie wissen, Ihr Bankkonto wartet auf Sie. Sie können sich zur Ruhe setzen, wo immer Sie wollen. Wir unterstützen Sie auf jede erdenkliche Weise.«

»Nein, mir geht es gut. Wir haben noch Arbeit zu erledigen. Danach können wir uns ausruhen.«

»Es ist eine Ehre, mit Ihnen zusammenzuarbeiten«, sagte Nate – und meinte es auch so. »Ihr Beitrag ist kaum zu überschätzen.« MARBLE blickte auf den Gehsteig, während sie die nachtschwarze Straße entlanggingen. Ihr Treffen hatte jetzt bereits sechs Minuten gedauert. Es war Zeit, zu gehen.

»Benötigen Sie irgendetwas?«, fragte Nate. Er schloss die

Augen und konzentrierte sich. Akkus überreicht, CDs erhalten, Zusammenfassung beigefügt, Terminplan für die Auslandsreisen. Es blieb nur noch eins zu tun: den Termin für das nächste Treffen in drei Monaten festzulegen. »Wollen wir uns in einem Vierteljahr wieder treffen? Das wird mitten im Winter sein, im Dezember. Am neuen Ort, EAGLE, nahe beim Fluss?«

»Ja, natürlich«, sagte MARBLE. »*Orel*. Die Bestätigung schicke ich Ihnen in einer Nachricht in der Woche davor.« Sie näherten sich jetzt wieder dem Ende der Straße, langsam gingen sie in Richtung der helleren Straßenlampen auf der Kreuzung. Ein Neonschild markierte den Eingang zu einer Metro-Station. Plötzlich erfasste Nate ein Gefühl der Angst.

Ein zerbeulter Lada fuhr langsam über die Kreuzung, zwei Männer auf den Vordersitzen. Nate und MARBLE drückten sich gegen die Mauer eines Gebäudes, vollkommen im Schatten. Auch MARBLE hatte das Auto gesehen. Ein weiterer Wagen, ein neuerer Opel, fuhr in der Gegenrichtung über die Kreuzung. Die beiden Männer im Opel blickten in die andere Richtung. Als Nate nach hinten schaute, sah er einen dritten Wagen, der langsam um die Ecke bog. Er fuhr lediglich mit Standlicht.

»Das ist eine routinemäßige Suchaktion«, zischte MARBLE. »Sie haben doch nicht ein Fahrzeug in der Nähe geparkt, oder?«

Nate schüttelte den Kopf. Nein, nein, verdammt noch mal. Sein Herz klopfte laut. Die Sache würde knapp werden. Für einen Moment sah er MARBLE an, dann gingen sie einträchtig weiter. Nate vergaß den »Spionenstaub«, vergaß alles andere und half MARBLE, seinen dunklen Mantel auszuziehen und zu wenden. So wurde daraus ein heller, ganz anders geschnittener Mantel, fleckig und ausgefranst an den

Ärmeln und am Saum. Nate half MARBLE beim Anlegen des Mantels. Dann griff er in eine Innentasche, zog eine mottenzerfressene Pelzmütze – Teil seiner eigenen Tarnung – hervor und setzte sie MARBLE auf den Kopf. Aus einer Vordertasche des Mantels zog MARBLE eine Brille mit dickem Gestell, dessen einer Steg mit weißem Klebeband umwickelt war, und setzte sie auf. Nate griff in die andere Tasche und holte einen kurzen Stab heraus, den er leicht nach unten schlug. Ein elastisches Band im Innern des Stabs ließ die drei Teile ineinanderschnappen, sodass ein Gehstock daraus wurde, den er MARBLE in die Hand drückte.

Der Moskauer mittleren Alters war verschwunden, ersetzt in acht Sekunden durch einen klapprigen Rentner, der einen billigen Mantel trug und am Stock ging. Sanft stieß Nate MARBLE Richtung Kreuzung und Metro-Station. Das verstieß zwar gegen alle Regeln, denn es war gefährlich, die Metro zu benutzen, sich in diese unterirdische Falle locken zu lassen, aber wenn MARBLE ungesehen verschwinden konnte, war es das Risiko wert. Seine Verkleidung müsste ausreichen, um die zahlreichen Überwachungskameras auf den Bahnsteigen zu überlisten.

»Ich locke die von hier weg«, sagte Nate, während MARBLE sich vorbeugte und sich anschickte, über die Kreuzung zu schlurfen. Der alte Spion schaute ihn kurz an, ernst, aber ruhig. *Der Mann ist eine Legende*, dachte Nate. Wichtig aber war nur, die Überwachungswagen abzulenken und die Aufmerksamkeit der Insassen auf sich zu ziehen, fort von MARBLE. Allerdings durfte er auf keinen Fall festgenommen werden. Sollte man MARBLEs CDs in seiner Tasche finden, so würde das ebenso sicher MARBLEs Tod bedeuten, wie wenn die Überwachungsteams den alten Mann verhafteten.

Nicht, wenn er das Sagen hatte. In seinem Kopf und seinem Hals setzte ein eisiges Brennen ein. Er schlug den Mantelkragen hoch und überquerte rasch die Straße vor dem Überwachungswagen, der einen halben Häuserblock entfernt langsam in seine Richtung fuhr. Das mussten die Schlägertypen vom Inlandsgeheimdienst FSB sein. Ihr Terrain.

Der 1200-Kubikzentimeter-Motor des Ladas heulte auf, und da sahen sie ihn, im Licht der aufgeblendeten Scheinwerfer, das von der weiß glitzernden Straße reflektiert wurde. Nate lief bis zum nächsten Häuserblock und versteckte sich in einem Kellereingang, der nach Urin und Wodka stank. Hinter sich hörte er das Quietschen von Autoreifen. *Warte, warte, jetzt.* Er spurtete durch Gassen, schlich über eine Fußgängerüberführung, rannte die Treppen hinunter zum Fluss. *Nutze Straßenabsperrungen, überquere Eisenbahngleise, ändere die Richtung, sobald du außer Sicht bist, führ sie in die Irre, durchbrich ihre Postenkette.* Zeitcheck: fast zwei Stunden.

Er zitterte vor Erschöpfung. Er rannte, dann ging er, dann hockte er sich hinter geparkte Autos. Ringsumher hörte er Motorengeräusche. Die Verfolger versammelten sich, schwärmten aus, versammelten sich wieder; sie wollten so nahe herankommen, dass sie sein Gesicht sehen, so nahe, dass sie ihn mit dem Kopf nach unten auf die Straße werfen und in seine Taschen greifen konnten. Er vernahm das Rauschen ihrer Funkgeräte, hörte, wie sie hineinschrien, immer verzweifelter.

Sein erster Ausbilder im Fach Überwachung hatte gesagt: *Sie müssen ein Gefühl für die Straße bekommen, Mr Nash, wobei es keine Rolle spielt, ob es sich um die Wisconsin Avenue oder die Twerskaja handelt.* Und jetzt hatte Nate ein beschissenes Gefühl. Es waren ziemlich viele Verfolger, auch wenn sie nicht genau wussten, wo er sich befand. Autoreifen quietschten auf dem nassen Kopfsteinpflaster, seine Verfolger rasten hin und her. Wobei die gute Nachricht lautete, dass sie noch nicht so nahe dran waren, dass sie noch mehr Kräfte zusammenzogen, und die schlechte, dass die Zeit für sie arbeitete. Doch zum Glück waren sie hinter ihm her, was bedeutete, dass sie sich nicht auf MARBLE konzentriert hatten. Nate betete, dass sie den alten Mann verpasst hatten, als er in die Metro-Station humpelte, und dass die Überwachungsaktion nicht von Anfang an ihm gegolten hatte, denn das hätte bedeutet, dass jetzt ein zweites Team MARBLE auf den Fersen war. Aber sie würden seinen Agenten, *seinen Agenten*, nicht kriegen, und auch nicht das Paket mit MARBLEs CDs, das, explosiv wie Nitroglyzerin, in seiner Tasche steckte. Das Quietschen der Reifen verhallte, dann völlige Stille auf den Straßen.

Zeitcheck: etwas über zwei Stunden. Die Beine und der Rücken taten ihm weh, und sein Gesichtsfeld verschwamm an den Rändern. Er ging eine schmale Gasse entlang, wobei er sich im Schatten der Mauern hielt und hoffte, dass sie aufgegeben hatten. Er stellte sich vor, wie ihre zerbeulten Autos wieder in der Garage standen, das heiße Blech knisternd, Schneematsch von der Karosserie tropfend, während der Teamführer seine Leute im Bereitschaftsraum anschrie. Seit einigen Minuten hatte Nate keinen Wagen mehr gesehen, weshalb er glaubte, das Suchgebiet verlassen zu haben und entkommen zu sein. Es schneite wieder.

Direkt vor ihm kam ein Fahrzeug quietschend zum Stehen, wendete und bog in die Gasse. Die Scheinwerfer leuchteten auf den Schnee. Um keine deutliche Silhouette zu bieten, drehte Nate sich zu der Mauer um – aber sie mussten ihn gesehen haben. Die Scheinwerfer strichen über ihn hinweg. Der Wagen beschleunigte und fuhr direkt auf Nate zu. Fasziniert und ungläubig verfolgte er, wie der Wagen immer weiter auf ihn zusteuerte. Die Beifahrertür befand sich eine Handbreit von der Mauer entfernt, die beiden nervösen Insassen blickten nach vorn, die Scheibenwischer liefen auf vollen Touren. Diese FSB-Typen, sahen die ihn nicht? Dann wurde ihm klar, dass sie ihn durchaus sahen, aber sie wollten ihn plattmachen, an der Mauer zerquetschen. *Es ist ein ungeschriebenes Gesetz, dass Überwachungsteams, die einen ausländischen Diplomaten beschatten, einer Zielperson niemals, niemals Gewalt antun*, hatte sein Ausbilder gesagt. Aber was zum Henker machten die Kerle da? Er schaute nach hinten und sah, dass der Eingang zur Gasse zu weit entfernt war.

*Bekommen Sie ein Gefühl für die Straße, Mr Nash.* Oder, wie jetzt, für die gusseiserne Regenrinne des Gebäudes … sie befand sich knapp einen halben Meter entfernt, die rostigen Metallbügel waren ins Mauerwerk gebohrt. Während der Wagen sich mit hoher Geschwindigkeit näherte, sprang Nate hoch und packte die Regenrinne, wobei er die Metallbefestigungen nutzte, um höherzuklettern. Gleichzeitig prallte der Wagen gegen die Mauer, sodass die Regenrinne brach. Das Wagendach befand sich unmittelbar unter Nates angewinkelten Beinen. Unter lauten Knirschgeräuschen kratzte der Wagen die Mauer entlang und kam zum Stehen. Die hatten den Motor abgewürgt; Nate verlor den Halt und stürzte aufs Wagendach, dann aufs Pflaster. Die Fahrertür öffnete sich, ein großer, stämmiger Mann mit Pelzmütze stieg aus – aber niemals, niemals taten sie einer Zielperson Gewalt an … Mit der Schulter stieß Nate die Tür zurück, gegen Kopf und Hals des Schlägertypen, hörte einen Schrei, sah ein schmerzverzerrtes Gesicht. Noch zweimal, kurz hintereinander, hieb Nate die Tür gegen den Kopf des Mannes, dann sackte der Mann zurück in den Wagen. Wegen der Mauer ließ die Beifahrertür sich nicht weit genug öffnen, und da sah Nate, wie der andere Schläger über den Vordersitz klettern wollte, um zur hinteren Tür zu gelangen. Höchste Zeit, zu verschwinden. Nate spurtete die Gasse hinunter ins Dunkle und verschwand um die Ecke.

Drei Haustüren weiter sah er eine schmuddelige Suppenküche, sie hatte noch zu dieser späten Stunde geöffnet, ihr Licht fiel auf den verschneiten Gehsteig. Nate hörte, wie der Wagen in der Gasse mit aufheulendem Motor zurücksetzte. Schnell betrat er das winzige, leere Restaurant und schloss die Tür. Ein einzelner Raum, am einen Ende ein Servicetresen, dazu ein paar abgewetzte Tische und Bänke, eine fleckige Tapete und schmutzige Spitzengardinen vor den Fenstern. Hinter dem Tresen saß eine alte Frau mit nur noch zwei Zähnen im Mund. Sie hörte sich eine Sendung im krächzenden Radio an und las dabei Zeitung. Hinter ihr köchelte auf zwei Elektroherdplatten eine Suppe. Das Aroma gekochter Zwiebeln erfüllte den Raum.

Nate bemühte sich, das Zittern seiner Hände zu unterdrücken, ging zum Tresen und bestellte auf Russisch einen Teller Rote-Bete-Suppe. Die Frau blickte ihn erstaunt an. Er setzte sich mit dem Rücken zum Fenster mit der Gardine und lauschte. Ein Auto raste vorbei, dann noch eines, dann nichts. Im Radio erzählte ein Komiker einen Witz:

*Chruschtschow besucht eine Schweinefarm und wird dort fotografiert. Im Redaktionsbüro der Dorfzeitung findet eine hitzige Diskussion über die Bildunterschrift statt. »Genosse Chruschtschow unter Schweinen«? – »Genosse Chruschtschow und Schweine«? – »Schweine rings um Genosse Chruschtschow«? – Keine Bildunterschrift taugt etwas. Schließlich trifft der Chefredakteur eine Entscheidung: »Dritter von links – Genosse Chruschtschow.«* Die alte Dame hinterm Tresen lachte.

Seit über zwölf Stunden hatte Nate weder etwas gegessen noch getrunken, deshalb löffelte er die dicke Suppe hastig in sich hinein. Die alte Frau blickte ihn regungslos an, stand auf und ging um den Tresen herum zur Eingangstür. Nate beobachtete sie aus dem Augenwinkel. Als sie die Tür öffnete, spürte er die kalte Zugluft. Die alte Frau schaute hinaus auf die Straße, den Häuserblock hoch und runter, dann schlug sie die Tür zu. Sie kehrte zu ihrem Hocker hinter dem Tresen zurück und nahm ihre Zeitung zur Hand. Als Nate seine Suppe mit Brot aufgegessen hatte, ging er zum Tresen und zählte ein paar Kopeken ab. Die Alte sammelte die Münzen ein, wischte sie in eine Schublade und schaute Nate kurz an. »Die Luft ist rein. Gehen Sie mit Gott.« Nate wich ihrem Blick aus und ging.

Nach einer weiteren Stunde, schweißgebadet und zitternd vor Erschöpfung, taumelte Nate am Wachhäuschen der Militärpolizei vor dem Eingang zum Botschaftsgelände vorbei. Endlich waren MARBLEs CDs in Sicherheit. Es war zwar nicht die bewährte Methode, eine nächtliche Operation zu beenden, aber Nate hatte den Termin für die Abholung durch den Wagen der Station um Stunden verpasst. Sein Betreten des Botschaftsgeländes wurde vermerkt, und binnen einer halben Stunde wussten der FSB und unmittelbar danach der SWR, dass der junge Mr Nash aus der Wirtschaftsabteilung der US-Botschaft den Abend über größtenteils abgetaucht war. Wobei sie glaubten, die Gründe dafür zu kennen.

Butter in einem großen Topf schmelzen; gehackte Zwiebeln hinzufügen und so lange anbraten, bis sie glasig sind; drei geriebene Rote Beten und eine gehackte Tomate hineinrühren. Rinderbrühe, Essig, Zucker, Salz und Pfeffer hinzugeben. Die Suppe soll süß-sauer schmecken. Zum Kochen bringen, dann eine Stunde bei geringer Hitze köcheln lassen. Heiß, mit einem Klacks saurer Sahne und gehacktem Dill servieren.

# 2

Am nächsten Morgen herrschte am anderen Ende von Moskau in zwei getrennten Büros eine unangenehme Atmosphäre. In der Zentrale des SWR in Jassenewo las der Erste Stellvertretende Direktor Iwan (Wanja) Dimitrewitsch Egorow die Observationsberichte des FSB vom Vorabend. Fahles Sonnenlicht fiel durch die gewaltigen Panzerglasfenster mit Blick auf den dunklen Kiefernwald, der das Gebäude umgab. Vor seinem Schreibtisch stand Alexej Sjuganow, Egorows kleinwüchsiger Leiter der Abteilung Gegenspionage. Sjuganows enge Freunde, vielleicht auch nur seine Mutter, nannten den Giftzwerg »Aljoscha«, doch heute Morgen nannte ihn keiner so.

Wanja Egorow war fünfundsechzig Jahre alt, bekleidete den Rang eines Generalmajors und hatte ein hohes Dienstalter. Er hatte einen großen Kopf mit grauen Haarbüscheln, aber ansonsten war er kahl. Die weit auseinanderstehenden braunen Augen, die fleischigen Lippen, die breiten Schultern, der mächtige Bauch und die großen, muskulösen Hände verliehen ihm das Aussehen eines Gewichthebers. Er trug einen fabelhaft sitzenden dunklen Winteranzug von Augusto Caraceni, Mailand, dazu eine schlichte dunkle Krawatte. Die Schuhe, glänzend schwarz, stammten von Edward Green, London, und waren im Diplomatengepäck ins Land gekommen.

In den ersten Berufsjahren war Egorow ein durchschnittlicher KGB-Offizier gewesen. Mehrere langweilige Einsätze in Asien überzeugten ihn davon, dass das Leben an der Front ihm nicht zusagte. Kaum zurück in Moskau, zeigte er herausragende Leistungen auf dem konfliktreichen Gebiet der Organisation. Er meisterte eine ganze Reihe interner Aufgaben von hohem öffentlichen Interesse, erst in Planungsstäben, dann in der Verwaltung und schließlich auf dem neu geschaffenen Posten des Generalinspekteurs. 1991 spielte er eine aktive und prominente Rolle bei der Umformierung des KGB zum SWR, schlug sich beim fehlgeschlagenen KGB-Putsch Krjutschkows gegen Gorbatschow 1992 auf die richtige Seite und fiel 1999 dem phlegmatischen Ersten Stellvertretenden Ministerpräsidenten Wladimir Wladimirowitsch Putin auf, einem blonden Skorpion mit stechend blauen Augen. Im Folgejahr war Jelzin nicht mehr im Amt, Putin zog auf bemerkenswerte, unfassbare Weise in den Kreml ein, und Wanja Egorow wartete auf den Anruf, von dem er wusste, dass er kommen würde.

»Ich möchte, dass Sie sich um die Dinge kümmern«, hatte Putin ihm während eines aufregenden fünfminütigen Gesprächs in dem eleganten Büro im Kreml mitgeteilt, dessen prächtige Holztäfelungen sich auf unheimliche Weise in den Augen des neuen Präsidenten spiegelten. Sie beide wussten, was er meinte, und so kehrte Wanja nach Jassenewo zurück, erst als Dritter Stellvertretender Direktor, dann als Zweiter, bis zum vergangenen Jahr, als er in das Büro des Ersten Stellvertretenden Direktors umzog, das auf dem Flur direkt gegenüber den Räumen des Direktors lag.

Im Vorfeld der Wahlen im vergangenen März waren gewisse Ängste aufgekommen, und die gottverdammten Journalisten und Oppositionsparteien hatten so entfesselt die Stimmung angeheizt wie noch nie. Der SWR hatte sich um einige

Dissidenten gekümmert, diskret in Wahllokalen operiert und über ausgewählte Parlamentarier der Opposition Bericht erstattet. Um Stimmen abzuschöpfen und die Wählerschaft zu spalten, wurde ein kooperativer Oligarch angewiesen, eine Splitterpartei zu gründen.

Dann hatte Wanja alles auf eine Karte gesetzt. Er hatte Putin persönlich vorgeschlagen, der Einmischung des Westens – vor allem der USA – die Schuld an den Demonstrationen im Vorfeld der Wahlen zu geben. Dem Kandidaten gefiel der Vorschlag, und er zuckte mit keiner Wimper, während er über die Rückkehr Russlands auf die Weltbühne nachsann. Und er hatte Wanja auf die Schulter geklopft. Vielleicht, weil ihre Karrieren einander so sehr ähnelten, vielleicht, weil sie beide als Geheimdienstoffiziere während ihrer kurzen Auslandsmissionen so wenig zustande gebracht hatten, vielleicht hatte ein Spion auch nur den anderen *nashnik* erkannt. Warum auch immer, Putin mochte ihn, und da wusste Wanja Egorow, dass er belohnt werden würde. Er war fast ganz oben angekommen. Und hatte die Zeit – und die Macht –, weiterhin aufzusteigen. Und genau das wollte er.

Doch der Arbeiter einer Schlangenfarm wird unweigerlich gebissen, es sei denn, er lässt große Umsicht walten. Der Kreml von heute, das bedeutete Anzüge und Krawatten, Pressesprecher, freundliche Gipfeltreffen. Doch jeder, der eine gewisse Zeit dabei war, wusste, dass sich seit Stalins Zeiten im Grunde nichts verändert hatte. Freundschaft? Loyalität? Unterstützung? Ein Fehltritt, ein operativer oder diplomatischer Fehler oder, am schlimmsten von allem, die Blamage des Präsidenten, das beschwor den *burja*, den Sturm, herauf, vor dem es kein Entrinnen gab. Wanja schüttelte den Kopf. *Tschert wosmi*. Scheiße. Diese Nash-Episode war genau das, was er nicht brauchte.

»Hätte die Überwachung schlechter laufen können?«, tobte Egorow, der im Allgemeinen vor seinen Untergebenen zu milder Theatralik neigte. »Es ist doch offensichtlich, dass sich dieses kleine Arschloch Nash gestern Abend mit einem Informanten getroffen hat. Wie konnte es da passieren, dass er mehr als zwölf Stunden vom Radar verschwand? Und was hatte die Überwachung überhaupt in dem Stadtteil zu schaffen?«

»Anscheinend hat das Team nach Tschetschenen gesucht, die Drogengeschäfte abwickeln. Aber man weiß ja nie, was der FSB heutzutage so treibt«, sagte Sjuganow. »Das Viertel da unten ist eine Drecksgegend.«

»Und dieser Autounfall in der Gasse? Was war da los?«

»Das ist nicht klar. Die behaupten, das Team habe geglaubt, einen Tschetschenen in die Enge getrieben zu haben, den es für bewaffnet hielt. Ich habe da meine Zweifel. Möglicherweise war das Team bei der Verfolgung übermotiviert.«

»*Kolchosniki*. Bauern hätten das besser hinbekommen. Ich sorge dafür, dass der Direktor die Angelegenheit am kommenden Montag gegenüber dem Präsidenten zur Sprache bringt. Wir können nicht zulassen, dass ausländischen Diplomaten auf unseren Straßen irgendetwas zustößt, und zwar auch dann nicht, wenn sie sich mit russischen Verrätern treffen«, sagte Egorow abfällig. »Wenn so etwas noch einmal passiert, fängt das FBI an, unsere Agenten in Georgetown auf offener Straße auszurauben.«

»Ich werde auch das weiterleiten, auf meiner Ebene, General. Die Überwachungsteams werden die Botschaft schon richtig verstehen, vor allem – wenn ich einen Vorschlag machen darf –, wenn man eine gewisse Zeit in der *katorga* organisieren könnte.«

Egorow schaute seinen Gegenspionagechef ausdruckslos

an und sah, dass der das Wort für Gulag aus der Zarenzeit mit rotlippigem Genuss aussprach. Grundgütiger. Alexej Sjuganow war klein, ein dunkler Typ mit Bratpfannengesicht und großen Ohren. Die zeltstangenartigen Zähne und das ständige Grinsen vervollständigten den Lubjanka-Look. Aber egal: Sjuganow war gründlich, ein bösartiger und nützlicher Lakai.

»Wir können den FSB nicht kritisieren, aber ich sage Ihnen: Dieser Amerikaner ist jemand Wichtiges. Und diese Vollidioten haben ihn nur knapp verfehlt, da bin ich sicher.« Egorow knallte den Bericht auf den Schreibtisch. »Also, Sie können sich sicherlich denken, wie Ihre Aufgabe von jetzt an aussehen wird.« Er hielt inne. »Finden. Sie. Heraus. Wer. Es. Ist.« Egorow unterstrich jedes Wort, indem er mit dem dicken Mittelfinger auf den Schreibtisch klopfte. »Bringen Sie mir den Kopf dieses Verräters in einem Weidenkorb.«

»Ich werde mich umgehend um die Angelegenheit kümmern.« Sjuganow wusste sehr wohl, dass sie ohne weitere Informationen, ohne spezielle Hinweise vonseiten eines Maulwurfs innerhalb der CIA oder einen Zugriff auf der Straße lange darauf warten konnten. Aber bis es so weit war, konnte er ja pro forma ein paar Ermittlungen starten, eine Befragung durchführen.

Noch einmal blickte Egorow auf den Überwachungsbericht. Ein nutzloser Packen Papier. Die einzige gesicherte Tatsache war die Identifizierung dieses Nathaniel Nash am Tor der Botschaft. Keine Sichtung, keine Beschreibung von irgendjemandem sonst. Der Fahrer in einem der Überwachungswagen (ein Foto, das ihn mit einem Heftpflaster über dem linken Auge zeigte, war dem Bericht beigefügt, wie zur Rechtfertigung des Zwischenfalls in der Gasse) hatte Nash zweifelsfrei identifiziert, wie auch der Militärpolizist am Eingang zum Gelände der US-Botschaft.

*Das kann gut oder schlecht ausgehen*, dachte Egorow. Entweder entwickelte sich daraus ein sensationeller Spionagefall, dessen Lösung er sich auf die Fahne schreiben konnte, wohingegen die Amerikaner gedemütigt würden, oder ein peinliches Debakel, das dem Kreml und Egorows testosterongesteuertem Förderer missfiel, was zum jähen Ende von Egorows Karriere führen würde. Je nachdem, wie erzürnt der Präsident wäre, könnte es auch eine Pritsche neben diesem ruinierten Oligarchen Chodorkowski in der Strafkolonie Nummer 7 im karelischen Segescha bedeuten.

Nachdem er missmutig über die Chancen, aber auch die möglichen politischen Konsequenzen nachgedacht hatte, hatte sich Egorow am Vormittag die *liternoje delo*, die Akte, von Nate kommen lassen und darin gelesen: *Jung, aktiv, diszipliniert, gutes Russisch. Zurückhaltend, was Frauen und Alkohol betrifft. Keine Drogen. Fleißig auf seinem Tarnposten in der Wirtschaftsabteilung der Botschaft. Effizient im Außeneinsatz, posaunt seine nachrichtendienstlichen Vorhaben nicht heraus.* Egorow brummelte vor sich hin. *Molokosos.* Jungspund. Er sah zu seinem Gegenspionagechef hoch.

Sjuganow fuhr seine Antennen aus – und merkte, dass er mehr Enthusiasmus zeigen musste. Vizedirektor Egorow mochte kein Außenagent sein, aber er war eine gefürchtete Spezies im Zoo des SWR, ein Apparatschik mit politischem Ehrgeiz.

»Herr Vizedirektor, das Entscheidende, um den Dreckskerl zu finden, der unsere Geheimnisse verkauft, ist, sich auf diesen jungen Yankee-*geroj*, diesen Helden, zu konzentrieren. Setzen Sie drei Teams auf ihn an. Machen Sie ihm Feuer unterm Hintern. Rund um die Uhr. Fordern Sie den FSB auf – besser: bitten Sie ihn –, die Überwachungsmaßnahmen zu intensivieren, die sollen um ihn herumgeistern, dann stellen wir unsere Teams an den Rändern auf. Geben Sie ihm ein Gesicht – und enttarnen Sie ihn dann. Schauen Sie, ob er Treffpunkte wiederholt nutzt. In drei bis sechs Monaten wird es wieder zu einem Treffen kommen, das steht fest.«

Das mit dem Feuer unterm Hintern gefiel Egorow, den Ausdruck würde er später am Tag im Gespräch mit dem Direktor wiederholen.

»Also gut, legen Sie los, informieren Sie mich über Ihre Pläne, damit ich den Direktor über unsere Strategie unterrichten kann«, sagte Egorow und entließ den Chef der Gegenspionage mit knapper Handbewegung.

*Den Direktor über* unsere *Strategie unterrichten*, dachte Sjuganow nur, als er das Büro verließ.

━━

Das Gelände der US-Botschaft in Moskau liegt nordöstlich von Jassenewo, im Stadtteil Presnenski nahe dem Kreml und einer großen Schleife der Moskwa. Später am selben Nachmittag kam es zu einer weiteren unangenehmen Unterredung, und zwar im Büro von Gordon Gondorf, dem Stationsleiter der CIA. So wie der russische Leiter der Abteilung für Gegenspionage stand auch Nate vor einem Schreibtisch. Nach den Ereignissen vom Vortag hatte Nate noch immer heftige Schmerzen im Knie.

Im Gegensatz zur fülligen Erscheinung Egorows wirkte Gondorf, der von kleiner Statur war und verkniffene Gesichtszüge hatte, wie ein ausgezehrter Windhund. Gondorf war nur einen Meter fünfundsechzig groß und hatte schütteres Haar, eng stehende Schweinsäuglein und kleine Füße. Was ihm an Größe fehlte, machte er durch reichlich Gehässigkeit wett. Er vertraute niemandem, wobei ihm entging, dass auch er niemandem Vertrauen einflößte. Gondorf

(»Gondepp« hinter seinem Rücken) war der Bewohner einer heimlichen Hölle, die nur einem bestimmten Typus von leitendem Nachrichtenoffizier bekannt ist: Er war seiner Sache nicht gewachsen.

»Ich habe Ihren Bericht über Ihre Operation gestern Abend gelesen«, sagte Gondorf. »Auf Grundlage dessen, was Sie geschrieben haben, nehme ich an, dass Sie das Ergebnis für zufriedenstellend halten.« Gondorfs Stimme klang ausdruckslos. Er hatte langsam, zögernd gesprochen. Nate rutschte das Herz in die Hose. Es drohte eine Konfrontation. *Steh deinen Mann.*

»Wenn Sie damit fragen wollen, ob ich glaube, dass der Agent sich in Sicherheit befindet, dann lautet meine Antwort: ja.« Zwar ahnte er, worauf Gondorf hinauswollte, überließ es aber ihm, es auszusprechen.

»Sie haben es fast hinbekommen, dass der ergiebigste und wichtigste Informant unseres Dienstes gestern Abend verhaftet worden wäre. Um Himmels willen, die Überwachung hat Ihr Treffen auffliegen lassen!«

Nate unterdrückte seine aufsteigende Wut. »Ich habe gestern eine zwölfstündige Überwachungserkennung durchgeführt. Und zwar exakt auf der Route, die Sie abgesegnet hatten. Ich habe die Lage geprüft. Ich wurde nicht beschattet, als ich am Treffpunkt eintraf. Das Gleiche gilt für MARBLE.«

»Wie erklären Sie sich dann die Überwachung? Sie glauben doch wohl nicht, dass es sich um eine zufällige Suchaktion in der Gegend handelte? Sagen Sie mir, dass Sie das nicht denken.« Gondorfs Stimme troff vor Sarkasmus.

»Exakt darum handelte es sich: um eine zufällige Suchaktion. Es ist ausgeschlossen, dass die nach mir gesucht haben. Dieser Scheiß, der da in der Gasse passiert ist, beweist, dass sie mich auf keinen Fall von Anfang an verfolgt haben. Die haben mich zufällig entdeckt – und reagiert. Dabei haben sie sich nicht einmal bemüht, diskret vorzugehen. MARBLE ist unentdeckt davongekommen.« Nate registrierte, dass Gondorf sich für den Versuch, ihn an der Mauer zu zerquetschen, nicht im Geringsten interessierte. Ein anderer Stationschef hätte sich ins Büro des Botschafters begeben, Krach geschlagen und verlangt, dass die Botschaft Protest einlegte.

Gondorf wechselte seine Taktik. »Unsinn. Die ganze Geschichte ist ein Desaster. Wie konnten Sie ihn nur anweisen, in die Metro-Station runterzugehen? Das ist doch eine Mausefalle. Außerdem haben Sie gegen die Regeln verstoßen, als Sie ihm halfen, seinen Mantel umzukrempeln. So was soll er selbst machen. Das wissen Sie doch! Was ist, wenn er Spionenstaub auf dem Mantel hatte?«

»Ich habe die Entscheidung getroffen. Ich hielt es für vorrangig, dass er sein Aussehen verändert und aus der Gegend rauskommt. MARBLE ist ein Profi, er weiß, wie er den Mantel und den Gehstock loswird. Wir können ihm eine Nachricht schicken. Beim nächsten Mal überprüfe ich ihn.« Nate empfand es als Qual, auf diese Weise zu streiten, vor allem mit einem Stationsleiter, der sich auf der Straße nicht auskannte.

»Es wird kein nächstes Mal geben. Jedenfalls nicht mit Ihnen. Sie sind jetzt zu heiß. Die haben Sie gestern Abend ein Dutzend Mal identifiziert, Ihre Tarnung als Angehöriger der Wirtschaftsabteilung ist aufgeflogen, und von nun an wird die halbe Spionageabwehr in Moskau hinter Ihnen her sein.« Gondorf genoss den Moment sichtlich.

»Die haben immer von meinem Posten gewusst. Meine Tarnung ist zu keiner Zeit aufgeflogen, und das wissen Sie auch. Ich kann mich also nach wie vor mit Agenten treffen.«

Nate lehnte sich gegen einen Stuhl. Gondorfs Schreibtisch zierte eine Handgranatenattrappe mit einem hölzernen Sockel. Auf der Plakette darauf stand: BESCHWERDEABTEILUNG. FÜR SCHNELLEREN SERVICE BITTE STIFT ZIEHEN.

»Nein, ich glaube nicht, dass Sie sich noch mit Agenten treffen können. Sie ziehen den Ärger ab jetzt geradezu an«, sagte Gondorf.

»Wenn die so viele Leute auf mich ansetzen, können wir sie zugrunde richten«, argumentierte Nate. »Wenn ich im kommenden halben Jahr in der ganzen Stadt herumfahre, kann ich ihre Kräfte binden. Und je besser meine Tarnung ist, desto leichter können wir sie manipulieren.« *Steh deinen Mann.*

Gondorf war nicht beeindruckt und nicht überzeugt. Dieser junge Agent stellte für ihn persönlich ein zu großes Risiko dar. Für das kommende Jahr, wenn er nach Washington zurückkehrte, hatte Gondorf einen der hohen Posten im Hauptquartier ins Auge gefasst. Es lohnte das Risiko einfach nicht. »Nash, ich werde die Empfehlung aussprechen, dass Ihr Einsatz in Moskau verkürzt wird. Sie sind zu heiß, außerdem wird die Gegenseite nach einem Weg suchen, wie sie Sie aus dem Verkehr ziehen, Ihre Informanten schnappen kann.« Er sah auf. »Keine Angst, ich sorge schon dafür, dass Sie eine gute neue Stelle bekommen.«

Nate war schockiert. Sogar ein Agent auf seinem ersten Posten wusste, dass eine vorzeitige, vom Stationsleiter vorgeschlagene Versetzung – aus welchen Gründen auch immer – eine Karriere von der Spur abbringen konnte. Außerdem war er sicher, dass Gondorf hintenherum erzählen würde, er, Nate, habe die Sache vergeigt. Seine inoffizielle Reputation, seine »Flur-Akte«, würde Schaden nehmen, die Chancen auf Beförderungen und künftige Einsätze wären geringer. Das alte Gefühl, in schwarzem Treibsand zu stehen, kehrte zurück.

Nate kannte die Wahrheit: Gestern Abend hatte er durch schnelles und richtiges Handeln MARBLE gerettet. Er sah hinab in Gondorfs ungerührte Miene. Ihnen beiden war klar, was gerade geschah und warum. Deshalb ergab es Sinn, fand Nate, das Gespräch mit einem Knalleffekt zu beenden. »Gondorf, Sie sind eine feige Memme, die Angst vor der Straße hat. Sie behandeln mich unfair, um sich vor der eigenen Verantwortung zu drücken. Es war mir eine Lehre, in Ihrer Station gedient zu haben.«

Beim Verlassen des Büros stellte Nate fest, dass es wirklich leicht war zu erkennen, mit wem er es hier zu tun hatte: Sein Chef hatte ihm nicht mal eine Standpauke gehalten.

——

Aus der Station hinausgeworfen vor Beendigung des Einsatzes. Das war zwar nicht so schlimm, wie einen Agenten aufgrund eines Mordes durch die Gegenseite zu verlieren, wie staatliche Gelder zu veruntreuen und Berichte zu fälschen, aber trotzdem ein Desaster. Wie sich das auf künftige Anstellungen und Beförderungen auswirken würde, konnte Nate noch nicht sagen; aber die Nachricht würde sich herumsprechen, und zwar unmittelbar nachdem Gondorfs Nachricht im Hauptquartier eingetroffen war. Einige seiner Kommilitonen aus der Ausbildung bekleideten bereits ihren zweiten Auslandsposten und verdienten sich ihre Sporen. Es kursierte das Gerücht, dass einem von ihnen bereits die Stelle als Chef einer kleinen Station angeboten worden war. Durch die zusätzlichen Monate der Schulung für den Einsatz in Moskau war Nate ins Hintertreffen geraten, und jetzt das …

Noch während er sich ermahnte, sich nicht darauf zu versteifen, ärgerte sich Nate. Ihm war stets gesagt worden, dass er mithalten müsse, nicht zurückfallen dürfe, es absolut notwendig sei, Erfolg zu haben. Er war im vornehmen Südstaatenäquivalent eines Wrestler-Käfigs aufgewachsen, wo Generationen von Nashs in der klassizistischen Familienvilla am Hang des Südufers des James groß geworden waren. Nates Großvater und danach sein Vater, Gründer beziehungsweise Seniorpartner von »Nash, Waryng und Royall« in Richmond, hatten in ihren von Grün beschatteten Arbeitszimmern gesessen, hörbar die Luft zwischen den Zähnen eingesogen und die Manschetten unter ihren Jackettärmeln hervorgezogen. Sie hatten zustimmend genickt, als Nates Brüder, der eine mit abenteuerlichen Julius-Caesar-Locken, der andere schwitzend und mit über die Glatze gekämmtem Resthaar, in ihren Anzügen auf dem Teppich rangen, so gerade eben ausreichend Jurakenntnisse erwarben und vollbusige Schönheiten heirateten, die verstummten, sobald ihre Männer das Zimmer betraten, wobei sie mit treuherzigem Augenaufschlag Anerkennung heischten.

Aber was soll denn nun aus unserem kleinen Nate werden?, hatten alle einander gefragt. Nachdem Nate das Studium der russischen Literatur an der Johns Hopkins University absolviert hatte, suchte er Zuflucht in der spirituellen, asketischen Welt von Gogol, Tschechow, Turgenjew, einer Sphäre, die dem mit Backsteinen gepflasterten Richmond verwehrt war. Seine Brüder johlten, und sein Vater hielt es für Zeitverschwendung. Von Nate wurde erwartet, dass er Jura studierte – man hielt ihm in Richmond eine Stelle frei – und anschließend als Juniorpartner in die Kanzlei eintrat. Der Abschluss in Russisch im weit entfernten Middlebury führte deshalb zu Schwierigkeiten und die anschließende Bewerbung bei der CIA zu einer Familienkrise.

»Ich glaube, du wirst das Leben eines Staatsbediensteten nicht als besonders erfüllend empfinden«, hatte sein Vater gesagt. »Und ehrlich gesagt kann ich mir auch nicht vorstellen, dass du in dieser Bürokratie glücklich wirst.« Nates Vater hatte ehemalige Direktoren gekannt. Die Brüder waren da weniger zurückhaltend mit ihrer Kritik. Während eines besonders turbulenten Dinners gründeten sie eine familiäre Wettgemeinschaft, um vorherzusagen, wie lange Nate es bei der CIA aushalten würde. Höchstens drei Jahre, lautete der Tipp.

Nates Bewerbung bei der Central Intelligence Agency hatte weder etwas damit zu tun, dass er den Hosenträgern und Manschettenknöpfen entkommen wollte, noch mit dem bedrückenden Absolutheitsanspruch von Richmond oder der Unvermeidlichkeit der Villa mit Blick auf den Fluss. Sie hatte, streng genommen, auch nichts mit Patriotismus zu tun, auch wenn Nate so heimatverbunden war wie alle. Sondern mit diesem Engegefühl in seiner Brust, das ihn im Alter von zehn Jahren *zwang*, auf dem Gesims der Villa hoch oben im dritten Stock entlangzuspazieren, auf gleicher Höhe mit den Habichten über dem Fluss, um seine Furcht zu überwinden, sich seinen Versagensängsten zu stellen. Hier war er frei von den ständigen Spannungen zwischen ihm und seinem Vater und seinem Großvater und seinen überangepassten Brüdern, die lauthals Regelbefolgung von ihm verlangten, obwohl sie selbst keine praktizierten.

Dieses Engegefühl in der Brust verspürte er auch während der Bewerbungsgespräche bei der CIA – und dazu noch lautes Herzklopfen, als er keck behauptete, wie gut es ihm gefallen würde, mit Menschen zu reden und sich neuen Herausforderungen und unklaren Situationen zu stellen. Doch als das Herzklopfen nachließ und seine Stimme fester wurde, kam Nate die ziemlich erstaunliche Erleuchtung, dass er wirklich gelassen sein und Dinge bewältigen konnte, auf die er keinen Einfluss hatte. Die Arbeit für die CIA war das, was er brauchte.

Richtig mulmig wurde ihm allerdings zumute, als ihm ein CIA-Anwerber eröffnete, es sei unwahrscheinlich, dass seine Bewerbung Erfolg haben würde, und zwar hauptsächlich deshalb, weil er nach seinem Studium noch keine »Lebenserfahrung« gesammelt habe. Ein anderer, optimistischer als der vorangegangene, teilte ihm während eines Bewerbungsgesprächs vertraulich mit, er sei wegen seiner ausgezeichneten Russischkenntnisse ein sehr aussichtsreicher Kandidat. Die CIA benötigte drei Monate für ihre Entscheidung, und in diesem Zeitraum revidierten seine Brüder lautstark die Familienwette und sagten das Datum seiner *Rückkehr* aus der CIA voraus. Nicht weniger lautstark reagierten sie, als der Brief eintraf. Nate war drin.

Dienstantritt, das Unterschreiben zahlloser Formulare, der Besuch von einem Dutzend Kursen, die Monate im Hauptquartier, in Kabuffs und Konferenzräumen mit desinteressierten Ausbildern und die ewig langen PowerPoint-Präsentationen. Dann schließlich die »Farm«. Die Asphaltstraßen, die mitten durch die sandigen Kiefernwälder führten, die mit Linoleumboden ausgelegten Zimmer im Wohnheim und die heruntergekommenen Gemeinschaftsräume, die Unterrichtsräume mit ihren grauen Teppichböden und den nummerierten Stühlen, auf denen die Helden des Vorjahrs gesessen hatten, die Helden von vor vierzig Jahren, gesichtslose Rekruten oder große Spione; manche, die auf Abwege geraten waren, Verräter, und wieder andere, die längst tot waren und nur noch in der Erinnerung derer lebten, die sie gekannt hatten.

Sie planten Geheimtreffen und gingen auf diplomatische

Scheinempfänge, lernten bei lauten, rotgesichtigen Ausbildern, die Uniformen der sowjetischen Armee und Mao-Anzüge trugen. Sie marschierten, nass bis zu den Knien, durch die Kiefernwälder, spähten durch Nachtsichtgeräte und zählten die Schritte, bis sie zum ausgehöhlten Baumstumpf und zu dem mit Jute umwickelten Ziegelstein gelangten, worauf die Eulen im Baumgeäst sie beglückwünschten, weil sie das Geheimdepot gefunden hatten. Während vorgetäuschter Straßensperren wurden sie von als »Grenzwachen« verkleideten Ausbildern unsanft auf die warmen, tickenden Motorhauben ihrer Fahrzeuge gestoßen, man hielt ihnen Stapel von Papieren unter die Nase und verlangte nach Erklärungen. Sie hockten an einsamen Landstraßen in windschiefen Bauernhäusern, tranken Wodka und überredeten plappernde Rollenspieler, Verrat zu begehen. Hinter den Kiefern wurde der schieferschwarze Fluss von den Krallen der Fischadler gefurcht, die in der Abenddämmerung auf Jagd gingen.

Welcher Instinkt ermöglichte es Nate, bei den praktischen Übungen zu glänzen? Er wusste es nicht, doch er ließ die Ansprüche der Familie und Richmond hinter sich. Unter Überwachung, im Einsatz auf der Straße bewegte er sich mühelos und meisterte in cooler Manier Übungstreffen mit Agenten, die in Mäntel eingemummelt waren und lächerliche Hüte trugen. Sie sagten, er habe das Auge. Er fing an, es zu glauben, doch die Sticheleien seiner Brüder schwebten über ihm wie ein Schwarm angriffslustiger Krähen. Nates Albtraum war es, zu versagen, rausgeschmissen zu werden, wieder in Richmond zu landen. Bei der CIA wurde man ohne Vorwarnung von der Ausbildung ausgeschlossen.

»Wir erwarten von unseren Rekruten Integrität«, erklärte ein Ausbilder. »Wir schicken Leute nach Hause, sobald sie versuchen, sich Kartenmaterial für bevorstehende Aufgaben zu besorgen. Bloß, um ihre Zensuren aufzubessern«, sagte er laut. »Leute, wenn ihr mit dem Notizbuch des Ausbilders oder irgendeinem anderen geheimen Kursmaterial erwischt werdet, führt das zum sofortigen Ausschluss.« Was, um ganz ehrlich zu sein, dachte Nate, bedeutete: *Versucht es doch mal.*

Sie waren eine Gemeinschaft, jedoch Einzelkämpfer, die alle von ersten Einsätzen träumten, ersten Auslandsposten in Caracas, Neu-Delhi, Athen oder Tokio. Der sehnliche Wunsch nach Ansehen und danach, als Erster eine Stelle zu bekommen, gipfelte in jenen peinlichen Empfängen im Rekrutencenter, die die verschiedenen Abteilungen des Hauptquartiers gaben; bizarre Anwerbeveranstaltungen für angehende Spione.

Auf einer dieser Cocktailpartys am Ende der Ausbildung nahmen ihn zwei Mitarbeiter des Russlandhauses beiseite und teilten ihm mit, er sei für die Russland-Abteilung bereits vorausgewählt und angenommen worden, weshalb er sich nicht mehr anderswo zu bewerben brauche. Nate fragte freundlich nach, ob er seine Russischkenntnisse nicht dazu verwenden könne, um Russen im Nahen Osten oder in Afrika zu jagen, worauf sie ihn anlächelten und ihm antworteten, sie freuten sich auf sein Erscheinen im Hauptquartier Ende des Monats.

Er war angenommen, mit Probezeit. Er gehörte zur Elite.

Dann kamen die Vorlesungen über das moderne Russland. Es wurde die Erdgaspolitik Moskaus erörtert, die wie ein Damoklesschwert über Europa hing. Oder die chronische Neigung des Kremls, Schurkenstaaten im Namen der Gerechtigkeit zu finanzieren, was in Wirklichkeit jedoch dazu diente, Unheil zu stiften und, na ja, zu beweisen, dass Russland noch immer im Spiel war. Männer mit Vollbart hielten Vorträge über die Verheißungen des postsowjetischen Russlands, über Wahlen, Gesundheitsreformen und demografische Krisen. Über den großen Kummer, dass der Vorhang wieder zugezogen wurde, und über die eisig-blauen Augen dahinter, denen nichts entging. Die *Rodina*, das heilige Vaterland, die Heimat der schwarzen Erde und des endlosen Himmels, würde noch ein wenig warten müssen, solange die in Ketten gelegte Leiche namens Sowjetunion exhumiert, tropfend aus dem Sumpf gezogen, ihr Herz wieder zum Schlagen gebracht wurde und die alten Gefängnisse sich aufs Neue mit Menschen füllten, die die Dinge anders sahen.

Eine hartherzige Frau hielt eine Vorlesung über den Kalten Krieg, über die heimlichen Abrüstungsverhandlungen und die neuen russischen Überschallflugzeuge, die seitlich fliegen konnten und nach wie vor das Emblem des Roten Sterns trugen. Über die Wut Moskaus wegen der Errichtung eines westlichen Raketenabwehrsystems in Mitteleuropa – oh, wie die Russen den Verlust ihrer Satellitenstaaten übel nahmen! – und die Säbel, die in rostigen Scheiden kratzten, dieser bekannte Laut aus der Zeit Breschnews und Tschernenkos. Wobei der Sinn des Ganzen, wie sie sagten, der Zweck des Russlandhauses, darin bestehe, die Pläne und Absichten hinter dem eisig-blauen Blick und der faltenlosen, blonden Stirn zu erfahren. Heute seien das zwar anders gelagerte Geheimnisse, aber im Grunde doch die gleichen wie einst: Geheimnisse, die es zu stehlen galt.

Dann kam ein pensionierter Einsatzleiter – er sah aus wie ein Seidenstraßenhändler, nur mit grünen Augen und einem schiefen Mund – ins Russlandhaus, um eine Gastvorlesung zu halten.

»Energie, Bevölkerungsrückgang, natürliche Ressourcen, Vasallenstaaten. Das können Sie alles vergessen. Russland ist noch immer das einzige Land, das eine Interkontinentalrakete auf den Lafayette Square gegenüber vom Weißen Haus lenken kann. Das *einzige* Land, und es verfügt über Tausende von Atombomben«, sagte er mit tiefer, kehliger Stimme. Dann hielt er inne und rieb sich die Nase.

»Die Russen. Nur ihr Selbsthass ist größer als ihr Hass auf Ausländer. Und sie sind geborene Verschwörer. Oh, der Russki ist sich seiner Überlegenheit wohl bewusst, aber er ist auch unsicher. Er will respektiert, gefürchtet werden, so wie die alte Sowjetunion. Russen brauchen Anerkennung und hassen ihren zweitrangigen Status im Spiel der Supermächte. Und darum baut Putin die UdSSR 2.0 auf, und nichts kann ihn davon abhalten.

Der Junge, der am Tischtuch zieht und das Geschirr zertrümmert, um Aufmerksamkeit zu bekommen, das ist Russland. Die Russen wollen nicht ignoriert werden, und sie werden das Geschirr zerschlagen, um sicherzustellen, dass das nicht geschieht. Chemiewaffen nach Syrien verkaufen, Brennstäbe in den Iran liefern, Indonesien die Entwicklung von Zentrifugen beibringen, einen Leichtwasserreaktor in Burma bauen, oh ja, Leute, nichts ist unmöglich.

Aber die echte Gefahr ist die Instabilität, die durch all das entsteht und die die kommende Generation dazu antreibt, die Welt in den Untergang zu führen. Das wieder aufstrebende Russische Reich wird den zweiten Kalten Krieg anzetteln, und machen Sie sich nichts vor: Moskau wird dem Treiben der chinesischen Seestreitkräfte nicht untätig zusehen, wenn – nicht falls – in der Formosastraße die ersten Schüsse fallen.« Er streifte sich sein glänzendes blaues Sakko über.

»Diesmal wird die Sache nicht so leicht sein; Sie, Männer wie Frauen, werden die Probleme lösen müssen. Und darum beneide ich Sie.« Er hob die Hand, sagte: »Viel Glück auf der Jagd«, und verließ den Raum. Völlige Stille. Niemand rührte sich.

Nate befand sich nun in der viel gepriesenen Moskauer *pipeline*, er absolvierte ein kurzes Spezialtraining und eine Schulung in verschiedenen operativen Fächern. Als schließlich der Einsatz in Moskau näher rückte, büffelte er nachrichtendienstliches Vokabular auf Russisch, wobei man ihm erlaubte, einen Blick in die »Bücher« zu werfen, die Akten über die eigenen Agenten einzusehen, die Klarnamen zu lesen und sich die Passfotos der russischen Informanten anzuschauen, die er auf der Straße, unter den Augen der Überwachungsteams, treffen würde. Leben und Tod im Schnee, die Speerspitze, größer ging's nicht. Seine Mitrekruten auf der »Farm« waren in alle Winde verstreut und größtenteils vergessen. Jetzt standen andere Menschenleben auf dem Spiel. Er durfte nicht – würde nicht – versagen.

——

Drei Tage nach seinem Gespräch mit Gondorf saß Nate in einem kleinen Restaurant im Moskauer Flughafen Scheremetjewo und wartete darauf, dass sein Flug aufgerufen wurde. Er warf einen Blick auf die schmierige Speisekarte und bestellte ein »sanwits Cubano« und ein Bier.

Die Botschaft hatte angeboten, ihm einen Mitarbeiter zu schicken, der ihm beim Einchecken und bei der Passkontrolle helfen sollte, was er aber höflich abgelehnt hatte. Am Vortag hatte Leavitt ein paar Bier hervorgeholt, und sie hatten sich am Ende des Arbeitstags in aller Ruhe unterhalten, wobei sie die offensichtlichen Themen vermieden und erst recht nicht erwähnten, was all die anderen Offiziere dachten: dass Nates Karriere im Allgemeinen und sein Ruf im Besonderen Schaden nehmen würden. Bei der Verabschiedung ging es dann recht verkrampft zu.

Der einzige Lichtblick war, dass das Hauptquartier zwei Tage zuvor, als Antwort auf den von Gondorf angeordneten Versetzungsbescheid, kommuniziert hatte, dass im benachbarten Helsinki plötzlich der Posten eines Führungsoffiziers frei geworden sei. In Anbetracht von Nates nahezu fließendem Russisch, der Vielzahl von Russen in Finnland, seiner Mobilität als unverheirateter Offizier und seiner unerwarteten Verfügbarkeit fragte das Hauptquartier an, ob Nate eine Folgeanstellung in Helsinki in Erwägung ziehen würde, Beginn: sofort. Nate nahm an, wobei Gondorf ob dieser Begnadigung zwar stutzte, aber mitspielte. Der offizielle Einstellungsbescheid durch das Helsinki-Büro traf ein, gefolgt von einem inoffiziellen Schreiben von Tom Forsyth, Nates künftigem Bürochef in Helsinki, in dem es schlicht hieß, er freue sich, Nate in der Station begrüßen zu dürfen.

Als sein Flug mit Finnair aufgerufen wurde, ging Nate zusammen mit den anderen Passagieren aufs Rollfeld Richtung Flugzeug. Hoch über ihm, aus einem verglasten Observationsraum im Kontrolltower des Flughafens, schoss ein Zwei-Mann-Team Fotos mit einem Teleobjektiv. Die Überwachungsleute des FSB waren Nate zum Flughafen gefolgt, um »Goodbye« zu sagen. Der FSB, der SWR und vor allem Wanja Egorow waren überzeugt, dass Nates plötzliche Abreise etwas Wichtiges zu bedeuten hatte. Während Nate die Treppe zum Flugzeug bestieg und die Kameras klickten, saß Egorow in Gedanken versunken in seinem Büro. Schade. Die beste Gelegenheit, den Mann zu finden, der für die CIA spionierte, war verstrichen. Es würde Monate, wenn nicht Jahre dauern, eine bessere Spur in diesem Fall zu finden, wenn überhaupt.

Nash ist noch immer der Schlüssel, dachte Egorow. Wahrscheinlich würde er nach wie vor in Kontakt zu seinen Informanten stehen, nur außerhalb Russlands. Egorow beschloss, Nate nicht aus den Augen zu lassen. *Bearbeiten wir ihn ein bisschen in Helsinki*, dachte er. In Finnland hatte der SWR quasi freie Hand, und was noch besser war: Sie hatten die Vorherrschaft im Ausland. Keine Stümper vom FSB mehr, mit denen man sich abstimmen musste. *Wir werden sehen*, dachte Wanja. Die Welt ist zu klein, um sich zu verstecken.

### KUBANISCHES SANDWICH AM MOSKAUER FLUGHAFEN

Einen dreißig Zentimeter langen Laib kubanischen Brots der Länge nach halb aufschneiden und aufklappen. Auf die Außenseite Olivenöl träufeln, die Innenseite mit Senf bestreichen. Gekochten Schinken, gebratenes Schweinefleisch, Schweizer Käse und dünn geschnittene Mixed Pickles aufeinanderschichten. Zuklappen und zehn Minuten auf dem Rost oder zwischen zwei heißen, mit Alufolie umwickelten Ziegelsteinen (diese eine Stunde im Backofen bei 260 Grad erhitzen) grillen. Schräg in drei Teile schneiden.

# 3

Dominika Egorowa saß etwas abseits auf einer Ecksitzbank, umgeben von der Kristall-und-Marmor-Opulenz des Baccara, des elegantesten der neuen Restaurants Moskaus, das nur ein paar Schritte entfernt vom Lubjanka-Platz lag. All die Kristallgläser und Silberbestecke auf dem strahlend weißen Tischtuch – so etwas hatte sie noch nie gesehen. Trotz des operativen Charakters des Abends amüsierte sie sich gut und war fest entschlossen, das sündhaft teure Abendessen zu genießen.

Ihr gegenüber saß Dimitri Ustinow, bester Stimmung und voll Vorfreude. Ustinow, großgewachsen, von kräftiger Statur, mit vollem schwarzen Haar und eingefallenen Wangen, war ein Führungsmitglied der Gangster-Bruderschaft der russischen Erdöl- und Bergbauoligarchen, die in den Boomjahren nach dem Kalten Krieg milliardenschwere Reiche gegründet hatten. Er hatte sich vom Straßenschläger im Dienst des organisierten Verbrechens zum Milliardär hochgearbeitet.

Bekleidet war Ustinow mit einem makellosen Schalkragen-Smoking über einem gerippten weißen Hemd mit Knöpfen und Manschetten aus blauen Brillanten. Am Handgelenk trug er eine Tourbillon-Armbanduhr von Corum, eine von zehn, die jedes Jahr produziert wurden. Seine bärentatzenartigen Hände lagen locker auf einem blauen emaillierten Fabergé-Zigarettenetui, das 1908 für den Zaren angefertigt worden war. Er entnahm dem Etui eine Zigarette, zündete sie mit einem Ligne Deux aus massivem Gold an und klappte es mit dem unverkennbaren Wohlklang aller Dupont-Feuerzeuge zu.

Ustinow war der drittreichste Mann Russlands, aber der Hellste war er nicht gerade. Er hatte sich öffentlich mit der Regierung bekriegt, vor allem mit dem Ministerpräsidenten Wladimir Putin, und sich geweigert, die Regulierung seiner Unternehmen durch die Regierung hinzunehmen. Drei Monate zuvor, auf dem Höhepunkt der Auseinandersetzung, hatte Ustinow in einer Moskauer Talkshow obszön abfällige Bemerkungen über Putin fallen lassen. Insider wunderten sich, dass Ustinow noch am Leben war.

Doch an diesem Abend dachte Ustinow an nichts anderes als an Dominika. Er war ihr einen Monat nach seinem Interview im Fernsehsender begegnet. Ihre Schönheit und ihr urwüchsiger Sex-Appeal raubten ihm den Atem. Er wäre bereit gewesen, den Fernsehsender auf der Stelle zu kaufen, nur um sich noch einmal mit ihr zu treffen, aber das war nicht nötig gewesen. Denn hocherfreut hatte sie seine Einladung zum Abendessen sofort angenommen. Während er sie über den Tisch hinweg betrachtete, wünschte sich Ustinow, überall auf ihrem Körper seine Daumenabdrücke zu sehen.

Dominika war fünfundzwanzig Jahre alt und hatte dunkle, kastanienbraune Haare, die sie jetzt mit einer schwarzen Schleife zusammengebunden trug. Ihre kobaltblauen Augen passten zu seinem Zigarettenetui, was er ihr auch sagte. Dann schob er ihr das Kleinod spontan über den Tisch zu. »Das ist für Sie.« Sie hatte volle Lippen und schlanke, wohlgeformte Arme. Bekleidet war sie mit einem schlichten schwarzen, tief ausgeschnittenen Kleid, das den Blick auf ein spektakuläres Dekolleté freigab. Das gedämpfte Kerzenlicht ließ blaue

Äderchen in ihrer makellosen Haut aufscheinen. Dominika streckte den Arm aus und berührte das wunderschöne Etui mit langen, eleganten Händen. Ihre Fingernägel waren kurz und gerade geschnitten, ohne jeden Nagellack. Als sie ihn mit ihren großen Augen ansah, spürte Ustinow, wie irgendwo zwischen Bauch und Lenden eine Saite seines Körpers gezupft wurde.

Sie wusste genug, um ihrem Instinkt zu folgen und ihre Wut zu bezähmen. Sie lächelte Ustinow, diese urwüchsige Echse, an. »Dimitri, es ist wunderschön, aber so ein Geschenk kann ich unmöglich annehmen. Es ist zu großzügig.«

»Natürlich können Sie das.« Ustinow gab sich Mühe, charmant zu sein. »Sie sind die schönste Frau, der ich je begegnet bin, und dass Sie hier sind, ist das wundervollste Geschenk, das ich je bekommen kann.« Er trank einen Schluck Champagner und stellte sich ihr kleines Schwarzes in einem achtlosen Haufen in der Ecke seines Schlafzimmers vor. »Schon jetzt habe ich Sie sehr lieb gewonnen.«

Dominika gab sich große Mühe, ihn nicht auszulachen, auch wenn sie spürte, wie eine köstliche Kühle ihren Rücken hinauf- und ihre Arme herunterlief. Dieser *derewenschtschina*, dieser Bauerntrampel, war so kultiviert und weltgewandt wie ein Schläger aus der Provinz – was er vor einigen Jahren ja auch noch gewesen war. Aber meine Güte, jetzt war er reich. In der Woche, als sie sich vorbereitet hatte, waren Dominika ein paar Fakten über Ustinow mitgeteilt worden: seine Jachten, Villen, Penthouse-Wohnungen, die Beteiligungen an Ölvorkommen und Bodenschätzen auf der ganzen Welt. Eine Privatarmee, bestehend aus gut bezahlten Söldnern. Drei Privatjets.

———

Dominika war das einzige Kind von Nina und Wassily Egorow. Nina war Konzertmeisterin des Moskauer Symphonieorchesters gewesen, eine aufstrebende Virtuosin, die bei Klimow studiert hatte und ein so gewaltiges Potenzial hatte, dass ihr vom Zentralen Staatlichen Glinka-Museum für Musikkultur die herrliche, 1741 von Guarneri gebaute »Kochanski del Gesù« zugewiesen wurde. Fünfzehn Jahre zuvor war ihr die ersehnte Beförderung in das Russische Nationale Symphonieorchester verweigert worden, als Prochor Belenko, ein duckmäuserischer Violinist von mittelmäßigem Talent – aber mit der Tochter eines Politbüromitglieds verheiratet –, auf seiner Beförderung bestand und die Stelle bekam. Alle wussten, was passiert war, aber niemand verlor ein Wort darüber.

Außer für ihr brillantes Spiel auf der rot lackierten *skripka* war Nina Egorowa für ihr feuriges Temperament bekannt. Unter den amüsierten Blicken der achtzig Orchestermitglieder hatte Nina Belenko bei seiner letzten Probe beim Moskauer Staatsorchester mit seinem Notenständer einen Schlag auf das rechte Ohr versetzt. Was sie nicht im Geringsten bereute. Außerdem war sie eine Frau in der damaligen Sowjetunion. Die Guarneri wurde ihr wieder weggenommen. Sie weigerte sich, ein schlechteres Instrument zu spielen, und wurde von der ersten in die dritte Reihe der Streicher versetzt. Sie schickte sie zum Teufel. Als das Kulturministerium den Leiter der Symphonie anrief, wurde aus der Freistellung eine Entlassung – womit Ninas Karriere beendet war. Jetzt, Jahre später, war ihr eleganter Hals gebeugt, die kräftigen Hände waren krallenförmig, die dunklen Haare ergraut und zu einem Knoten gesteckt.

Dominikas Vater war der berühmte Professor Wassily Egorow, Lehrstuhlinhaber für Geschichte an der Universität Moskau. Er gehörte zu den besonders angesehenen und einflussreichen Gestalten im literarischen Leben Russlands und bekleidete den Rang eines verdienstvollen Professors. Sein gold-blauer Orden des heiligen Andreas hing gerahmt an der Wand; die weinrote Schleife, die er jeden Tag am Revers trug, stellte die Puschkin-Medaille für herausragende Leistungen auf den Gebieten der Literatur und Bildung dar. Dabei wirkte Wasja Egorow weder bedeutend noch einflussreich. Er war klein von Statur und schlank und kämmte sich das schüttere Haar sorgfältig quer über den Schädel.

Anders als seine Frau hatte Wassily Egorow die Sowjetzeit überlebt, indem er sich aus der Politik, aus Allianzen und Auseinandersetzungen heraushielt. Eingesponnen in die Welt der Universität hatte er seine Erfolge hauptsächlich dadurch erzielt, dass er sich eine Charaktermaske aus fleißiger Vorurteilslosigkeit, Diskretion und Loyalität zulegte. Was niemand wusste, war, dass Genosse Professor Wassily Egorow ein Geheimnis in sich bewahrte, das Gewissen einer völlig anderen Existenzweise, und den Abscheu eines Moralisten für alles Sowjetische hegte. So wie alle Russen hatte er in den dreißiger und vierziger Jahren unter Stalin Familienangehörige verloren und gegen die Deutschen, die Säuberungen und die *katorga* gekämpft. Doch er ging noch weiter: Er wies das Ungleichgewicht und die Unlogik des Sowjetsystems zurück und verachtete die Günstlingswirtschaft der *tscheloweki*, die Faulheit und Zügellosigkeit der Nomenklatura, denn diese hatten den menschlichen Geist vernichtet und die Russen ihres Lebens, ihres Landes, ihres Erbteils beraubt. All das führte zu einem Abfall vom Glauben, den er nur Nina offenbarte.

Alle Russen hegen geheime Gedanken, sie haben sich daran gewöhnt. So erging es auch Wassily und Nina, die ihren Abscheu darüber, dass das moderne Russland sich nicht ver-

ändert hatte, für sich behielten. Während Dominika heranwuchs und mehr von diesen Dingen begriff, traute sich Wassily nicht, die Tochter über die Einstellungen ihrer Eltern auf-
zuklären. Gleichwohl sehnten sich Vater und Mutter danach,
ihr ein klares Bild von der Welt zu vermitteln, damit sie die
Wahrheit selbst erkannte. Wenn sie schon nicht die schreck-
liche Entwicklung Russlands – vom Zorn der Bolschewiki
über den Zerfall der Sowjetunion und nun, selbst noch nach
Glasnost, zur parasitischen Habgier in der Russischen Föderation – bloßstellen konnten, so wollten sie Dominika zumindest die wahre Größe Russlands nahebringen.

Die große Dreizimmerwohnung (nach Ninas Entlassung
durften sie sie behalten, wenn auch nur dank Wassilys immer
noch bestehendem Ansehen und seiner hohen Stellung) war
voller Bücher, Partituren und Kunstwerke. Konversation wurde in drei Sprachen betrieben. Als Dominika fünf war, fiel
den Eltern auf, dass sie ein außergewöhnlich gutes Gedächtnis besaß. Sie konnte Zeilen aus Puschkins Werken aufsagen,
die Konzerte von Tschaikowski bestimmen. Und wenn Haus-
musik gemacht wurde, tanzte Dominika im Wohnzimmer
barfuß um den Orientteppich, völlig im Takt, und wirbelte
und sprang, vollkommen im Gleichgewicht, während ihre
Augen glänzten und sie theatralisch die Hände bewegte. Wassily und Nina sahen einander kurz an, dann fragte die Mutter
Dominika, wo sie das alles denn gelernt habe. »Ich folge den
Farben«, antwortete das kleine Mädchen.

»Was meinst du mit ›den Farben‹?«, fragte ihre Mutter.
Wenn sie Musik höre oder ihr Vater ihr etwas vorlese, erfüllten Farben den Raum, erklärte Dominika ernst. Unterschiedliche Farben, manche hell, manche dunkel, manchmal
»sprangen sie auch in die Luft«, und dann müsse sie ihnen
nur noch folgen. Wenn sie tanze, würde sie über Stangen aus

Hellblau springen, schimmernden roten Flecken auf dem Boden folgen. Wieder schauten sich die Eltern an.

»Rot, Blau und Violett mag ich am liebsten«, sagte Dominika. »Wenn Batuschka liest oder wenn Mamulja musiziert, sind die Farben wunderschön.«

»Und wenn Mama böse auf dich ist?«, fragte Wassily.

»Ist da Gelb, aber Gelb mag ich nicht«, sagte Dominika und blätterte in einem Buch. »Und die schwarze Wolke. Die mag ich auch nicht.«

Wassily wandte sich wegen dieses Farbensehens an einen Kollegen vom Fachbereich Psychologie. »Einen ähnlichen Fall kenne ich aus der Literatur«, antwortete der Kollege. »Buchstaben als Farben wahrnehmen, das ist schon sehr interessant. Bring deine Tochter doch mal an einem Nachmittag mit zu mir.«

Wassily wartete in seinem Büro, während sein Professorenfreund mit Dominika in einem angrenzenden Seminarraum saß. Aus einer Stunde wurden drei. Als sie herauskamen, schien die kleine Dominika glücklich und ganz aufgeregt zu sein, der Professor nachdenklich. »Was ist es?«, fragte Wassily mit einem Seitenblick auf seine Tochter.

»Ich könnte tagelang mit ihr zusammensitzen«, antwortete der Professor und stopfte seine Pfeife. »Dein Töchterchen zeigt die Eigenschaften einer Synästhesiebegabten. Das ist jemand, der Geräusche, Buchstaben oder Zahlen als Farben wahrnimmt. Faszinierend.« Wieder sah Wassily Dominika an. Glücklich und zufrieden saß sie am Schreibtisch ihres Vaters und malte mit ihren Buntstiften.

»Ist das eine Krankheit, eine Art Geistesstörung?«

»Krankheit, Leiden, Fluch, wer weiß das schon?« Der Professor zündete seine Pfeife an. »Andererseits, Wasja, vielleicht ist sie *odarennyi*, hochbegabt.« Er sah zu Dominika, die über ihre Zeichnung gebeugt dasaß. »Ihre synästhetischen Fähigkeiten erstrecken sich offenbar auf die Reaktionsweisen von Menschen. Sie nimmt nicht nur Worte und Laute, sondern auch Gefühle als Farben wahr. Wie farbige Halos würden sie den Kopf und die Schultern von Menschen umgeben.« Wassily schaute seinen Freund ungläubig an. »Vielleicht wird sie sich zu einer Art Hellseherin entwickeln, was die Absichten von Menschen betrifft. Natürlich hat sie auch ein absolut außergewöhnlich gutes Gedächtnis. Sie hat mir gegenüber mehrfach fünfundzwanzigstellige Zahlen fehlerfrei wiederholt. Das ist in solchen Fällen ganz normal«, fuhr der Professor fort. »Aber das hast du ja schon bemerkt.« Wassily nickte. »Und noch etwas – was eher ungewöhnlich ist: Deine kleine Tochter neigt zu *buistwo*, nenn es, wie du willst: Temperament, Mutwille, Jähzorn. Als sie eine Denkaufgabe nicht lösen konnte, hat sie meine Papiere einfach vom Tisch gewischt. Das muss sie in ihrem späteren Leben in den Griff bekommen, glaube ich.«

»*Bosche*«, sagte Wassily und eilte nach Hause, um seiner Frau alles zu berichten.

»Das kommt aus deiner Familie«, sagte Wassily ironisch zu Nina, wenn die wütende Dominika ihn anfunkelte, weil die Musik ausgeschaltet wurde, ernsthaft verärgert, die Augen lodernd. Wenn sie sich so im Alter von fünf Jahren aufführte, wie würde sie sich dann später benehmen?

Als Dominika im Alter von zehn Jahren in der Moskauer staatlichen Akademie für Choreografie in der Zweiten Frunsenskaja-Straße 5 vorsprach, beeindruckte sie die Auswahlkommission. In diesem Alter hatte sie noch keinerlei formale Ausbildung genossen, dennoch erkannte man die Intensität, die natürliche Begabung, die Intuition einer großen Tänzerin. Sie hatten sie gefragt, warum sie denn tanzen wolle, und über ihre Antwort gelacht: »Weil ich die Musik sehen kann.« Dann aber wurde es still im Raum, während sich ihre schon jetzt auffallend schönen Gesichtszüge verdunkelten und sie die Kommissionsmitglieder mit zugekniffenen Augen betrachtete, als wollte sie ihnen körperliches Leid zufügen.

Dominika machte schnell ihren triumphalen Weg durch die Akademie, die bedeutende Vorbereitungsschule für das Bolschoi-Ballett. Sie blühte auf trotz aller Härte der klassischen Waganowa-Methode. Mittlerweile hatte sie sich daran gewöhnt, mit den Farben zu leben. Sie hatte nun das Gefühl, als wäre ihre Fähigkeit, Farben zu sehen, ob sie nun Musik hörte, tanzte oder sich einfach nur mit anderen unterhielt, verfeinerter, als hätte sie sie mehr unter Kontrolle. Und sie fing an, die Farben zu entziffern und mit Stimmungen und Gefühlen zu assoziieren. Was sie aber keinesfalls als Belastung empfand, sondern einfach als etwas, mit dem sie eben lebte.

Dominika zeigte auch weiterhin glänzende Leistungen, doch nicht nur im Fach Tanz. In der Mittel- und Oberstufe der Akademie bekam sie stets die besten Noten und vermochte sich an alles zu erinnern, was man sie lehrte. Alles war neu, besonders. Dominika besuchte politische Vorlesungen: die Grundlagen des Marxismus, die Geschichte des Kommunismus, Aufstieg und Fall des sozialistischen Staates, die Geschichte des sowjetischen Balletts. Natürlich hatte es Exzesse gegeben, auch Korrekturen. Aber das moderne Russland würde weiter wachsen, das Ganze war größer als die Summe der Teile. Mit ihrem formbaren Geist nahm sie alles gierig in sich auf, schluckte sie die Phrasen.

Mit achtzehn stieg Dominika in die erste studentische Compagnie in der Schule auf und erhielt die besten Noten ihrer Studienklasse im Fach Politik. Wenn sie am Abend nach Hause kam, erzählte sie ihrem insgeheim entsetzten Vater davon, was sie alles gelernt hatte. Er versuchte, ihrer zunehmenden Begeisterung mit Lektionen aus Literatur und Geschichte entgegenzuwirken. Doch Dominika war mitten in der Pubertät, im Griff ihrer jungen Karriere. Sie mochte wohl den Grund hinter seiner verzweifelten Botschaft und die Farben über seinem Kopf lesen, doch sie ließ sich nichts anmerken. Wassily konnte aber einfach nicht deutlicher werden. Er wagte es nicht, sich öffentlich gegen das System auszusprechen.

Nina freute sich natürlich über den schnellen Aufstieg ihrer Tochter in der Ballettschule. Es war ein schöner Erfolg, die Zukunft war gesichert. Doch auch sie beobachtete einigermaßen entsetzt, dass ihr kleines Mädchen zu einer vorbildlichen modernen russischen Frau heranwuchs, einer Ultranationalistin, einer hochgewachsenen Schönheit mit kastanienbraunem Haar, die mit der Eleganz einer Ballerina einherschritt und sich aufführte wie die *apparatschiki* der alten Zeit.

Dominika lag auf dem Teppich im Wohnzimmer, sanft, rhythmisch kämmte ihre Mutter ihr das dunkle Haar mit der langstieligen Bürste, die ihrer Urgroßmutter gehört hatte. Die Schildpattbürste mit dem leicht geschwungenen Griff war neben einem gerahmten Foto und einem silbernen Samowar der einzige Familienbesitz, der aus dem vornehmen Haus im präbolschewistischen Petersburg gerettet worden war. Die Schweineborsten machten ein leise kratzendes Geräusch, karmesinrot in der Luft. Dominikas Haar strahlte. Dominika reckte sich nach ihrem langen Tag in der Ballettschule und unterbrach die leise vorgetragene Erzählung ihres Vaters, indem sie berichtete, was sie an der Schule gehört hatte. »Vater, ist dir klar, dass *äußere Einflüsse* das Land bedrohen? Ist dir bewusst, dass eine wachsende Anzahl von Dissidenten *das Chaos propagiert*? Hast du den Artikel von W. W. Putin über *die Zionisten* gelesen, die den Staat unterwandern?«

Betrübt blickten die Eltern auf ihre Tochter hinab. *Gospodi pomiluj!* Gott behüte! *Der Staat. W. W. Putin. Dissidenten.* Auf dem Boden liegend streckte sich Dominika, ihre langen Beine und die geschmeidige Figur waren bereits *deren* Instrument, ihr wacher Verstand wurde allmählich in *deren* Dienst gestellt. Nina sah Wassily an. Sie wollte ihrer Tochter die Wahrheit sagen, sie vor den Fallgruben des Systems warnen, die ihre eigene Karriere zerstört hatten, eines Systems, das Wassily gezwungen hatte, seinen außergewöhnlichen Intellekt zu verleugnen und sein Leben lang den Mund zu halten. Wassily schüttelte den Kopf. »Das werde ich weder jetzt noch später tun.«

Im Alter von zwanzig Jahren wurde Dominika zur Primaballerina der Ersten Compagnie gewählt. Ihre Beurteilungen waren durchweg herausragend, und ihre sportliche Begabung veranlasste ihren Ballettmeister, sie mit »der jungen Galina Ulanowa« zu vergleichen, der *Primaballerina assoluta* des Bolschoi nach dem Krieg. Wenn sie jetzt tanzte, dann waren die Farben, die sie sah, nicht mehr elementare Farben und Formen, sondern komplexe Wellen bunt gemischter Lichter, die rollten und pulsierten und sie emportrugen. Die Sepiatöne, die ihre Tanzpartner umgaben, erlaubten ihr, dass sie sich mit ihnen auf vollkommenere Weise verband. Sie reagierte auf die kleinste Berührung, war präzise, stark im Rücken und in den Beinen, erlesen und groß auf den Zehen. Der Ballettmeister beharrte darauf, dass es höchste Zeit sei, sich auf das jährliche Vortanzen vorzubereiten, damit sie sich dem Bolschoi-Ballett anschließen konnte.

Während sie kräftiger und geschmeidiger wurde, erwachte etwas anderes in Dominika zum Leben: eine Art Folgewirkung des strengen Balletttanzes, ein Bewusstsein für den eigenen Körper. Es war nicht Lüsternheit, denn sie behielt ihr sexuelles Verlangen für sich. Sondern ein geheimes Erwachen, wobei sie ohne Scham die Grenzen ihres Körpers testete. Soweit sie das feststellen konnte, waren ihre Eltern nicht ähnlich veranlagt, vielleicht war ja ein längst vergessener Verwandter ein Wüstling gewesen.

In ihrem nachtschwarzen Schlafzimmer, wenn der Körper sie rief, erforschte sie ihre Empfindungen, erforschte sie diese so absichtsvoll, wie sie an der Ballettstange übte, ihre Atmung tiefrot hinter den Augenlidern, und erschauerte, wenn sie entdeckte, was sie erregte. Das war aber keine Perversion, auch keine Sucht, vielmehr entdeckte sie ihr geheimes Selbst, das immer mehr wahrnahm, je älter sie wurde. Sie genoss dieses geheime Selbst. Nicht alles war jedoch naturkindhafte Unschuld. Ab und zu verspürte sie das Verlangen nach etwas Gewagtem, Verbotenem. So schloss sie in einer Nacht, als es vor ihrem Fenster kolossal gewitterte, ganz fest die Augen und staunte über sich selbst, während sie den Schwanenhals-Griff von *Prababuschkas* Bürste in den langen Fingern hielt und die Blitze abwartete, damit sie zu den eigenen Rhythmen passten. Immer mehr wollend, immer noch staunend, folgte sie dem feuchten Punkt tiefer, hielt den Atem an und spürte den noch süßeren Druck des Griffs, der sie auf einmal aufspießte wie einen Käfer in einem Schaukasten. Zum Glück hatte sie damit begonnen, sich an den Abenden nach der Ballettschule die Haare selbst zu kämmen.

Obgleich sie lockere Freundschaften unterhielt, ging Dominika mit den anderen Ballettzöglingen keinesfalls freundlich um. Trotz allem war sie die Anführerin in ihrer Klasse, besorgt und verzehrt von nichts als dem Fortschritt der Compagnie, ihren Spitzenleistungen, den Siegen in den Wettbewerben mit anderen Ballettschulen, insbesondere denen aus Sankt Petersburg, dem spirituellen Zentrum des russischen Balletts des kaiserlichen Stils. Dominika hielt ihren müden Mittänzern Vorträge über die Reinheit der Moskauer Schule, ihren essentiell russischen Charakter. Hinter ihrem Rücken nannte man sie *klikuscha*, die Teuflische, die neue russische Frau, die Gladiatorin, den Star, die Engagierte, die wahre Gläubige. *Ach, halt doch den Mund*, dachten sie.

Mit zweiundzwanzig blieb Sonja Morojewa vermutlich noch ein Jahr, um von der Akademie ins Bolschoi aufzusteigen, doch weil Egorowa in diesem Jahr kandidierte, standen ihre Chancen schlecht. Sie tanzte beinahe schon ihr ganzes Leben, war die Tochter eines Abgeordneten der Duma und eine verwöhnte und eitle junge Frau. Im Grunde war sie verzweifelt. Unbekümmert hatte sie mit einem Jungen aus der Compagnie geschlafen, mit dem blonden, luchsäugigen Konstantin, ein unglaublich riskantes Treiben, das, wenn es von den Lehrern entdeckt worden wäre, sicherlich zum sofortigen Ausschluss von der Ballettschule geführt hätte. Aber nach fünfzehn Jahren in der Akademie kannte Sonja die ruhigen Zeiten und wusste, wann die Sauna leer war und wie viel Zeit sie für ihre schweißtreibenden Sitzungen hatten, bei denen sie die gelenkigen Beine bis weit über den Kopf hob. Und dann flüsterte sie Konstantin eine Woche lang ins Ohr, wie sehr sie ihn liebe, rieb sich mit den Hüften an ihm, leckte ihm den Schweiß vom Gesicht und flehte ihn an, ihre Karriere, ihr Leben zu retten.

Erfahrene Ballettstudenten wissen fast genauso viel über Anatomie, Gelenke und Verletzungen wie ein Arzt. Konstantin, der vor lauter unersättlichem Verlangen nach Sonjas *pisda* fast verrückt war, wartete, bis Dominika ihm als

Partnerin zugeteilt wurde. Während sie auf dem überfüllten Tanzboden einen Pas de deux übten, versetzte er ihr, als sie *en pointe* war, einen kräftigen Tritt in die Ferse, wodurch sie den Fußrücken nach vorn drückte. Und auf einmal bluteten die Farben, ringsum wurde alles schwarz, und Dominika verspürte einen stechenden Schmerz, sackte auf die Knie und brach schließlich völlig zusammen. Man brachte sie auf die Krankenstation, die anderen Ballettschülerinnen und -schüler ganz starr und blass an der Ballettstange, Sonja am blassesten von allen. Da hatte Dominika Sonja angeschaut, hatte ihre schuldbewusste Miene bemerkt, während das graue Miasma ungesehen um ihren Kopf wirbelte, und alles gewusst. Auf der Behandlungsliege in der Krankenstation schwoll ihr Fuß schwarz und auberginenblau an – was Schlimmstes befürchten ließ –, und die Schmerzen strahlten bis hinauf in ihr Bein. Der Arzt sagte leise: »Lisfranc-Fraktur des Mittelfußes.« Nach einer Reihe orthopädischer Untersuchungen und Operationen und nachdem man ihr vom Fuß bis zum Sprunggelenk einen Gipsverband angelegt hatte, wurde Dominika aus der Akademie ausgeschlossen; ihre Karriere beim Ballett, ihr Leben seit zehn Jahren, war beendet. So schnell, so endgültig. Die honigsüßen Sätze, sie sei die kommende Ulanowa, lösten sich in Luft auf. Die Meister, die Lehrer, die Trainer wandten den Blick ab.

In ihrem jungen Erwachsenenalter hatte Dominika gelernt, ihre *buistwo*, die rasende Wut, zu beherrschen, doch jetzt ließ sie sie wachsen, schmeckte sie förmlich im Hals. Überwältigt von einem hysterischen Anfall erwog sie, Konstantin und Sonja zu denunzieren, auszusagen, die beiden hätten sie bewusst verletzt. Auch sie würden releigiert werden, wenn das geheime Rendezvous ans Licht käme, aber am Ende wusste Dominika, dass sie es nicht über sich brachte. Als der Anruf von ihrer Mutter kam, dachte sie immer noch wie benommen über ihre Zukunft nach.

———

Ihr Vater hatte einen schweren Schlaganfall erlitten und befand sich auf dem Weg zur Kremljowka-Klinik in Kuntsewo, in der ausschließlich privilegierte, wohlhabende Staatsbürger behandelt wurden. Er war der wichtigste Mensch in ihrem Leben, ihr Führer, ihr Beschützer, aber nun war er nicht mehr da. Sie hätte seine Hand unter ihre Wange gelegt, ihm von der Entlassung aus der Ballett-Compagnie erzählt, vom Verrat ihrer Mitzöglinge. Sie hätte ihn um Rat gebeten, ihn gefragt, was sie tun solle. Sie konnte es nicht wissen, aber Wassily hätte seiner idealistischen Tochter zugeflüstert, dass man sich in den Staat verlieben könne, der Staat diese Liebe jedoch nicht erwidern werde, niemals.

Zwei Tage später saß Dominika im Salon der elterlichen Wohnung – den rechten Fuß im Gips ausgestreckt, die Augen trocken, den eleganten Hals und den Kopf hochgereckt. Ihre Mutter saß neben ihr, ganz in Schwarz gekleidet, ruhig und gelassen. Das Haus war voller Gäste, Scharen von Menschen, die kamen, um zu kondolieren, Akademiker, Künstler, Regierungsbeamte und Politiker. Der Klang ihrer Stimmen erfüllte das Zimmer mit elementaren Schattierungen von Grün, der Farbe, die sie mit Kummer und Leid assoziierte und die die Luft aus dem Raum zu drängen schien. Dominika rang nach Atem. Es gab hausgemachtes Essen: traditionelle Blini mit rotem Kaviar, geräucherten Stör und Forelle. Auf der Anrichte standen Karaffen mit Mineralwasser, ein dampfender silberner Samowar, Fruchtsäfte, Whiskey und geeister Wodka.

Dann war da noch, vor dem Sofa aufragend, Onkel Wanja. Er beugte sich über ihre Mutter und kondolierte ihr leise.

Die Brüder hatten einander nie besonders nahegestanden, hinsichtlich Charakter und Temperament waren sie einander völlig entgegengesetzt. Dominika war sich nicht sicher, was Onkel Wanja beruflich machte, aber Abkürzungen wie KGB oder SWR wurden ja auch kaum öffentlich geäußert. Dann kam er näher und setzte sich neben sie, seine fleischigen Gesichtszüge Zentimeter von ihrem Gesicht entfernt, und störte sie. Sie merkte, dass er sie musterte, wie sie dasaß – in Schwarz gekleidet, das Haar zurückgebunden, in Trauer. Als sich ihr der Hals auf vertraute Art zuschnürte, drückte ihr die Mutter kurz die Hand: *Beherrsche dich.*

»Dominika, mein herzliches Beileid«, sagte Wanja. »Ich weiß, wie nahe du deinem Vater gestanden hast.«

Er streckte die Arme aus und nahm Dominika väterlich in den Arm, wobei seine Wange ihre Wange streifte. Sein Parfüm (Houbigant aus Paris) verströmte einen intensiven Lavendelduft. »Und ich möchte dir auch sagen, dass mir deine Verletzung sehr leidtut, da sie deine Laufbahn beeinträchtigt.« Mit einem Nicken wies er auf ihren Gipsverband. »Mir ist bewusst, was für eine gute Studentin du gewesen bist, sowohl was das Tanzen als auch was die anderen Fächer betrifft. Dein Vater war immer sehr stolz auf dich.« Er setzte sich zurück auf dem Sofa, ein weiterer Freund der Familie kam vorbei und schüttelte ihm die Hand.

Bislang hatte Dominika Wanja nur angesehen, sie hatte kein Wort gesagt. »Was hast du denn jetzt für Pläne?«, fragte er. »Vielleicht studieren?«

Dominika hob die Schultern. »Ich bin nicht sicher, was als Nächstes kommt. Tanzen war mein Leben, jetzt muss ich mir etwas anderes suchen.« Sie spürte, dass er sie anstarrte.

Er glättete seine Krawatte, stand auf und blickte auf sie hinab. »Dominuschka, ich möchte dich um einen Gefallen bitten. Ich benötige deine Hilfe.« Verblüfft sah Dominika zu ihm hoch. Onkel Wanja zuckte die Achseln. »Es ist kein so großes Geheimnis. Du musst etwas für mich tun, ganz inoffiziell, eine kleine Sache, aber wichtig.«

»Für den Geheimdienst?«, fragte Dominika erstaunt.

Wanja legte einen Finger an die Lippen und führte Dominika zu einer Seite des Wohnzimmers. Der Tag der Beisetzung ihres Vaters – er hatte diese Zeit absichtlich gewählt, nicht wahr? Das machten die immer so.

»Ich brauche dein Talent, *dorogaja moja*, mein Liebes, und deine Schönheit«, sagte Onkel Wanja. »Jemanden, dem ich vertrauen kann, jemanden mit deiner allseits bekannten Diskretion.« Als er näher trat, spürte Dominika die von seiner Körperwärme umhüllte Schmeichelei.

»Es ist eine einfache Aufgabe, beinahe ein Spiel, du sollst dich mit einem Mann treffen, ihn kennenlernen. Die Einzelheiten kann ich dir später erklären.« *Smeja*, Schlange.

»Würdest du deinem Onkel helfen?« Er legte die Hände auf ihre Schultern. Eine Schlange, die die Zunge vorschnellen ließ, um die Luft zu schmecken. Dass er sie gerade jetzt fragte, war monströs, typisch, gemein. Dominika spürte ihren Herzschlag fast bis in den pochenden Fuß.

Hinter Wanjas Kopf erblühte ein gelber Schein, so, als wäre er ein byzantinischer Heiliger. Dann kehrte ihr Atem zurück – und mit ihm eine dumpfe Ruhe. Gerade weil ihr Onkel damit rechnete, dass sie ablehnte, nahm Dominika an. Gelassen erwiderte sie seinen Blick, sah, dass er die Augen leicht zusammenkniff, merkte, wie er kalkulierte. Sie sah, wie er ihre Miene erforschte, aber sie gab nichts preis – was in seiner Miene zum Ausdruck kam.

»Ausgezeichnet«, sagte Wanja. »Du weißt, dein Vater wäre ungeheuer stolz. Es gab keinen größeren Patrioten als ihn.

Und er hat seine Tochter zu einer Patriotin erzogen. Einer russischen Patriotin.«

*Wenn du weiter von meinem Vater sprichst, beuge ich mich vor und beiß dir die Unterlippe ab,* dachte Dominika. Stattdessen schenkte sie ihm ein Lächeln, von dem sie erst kürzlich erkannt hatte, dass es stark auf Menschen wirkte. »Jetzt, da meine Karriere als Balletttänzerin vorüber ist«, sagte sie, »kann ich genauso gut *geheime Arbeiten* für dich erledigen.« Kurz änderte sich Wanjas Miene, dann hatte er sich wieder gefangen. Er nahm die Hände von ihren Schultern.

»Komm mich doch nächste Woche mal besuchen.« Er warf einen Blick auf ihren Gipsverband. »Wenn du kannst. Ich schicke dir einen Wagen.« Er knöpfte seinen leichten, wollenen Anzug zu. Umfasste ihre Hand mit seiner großen Pranke. Sein Gesicht befand sich nur Zentimeter von ihrem entfernt. »Komm, gib deinem Onkel einen richtigen Abschiedskuss.« Dominika legte die Hände auf seine Schultern, gab ihm einen leichten Wangenkuss, links und rechts, und betrachtete einen Moment lang seine feuchten, vorstehenden Lippen. Lavendelduft und eine gelbe Aura.

Er flüsterte ihr ins Ohr: »Ich bitte dich nicht um deine Hilfe, ohne etwas zurückzugeben. Ich glaube, ich kann mich für euch verwenden, was die Wohnung betrifft.« Dominika trat einen Schritt zurück. »Deine Mutter könnte die Wohnung behalten, über den Tod deines Vaters hinaus. Es wäre ein großer Trost für sie.« Wanja ließ ihre Hand los, richtete sich auf und verließ das Zimmer. Erstaunt schaute Dominika zu, wie er die Tür hinter sich schloss. *Ein Vorgeschmack auf das Joch,* dachte sie.

Auf der Straße gab er seinem Fahrer das Zeichen loszufahren und machte es sich auf dem Rücksitz seines Mercedes bequem. *Na bitte,* dachte er und seufzte. *Ich habe kondoliert.*

*Mein Bruder Wassily war nicht ganz richtig im Kopf, ein Aka-demiker, der in der Vergangenheit lebte. Und diese Schwägerin. Die hat schon jetzt den Verstand verloren, eine* sumaschedschij, *eine Verrückte. Aber diese Nichte – eine echte griechische Sta-tue – ist perfekt für die Sache. Nur gut, dass ich an sie gedacht habe. Jetzt, wo sie sich den Fuß ruiniert hat, hat sie kaum Wahl-möglichkeiten. Sie kann andere Dinge erlernen. Die Wohnung dürfte sich für Millionen verkaufen lassen,* dachte Wanja. *Ja, es geht hier schließlich um die Familie, und es ist das Mindeste, was ich tun kann.*

—

Am Abend, nachdem die Gäste gegangen waren, saß Domi-nika mit ihrer Mutter im dunklen Wohnzimmer zusammen. Leise Bach-Klänge ertönten, ab und zu stieß der beinahe lee-re Samowar noch ein wenig Dampf aus. Dominika brauchte kein Licht. Große, tiefrote Wellen, von der Musik hervor-gerufen, schwebten pulsierend an ihr vorbei. Nina, die beide Hände auf dem Schoß hatte, sah ihre Tochter an und wuss-te, dass sie »die Farben betrachtete«. Sie umfasste Dominikas Hände, damit sie sich konzentrierte, und sprach auf sie ein, leise, langsam. Sie beugte sich zu ihrer Tochter vor und redete über ihren Vater und sein Leben. Über die Ballettschule und Russland und darüber, was mit ihr geschehen war. Und dann sprach Nina über finsterere Dinge, über Verheißungen und Verrat und Rache. Zwei Gestalten in einem dunklen Zimmer, das erfüllt war von zinnoberroten Klängen, zwei *klikuschi* in einer Waldschlucht, die auf Rache sannen.

Zwei Tage später kehrte Dominika in die Akademie zu-rück, augenscheinlich, um mit den Ärzten zu sprechen und ihre persönlichen Dinge abzuholen. Bereits jetzt war sie eine Außenseiterin, es war, als wartete man nur darauf, dass sie endlich ging. Sie hielt sich im Hintergrund, saß jetzt auf einem Stuhl nahe dem Ausgang und schaute Sonja Morojewa und Konstantin beim Tanzen zu: Sonjas rechtes Bein ungemein hoch, ungemein gerade *en penché*, Konstantin drehte sie in einer langsamen Promenade. Sein Blick war auf den schmalen Streifen des schwarzen Trikotanzugs geheftet, der sich in ihrem Schritt streckte. Während der abendlichen Pause, als die Schatten im nahe gelegenen Übungssaal länger wurden, sah Dominika, wie sich Sonja und Konstantin durch den Ballettsaal in den Saunaraum stahlen. Man redete über die beiden, natürlich, aber jetzt wusste Dominika es. Sie beobachtete, wie das Licht auf dem Parkettboden des Übungssaals schwand, und spürte diese vertraute Spannung, beherrschte sie und wurde innerlich ganz kalt.

Es war still in dem Gebäude geworden, die verschiedenen Büros lagen dunkel da. Der Ballettmeister und die zwei Matronen saßen noch in ihren Büros weiter unten am Gang; am anderen Ende des sonst dunklen Flurs brannten funzelige Lampen. Leise humpelte Dominika zur Tür des Vorraums der großen, holzgetäfelten Sauna, die die Ballettzöglinge nutzten, durchquerte den Raum, trat leise an die Tür zur Dampfkammer und spähte durch das kleine, kreisrunde Rauchglasfenster in der Zederntür. Die beiden waren nackt, auf der obersten Holzbank, kaum erhellt von der einzelnen Glühbirne in der Decke. Konstantin hatte den Kopf, der zwischen Sonjas weit gespreizten Beinen lag, gehoben und verharrte über ihr wie ein großes Tier. Sonja verschränkte die Hände hinter Konstantins Hals und legte die Beine über seine Schultern. Durch das Guckfenster sah Dominika die Hornhaut an den Ballen von Sonjas Füßen und die übel zugerichteten Ballerinazehen.

Sonjas Mund stand offen, ihr Kopf lag auf der Bank, aber

die schwere Tür zur Sauna dämpfte ihr Stöhnen. Dominika trat einen Schritt zurück und bemühte sich, nicht aufzubrausen, sondern eiskalt zu werden. Einmal kurz den Thermostat hochdrehen und einen Besenstiel durch den Griff der Tür schieben, dann wären die beiden in zwanzig Minuten gar. Nein. Etwas Elegantes, Unentdeckbares, Giftiges, Endgültiges. Die beiden hatten ihre, Dominikas, Karriere zerstört, jetzt war es Zeit, die ihre zu beenden, aber spurlos, ohne jeden Hinweis auf einen Racheakt.

Dominika drückte die Flurtür zum Vorraum auf und schaltete das Deckenlicht ein, das in den dunklen Flur fiel. Im langen Flur öffnete sie eines der Fenster. Die kühle Nachtluft strömte herein, und Dominika folgte dem Luftzug: Nadelstiche eisblauen Lichts, wie Leuchtkäfer, die den Flur hinab auf die Büroräume der Matronen zuwirbelten. Zwei Türen weiter hinten betrat sie ein abgedunkeltes Büro, lehnte sich mit dem Rücken gegen die Wand und lauschte.

Nach drei Minuten spürte die Matrone – welche war es?, fragte sich Dominika – den kalten Luftzug und ging den Flur entlang, um nachzuschauen. Weil das Licht im Vorraum zur Sauna brannte und die Tür gegenüber dem Fenster offen stand, murmelte sie irgendetwas vor sich hin. Es schien Madame Butirskaja zu sein, die Strengste, die Bösartigste unter den Wachhunden der Akademie. Schweigend wartete Dominika und zählte die Sekunden, dann hörte sie das Zischen der Saunatür und schließlich das Geschrei der Madame und eine Art ersticktes Schluchzen. Geräusche von Schritten auf dem Linoleumboden und fortgesetztes Schreien und jetzt Wimmern, leises Weinen erklangen auf dem Flur. Nicht einmal ihr Papa in der Duma kann Sonja jetzt noch retten, dachte sie.

Im beinahe dunklen Büro legte Dominika die Hand vors

Gesicht. Sie spürte, wie sie wieder Luft bekam. Und während sie kurz vor Überraschung schnaubte, wurde ihr klar, dass sie nichts empfand, obwohl sie die beiden vernichtet hatte. Sie schwelgte in dem Wissen, wie einfach und elegant alles abgelaufen war, dann dachte sie an ihren Vater und schämte sich ein wenig.

———

Der Gipsverband wurde ihr abgenommen. Die Planer beim SWR hatten vor, Dominika im Fernsehsender auf Ustinow anzusetzen. Er sollte sie einladen, Zeit mit ihm zu verbringen. Wobei sie ihr jedoch verschwiegen, dass sie mit ihm schlafen sollte. Das sei nicht nötig, hatten sie gesagt, aber es stand zwischen den Zeilen. Ihr Täuschungsmanöver lag auf dem Tisch. Dominika wunderte sich, dass sie das nicht interessierte. Die Geheimdienstmitarbeiter beäugten sie aufmerksam, beunruhigt durch ihren geraden Blick und das offene Lächeln, unsicher, mit wem sie es zu tun hatten.

Okay, okay, sagten sie, man müsse mehr über Ustinows Geschäfte wissen, seine Pläne für Auslandsreisen, seine Kontakte. Sie behaupteten, es werde wegen Betrugs und Veruntreuung staatlicher Gelder gegen ihn ermittelt. Die Farben ihrer Sätze waren blass, ausgewaschen, so als wären sie nicht ganz vollständig. Ja, sie sei sich im Klaren darüber, was sie brauchten, das könne sie hinbekommen. Als die im Raum Anwesenden einander und dann wieder sie ansahen, las sie in ihren Gesichtern wie in einem offenen Buch. Dieser SWR, dieser russische Geheimdienst, das ist schon eine außerordentlich interessante Entdeckung, dachte sie. *Gusi*, eine Gänseschar.

Beim Lesen der Berichte – die selbst ein wildes Durcheinander von Farben waren – beschloss sie, die selbstgefälligen Planer der Auslandsspionage, die sie da mit rauchgefüllten Augen betrachteten, zum Schweigen zu bringen, das Lächeln aus dem Gesicht ihres lieben Onkels Wanja zu wischen. Sein Lavendelduft kam ihr in den Sinn. Seine bedauerliche kleine Nichte, die gebrochene Ballerina, die wunderschöne Tochter seines Bruders. Hättest du Lust, mir in einer heiklen Angelegenheit zu helfen? Vielleicht können wir doch noch dafür sorgen, dass deine Mutter in der Wohnung bleiben kann. *Otschen horoscho.* Sehr gut.

———

Jetzt flackerte das Licht der Kerzen, die Kristallgläser klirrten, und während Ustinow sich das Essen hineinschaufelte, empfand Dominika eine allmählich und gleichmäßig sich steigernde Verachtung für ihn, die ihr eine eisige Distanz einflößte. Sie war bereit, alles Nötige zu tun, um den Auftrag auszuführen, und wusste genau, was zu tun war und wie.

Also tat sie es. Dominika war hinreißend. Gebildet, aufmerksam, verwirrend. Sie strich sich über die Halsgrube und beobachtete die orangefarbenen Scheitelpunkte um Ustinows Schultern. Interessant, dachte Dominika, das Gelb der Täuschung mischt sich mit dem Rot der Leidenschaft. *Schiwotnoe.* Tier.

Ustinow konnte kaum still sitzen beim Essen – sie sah, wie er seinen Champagner hinunterkippte mit jenem Durst, der entsteht, wenn sich Lust und Leidenschaft aufbauen. Am Ende des gemeinsamen Mahls sagte er, er habe in seiner Wohnung eine Flasche dreihundert Jahre alten Cognac, besser als alles, was das Restaurant bieten könne. Ob sie mit zu ihm kommen wolle? Dominika sah ihn an und beugte sich verschwörerisch vor. Im Schein der Kerzen wirkte ihr Dekolleté reizvoller denn je. »Ich habe noch nie Cognac getrunken.« Ustinow schlug das Herz bis zum Hals.

## BLINI, SERVIERT AUF DER BEERDIGUNGSFEIER DES WASSILY EGOROW

Eine Tasse Mehl mit Backpulver und grobem Salz vermischen. Milch, Eier und geklärte Butter hinzugeben und zu einem weichen Teig kneten. Einen Esslöffel des Teigs einzeln eine Minute lang bei mittlerer Hitze braten, bis die Blini auf beiden Seiten goldbraun sind. Mit rotem Kaviar, Lachs, Crème fraîche, Schmand und frischem Dill servieren.

# 4

Sie verließen das Restaurant und stiegen in Ustinows schnittigen BMW, dessen Scheiben stark gepanzert waren. Ustinows Wohnung lag im Obergeschoss eines riesigen neoklassizistischen Gebäudes an der »goldenen Meile« des Arbat-Viertels. Ein Luxus-Penthouse, bestehend aus zwei angrenzenden Wohnungen, mit Marmorfußböden, imposanten Ledermöbeln und vergoldeten Leuchten an den Wänden. Die bodentiefen Fenster, die sich auf ganzer Länge durch die Wohnung erstreckten, boten einen freien Blick auf die Dächer und Lichter von Moskau.

Die Luft war mit Weihrauch parfümiert. Riesige chinesische Lampen tauchten die Zimmer in ein warmes Licht. In einer Ecke hing ein abstrakter liegender Akt, Finger und Augen und Zehen wiesen in alle Richtungen, ein Picasso, wie Dominika annahm. *So werde ich in einer Viertelstunde auch daliegen*, dachte sie lakonisch.

Mit knapper Handbewegung entließ Ustinow seinen Bodyguard; die Tür fiel ins Schloss. Auf einem elfenbeinfarbenen Sideboard entdeckte Dominika zwischen den zahllosen Flaschen eine gedrungene Flasche Cognac, wahrscheinlich der dreihundert Jahre alte Fusel. Ustinow goss den Cognac in böhmische Kristallgläser aus dem siebzehnten Jahrhundert und ließ Dominika davon nippen. Von einem anderen Tablett nahm sie sich eine kleine Toastecke mit einer gehaltvollen Pastete, gewürzt mit einem feinen Hauch Zitrone.

Ustinow ergriff ihre Hand und führte Dominika über den breiten Flur voll angestrahlter Gemälde und drei Stufen hinauf in ein dunkles Schlafzimmer. Dabei entging ihm, dass sie wegen des gebrochenen Fußes leicht humpelte, eher ein Zögern in ihren Schritten. Er war zu sehr damit beschäftigt, ihr Haar zu betrachten, ihren Hals, den Ansatz ihrer Brüste.

Als sie den Raum betraten, gingen Einbauleuchten an. Staunend blickte Dominika ins Zimmer. Ein höhlenähnlicher Raum von der Größe eines Thronsaals, eingerichtet mit schwarz-weißen Möbeln. Auf dem riesigen Rundbett auf einem Podest mitten im Zimmer lagen dicke Pelzdecken. An den Wänden hingen Ganzkörperspiegel. Ustinow nahm eine Fernbedienung in die Hand und drückte einen Knopf. Stoffjalousien an der Decke wurden aufgezogen, sodass durch das gläserne Dach der sternenübersäte schwarze Himmel zum Vorschein kam. »Ich kann den Mond und die Sterne sehen, wenn sie am Himmel entlangziehen. Möchten Sie morgen früh mit mir den Sonnenaufgang beobachten?«

Dominika rang sich ein Lächeln ab. Das *swinja* in seinem Stall. Aber wie konnte so ein Mann so einen Reichtum anhäufen, während andere immer noch für Brot anstanden? Die Luft im Schlafzimmer war drückend, mit einem Duft nach Sandelholz, der elfenbeinfarbene Teppichboden unter ihren Füßen weich und dick. Auf einem mattweißen Sideboard glitzerte eine Sammlung silberner Gefäße im indirekten Licht. Ein Punktstrahler erhellte ein gerahmtes Ebru-Gemälde mit feinen kalligrafischen Mustern. Ustinow sah, dass Dominika es betrachtete. »Sechzehntes Jahrhundert«, sagte er, als wäre er bereit, es von der Wand zu nehmen und Dominika zu schenken.

Jetzt, da sie in seinem Schlafzimmer standen, war das Spiel ein wenig ernster. Plötzlich schien es ihr nicht mehr so schlau zu sein, ihre erotischen Reize auszuspielen, so wie beim Dinner. Der rein körperliche Akt, das war kein großes Problem, sie war ja nicht prüde. Aber sie fragte sich, was sie eigentlich verlieren würde, wenn sie diesen Mann verführte. Nichts, sagte sie sich. Ustinow konnte ihr nichts wegnehmen, genauso wenig wie diese glotzenden Agenten des SWR oder ihr mit Lavendel parfümierter Onkel Wanja mit seinen gehauchten Beileidsbekundungen. »Ein richtiger Einsatz, für den Dienst«, hatte Wanja gesagt. *Blödsinn*, dachte Dominika. *Es war ein politisches Spiel, ein Rivale sollte beseitigt werden, aber egal, dieser* bljad, *dieser stinkreiche Mistkerl, verdiente es zu verlieren, was er besaß, ins Gefängnis zu wandern.* Sie würde ihn ausnehmen, und Onkel Wanja würde sich wundern, was für einen Menschen er für diesen Auftrag angeworben hatte.

Dominika drehte sich zu Ustinow um und ließ ihre Stola von den Schultern gleiten. Sie küsste ihn einmal leicht auf den Mund und strich ihm über die Wange. Er zog sie an sich und küsste sie grob. Ihre Umrisse erschienen in den zahlreichen Spiegeln.

Ustinow löste sich und betrachtete Dominika mit Schlafzimmeraugen. Sein Körper war wie ein blanker Nerv; sein Denken löste sich von den Ankerpunkten im Kopf. Er ließ seinen Smoking zu Boden fallen und nestelte an seiner Seidenkrawatte. Der Oligarch, der ein Vermögen verdient hatte, indem er andere gefährliche Männer an die Wand spielte, indem er seine Konkurrenten belog und betrog, ja, indem er sie aus dem Weg räumte, sah nur die blauen Augen, die braune Haarsträhne, die auf den schlanken weißen Hals fiel, die nach dem Kuss noch feuchten Lippen. Dominika legte die Hände auf seine Brust und flüsterte: »*Duschka*, warte auf mich auf dem Bett. Es dauert nur zwei Minuten.«

Im Bad voller vergoldeter Armaturen betrachtete Dominika sich im Spiegel. *Du hast Ja gesagt,* dachte sie, *erst zu Wanja und jetzt zu diesem* medwed, *diesem sabbernden Bären, du wolltest es dir unbedingt selbst beweisen, dann mach jetzt auch weiter damit.* Sie griff hinter sich, löste den Reißverschluss und trat aus ihrem Kleid. *Du benutzt das hier,* dachte sie und schaute sich im Spiegel an, *und bringst die Sache hinter dich, bezirzt ihn, findest heraus, was die wissen wollen.* Sie hatten ihr gesagt, Ustinow sei gefährlich, ein brutaler Mensch, der andere ermordet habe. Gut. Morgen früh würde sie ihm geeistes Consommé in den aufgesperrten Schnabel löffeln wie einem Vogelküken, er würde ihr die Geheimnisse ausplaudern, und anschließend würde dieser Unmensch die Welt durch Gitterstäbe betrachten. Da fiel ihr etwas aus der Einsatzbesprechung ein. Schnell griff sie in ihre Clutch und schluckte die Amphetamintablette, die man ihr gegeben hatte, angeblich gegen die körperliche Erschöpfung.

Ustinow lag auf dem Bett, auf dem Rücken und stützte sich auf die Ellenbogen. Bis auf die schwarzen Boxershorts aus Seide war er nackt. Dominika trat an das Fußende des Betts und überlegte, wie sie anfangen sollte. Ihr fiel ein, wie gut es sich angefühlt hatte, wenn die Trainer in der Ballettakademie ihr die entzündeten Füße massierten, also kniete sie sich hin und rieb mit den Daumen über Ustinows Spann. Ustinow sah sie ausdruckslos an. *Idiotka,* dachte sie, *du bist mir vielleicht eine Kurtisane.* Mit der Intuition der Verzweiflung nahm sie Ustinows großen Zeh in den Mund und ließ ihre Zunge darum kreisen. Er stöhnte auf und ließ sich aufs Bett zurückfallen. Schon besser. Mit zitternder Hand griff er in eine Aussparung am Bettgestell. Sofort war das Zimmer in dunkelrotes Licht getaucht und tönte ihre Gesichter, ihre Haut. Verstärkt wurde der Effekt durch kleinere pinkfarbene Punkte, die im Raum umherwirbelten, von den Spiegeln reflektiert wurden und über Dominikas karmesinroten Körper glitten. Leise summend begann das Bett sich zu drehen. *Gott schütze uns vor Gangstern*, dachte Dominika.

Ustinow brummelte ihr irgendetwas zu und streckte die Hand aus. Die sich drehenden pinkfarbenen Lichter vor dem roten Hintergrund des Zimmers wurden zu doppelten pinkfarbenen Punkten, die sich auf ihren Wegen durch das Zimmer gegenseitig umkreisten. Die Reize der Lichter und der Farben überfluteten Dominika, doch Ustinow winkte sie weiter zu sich heran. Seine gutturalen Obszönitäten waren wie dunkelorangefarbene Hiebe, elementar, brutal; sie glitten irgendwie unter, nicht über den pinkfarbenen Punkten dahin.

Dominika schaute Ustinow mit Schlafzimmerblick an und fragte sich, ob sie sich über die Lippen lecken sollte, um noch begehrlicher zu wirken. Während Ustinow wie ein Napfkuchen in der Mikrowelle rotierte, ließ er sie keinen Augenblick aus den Augen. Sie musste sein Gefühl *und* seinen Verstand auslöschen, er musste sich danach verzehren, dass sie mit ihm zusammenblieb. Eine Woche, zwei Wochen, drei Wochen. Jede Zeitspanne würde den Anforderungen genügen, je länger, desto besser, war ihr gesagt worden. Sie hatten ihr erzählt, der Bürgersteig vor Ustinows Wohnung sei verschmiert mit den Tränen seiner Gespielinnen für eine Nacht.

Langsam drehte sich Ustinow zu ihr um. Als er auf Höhe der Stelle war, an der Dominika kniete, legte er die Arme um ihre Taille, warf sie auf den Rücken – wobei ihr Slip zerriss –, beugte sich über sie wie ein Gargoyle und begann, leidenschaftlichen, wenn auch brutalen Sex mit ihr zu haben.

Im roten Licht wirkten Ustinows zusammengebissene Zähne – normalerweise weiß und ebenmäßig – blau und schwarz gerändert. Dominika warf den Kopf in den Nacken und schloss die Augen. Ustinows heißer Atem strich über ihre Brüste. Die pinkfarbenen Lichtfunken flossen über Dominikas zitternde Beine, ihre Leiber und die Spiegel. Sie hob den Hintern und wiegte die Hüften, um seine wüsten Stöße zu erwidern, legte die Hände um seine Arme und konzentrierte sich darauf, ihn völlig um den Verstand zu bringen. Im Taumel des bevorstehenden Höhepunkts riss Ustinow den Kopf zurück. Unwillkürlich keuchte Dominika auf, während er noch kräftiger, schneller zustieß. Obgleich das rote Licht, Ustinows blaue Zähne und sein Gestöhne sie ein wenig ekelten, stellte Dominika verwundert fest, dass ihr Körper – ihr geheimes Selbst – reagierte: Die aufputschende Wirkung des Amphetamins hatte eingesetzt. Sie sah an Ustinows Kinn vorbei, hinauf zur gläsernen Zimmerdecke, aber sie konnte keinerlei Himmelskörper erkennen. Wo waren die Sterne?

Was sie erblickte, war ein Engel des Todes. Zuerst sah sie in den Deckenfenstern das Spiegelbild eines Schemens. Der Schemen wurde zu einem Schatten, der auf das Bett zuglitt, vorbei an jedem Spiegel, wie gegossenes schwarzes Quecksilber, hundertmal gespiegelt. Dominika verspürte einen Lufthauch, als die Erscheinung über Ustinows Kopf schwebte. Die Augen des Gangsters waren blicklos vor Leidenschaft. Er ahnte nichts. Vor Ustinows Hals blitzte ein stählerner Draht auf, zog sich, harmonisch zischend, zusammen und schnitt ins Fleisch. Ustinow riss die Augen auf, gleichzeitig tasteten seine Hände nach der Garotte, die ihm jetzt in die Luftröhre schnitt. Während seine Finger nach dem Draht griffen, verharrte sein Gesicht nur Zentimeter entfernt über Dominikas. Ihr Mund erstarrte zu einem stummen Schrei. Verständnislos, mit rot geränderten Augen sah er sie an, eine Ader auf seiner Stirn trat hervor, seine Finger versuchten, den Draht zu fassen zu bekommen. Sein Kinn sackte nach unten, ein Faden seines schwarzen Speichels fiel auf Dominikas Wange. Zuckungen durchliefen Ustinows Körper. Wie ein Fisch, der einen Haken abzuschütteln versucht, zappelte er von einer Seite zur anderen. Dominika spürte, dass er immer noch in ihr war; sie drückte sich von seiner Brust weg, wandte den Kopf ab, um seiner Spucke und seinem Blut auszuweichen, und versuchte, unter ihm hervorzugleiten. Aber er war groß und stämmig, fühlte sich plötzlich schwer an, sie konnte sich nicht rühren. Dominika konnte nur die Augen schließen, die Arme vor dem Gesicht verschränken und spüren, wie das Leben aus Ustinows Körper entwich. Sie fühlte Blut: Der Draht hatte ihm die Kehle durchgeschnitten, es tropfte auf ihren Hals und ihre Brüste. Ustinow machte ein gurgelndes Geräusch und erschlaffte, sein Atem hauchte blubbernd durch das Blut, das aus der durchtrennten Luftröhre drang. Ein Zittern durchlief seinen Körper, seine Füße trommelten kurz hintereinander aufs Bett, zwei-, dreimal, dann rührte er sich nicht mehr. In der pinkfarbenen Stille drehte sich das Bett.

In der folgenden furchterregenden Minute geschah nichts. Dominika machte ein Auge auf – und sah über sich Ustinows Gesicht: die Augen weit aufgerissen, die Zunge sichtbar im offenen Mund. Über ihnen beiden ragte die undeutliche schwarze Gestalt auf, reglos, gesprenkelt von den pinkfarbenen Lichtpunkten. War das da hinter ihren Schultern ein schwarzes Flügelpaar oder der Widerschein der Spiegel? Endlos rotierte das Tableau dreier regloser menschlicher Leiber im Zimmer. Wie in einer koordinierten Aktion glitt Ustinow aus Dominika heraus, und in einer einzigen Bewegung zog die schwarze Gestalt den Leichnam von ihr herunter. Er rollte aus dem Bett zu Boden. Der Mörder ignorierte die Leiche und streckte den Arm aus, um das Bett anzuhalten. Dominika machte Anstalten aufzustehen, aber der Mann in Schwarz legte die Hand auf ihre Schulter und drückte sie sanft zurück auf das Bett. Sie zitterte, war nackt und blutverschmiert. Ihre Brüste waren glänzend feucht davon. Das Bettzeug war zerwühlt, aber Dominika griff danach und versuchte, sich das Blut abzuwischen.

Sie traute sich nicht, den Mann anzuschauen, aber irgendwie ahnte sie, dass er ihr nichts antun würde. Reglos stand er am Fußende des Betts, und da versuchte Dominika nicht mehr, sich das Blut abzuwischen, hielt das blutdurchtränkte Bettlaken nur in Händen. Ihr Atem kam stoßweise vor Angst und Entsetzen. Der Mann betrachtete ihren Fuß, der unter dem Laken sichtbar war. Er streckte den Arm nach ihr aus, und sie begann den Fuß zurückzuziehen, hielt ihn dann, irgendeinem Urinstinkt folgend, still. Der Mann streichelte über ihren Spann. Die meisten Menschen geben sich die Hand, aber bei Matorin war das ein bisschen anders.

———

Offiziell war Sergej Matorin Stabsoffizier des SWR im Rang eines Majors, zugeteilt der »Exekutiv-Abteilung« (Abteilung V). Inoffiziell war er ein *tschistilschtschik*, ein Vollstrecker des russischen Geheimdienstes. Zu Zeiten des KGB war diese Abteilung verschiedentlich unter dem Namen Dreizehnte Abteilung, Referat F oder einfach *mokroje delo*, »Killerkommando«, bekannt. Auf dem Höhepunkt des Kalten Krieges hatte das Referat F Entführungen, Verhöre und politische Attentate durchgeführt, aber im neu gegründeten SWR waren solche Dinge angeblich nicht einmal ansatzweise angedacht oder gestattet. Sicher, aufsässige russische Journalisten wurden in Moskauer Fahrstühlen tot aufgefunden, oder Regimekritiker erlagen der hohen Konzentration des radioaktiven chemischen Elements Polonium in ihrer Leber, aber das hatte mit dem modernen russischen Auslandsgeheimdienst nichts zu tun. Die Ära der »Regenschirmstecher« war vorüber.

Während der sowjetischen Invasion in Afghanistan diente Matorin als Truppführer in der Spezialeinheit SpezNas, die damals dem KGB unterstand. In den fünf Jahren, die er in den Tälern Afghanistans verbrachte, lockerte sich eine Schraube bei ihm – und wurde nie wieder angezogen. Sein achtköpfiger Trupp hatte Befehle befolgt, aber Matorin scherte sich nicht groß um Führungsaufgaben. Im Grunde war er ein Einzelgänger, dem es gefiel, Menschen zu töten.

Während eines Gefechts wurde er von einem Metallsplitter getroffen, sodass er auf dem rechten Auge erblindete. Zurück blieb ein undurchsichtiges, milchiges Weiß. Groß gewachsen, klapperdürr, das Gesicht pockennarbig und vernarbt, trug Matorin das graue Haar geschniegelt. Sein Schädel ließ an einen Totenkopf denken. Das und seine Hakennase verliehen ihm das Aussehen eines Bestattungsunternehmers. Nach der Rückkehr aus Afghanistan sah man ihn hin und wieder in der Zentrale des SWR durch die Büros der Abteilung V geistern. Die jüngeren Offiziere starrten fasziniert auf den atavistischen Einäugigen. Ältere Mitarbeiter wandten sich ab und bekreuzigten sich.

Zwar wurde er inzwischen gelegentlich wieder zu »Sonderaufgaben« abkommandiert, aber die Kriegseinsätze in Afghanistan fehlten Matorin. Er dachte oft daran zurück. In seiner Fantasie kehrte er dorthin zurück, um die Sehenswürdigkeiten zu besuchen, die Laute zu hören, die Düfte zu riechen. Gewisse Momente lösten spontane Erinnerungen aus. Diese unerwarteten Reisen im Kopf waren die besten, die lebhaftesten, einschließlich der Musik. Dann hörte er ganz

deutlich die Stakkatoklänge der *Rubab* und die Crescendo-
schläge der Tablas.

Matorin streichelte Dominikas Fuß, so wie er auch den Fuß
des verreckten afghanischen Weibsstücks an jenem Nachmittag im Pandschir-Tal gestreichelt hatte. Sein Team hatte
über den Rotoren des Mi-24-Hubschraubers ein Sonnensegel
aufgespannt und die Ecken festgebunden, damit eine große
schattenspendende Fläche entstand, unter der die Männer
sitzen konnten. Kurz zuvor hatten sie eine Gruppe Mu-
dschaheddin auf der Straße beschossen, waren gelandet, um
Beute zu machen, und hatten ein Mädchen gefunden, das
sich zwischen den Felsen neben dem donnernden Fluss versteckt hatte.

Sie war ungefähr fünfzehn: dunkles Haar, Mandelaugen,
die Kleidung zerschlissen und staubig, die übliche dreckige
Camp-Kurtisane. Jeder sowjetische Soldat, der in Afghanistan
diente, kannte Geschichten darüber, was afghanische Frauen
mit gefangenen Russen anstellten, deshalb hatten sie für das
Mädchen nichts übrig. Sie riss an den Stricken an ihren Handgelenken, aber die Doppelschlinge um ihren Hals drohte sie
zu erdrosseln, wenn sie sich allzu sehr wehrte. Sie fluchte,
schrie und bespuckte die acht Männer des Sonderkommandos,
die im Kreis um sie herumstanden. Matorin hockte zwischen
ihren weit gespreizten, an den Sprunggelenken festgebunde-
nen Beinen und beobachtete ihre Gegenwehr. Er streckte die
Hand aus, hielt ihren sandigen Fuß und streichelte ihn. Bei
dieser Berührung kreischte und brüllte sie, schrie um Hilfe,
nach ihren Mitkämpfern, sie sollten kommen und sie retten.

Sie hätte sich ihre Proteste sparen können – denn es fasste ja nur jemand ihren Fuß an. Es stand ihr noch anderes bevor. In der folgenden Viertelstunde schnitt Matorin ihr mit
einem kurzen Messer sorgfältig die Kleider ab und entfern-

te ihren Hidschab. Ausgestreckt lag sie im Staub, unter dem Sonnensegel, das sich sanft im Wind bauschte. Einer der Soldaten schüttete ihr Wasser ins Gesicht, wusch es sauber, doch sie bespuckte ihn und zerrte an den Stricken. Matorin griff hinter sich und zog einen Khyber-Dolch aus der Scheide, fünfzig Zentimeter lang, die Kante der elegant geschwungenen, spitz zulaufenden Klinge hell silberfarben vom ständigen Schleifen.

Flach hinter einem Felsbrocken liegend, hundert Meter hoch an einem Felshang, legte ein afghanischer Jugendlicher seine AK-47 auf den Boden und spähte um einen Felsen. Da sah er den großen, gefleckten grünen Hubschrauber – er kannte ihn nur unter dem Namen »Shaitan Arba« –, die stehenden Rotoren herabhängend vom Eigengewicht. Unter dem gebauschten Sonnensegel saß eine Gruppe von Männern. Neben dem leisen Rauschen des Flusses und des Windes in den Felsen drang vom Talboden noch ein anderes Geräusch zu dem Jungen herauf: ein schrilles Geheul, die Schreie einer jungen Frau, die gar nicht mehr aufhören wollten. Der Junge sprach ein Gebet und stahl sich davon. Er ahnte, dass sich dort unten etwas abspielte, das furchterregender war als einfach nur die Anwesenheit gottloser Russen.

Seinen Spitznamen erhielt Matorin von seinen Männern, zumindest denjenigen, die es ertrugen, weiter zuzusehen, wie er seinen Dolch benutzte. »Khyber« blickte aus seinem pochierten Auge auf Dominika hinab, nahm die Hand von ihrem Fuß und sagte: »Zieh dich an.« Sie habe einen Termin bei Onkel Wanja.

Hühnerleber, Pancetta und Knoblauch karamellisieren, danach den Inhalt der Pfanne mit Cognac ablöschen. Petersilie mit Kapern, Schalotten, Zitronenzesten, Zitronensaft und Olivenöl zu einer groben Mischung hacken. Weiteres Olivenöl hinzugeben. Auf Toast mit Zitronenscheiben servieren.

# 5

Nach dem Mord an Ustinow hatte Onkel Wanja Dominika nach Jassenewo einbestellt. Im Hauptquartier des SWR wurde sie zu den Fahrstühlen für die Leitungskräfte geleitet. Im Aufzug hing das Wappen des russischen Auslandsnachrichtendienstes: eine Weltkugel in einem Stern. Noch immer hatte Dominika den Kupfergeschmack im Mund, noch immer spürte sie das glitschige Gefühl von Ustinows Blut am Körper. Eine Woche lang kämpfte sie gegen den wiederkehrenden Horror an, versuchte sie vergeblich zu schlafen, widerstand dem kribbelnden Impuls, sich die Haut von Brüsten und Bauch zu reißen. Die Albträume hatten sich gelegt, aber jetzt war sie krank und depressiv und ungeheuer wütend darüber, wie sie manipuliert worden war. Dann hatte Onkel Wanja nach ihr geschickt.

Sie war noch nie in Jassenewo gewesen, im Inneren des Hauptquartiers des SWR, erst recht nicht im vierten Stock, in dem die Führungskräfte residierten. Dort war es totenstill; kein Laut drang aus irgendeiner der geschlossenen Türen entlang des Flurs. Dominika wurde an den retuschierten Porträts – von denen jedes diskret angestrahlt wurde – ehemaliger KGB-Direktoren vorbeigeleitet: Andropow, Fedortschuk, Tschebrikow, Krjutschkow. Berlin, Ungarn, Tschechoslowakei, Afghanistan; sie säumten die eine Seite des langen, mit rotem Teppich ausgelegten Gangs, der vom Fahrstuhl zum Chefzimmer führte. An der gegenüberliegenden

Wand hingen die Porträts der neuen Führungsriege des SWR: Primakow, Trubnikow, Lebedew, Fradkow. Tschetschenien, Georgien, Ukraine. Waren die alle im Himmel oder in der Hölle? Unter den Blicken der alten Knaben ging sie weiter den Flur entlang.

Rechts befand sich die imposante Tür zum Büro des Direktors. Links führte eine identische Tür in das Büro des Ersten Stellvertretenden Direktors. Dominika wurde hineingeführt. Onkel Wanja saß hinter einem großen Schreibtisch aus poliertem hellen Holz. Auf dem Schreibtisch lag eine schwere Glasplatte. Abgesehen von einer Schreibunterlage aus rotem Leder war der Schreibtisch leer. Auf einem Sideboard hinter dem Schreibtisch stand eine Reihe weißer Telefone. Am gegenüberliegenden Ende des großen, mit dunkelblauem Teppichboden ausgelegten Büros befand sich eine bequeme Sitzgarnitur vor drei Panoramafenstern, die eine herrliche Aussicht auf den Kiefernwald boten. Es war ein strahlend sonniger Wintertag, das Sonnenlicht strömte in das Büro.

Wanja bedeutete Dominika, sich zu setzen, und sah sie forschend an. Sie trug einen dunkelblauen Rock und eine gebügelte weiße Bluse, die an der Taille von einem schmalen schwarzen Gürtel gehalten wurde. Sie war so schön wie immer, hatte aber dunkle Ringe unter den Augen und war sichtlich blass. Sie im Fall Ustinow einzusetzen, das war eine geniale Maßnahme gewesen. Nur schade, dass es für sie eine solche … Extremerfahrung gewesen war. Ihr Pech, dass der dringende Befehl aus dem Kreml, es Ustinow heimzuzahlen, zeitlich mit ihrem Abgang von der Ballettschule und dem Tod ihres Vaters zusammenfiel.

Beide schwiegen. Dem Bericht zufolge hatte sie sich achtbar geschlagen. Sie hatte Ustinow bezirzt, und zwar so sehr, dass er seinen Bodyguard weggeschickt und auf diese Weise

Matorin ermöglicht hatte, an die Zielperson heranzukommen. Zwar hatte sie keinen hysterischen Anfall bekommen, aber das Ganze war doch etwas zu derb für sie gewesen. Matorin war etwas viel für die Uneingeweihten. Aber sie würde schon darüber hinwegkommen.

»Dominika, ich belobige dich für deine exzellente Leistung während der jüngsten Operation.« Über den Schreibtisch hinweg sah Wanja seine Nichte ruhig an. »Gewiss, es muss schwierig gewesen sein, ein Schock.« Er beugte sich vor. »Aber jetzt ist es vorbei, du kannst diese Unannehmlichkeit vergessen. Selbstverständlich muss ich dir nicht sagen, dass es deine Pflicht ist, *deine Verantwortung*, mit niemandem darüber zu sprechen, niemals.«

Ihre Mutter hatte sie ermahnt, in Wanjas Nähe stets auf der Hut zu sein, aber sie war innerlich völlig aufgedreht. Mit einem Gefühl der Beklemmung betrachtete Dominika den gelben Nebel, der ihn umgab. Mit zittriger Stimme sagte sie: »Du sprichst von ›Unannehmlichkeit‹. Ich habe gesehen, wie ein Mann dreißig Zentimeter vor meinen Augen ermordet wurde. Wir waren nackt, er lag auf mir, wie du genau weißt. Ich war von seinem Blut bedeckt, meine Haare waren ganz verfilzt davon. Ich rieche das Blut jetzt noch.« Sie sah das Unbehagen ihres Onkels in seinem Blick. *Aber pass auf*, dachte sie, da ist auch eine unterschwellige Verärgerung. Jetzt, wieder in sanftem Tonfall, sagte sie: »Es sei nur ein kleiner Gefallen, eine einfache Sache, hast du gesagt, dass ich dir damit aus der Patsche helfen würde.« Sie lächelte. »Er muss ja etwas ganz Schlimmes verbrochen haben, dass du ihn umbringen lassen musstest.«

Was für eine Unverschämtheit! Wanja dachte nicht daran, mit ihr über Politik zu reden, weder über Putins krankhaften Narzissmus noch über die Notwendigkeit, an Ustinow ein

Exempel zu statuieren, damit die anderen Kulaken wussten, wo es langging. Nein, er hatte seine Nichte aus zwei Gründen kommen lassen. Er wollte ihre Geistesverfassung einschätzen, beurteilen, ob sie den Mund halten, den Vorfall hinter sich lassen, sich von ihrem Trauma erholen konnte. Und je nachdem, wie die Antwort auf die erste Frage ausfiel, würde er über zwei weitere Optionen nachdenken.

Sollte sich Dominika von ihrem Stuhl erheben, die Fassung verlieren und sich weigern zuzuhören, konnte sie das Hauptquartier auf gar keinen Fall lebendig verlassen. Matorin würde das Problem lösen. Es mochte Dominika nicht klar sein, aber sie war Augenzeugin eines politischen Attentats geworden, das Putins Gegner liebend gern dokumentieren würden, damit alle Welt davon erfuhr. Sollte das geschehen, wäre es um ihn, Egorow, geschehen. Im Moment gaben gewisse Staatsorgane Ustinows Tod als grausigen Mord aus, in Auftrag gegeben von einem Geschäftsrivalen. Dabei kannte jeder die Wahrheit; mit so etwas musste man rechnen. Aber wenn diese fünfundzwanzigjährige Nichte mit ihren fabergéblauen Augen und der 95C-Oberweite nach dem Gespräch aufstand und herumerzählte, was sie gesehen hatte, und aus welchem Blickwinkel, würden die oppositionellen Journalisten nie mehr lockerlassen.

Wenn sie sich hingegen im Griff zu haben schien, würde er Maßnahmen ergreifen, um die Fortdauer ihrer Diskretion sicherzustellen. Sein politisches Überleben hing von ihrem künftigen Wohlverhalten ab. Er hatte bereits beschlossen, dies dadurch zu erreichen, dass er sie in den Dienst hereinholte, sie der permanenten Zucht und Überwachung der Zentrale unterstellte. Das würde keine Schwierigkeiten bereiten. Ein Job in der Registratur, im Archiv. Man würde sie zur Aus- und Weiterbildung schicken, wo sie Verfahren und

Verordnungen erlernen konnte. So könnte man sie im Auge behalten. Je nach ihren Leistungen – er erwartete nicht viel – könnte man ihr dann einen Bürojob in einer der Abteilungen geben, als Zierde im Vorzimmer irgendeines Generals. Später könnte man sie vielleicht ins Ausland schicken, in einer *Residentura* in Afghanistan oder Lateinamerika wegsperren. Nach fünf Jahren – dann wäre er zum Direktor aufgestiegen – könnte man ihr sogar aus triftigem Grund kündigen und sie an die Luft befördern.

Leise sagte Wanja: »Liebe Nichte, es ist deine Pflicht, stets loyal zu sein, das Äußerste zu tun, um deinem Land zu dienen. Deine Verschwiegenheit ist ein Muss. Sie wird von dir absolut verlangt. Wird das zu einem Problem zwischen uns werden?« Wanja schaute Dominika fest in die Augen und schnippte dabei die Asche von seiner Zigarette.

In genau diesem Augenblick wurde über den nächsten Abschnitt in ihrem Leben entschieden. Die übliche gelbe Aura um Wanjas Kopf war dunkler geworden, als wäre sie von Blut durchtränkt, und auch seine Stimme hatte sich verändert, hatte eine gewisse Schärfe angenommen. Einer telepathischen Eingebung folgend entsann sich Dominika der geflüsterten Worte ihrer Mutter. *Saledenet*, dachte sie und riss sich zusammen. *Werde eiskalt.* Sie sah hoch zu ihrem Onkel, den sie allmählich zu hassen und auch zu fürchten begann. Ihre Blicke trafen sich.

»Du kannst dich auf meine Diskretion verlassen«, sagte sie in hölzernem Tonfall.

»Hab ich's doch gewusst.« Sie war ein kluges Mädchen, er hatte ihre Instinkte in Aktion erlebt, sie besaß Verstand. Jetzt aber das Zuckerbrot. »Und weil du dich so gut geschlagen hast, habe ich einen Vorschlag.« Er lehnte sich im Stuhl zurück und steckte sich noch eine Zigarette an. »Ich biete dir einen Anfangsposten als festangestellte Mitarbeiterin im Dienst an. Ich möchte, dass du dich mir in unserer Arbeit hier anschließt.«

Dominika versuchte, sich nichts anmerken zu lassen, und sah mit Genugtuung, dass Wanja in ihren Gesichtszügen nach einer Reaktion forschte. »Im Dienst?«, sagte sie. »Das habe ich nie in Erwägung gezogen.«

»So eine gute Gelegenheit kommt nicht so schnell wieder. Eine feste Anstellung, beginnen, eine Pension anzusparen. Wenn du dem Dienst angehörst, kann ich weiterhin garantieren, dass deine Mutter ihre Wohnung behält. Außerdem: Was willst du sonst tun? Dir einen Job als – was – als Tanzlehrerin suchen?« Er legte die Hände auf dem Schreibtisch zusammen.

In Gedanken markierte Dominika die Stelle auf Onkel Wanjas Hemd, in der sie den Bleistift, der auf dem Schreibtisch lag, versenken würde. Sie senkte den Kopf und sagte ruhig: »Mutter zu helfen, das wäre mir wichtig.« Wanja machte eine *Selbstverständlich*-Geste. »Allerdings fände ich es merkwürdig, hier zu arbeiten«, setzte sie hinzu.

»So merkwürdig wäre das gar nicht. Und wir könnten zusammenarbeiten.« Die Worte schwebten über Wanjas Kopf, veränderten ihre Farbe je nach dem Licht der Sonne. *Na klar*, dachte Dominika, *eine Stabsmitarbeiterin würde jeden Tag eng mit dem Stellvertretenden Direktor zusammenarbeiten.*

»Was für Aufgaben und Pflichten hätte ich denn?«, fragte Dominika. Aber sie wusste bereits genug, um die Antwort zu kennen.

»Du müsstest natürlich auf dem Eingangsniveau anfangen. Aber alle Arbeiten in unserem Dienst sind äußerst wichtig. Registratur, Recherche, Archiv. Jeder Nachrichtendienst ist auf Gedeih und Verderb vom korrekten Umgang mit Informationen abhängig.« Na klar, die wollten sie im dritten Untergeschoss wegsperren.

»Ich bin mir nicht sicher, ob ich mich mit solchen Aufgaben auskenne, Onkel. Ich bezweifle, dass ich die Arbeit gut erledigen würde.« Wanja ließ sich seine Verärgerung nicht anmerken. Im Grunde blieb ihm nur eine Wahl bei dieser Venus von Milo. Entweder beseitigte Matorin sie noch vor dem Mittagessen, oder er holte sie in den Dienst, wo sie unter Kontrolle wäre. Der Mittelweg war inakzeptabel. Man konnte sie ja nicht in Moskau herumspazieren lassen, während ihr Groll zunahm und sie möglicherweise erwog, es ihnen heimzuzahlen. *Sookin syn.*

»Du würdest schnell lernen, da bin ich mir sicher. Es handelt sich um eine ziemlich wichtige Tätigkeit«, sagte Wanja. Jetzt sah er sich auch noch gezwungen, diese alberne Gans zu überzeugen.

»Ich hätte allerdings Interesse, in einer anderen Abteilung des Dienstes zu arbeiten.« Mit verschränkten Händen und regungslos sah Wanja sie über den Schreibtisch hinweg an. Noch immer saß sie mit geradem Rücken da, Kopf erhoben, betroffen. Wanja schwieg, wartete. »Ich möchte als Auszubildende in die Akademie des Auslandsgeheimdienstes aufgenommen werden.«

»In die Akademie, die AWR?«, sagte Wanja langsam. »Du möchtest Nachrichtendienstoffizierin werden. Im SWR?«

»Ja, ich würde meine Sache gut machen, glaube ich«, sagte Dominika. »Du hast selbst gesagt, ich hätte eine befriedigende Leistung gezeigt, als es darum ging, Ustinows Vertrauen zu erlangen.« Die Sprache auf Ustinow zu bringen, das brachte es. Wanja zündete sich die dritte Zigarette in ebenso vielen Minuten an. Die Frauen in den untergeordneten Funktionen nicht mitgezählt, hatten zwei, vielleicht drei Frauen in der

Ersten Hauptverwaltung des alten KGB gearbeitet, und eine von ihnen war ein echter Dragoner im Präsidium gewesen. Keine war in die Hochschule des KGB, das Andropow-Institut oder die jetzige AWR, aufgenommen worden. Die einzigen Frauen, die in Außeneinsätze involviert waren, waren die hinzugezogenen Ehefrauen von *Residenturi*-Offizieren sowie die *worobej*, die ausgebildeten »Spatzen«, die Zielpersonen verführten.

Doch Wanja Egorow machte blitzschnell eine Rechnung auf. Als Anwärterin in der Akademie würde seine Nichte einer noch strengeren Kontrolle unterliegen. Ihre Leistungen, ihre Einstellung und ihre Aufenthaltsorte würden auf absehbare Zukunft ständig überwacht. Sie würde sich während langer Zeiträume nicht in Moskau aufhalten. Falls sie vom rechten Weg abkam und versucht war, den Mund aufzumachen, würde sie unter das Disziplinarrecht des Dienstes fallen. Ihre Entlassung, ja Inhaftierung ließe sich mit einem Federstrich erledigen.

Weiter gefasst könnte er auch ein wenig politisches Kapital daraus schlagen, wenn er sie als Kandidatin für die Akademie vorschlug. Er würde dann als der honorige Vizedirektor gelten, der erstmals eine Frau – sportlich, gebildet, mehrsprachig – für die Ausbildung im heutigen SWR ausgesucht hatte. Die Bosse im Kreml würden den Nutzen für eine gute PR mit Sicherheit erkennen.

Von der anderen Seite des Schreibtischs sah Dominika sein Gesicht, folgte seinen Kalkulationen. Gleich würde das widerstrebende Einverständnis kommen, würden die unvermeidlichen strengen Warnungen ergehen.

»Das ist ziemlich viel verlangt«, sagte Wanja. »Es gibt da eine Aufnahmeprüfung, die Ablehnungsquote ist hoch, und die Ausbildung ist lang, sehr streng.« Er drehte sich im Stuhl um, schaute aus dem Panoramafenster und überlegte. Er traf eine Entscheidung. »Bist du bereit, dich zu diesem Weg zu verpflichten?«

Dominika nickte. Natürlich war sie sich nicht vollkommen sicher. Aber es wäre eine Herausforderung, und das gefiel ihr. Außerdem war sie loyal, sie liebte ihr Land, wollte versuchen, einer der führenden Organisationen in Russland beizutreten und, vielleicht, sogar einen Beitrag zu leisten. Der Mord an Ustinow hatte sie abgestoßen, aber er hatte ihr auch gezeigt, binnen eines Abends, dass sie mit geheimdienstlichen Aufgaben zurechtkommen konnte, dass sie die Intelligenz, den Mut und die innere Kraft dafür besaß.

Doch da war noch etwas anderes, etwas schwer Greifbares, etwas, das sich in ihrem Innern angestaut hatte. Die hatten sie benutzt. Jetzt wollte sie in ihre Welt eindringen, in die Welt dieser *domowladel'tsi*, dieser Herren, die das System und die Menschen missbrauchten. Was ihr Vater wohl darüber denken würde?

»Ich werde es mir überlegen«, sagte Wanja, drehte sich wieder um und sah sie an. »Wenn ich mich dazu entschließe, dich vorzuschlagen, und wenn du ausgewählt wirst, werden deine Leistungen in der Akademie auf mich, auf die ganze Familie zurückfallen. Das ist dir doch klar, oder?« Entzückend. Seine Sorge um sie und die Familie hatte ihn nicht davon abgehalten, sie auf Ustinow anzusetzen.

Fast hätte sie geantwortet: *Ich werde schon dafür sorgen, dass dein Ruf gewahrt bleibt*, aber sie unterdrückte ihre Wut und nickte stattdessen noch einmal, jetzt, da sie sich sicherer war, zur Akademie zugelassen zu werden. Wanja stand auf. »Du könntest doch nach unten gehen und zu Mittag essen. Ich werde dir meine Entscheidung heute Nachmittag mitteilen.« Er musste das beim Direktor durchbringen (sanfte Überredung), und der Leiter der Ausbildung musste unter Druck gesetzt werden (eine Freude). Aber Dominika würde einen Ausbildungsplatz bekommen, und damit wäre die Sache erledigt und sein Problem mit ihr gelöst. Als sie ging, griff Wanja zum Telefon und sprach ein paar Sätze in den Hörer.

Dominika wurde den Flur entlang zurück zum Fahrstuhl geführt. Die ehemaligen Direktoren sahen alle aus, als hätten sie ein leises Lächeln im Gesicht. In der weitläufigen Cafeteria bestellte Dominika das *kotleta po-kiewski*, ein hartes Brötchen und eine Flasche Mineralwasser. In der Cafeteria war es ziemlich voll, sodass sie nach einem freien Platz suchen musste. Sie fand einen Tisch, an dem zwei Frauen mittleren Alters saßen. Sie betrachteten die schöne junge Frau mit dem müden Blick und dem Besucherausweis, sagten aber nichts. Dominika fing an zu essen. Das Hühnerschnitzel war leicht paniert, goldgelb und köstlich. Die Butter troff aus dem eingerollten Fleischstück, das einen intensiven Geruch nach Knoblauch und Estragon verströmte. Das Schnitzel verwandelte sich in Ustinows Hals, die Buttersauce nahm eine zinnoberrote Farbe an. Mit zitternden Händen legte Dominika Messer und Gabel neben den Teller. Schloss die Augen und kämpfte gegen ihre Übelkeit. Die beiden Frauen am Tisch sahen sie an. So etwas erlebte man nicht alle Tage. Sie wussten gar nicht, wie recht sie damit hatten.

Dominika hob den Kopf und erblickte wirbelndes Schwarz. Ihr gegenüber am Tisch saß Sergej Matorin, er beugte sich über den Teller und löffelte seine Suppe. Er glotzte sie an, sein totes Auge blickte starr, ähnlich wie ein Wolf seine Umgebung beobachtet, wenn er an einem Bach säuft.

Kräuterbutter mit Knoblauch, Estragon, Zitronensaft und Petersilie mischen und kalt stellen. Hühnerbrüste zu hauchdünnen Koteletts flach klopfen. Fest um daumengroße Stücke der Kräuterbutter rollen, mit Küchengarn umwickeln. Mit Gewürzmehl bestreuen, in gequirltes Eigelb tauchen, mit Semmelbröseln überziehen. In heißem Fett frittieren, bis die Panade goldgelb ist.

# 6

Dominika trat in die Akademie für Auslandsspionage (AWR) des SWR bald nach dem Begräbnis ihres Vaters ein. Während des Kalten Krieges war die Schule mehrmals umbenannt worden, erst hieß sie »Hochschule der Nachrichtendienste«, dann »Rotes-Banner-Institut« und schließlich »AWR«, aber Veteranen nannten sie schlicht »Schule Nr. 101«. Seit Jahrzehnten lag der Hauptcampus nördlich von Moskau, in der Nähe des Dorfes Tschelobitjewo. Als die Schule schließlich als AWR firmierte, wurde sie modernisiert, der Lehrplan wurde gestrafft, die Zulassungskriterien wurden liberalisiert. Der Campus war auf eine Lichtung in den dichten Wäldern östlich der Moskauer Innenstadt umgezogen, bei Kilometer 25 der Gorki-Autobahn. Deswegen nannte man ihn inzwischen auch »Kilometer 25« oder einfach nur den »Wald«.

In den ersten Wochen wurde Dominika, aufgeregt und auf der Hut, weil sie die einzige Frau war, gemeinsam mit einem Dutzend ihrer Kommilitonen in klapprigen PAZ-Bussen mit dunkel getönten Scheiben zu verschiedenen Orten rings um Moskau und die umliegenden Vororte gefahren. Durch aufgleitende Metalltore fuhren sie auf ummauerte Gelände, die als Laboratorien, Forschungszentren oder Jugendlager registriert waren. Die Tage waren angefüllt mit Vorlesungen über die Geschichte der Geheimdienste, über Russland, über den Kalten Krieg und die Sowjetunion.

Als Haupteigenschaft, die früher für die Aufnahme in die

ehemaligen Hochschulen des KGB erforderlich war, galt die Treue zur Kommunistischen Partei, wohingegen der heutige SWR von den Lehrgangsteilnehmern ein aufopferungsvolles Engagement für die Russische Föderation sowie die Verpflichtung verlangte, sie vor inneren und äußeren Feinden zu schützen.

In der ersten Phase der Indoktrinierung wurden die Lehrgangsteilnehmer nicht nur nach ihrer Befähigung, sondern auch danach beurteilt, was man im vormaligen KGB als »politische Zuverlässigkeit« bezeichnet hätte. Dominika glänzte im Mündlichen wie im Schriftlichen. Sie bewies eine gewisse Unabhängigkeit, Ungeduld mit althergebrachten Formeln und Machtsprüchen. Ein Ausbilder hatte geschrieben, Kadettin Egorowa zögere ganz kurz, ehe sie eine Frage beantworte, *so, als überlege sie, ob sie antworten wolle,* liefere dann aber stets einen ausgezeichneten Beitrag.

Dominika wusste, was sie hören wollten. Die Schlagwörter in den Büchern und an den Tafeln waren wie Kaleidoskope aus Farben, leicht zu kategorisieren und auswendig zu lernen. Lehrmeinungen über Pflichterfüllung, Staatstreue und die Verteidigung des Landes. Sie war eine Anwärterin, auf dem Weg, Teil der russischen Elite zu werden, damals Schwert und Schild, heute Erdball und Stern. Die Auffassungen, die sie in ihrer Jugend vertrat, hatten einst ihren freidenkerischen Vater entsetzt – das wusste sie jetzt –, und sie akzeptierte die offizielle Lehre nicht mehr *voll und ganz.* Trotzdem wollte sie gute Leistungen erbringen.

Die zweite Phase der Ausbildung begann. Die Klasse war auf Dauer auf den Campus bei Kilometer 25 umgezogen, eine Gruppe langer, niedriger Bauten mit Giebeldächern, umgeben von Kiefern und Birkenhainen. Weitläufige Rasenflächen trennten die Gebäude, Kieswege führten zu den Sportfeldern dahinter. Der Campus lag einen Kilometer von der vierspurigen Gorkowskoje-Chaussee entfernt, hinter einem hohen Palisadenzaun, der grün angestrichen war, um sich den Bäumen optisch anzugleichen. Hinter diesem »Waldzaun«, drei Kilometer weiter im Wald gelegen, verliefen zwei weitere Linien mit Drahtzäunen, zwischen denen belgische Malinois frei herumliefen. Die Laufstrecke der Hunde war von den Fenstern der kleinen Unterrichtsräume aus zu erkennen, und aus ihren Zimmern in den zweistöckigen Gebäuden konnten die Lehrgangsteilnehmer sie nachts hecheln hören.

Dominika war die einzige Frau im Wohnheim, weswegen ihr ein Einzelzimmer am Ende des Flurs zugewiesen wurde, aber sie musste trotzdem Toilette und Duschraum mit zwölf Männern teilen, was bedeutete, dass sie morgens und abends eine Zeitspanne finden musste, in der sich niemand dort aufhielt. Die meisten ihrer Kommilitonen waren ziemlich harmlos, privilegierte Söhne wichtiger Familien, junge Männer mit Beziehungen zur Duma, zur Armee oder zum Kreml. Manche waren intelligent, sehr intelligent, andere nicht. Einige Mutige, die es gewohnt waren, zu bekommen, was sie wollten, und die die Silhouette hinter dem Duschvorhang gesehen hatten, waren bereit, für ein sexuelles Abenteuer alles aufs Spiel zu setzen.

Eines späten Abends hatte sie die Hand nach ihrem Handtuch auf dem Haken außerhalb der Duschkabine im Gemeinschaftsbad ausgestreckt. Ein Kommilitone mit sandfarbenem Haar, der stämmige Bursche aus Nowosibirsk, trat zu ihr in die Kabine, drängte sich hinter sie und legte ihr die Arme um die Taille. Sie spürte, dass er nackt war, während er ihr Gesicht gegen die Kacheln der Dusche drückte und von hinten an ihren nassen Haaren roch. Dabei flüsterte er irgendetwas, das sie nicht verstand; außerdem konnte sie die

Farben einfach nicht erkennen. Dann presste er sich fester an sie, seine Hand glitt von ihrer Taille nach vorn, hoch zu ihren Brüsten. Während er Dominika betatschte, fragte sie sich, ob er wohl ihren Herzschlag spürte, ihren Atem fühlte. Ihre Wange wurde gegen die weißen Kacheln der Duschkabine gedrückt, und da changierten sie wie Prismen im Sonnenlicht, bis sie schließlich dunkelrot erschienen.

Der konische Kaltwasser-Armaturengriff war schon immer locker gewesen; Dominika ruckelte daran, bis er sich löste und in ihrer Hand lag. Glitschig und atemlos drehte sie sich zu ihm um, die Brüste jetzt gegen seine Brust gequetscht, und sagte mit erstickter Stimme: »Stojat.« Warte, warte eine Sekunde. Er lächelte noch, als Dominika ihm das spitze Ende des Armaturengriffs ins linke Auge stieß und sein speigrüner Schrei des Schmerzes und der Angst sie überschwemmte, während er an der Wand hinabglitt, sich das Gesicht haltend, die Knie angewinkelt. »Stojat«, sagte sie wieder, auf ihn hinabblickend. »Ich hatte dich doch gebeten, eine Sekunde zu warten.«

»Versuchte Vergewaltigung und gerechtfertigte Notwehr«, lautete das Urteil des geheimen Untersuchungsausschusses der AWR. Nowosibirsk erhielt einen einäugigen Busschaffner, und die Ausschussmitglieder empfahlen, Dominika von der Ausbildung in der Akademie auszuschließen. Worauf sie entgegnete, sie habe nichts getan, um den Vorfall zu verursachen, und die Ausschussmitglieder – eine Frau und zwei Männer – musterten sie von oben bis unten, ohne eine Miene zu verziehen. Die würden ihr das noch einmal antun: die Ballettschule, dann Ustinow und jetzt die AWR. Und da teilte Dominika ihnen mit, sie werde offiziell Beschwerde einreichen. Bei wem sie sich denn beschweren wolle? Doch der Vorfall wurde in Jassenewo bekannt, und Vizedirektor

Egorow fluchte derart unflätig am Telefon, dass Dominika meinte, braunen Sirup aus der Hörmuschel fließen zu sehen. Schließlich wurde ihr mitgeteilt, man habe beschlossen, ihr eine zweite Chance zu geben, unter Bewährung. Von nun an ignorierten die übrigen Lehrgangsteilnehmer Dominika, mieden sie, diese *klikuscha*, die mit absurd geradem Rücken und langen, eleganten Schritten und einem kaum wahrnehmbaren Humpeln zwischen den Gebäuden im »Wald« umherspazierte.

———

Die dritte Ausbildungsphase an der Akademie begann. Nacheinander betraten sie den Seminarraum mit den Plastikstühlen, den genarbten Schallschutzplatten an den Wänden und den unförmigen Projektionsapparaten, die von der Decke hingen. Zwischen den Doppelfenstern lagen stapelweise tote Fliegen. Jetzt begann der Unterricht über Weltwirtschaft, Energie, Politik, die Dritte Welt, internationale Angelegenheiten und die »globalen Probleme«. Und Amerika. Zwar galten die Vereinigten Staaten nicht mehr als Erzfeind, aber sie waren dennoch der Hauptkonkurrent ihres Heimatlandes. Russland musste alles geben, um das Gleichgewicht der Supermächte zu wahren. Die Vorlesungen zu diesem Thema nahmen eine gewisse Schärfe an.

Die Amerikaner bezeichneten Russland als Mittelmacht, sie ignorierten das Land und *versuchten*, es zu manipulieren. Washington habe sich in die letzten Wahlen eingemischt, zum Glück ohne Erfolg. Amerika unterstütze russische Dissidenten und ermutige zu Störmanövern in dieser heiklen Phase des russischen Wiederaufbaus. Amerikanische Militärstreitkräfte forderten Russlands Souveränität heraus, von der Ostsee bis zum Japanischen Meer. Die jüngste Politik der

Neuausrichtung sei eine Beleidigung, nichts musste neu ausgerichtet werden. Es war schlicht so, dass Russland Respekt verdiente, die *Rodina* verlangte Respekt. Nun ja, wenn Dominika, als SWR-Offizierin, jemals einen Amerikaner treffen sollte, dann würde sie ihm zeigen, dass Russland Respekt verdiente.

Die Ironie bestehe darin, dass sich Amerika im Niedergang befinde, sagten die Dozenten, nicht mehr die hochmächtigen Vereinigten Staaten seien. Überfordert durch Kriege, wirtschaftlich ums Überleben kämpfend, sei die vermeintliche Geburtsstätte der Gleichheit inzwischen durch Klassenkampf und die schädliche Politik widerstreitender Ideologien tief gespalten. Außerdem sei diesen törichten Amerikanern immer noch nicht klar, dass sie bald auf Russland angewiesen sein würden, um den Einfluss des sich rasant entwickelnden China einzudämmen, dass sie Russland in einem künftigen Krieg als Verbündeten brauchen würden.

Doch wenn die Amerikaner den Kampf gegen Russland aufnehmen wollten, weil sie glaubten, es sei kraftlos und geschwächt, dann würden sie sich wundern. Einer aus der Klasse war anderer Ansicht. Er verwies darauf, dass die alten Vorstellungen von »Ost« und »West« antiquiert seien. Außerdem habe Russland den Kalten Krieg verloren, man solle endlich darüber hinwegkommen. Völlige Stille im Seminarraum. Ein anderer Kommilitone stand auf, seine Augen blitzten. »Russland hat den Kalten Krieg mit Sicherheit *nicht* verloren. *Er ist nämlich nie zu Ende gegangen.*« Dominika sah die scharlachroten Buchstaben zur Decke emporsteigen. Gute Worte, starke Worte. Interessant. Der Kalte Krieg war nie zu Ende gegangen.

———

Nicht lange danach wurde Dominika von den übrigen Teilnehmern aus ihrem Kurs getrennt. Sie benötigte keinen Sprachunterricht, sie hätte ja selbst Englisch oder Französisch unterrichten können. Auch wurde sie nicht auf die Verwaltungslaufbahn abgeschoben. Ihre Dozenten hatten ihr Potenzial erkannt, hatten dies der Verwaltung der Akademie mitgeteilt, die wiederum Jassenewo angerufen und die Genehmigung der Zentrale erbeten hatte, Dominika Egorowa – die Nichte des Vizedirektors – zur praktischen beziehungsweise nachrichtendienstlichen Phase der Ausbildung zuzulassen. Sie würde eine ungewöhnliche Kandidatin sein, ausgebildet vom SWR als *operupolnomotschenni*, Nachrichtendienstoffizier. Es gab keine Verzögerungen. Die Zustimmung der Zentrale war bereits erteilt worden.

Dominika war zur geheimdienstlichen Ausbildung zugelassen worden, zur stahlharten Bewährungsprobe, zum »Agentenspiel«; sie hatte eine spezielle Phase erreicht, das letzte Larvenstadium, bevor sie schlüpfte, damit sie dem Vaterland dienen konnte. Die Zeit verging, ohne dass Dominika es merkte. Die Jahreszeiten wechselten, ohne dass sie sie bewusst wahrnahm. Unterricht, Vorlesungen, Laboratorien, Befragungen, alles stürzte auf sie ein.

Es begann mit lächerlichen Themen. Sabotage, Sprengstoffe, Infiltrierung, erstmals unterrichtet, als Stalin wütete und die Wehrmacht Moskau einkreiste. Dann kamen die praktischeren Lektionen, in denen man Dominika enorm forderte. Sie entwickelte Legenden, *saschifrowat'*, Tarngeschichten für geheime Operationen, ging Routen ab, um die Überwachungsteams der Gegenseite aufzudecken, fand einen sicheren Unterschlupf, übermittelte geheime Botschaften, fand Orte für Treffen, *jawki*, führte *wstretschki*, konspirative Treffen, durch, plante Anwerbungen. Sie übte mit Verkleidungen und Formen digitaler Telekommunikation, mit Signalen und Geheimdepots. Ihr Gedächtnis für Details, für Lektionen, die sie gelernt hatte, erstaunte alle.

Den Ausbildern im unbewaffneten Kampf imponierten ihre Kraft und ihr Balancegefühl. Allerdings zeigten sie sich ein wenig beunruhigt wegen ihres aufbrausenden Temperaments und weil sie nicht auf der Matte blieb, wenn sie zu Boden ging. Alle kannten die Geschichte aus dem »Wald«, darum behielten die staunenden Männer im Kurs Dominikas Hände und Knie im Auge und schützten ihre *mudia*, wenn sie mit ihr ein Sparringstraining absolvierten. Sie sah ihre Gesichter, erkannte den grünen Atem der Missbilligung und Angst, wenn sie in der Sporthalle stöhnten und keuchten. Keiner begab sich freiwillig in ihre Nähe.

Der praktische Unterricht setzte sich fort. Dominika wurde in die Innenstadt von Moskau geführt, auf die Straßen, um die Spionagegrundsätze zu üben, die in den schäbigen Seminarräumen in Jassenewo unterrichtet wurden. Die Ausbilder des Spionagehandwerks waren *pensionerki*, alte Schattenmänner, manche von ihnen siebzigjährig, seit Jahrzehnten im Ruhestand. Als sich die Übungen beschleunigten, fiel es ihnen ein wenig schwer, mit Dominika mitzuhalten. Sie beobachteten Dominikas muskulöse Tänzerinnenwaden, wenn sie die vor Nässe glänzenden Bürgersteige Moskaus entlangschritt. Sie fanden das leichte Humpeln aufgrund des Mittelfußbruches, der inzwischen geheilt war, liebenswert. Dominika war ehrgeizig, entschlossen zu glänzen. Schweißperlen standen ihr auf der Stirn, Schweißflecken ließen die Bluse zwischen ihren Brüsten und über den Rippen dunkel werden.

Während der Einsätze auf der Straße war das Farbensehen hilfreich; die Blau- und Grüntöne der Teams in den Funkwagen und Observationsautos boten die Möglichkeit, Deckung in den Menschenmengen auf den breiten Prachtstraßen zu finden. Dominika führte Observationsteams in die Irre, plante minutiös geheime Übergaben im Vorbeigehen auf vollen U-Bahnsteigen, traf sich mit Ausbildern in schmutzigen Treppenhäusern, steuerte die Treffen, las ihre Gedanken. Die alten Männer wischten sich den Schweiß von der Stirn und murmelten: »*Fanatischka*.« Dann lachte Dominika sie aus, die Haare streng nach hinten gekämmt, den Rücken gerade, und las insgeheim die Farben ihrer atemlosen Anerkennung. *Kommt schon*, dinosawri, *kommt schon, ihr alten Dinosaurier*. Insgeheim liebten die unwirschen alten Männer sie, und sie wusste es.

Die alten Ausbilder sollten ihr näherbringen, welche Verhältnisse sie im Ausland vorfinden würde, was sie bei den Einsätzen auf der Straße zu erwarten hatte, wie man in ausländischen Hauptstädten operierte. *Glupost*, dachte Dominika, was für eine Dummheit, dass diese alten Männer, die zum letzten Mal im Ausland gewesen waren, als Breschnew Truppen nach Afghanistan schickte, ihr erklärten, womit sie heute auf den Straßen von London, New York oder Peking zu rechnen hatte. Dominika besaß die Unverschämtheit, diesen Widerspruch einem Kurskoordinator gegenüber zu erwähnen, der ihr entgegnete, sie solle den Mund halten, und ihre Bemerkung nach oben meldete. Sie errötete, weil man so mit ihr sprach, aber sie wandte sich ab und verfluchte sich selbst. Sie war dabei, zu lernen.

———

Dominikas Leistungen wurden beurteilt, während sie Kurse über die Psychologie der Nachrichtenbeschaffung, die Psyche von Informanten, menschliche Beweggründe und die Identifizierung von Schwachpunkten belegte. Ein Ausbilder namens Michail nannte das »den menschlichen Umschlag öffnen«. Er war ein fünfundvierzigjähriger SWR-Psychologe aus der Zentrale; Dominika bekam Einzelunterricht. Er führte sie in Moskau herum, wobei sie Menschen beobachteten, bei Begegnungen zuschauten. Vom Farbensehen erzählte Dominika ihm nichts, denn vor langer Zeit hatte ihre Mutter sie schwören lassen, es niemals zu erwähnen. »Und woher, in Gottes Namen, weißt du das über ihn?«, fragte Michail, wenn Dominika ihm zuflüsterte, dass der Mann, der auf der nächsten Parkbank saß, auf eine Frau warte.

»Es kommt mir eben so vor«, antwortete sie dann, wobei sie verschwieg, dass ein leidenschaftliches Violett um den Mann aufflammte, als die Frau um die Ecke bog. Michail lachte und sah sie verblüfft an, als sich herausstellte, dass sie recht hatte.

Wenn Dominika sich auf diese praktischen Übungen konzentrierte, sagte ihr ihre verfeinerte Intuition, dass sie auf Michail wirkte. Obwohl er sich zunächst als strenger Ausbilder aus der Hauptverwaltung T ausgab, ertappte sie ihn dabei, wie er ihr Haar betrachtete oder flüchtige Blicke auf ihren Körper warf. In Gedanken zählte sie mit, wie häufig er wie zufällig mit ihr zusammenstieß, sie an der Schulter berührte oder ihr die Hand auf den Rücken legte, wenn sie durch eine Tür gingen. Er verströmte Verlangen, um seinen Kopf und die Schultern lag ein beständiger dunkelkarmesinroter Nebel. Sie wusste, wie er seinen Tee am liebsten trank, wann er seine Brille brauchte, um eine Speisekarte zu lesen, kannte seine Herzfrequenz, wenn er in der U-Bahn eng an sie gedrängt wurde. Sie sah, wie Michail verstohlen auf ihre nicht polierten Fingernägel schaute oder wie er sie beobachtete, wenn sie an einem Tisch im Café ihren Schuh vom Fuß baumeln ließ.

Es war irrsinnig riskant, mit ihm zu schlafen. Er war ihr

Ausbilder, noch dazu Psychologe, beauftragt mit der Beurteilung ihrer Persönlichkeit und ihrer Eignung für nachrichtendienstliche Operationen. Doch sie wusste, dass er nichts sagen würde, denn sie übte eine undefinierbare Macht auf ihn aus. Außerdem war das Miteinanderschlafen, ein gravierender Verstoß während der Ausbildung, ein ausgefallener Nervenkitzel, mehr als nur körperliche Lust.

Von der sie sehr viel erlebte. Eines Nachmittags, nach einer Übung auf der Straße, gingen sie in die Wohnung, in der Michail gemeinsam mit seinen Eltern und seinem Bruder lebte; alle waren bei der Arbeit oder ansonsten außer Haus. Der Bettüberwurf lag auf dem Boden. Dominikas Schenkel zitterten, ihre Schultern bebten, ihre Haare rahmten ihr Gesicht, als sie sich auf Michail hockte. Impulse liefen ihr den Rücken hinauf und die Zehen herunter, vor allem diejenigen in ihrem gebrochenen Fuß. Sie wusste, was sie wollte, denn wegen der Ausbildung und der Kasernierung war ihr geheimes Selbst seit geraumer Zeit vernachlässigt worden. Sie nahm Michail in sich auf – wer wurde hier von wem aufgespießt? –, rieb sich an ihm und schenkte sich, was sie brauchte, solange sie noch nicht erschöpft war. Später würde immer noch Zeit für Geturtel und Geseufze sein. Im Moment hatte sie die Augen halb geschlossen und konzentrierte sich darauf, den Druck aufzubauen, fester, fester – *poworatschiwaisja!* Komm schon! –, bis zu dem anfallartigen Wippen, bei dem sie sich krümmte und das ihre Sinne so sehr reizte, dass sie nicht weitermachen, und so erregte, dass sie nicht aufhören konnte. Dann sah Dominika wieder klarer und wischte sich die Haare aus dem Gesicht, während die letzten Schauer ihre Schenkel und Zehen durchliefen. Michail unter ihr lag staunend und stumm da, ein bloßer Beobachter, unsicher, was er soeben erlebt hatte.

Hinterher, als sie eine Kanne Tee zubereitete, warf er ihr lange Seitenblicke zu. Im Pullover am Küchentisch sitzend, sah Dominika ihn ungeniert an, und da wusste der Psychologe in Michail, dass der Sex nichts mit ihm zu tun hatte. Und auch, dass er kein Wort darüber verlieren würde, niemals. Und dass sie es nie wieder tun würden. In gewisser Weise war Michail erleichtert.

——

Der Kurs »Nachrichtendienstliche Operationen« ging zu Ende, die letzte Etappe der dreistufigen Ausbildung war fast geschafft. Die erschöpften Pensionäre, die Dominika ausbildeten, hatten ihr längst den Spitznamen *muschka* verliehen, »Schönheitsfleck« – womit umgangssprachlich auch die Kimme einer Waffe bezeichnet wird. In ihren Abschlussberichten hoben sie positiv Dominikas Fleiß hervor, sie lobten ihren Geist und Verstand und ihre mitunter unerklärlichen Intuitionen auf der Straße. Ihre Loyalität und Verpflichtung der *Rodina* gegenüber waren über jeden Zweifel erhaben. Ein oder zwei Pensionäre schrieben, sie sei ungeduldig. Sie könne streitlustig sein, sie müsse bei ihren Anwerbungsbemühungen mehr Flexibilität entwickeln. Nur ein Ruheständler schrieb, dass er, trotz Dominikas herausragenden Leistungen, glaube, dass es ihr an echtem patriotischen Eifer mangele. Am Ende werde ihre natürliche Unabhängigkeit über ihre Hingabe siegen. Das sei ein Gefühl, ein Eindruck; er könne keine Beispiele anführen. Diese Einschätzungen wurden verworfen als die umnebelten Gedanken eines alten Narren. Keine dieser Beurteilungen bekam Dominika je zu Gesicht.

Zum Ende hin sollte es noch eine allerletzte praktische Prüfung geben, bei der Dominika zeigen sollte, dass sie ihr Spionagehandwerk beherrschte. Eine letzte Übung, ein schriftliches Examen, ein Abschlussgespräch. Sie war fast durch. Aber bevor irgendetwas davon stattfand, verschwand Dominika aus dem Kurs, ihre Ausbilder waren bestürzt – sie sei umgehend in die Zentrale zitiert worden, »zur Erfüllung eines Sonderdienstes«, mehr sagten sie nicht.

＝＝

Dominika wurde mitgeteilt, sie solle sich in einem Zimmer am hinteren Ende des Flurs im vierten Stock in Jassenewo melden, nahe den Porträts der Direktoren. Sie klopfte an eine schlichte Mahagonitür und trat ein. Ein Esszimmer für Führungskräfte, klein, mit Holzvertäfelung, weinrotem Teppichboden. Poliertes Holz und antike Sideboards glänzten im Licht der Einbauleuchten. Onkel Wanja saß am gegenüberliegenden Ende des Tischs, der mit einer schneeweißen Tischdecke und Porzellan von Winogradow gedeckt war. Kristallgläser funkelten im Licht. Als er Dominika eintreten sah, erhob er sich von seinem Stuhl, ging am Tisch entlang und begrüßte sie mit einer kräftigen Umarmung um die Schultern. »Die Absolventin kommt nach Hause.« Er strahlte und hielt sie auf Armeslänge von sich weg. »Die Beste im Kurs, Spitzennoten in der Praxis, ich hab's doch gewusst.« Er hakte sie unter und geleitete sie durchs Zimmer.

Auf der anderen Seite des Tischs saß ein Mann, gelassen eine Zigarette rauchend. Er war um die fünfzig, und statt einer Nase hatte er ein rot geädertes, flaches Viereck im Gesicht. Seine Augen waren trüb und wässrig, die Zähne unregelmäßig und gelb. Er lümmelte sich im Stuhl, mit der lässigen Autorität, die am Abziehleder jahrzehntelangen sowjetischen Beamtentums geschärft worden war. Sein Schlips hing schief, der Anzug war von einem ausgewaschenen Braun, das an Ebbe am Strand erinnerte. Dies passte zur gasförmigen braunen Blase, die ihn umgab. Doch nicht die Farben – Schwarz-, Grau- und Brauntöne – waren das Besondere, sondern deren Blässe und die Art, wie sie ihn sanft umhüllten. *Er ist* blutschdajuschij, *verschlagen*, dachte Dominika, *nicht vertrauenswürdig.*

Dominika setzte sich ihm gegenüber und erwiderte gleichmütig seinen musternden Blick. Wanja saß an seinem Platz am Kopfende des Tisches und hatte seine Pranken sittsam vor sich zusammengelegt. Im Unterschied zum ehemaligen sowjetischen Apparatschik, der ihr gegenübersaß, trug Wanja wie üblich einen eleganten perlgrauen Anzug, ein blaues Hemd mit gestärktem Kragen und eine marineblaue Krawatte mit winzigen weißen Punkten. Am Revers trug er eine kleine rote Schleife mit einem himmelblauen Stern – *Sa Saslugi Pered Otetschestwom*: für bedeutende Beiträge zur Verteidigung des Vaterlands. Wanja zündete sich eine Zigarette mit seinem viel benutzten silbernen Feuerzeug an und klappte es zu.

»Das ist Oberst Simjonow.« Mit einem Nicken wies Wanja zu dem Mann, der da am Tisch lümmelte. »Er leitet die Abteilung V.« Simjonow schwieg, beugte sich vor und schnippte Asche in den kupfernen Aschenbecher neben seinem Teller. »Wir haben da eine einmalige Gelegenheit für eine geheimdienstliche Operation«, fuhr Wanja fort. »Die Fünfte hat die Federführung.« Dominika blickte gelangweilt von Wanja zu Simjonow. »Ich habe dem Oberst gesagt, dass du einzigartig geeignet wärst, bei der Operation zu assistieren, vor allem, weil du deine Ausbildung an der Akademie mit Auszeichnung bestanden hast. Ich wollte, dass ihr beide euch kennenlernt.«

*Was soll der Blödsinn?*, dachte Dominika. »Vielen Dank, General.« Sie achtete darauf, ihn in Gegenwart eines höheren Offiziers nicht »Onkel« zu nennen. »Ich bin erst in zwei

Wochen fertig. Es kommen noch eine letzte Übung und die abschließenden Beurteilungen. Ich ...«

»Deine Schlussbeurteilung ist vollständig«, unterbrach Wanja. »Es ist nicht notwendig, zur Akademie zurückzukehren. Mehr noch: Ich möchte, dass du eine Zusatzausbildung beginnst, zur Vorbereitung auf die operativen Einsätze für Simjonow.« Wanja drückte seine Zigarette in einem identischen Aschenbecher aus.

»Darf ich fragen, worum es bei dem Einsatz geht, General?«, fragte Dominika. Sie waren beide zu intelligent, um etwas durch ihre Blicke zu verraten, aber er ahnte nicht, was Dominika sonst noch sah. Die Blasen um ihre Köpfe schwollen an.

»Einstweilen genügt es, dir mitzuteilen, dass es sich um einen möglicherweise wichtigen Fall handelt, eine *konspiratsia*, die durchaus heikel ist und großes Fingerspitzengefühl erfordert«, sagte Wanja.

»Und worum geht es bei dieser Zusatzausbildung?« Dominika gab sich Mühe, ruhig und respektvoll zu klingen. Eine Tür am Ende des Zimmers ging auf, eine Ordonnanz mit silbernen Tellern auf einem Tablett trat ein.

»Das Essen ist da«, sagte Wanja und setzte sich gerade hin. »Sprechen wir über das Projekt, nachdem wir gegessen haben.« Der Kellner hob den Deckel und servierte dampfende *golubtsi*: große quadratische Kohlrouladen, braun gebraten und mit einer dicken Soße aus Tomatenpüree und saurer Sahne. »Das Beste, was die russische Küche zu bieten hat.« Aus einer silbernen Karaffe schenkte Wanja Rotwein in Dominikas Glas. Das Ganze war eine Scharade: Dominikas inzwischen geschulte Antennen summten. Sie hatte keinen Appetit auf schweres Essen.

Das Mittagessen in trister Atmosphäre dauerte eine halbe

Stunde. In dieser Zeit sprach Simjonow ganze drei Worte, starrte Dominika aber weiter über den Tisch hinweg an. Seine Miene drückte Langeweile aus, und er zog ein Gesicht, als wäre er am liebsten gar nicht im Zimmer. Nach dem Essen wischte er sich den Mund mit der Serviette und rückte vom Tisch ab. »Mit Ihrer Erlaubnis, General.« Noch einmal musterte er Dominika abschätzig, nickte ihr zu und verließ das Zimmer.

»Komm, nehmen wir den Tee in meinem Büro.« Wanja schob seinen Stuhl zurück. »Da ist es gemütlicher.«

Argwöhnisch saß Dominika auf dem Sofa in Wanjas Büro, mit Blick auf den Wald von Jassenewo. Dominika trug eine weiße Bluse und einen schwarzen Rock, das Haar hochgesteckt, die inoffizielle Uniform der Akademie. Auf dem Tisch vor ihnen standen zwei Gläser dampfenden Tees in prachtvollen antiken Koltschugino-Teeglashaltern.

»Dein Vater wäre stolz auf dich.« Wanja trank den Tee in kleinen Schlucken.

»Danke.« Dominika wartete.

»Ich gratuliere dir zu deinen Leistungen und deinem Eintritt in den Dienst.«

»Die Ausbildung war anspruchsvoll, aber alles, was ich mir erhoffen konnte«, sagte Dominika. »Ich bin bereit, mit der Arbeit zu beginnen.« Das stimmte. Bald würde sie an vorderster Front stehen.

»Es ist immer eine Ehre, dem eigenen Land zu dienen.« Wanja befingerte die Rosette an seinem Revers. »Es gibt keine größere.« Er sah seine Nichte forschend an. »Diese Operation mit der Fünften – eine solche Gelegenheit bekommt man nicht alle Tage, besonders nicht als junge Absolventin.« Er nippte an seinem Tee.

»Mein großer Wunsch ist es, zu lernen«, sagte Dominika.

»Es genügt, zu sagen, dass es bei der Operation um die Anwerbung eines ausländischen Diplomaten geht. Es ist von größter Wichtigkeit, dass es zu keiner *rasoblantschenie* kommt, keiner Enttarnung, keiner Entlarvung des Dienstes.« Wanjas Stimme klang leise, ernst. Dominika schwieg, wartete, dass er fortfuhr. Seine Worte waren nur undeutlich zu erkennen, sie wirkten verschwommen und blass.

»Natürlich hat Oberst Simjonow seiner Sorge Ausdruck verliehen, dass sich deine geringe Erfahrung, was Operationen betrifft – trotz deiner ausgezeichneten Noten –, nachteilig auswirken könnte. Ich habe ihm versichert, dass meine *Nichte*« – er betonte das Wort, um zu zeigen, dass er seinen Einfluss geltend gemacht hatte – »die ideale Wahl darstellt. Selbstverständlich hat er schnell erkannt, dass es logisch ist, dich einzusetzen, vor allem im Lichte der Zusatzausbildung, die ich vorgeschlagen habe.« Dominika wartete. In welche Abteilung würde man sie schicken? Für Technik? Sprachen? Fortbildung? Wanja zündete sich eine Zigarette an und blies den Rauch an die Decke. »Man hat dich in den Sonderkurs am Kon-Institut eingeschrieben.«

Dominika gab sich alle Mühe, ruhig zu bleiben, ausdruckslos, aber sie spürte ganz deutlich den körperlichen Schlag: Das Gefühl begann im Bauch und strahlte bis in den Rücken aus. Während der Ausbildung hatte man über das Institut hinter vorgehaltener Hand geredet: In der ehemaligen Staatsschule Vier, »sparrow school«, »Spatzenschule«, genannt, wurden Männer und Frauen in der Kunst der Verführung zu Spionagezwecken ausgebildet. *Du schickst mich auf eine Hurenschule*, dachte sie.

»Das Institut, das man ›Spatzenschule‹ nennt?« Sie beherrschte das Zittern in ihrer Stimme. »Onkel, ich dachte, ich würde als Offizier in den Dienst eintreten und einer Abteilung zugeordnet werden, damit ich mit nachrichtendienstlicher Tätigkeit beginnen kann. Dort werden *prostitutki*, nicht Stabsoffiziere ausgebildet.« Sie hatte das Gefühl, kaum noch Luft zu bekommen.

Wanja sah sie ruhig an. »Du musst dieses Intermezzo positiv sehen – die Ausbildung wird dir weitere Möglichkeiten eröffnen, wenn du später eigene Operationen leitest.« Er setzte sich weiter zurück auf dem Sofa.

»Und die Operation gegen den Diplomaten – hast du vor, ihm eine *polowaja sapadnja*, eine Venusfalle, zu stellen?« Über diese schmuddeligen Sex-Operationen war auf der Akademie oft gesprochen worden.

»Die Zielperson ist *sastentschiwji*, ängstlich, schüchtern. Wir haben ihre wunden Punkte über mehrere Monate hinweg beobachtet. Oberst Simjonow ist ebenfalls der Ansicht, dass der Mann anfällig ist.«

Dominika erschrak. »Der Oberst weiß davon, was ich tun soll, von der Spatzenschule?« Sie schüttelte den Kopf. »Er hat mich über den Tisch hinweg angestarrt. Er hätte mir genauso gut den Mund aufsperren und mein Gebiss überprüfen können.«

Wanjas Tonfall nahm eine gewisse Schärfe an. »Ich bin mir sicher, dass er sehr beeindruckt war, er ist ein altgedienter Offizier. Außerdem sind alle Operationen auf ihre Weise einzigartig. Es ist noch keine endgültige Entscheidung getroffen worden, wie es weitergehen soll. Trotzdem: Das ist eine Riesenchance für dich, Dominika.«

»Ich kann das nicht«, sagte Dominika. »Nach der letzten Operation, nach der Art und Weise, wie sie endete, hat es Monate gedauert, bis ich Ustinows …«

»Du bringst diese Episode zur Sprache? Hast du dich nicht an meine Anweisungen gehalten, sie zu vergessen, sie niemals zu erwähnen?«, fragte Wanja. »Ich verlange absolute Folgebereitschaft in dieser Hinsicht.«

»Ich habe kein Wort darüber verloren«, erwiderte Dominika, ebenfalls in scharfem Ton. »Es ist nur so, dass es hier wieder um eine dieser Operationen geht, die ich lieber …«

»Die du lieber …? Du bist jetzt eine Absolventin der Akademie und ein rangniedriger Offizier im Dienst. Du wirst meine Befehle befolgen, die Aufträge durchführen, die man dir zuweist, und deine Pflicht tun. Du wirst die *Rodina* verteidigen.«

»Ich tue alles, um Russland zu dienen«, sagte Dominika. »Ich habe nur etwas dagegen, in solchen Operationen eingesetzt zu werden … Es gibt Personen, die diese Arbeit regelmäßig machen, ich habe von ihnen gehört. Warum nicht eine von denen einsetzen?«

Wanja runzelte die Stirn. »Sprich nicht weiter. Kein Wort mehr. Es fehlt dir an Einsicht, um zu erkennen, was ich dir anbiete. Du denkst an dich selbst, an deine kindischen Neigungen. Als SWR-Offizier hast du keine Vorlieben zu äußern, keine Wahl. Du tust, was man dir sagt, und zwar ausgezeichnet. Wenn du dich entscheidest, nicht zu akzeptieren, zuzulassen, dass deine dummen Vorurteile deine Karriere zu Fall bringen, bevor sie begonnen hat, dann sag mir das jetzt. Wir werden dich dann aus dem Dienst entlassen, deine Akte schließen, deine Pension stornieren und deine Privilegien streichen – *und zwar alle.*«

*Wie oft wird der Hals meiner Mutter noch in die Schlinge gesteckt?*, dachte Dominika. Was sonst musste sie noch alles tun, damit sie ihrem Land ehrenvoll dienen konnte? Wanja sah, dass sie die Schultern hängen ließ. »Also gut«, sagte sie und erhob sich. »Mit deiner Erlaubnis – darf ich gehen?«

Dominika stand auf und schritt am Panoramafenster entlang zur Tür. Das Sonnenlicht fiel auf ihr Haar, rahmte ihr klassisches Profil. Wanja schaute zu, wie sie über den Teppich ging, an der Tür stehen blieb, sich umwandte und zu ihm zurückblickte. Ein Schauer lief ihm über den Rücken, als er die blauen Augen sah: Drei alarmierende Sekunden lang fixierten sie sein Gesicht: intensiv und durchdringend. Glühend wie Wolfsaugen unmittelbar hinter der *blisnje*, der Datscha. So einen Blick hatte er noch nie im Leben gesehen. Bevor er noch etwas sagen konnte, war Dominika verschwunden, wie eine *klikuscha* im Wald von Krasny Bor.

### GOLUBTSI IM SWR

Kohlblätter blanchieren, Reis kochen. Gehackte Zwiebeln, Möhren und geschälte und entkernte Tomaten blanchieren, bis sie weich sind, und mit dem Reis und dem Hackfleisch vermengen. Kohlblätter um zwei Esslöffel von der Mischung falten, sodass sie große quadratische Taschen bilden. In Butter braten, bis sie goldbraun sind, dann eine Stunde lang in Brühe, Tomatensauce und Lorbeerblättern köcheln lassen. Mit der reduzierten Sauce und saurer Sahne servieren.

# 7

Nach einem zweistündigen Flug traf Nate Nash auf dem Flughafen Vantaa in Helsinki ein. Der moderne Flughafen glitzerte und funkelte und war strahlend hell erleuchtet. So wie in Scheremetjewo waren auch hier überall auffällige Werbeplakate für Parfüms, Uhren und Urlaubsreisen zu sehen. Die Flughafenshops, voll mit Dessous, Feinkost und Zeitschriften, erstreckten sich durch das helle Terminal. Doch der durchdringende Geruch von gekochtem Kohl, Rosenwasserparfüm und nasser Wolle fehlte. Stattdessen wurden irgendwo Zimtbrötchen gebacken. Während Nate seinen einzigen Koffer einsammelte, durch den Zoll ging und auf den Taxistand vor dem Gebäude zusteuerte, entging ihm der kleine Mann im schlichten dunklen Anzug, der ihn von der anderen Seite der Ankunftshalle her beobachtete. Der Mann sprach kurz in sein Handy und wandte sich ab. Eine halbe Stunde später, neunhundert Kilometer weiter nach Osten, wusste Wanja Egorow, dass Nash in Finnland angekommen war. Das Spiel war eröffnet.

Am darauffolgenden Morgen betrat Nate das Büro von Tom Forsyth, dem Chef der CIA-Station in Helsinki. Forsyths Büro war klein, aber gemütlich, über dem Schreibtisch hing ein nautisches Gemälde, vor der gegenüberliegenden Wand stand ein Sofa. Auf einem Tisch neben dem Sofa befanden sich das gerahmte Foto eines Segelboots auf einem spiegelglatten Meer und ein weiteres gerahmtes Foto, augenscheinlich mit dem jugendlichen Forsyth am Steuerrad. Die Jalousie vor dem einzigen Fenster war zugezogen.

Forsyth war groß und schlank, Ende vierzig, hatte schütteres graues Haar und ein kräftiges Kinn. Die durchdringenden braunen Augen blickten über den Rand der Halbmondbrille zu Nate auf. Forsyth lächelte, warf einen Stapel Papiere in einen Posteingangskorb und stand auf, um Nate über den Schreibtisch hinweg die Hand zu schütteln. Forsyths Handschlag war fest und trocken. »Nate Nash«, sagte er in melodiösem Tonfall. »Herzlich willkommen in der Station.« Mit einer knappen Handbewegung bat Forsyth Nate, auf einem Lederstuhl vor seinem Schreibtisch Platz zu nehmen.

»Danke, Chef.«

»Haben Sie schon eine Wohnung? Wo hat die Botschaft Sie denn untergebracht?« Am Morgen hatte die Wohnungsvermittlung der Botschaft Nate in einer komfortablen Dreizimmerwohnung in Kruununhaka untergebracht. Er war begeistert gewesen, als er die Doppeltür zum kleinen Balkon mit Aussicht auf den Sportboothafen, den Fährhafen und das dahinterliegende Meer öffnete – was er Forsyth auch sagte.

»Es ist ein schönes Viertel, und Sie können zu Fuß zur Arbeit gehen. Ich möchte, dass Sie sich mit mir und Marty Gable zusammensetzen, damit Sie einen Eindruck davon bekommen, was wir hier am Laufen haben.« Gable war der Stellvertretende Stationschef, den Nate noch nicht kennengelernt hatte. »Wir haben ein paar gute Fälle, aber wir können mehr tun.

Einheimische Zielpersonen können Sie vergessen: Die Finnen sind Verbündete, außerdem haben wir sie abgedeckt. Marty und ich arbeiten Hand in Hand, um die internen Abläufe müssen Sie sich also nicht kümmern. Alle unilateralen Projekte, die wir entwickeln, geben wir ab.

Die üblichen Araber – Hisbollah, Hamas, Palästinenser – haben allesamt diplomatische Vertretungen in der Stadt. Könnte schwierig sein, nahe an sie heranzukommen, man müsste also an Informanten mit Zugangsmöglichkeiten denken. Iraner, Syrer, Chinesen. Kleine Botschaften, außerdem fühlen die sich sicher hier im neutralen Skandinavien. Die Iraner sind möglicherweise auf der Suche nach Ausrüstungsgütern, die unter das Embargo fallen. Fühlen Sie denen mal auf den Zahn.« Forsyth lehnte sich in seinem Bürosessel zurück.

»Mir schwebt da etwas Größeres vor«, sagte Nate. »Nach dem, was mir in Moskau passiert ist, muss ich einen großen Coup landen.« *In der Tat*, dachte Forsyth. Er sah Besorgnis hinter den Augen, Entschlossenheit in der Kinnpartie. Nate saß kerzengerade auf seinem Stuhl.

»Ich habe nichts dagegen, Nate«, sagte Forsyth, »aber jede Anwerbung, solange etwas dabei herauskommt, ist eine gute Anwerbung. Und den großen Fisch bekommt man an die Angel, wenn man geduldig ist, sich umschaut und ein Dutzend entwicklungsfähige Kontakte knüpft.«

»Das weiß ich, Chef«, sagte Nate schnell. »Aber ich kann es mir nicht leisten, zu trödeln. Gondorf hat sich auf mich eingeschossen. Wenn Sie nicht wären, würde ich wieder in der Russland-Abteilung hocken und eine Maus vorm Computer hin und her schieben. Ich weiß es enorm zu schätzen, dass Sie mich angefragt haben.«

Forsyth hatte Nates Personalakte gelesen. Sie war der Station zugeschickt worden, als Nates Versetzung genehmigt worden war. Es gab nicht viele junge Führungsoffiziere, die fast fließend Russisch sprachen. Spitzennoten während der Ausbildung auf der »Farm« und anschließend beim Training im »Feindesgebiet«, die Kunst, nachrichtendienstliche Operationen unter ständiger Überwachung der Gegenseite durchzuführen. Außerdem wurden in der Akte Nates Leistungen in Russland positiv beurteilt, besonders seine Führung in einem Fall mit hoher Geheimhaltungsstufe – keine Details.

Aber jetzt saß vor Forsyth ein zerstreuter junger Sachbearbeiter, der sich sichtlich unwohl fühlte. Der sich etwas beweisen wollte. *Das ist gar nicht gut, man neigt dann eher zu Fehlern, läuft mit geschlossenen Augen gegen die Wand.*

»Ich möchte, dass Sie sich wegen Moskau keine Sorgen machen. Ich habe mit einigen Leuten im Hauptquartier gesprochen – alles bestens.« Er sah, dass sich Nates Gesicht ein wenig verzog beim Gedanken an seinen Ruf. »Und dass Sie mir gut zuhören.« Forsyth hielt inne, bis er Nates Aufmerksamkeit hatte. »Ich möchte, dass Sie intelligent vorgehen, gute Spionagearbeit leisten, keine Abkürzungen nehmen. Wir alle wollen große Fälle – verdammt, Sie sind im Moment für einen zuständig –, aber ich werde keine dilettantischen Operationen dulden. Klar?« Forsyth sah ihm fest in die Augen. »Klar?«, wiederholte er.

»Jawohl, Sir.« Die Botschaft hatte er wohl verstanden, aber Nate wollte Informanten anwerben, seine Karriere als Führungsoffizier auf keinen Fall beenden. Er dachte nicht daran, in die USA zurückzukehren. Plötzlich gingen ihm Bilder durch den Kopf, wie er in einem Country-Club in Richmond saß, gegenüber von Sue Ann oder Mindy, Schlauchbootlippen und gepuderte Hochfrisuren, während seine Brüder Golfbälle in eine von Missys pinkfarbenen Lilly-Pulitzer-Ballerinas einlochten, die auf dem Teppich im Clubraum verteilt lagen. Scheiße, nein.

»Gut«, sagte Forsyth. »Gehen Sie an Ihren Schreibtisch. Das erste Büro, wenn Sie den Flur runtergehen. Und dann stellen Sie sich Gable vor«, sagte er und streckte die Hand nach dem Posteingangskorb aus.

———

Der Stellvertretende Stationschef Marty Gable saß vor seinem PC in einem kleinen Büro neben Forsyths Raum und überlegte, wie er einen Bericht ans Hauptquartier formulieren konnte, ohne das Wort »Schwanzlutscher« darin zu verwenden. Gable war älter als Forsyth, Ende fünfzig, groß und kräftig und breitschultrig. Er hatte weißes Haar, einen Bürstenhaarschnitt, blaue Augen und einen Stahlträger statt einer Nase. Die Stirn war sonnengebräunt, das wettergegerbte Gesicht verriet, dass er sich viel an der frischen Luft aufhielt. Die kräftigen braunen Hände ließen die Tastatur winzig erscheinen. Er hasste es, Depeschen zu schreiben, mit zwei Fingern zu tippen, hasste den ganzen Papierkram. Am liebsten war er auf der Straße im Einsatz. Nate stand in der Tür zu seinem Büro. Bis auf ein von der Regierung gestelltes Foto des Washington Monument an der Wand war darin keinerlei Verschönerung zu erkennen. Der Schreibtisch war leer. Bevor Nate höflich an den Türrahmen klopfen konnte, drehte sich Gable in seinem Stuhl um und sah Nate böse an.

»Sind Sie der Neue? Cash?«, fragte Gable, reichlich laut. Dem Akzent nach zu urteilen kam er irgendwo aus dem Rust Belt.

»Nash. Nate Nash«, sagte Nate und trat an den Schreibtisch. Gable blieb sitzen, streckte aber immerhin seine bratpfannengroße Hand aus. Nate machte sich auf den unvermeidlichen knochenbrecherischen Handschlag gefasst.

»Sie haben sich ziemlich viel Zeit gelassen, bis Sie hier eingetrudelt sind. Haben Sie jemanden auf dem Weg vom Flughafen angeworben?« Gable lachte. »Nein? Na ja, hat ja auch Zeit bis nach dem Lunch. Also, gehen wir.« Auf dem Weg aus dem Büro steckte Gable den wuchtigen Kopf in mehrere Büros entlang des Flurs, um nachzuschauen, was die anderen Führungsoffiziere so trieben. Die Büros waren leer. »Gut«, sagte Gable, »alle draußen im Einsatz. So wie es sich gehört.«

Gable führte Nate in ein schmuddeliges kleines türkisches Restaurant in einer verschneiten Seitenstraße in der Nähe des Bahnhofs. In dem stickigen Speiseraum stand ein Dutzend Tische, von der Küche ging ein Durchgang ab, an der Wand hing ein gerahmtes Porträt von Atatürk. In der Küche wurde herumgeschrien, aber als Gable zum Durchgang ging und in die Hände klatschte, verstummte der Lärm. Ein dünner, dunkelhäutiger Mann mit schwarzem Schnauzbart und Schürze teilte den Perlenvorhang und trat aus der Küche. Er umarmte Gable kurz und wurde als Tarik vorgestellt, der Besitzer. Der Türke schüttelte Nate die Hand, ohne ihm in die Augen zu schauen. Sie entschieden sich für einen Tisch in einer Ecke, und Gable zog den Stuhl vor, auf dem Nate Platz nehmen sollte, mit dem Rücken zur Wand und freiem Blick zur Tür. Gable setzte sich mit dem Rücken zur anderen Wand. Auf Türkisch bestellte er zwei Adana-Kebabs, zwei Bier, Brot und Salat.

»Ich hoffe, Sie mögen's scharf«, sagte Gable. »In diesem kleinen Dreckloch gibt's das beste türkische Essen in der Stadt. Hier im Viertel leben viele Einwanderer aus der Türkei.« Gable warf einen Blick zur Küche hinüber und beugte sich vor. »Ich habe Tarik vor ungefähr einem Jahr angeheuert, als Hilfsagenten, Sie wissen schon, Post abholen, Miete zahlen für einen sicheren Unterschlupf, die Ohren aufsperren. Ein paar hundert im Monat, und er ist glücklich. Wenn's sein muss, können wir die Ausländergemeinde in Helsinki anzapfen.« Gable hob den Kopf. Das Essen kam: zwei lange, flache Kebabs, bestreut mit rotem Chili, dunkelbraun gegrillt. Darunter lag ein großes gegrilltes Fladenbrot, mit flüssiger Butter besspritzt. Als Beilage auf dem Teller ein Salat aus rohen Zwiebeln, gesprenkelt mit dunkelrotem Sumak und Zitronensaft. Zwei eiskalte Flaschen Bier wurden auf den Tisch gestellt. Tarik murmelte: »*Afiyet olsun*, guten Appetit!«, und zog sich zurück.

Gable aß schon, bevor Nate die Gabel in die Hand genommen hatte. Er schlang das Essen hinunter, redete und fuchtelte dabei mit seinen Pranken herum. »Nicht schlecht, was?«, fragte er mit vollem Mund. Er setzte die Bierflasche an den Mund und leerte sie halb. Sein Mund schnappte nach dem Essen wie ein Krokodil, das sich eine Gazelle einverleibt. Ohne Vorrede oder Verlegenheit fragte er Nate, was in Moskau zwischen ihm und diesem Arschloch Gondorf vorgefallen sei.

Beschämt und mit neu entfachter Besorgnis erläuterte Nate ihm die Angelegenheit in wenigen dürren Sätzen. Gable zeigte mit der Gabel auf ihn. »Hören Sie mir gut zu. In diesem Scheißgeschäft dürfen Sie zwei Dinge nie vergessen: Man kann als Führungsoffizier nur dann reifen, wenn man mindestens einmal gescheitert ist, und zwar richtig. Außerdem wird man an seinen Erfolgen gemessen, den Ergebnissen, die man erzielt, und daran, wie man seine Informanten schützt. Nichts anderes ist von Belang. Ach, da wäre noch etwas«, sagte er. »Gondorf ist ein Depp. Machen Sie sich keine Sorgen seinetwegen.«

Gable hatte alles verputzt, bevor Nate auch nur die Hälfte seines Gerichts gegessen hatte. »Sind Sie denn schon mal während Ihrer Karriere gescheitert?«

»Soll das ein Witz sein?« Gable kippte seinen Stuhl nach

hinten. »Ich habe so oft in der Scheiße gesteckt, dass ich mich über der Latrine eingemietet habe. Deswegen bin ich hierhergekommen. Nach dem letzten Totalschaden hat Forsyth mir den Arsch gerettet.«

———

Gable hatte seine Karriere größtenteils auf der »Dreckloch-Tour« verbracht – Dritte-Welt-Länder in Afrika und Asien. Manche Führungsoffiziere verkehren in den Restaurants, Hotelzimmern und Cafés von Paris. Gables Welt bestand aus mitternächtlichen Treffen auf verlassenen, unbefestigten Straßen in von rotem Staub bedeckten Landrovern. Andere Offiziere nehmen ihre konspirativen Treffen mit Ministern auf Band auf. Gable schrieb Geheimnisse in ein schweißfeuchtes Notizbuch, während er mit seinen Informanten zusammensaß, die vor Angst zitterten, und sie ermahnte, sich zu konzentrieren und, verdammt noch mal, beim Thema zu bleiben. Dann saßen sie in der Hitze, während der Motorblock knisterte, bei offenen Fenstern, und beobachteten, wie auf beiden Seiten des Fahrzeugs die Köpfe der Mambas aus dem Elefantengras lugten. Nate hatte gehört, Gable sei eine Legende. Er war loyal gegenüber seinen Agenten, seinen Freunden, der CIA, in dieser Reihenfolge. Es gab nichts, was er nicht gesehen hatte, und er wusste, was wichtig war.

Gable lehnte sich zurück, nippte an seinem Bier und begann zu erzählen. Sein letzter Einsatzort war Istanbul gewesen: irrsinnig große Stadt, gute Außenagenten, Dodge City. Er sprach einigermaßen gut Türkisch, wusste deshalb, wo man hingehen, wen man treffen musste. Ziemlich schnell hatte er ein Mitglied der PKK angeworben, der kurdischen separatistischen Terrorgruppe aus dem Osten der Türkei. Die PKK-Leute hatten Bomben in Aktentaschen in Regierungsgebäuden platziert, in Schuhputzkästen auf Basaren, in Papiersäcken und Mülleimern auf dem Taksim-Platz.

Eines Tages stieg Gable in ein Taxi ein, das ein junger Kurde chauffierte, zwanzig, einundzwanzig Jahre alt. Schien aufgeweckt zu sein, fuhr ganz gut. Hören Sie gut zu: Sie müssen die Augen offen halten, die ganze Zeit. Er hatte so eine Ahnung, deshalb sagte er dem jungen Mann, er solle vor einem Restaurant halten, lud ihn ein, mit ihm zu essen, diesen jungen Kurden. Er musste den dicken Türken hinterm Tresen zwingen wegzuschauen, die hassten alle Kurden, nannten sie »Bergtürken«.

Der junge Mann saß da, als hätte er Kohldampf. Redete über seine Familie. Er, Gable, roch PKK, also mietete er das Taxi für eine Woche. Seine Ahnung zahlte sich aus. Der junge Mann gehörte einer lokalen Zelle an, war aber gegen den Terrorismusquatsch. Ein bisschen Respekt, fünfhundert Euro im Monat, eine nette kleine Anwerbung. Und das alles nur, weil Gable in dem Taxi die Augen offen gehalten hatte. Vergessen Sie das nicht.

Zunächst erzählte der junge Mann nur nutzlosen Mist, aber er, Gable, bog ihn sich zurecht, und sie konzentrierten sich auf die Anführer der Zellen, wie die ihre Befehle bekamen, wie die Kuriere reisten. Gar nicht schlecht, aber er drängte den jungen Mann weiter, und so erfuhren sie von den Standorten der Lagerhäuser, in denen die PKK das Semtex lagerte, das Nitrolit aus Polen, oder was immer diese Leute verwendeten. Dann fing der Junge an, mit den Namen der Bombenhersteller herauszurücken.

Alles ließ sich gut an, und wir mussten der türkischen Nationalpolizei eine kalte Kompresse anlegen, weil die die Kurden klarmachen wollten, »tot gefangen nehmen«, nannten die das. Der Stationschef in Ankara war zufrieden, und die Anzugträger im Hauptquartier nickten mit den Köpfen. Dann wurde Gable übermütig, er war nicht auf Draht. Lektion für Nate: Traue immer deinen Instinkten.

Der junge Kurde wohnte in Tepebaşı, einem Viertel voll mit Fundamentalisten unten am Hügel von Pera, dem alten europäischen Stadtteil. Normalerweise traf Gable den jungen Mann in dessen Taxi, dann fuhren sie in der Stadt herum, wobei sie nie anhielten, immer nachts, spontan. Brach die Regeln und besuchte den jungen Mann daheim, um die Familie kennenzulernen. Der junge Mann hatte ihn eingeladen, es wäre eine Beleidigung gewesen, das abzulehnen, man muss kulturell sensibel sein, verdammt noch mal. Außerdem wollte er sehen, wo sein Informant wohnte. Hören Sie zu: Man muss immer wissen, wo der Informant wohnt, man weiß ja nie, wo man ihn eines Abends hinterm Ofen hervorlocken muss.

Die Straße war steil, gesäumt von Reihenhäusern mit abblätterndem Anstrich, verblasster Glanz, schmale Vordertreppe, doppelte Haustür, Seitenlampen aus Ätzglas, alle zerbrochen und mit Brettern vernagelt. Früher ein Europäerviertel, heute übersät mit Müll und nach Kloake stinkend. In Istanbul gewöhnt man sich an die stinkenden Abwässer, die riechen irgendwie süßlich. Aber egal, es wurde dunkel, nach und nach ging das Licht in den Häusern an. Der Ruf zum Abendgebet war gerade erklungen.

Gable war den Hügel runtergegangen, ihm graute vor dem Treffen. Das würde keine angenehme Stunde werden: schüchterne, gesenkte Blicke und immer wieder kleine Gläser mit Tee. Scheiß drauf, gehörte zum Job. Als er sich dem Haus näherte, hörte er Schreie. Die Tür zum Haus seines Informanten stand offen. Irgendwas zerbrach. Scheiße, das war gar nicht gut, bald würden sich die Nachbarn versammeln.

Noch zwei Minuten, dachte er, dann herrscht hier ein Riesengetümmel. Er schlich sich vom Haus weg. Inzwischen war es bereits dunkel, niemand würde ihn bemerken.

Das Dumme war bloß: Zwei Kerle führten seinen Informanten an den Armbeugen aus der Haustür. Die Frau des jungen Mannes war schmächtig, ein dunkler Typ mit Mandelaugen, wie sie die Leute an den Südflanken des Taurusgebirges oft haben, zerrissenes T-Shirt, barfuß. Sie stand direkt hinter ihnen, kreischte und schlug auf die Männer ein. Im Türrahmen stand ein etwa zwei Jahre altes Mädchen, splitternackt, und plärrte. Die beiden Vollpfosten waren genauso mager wie sein Informant, der aber keinerlei Widerstand leistete, vielleicht weil einer von denen eine Pistole in der Hand hatte.

Mein Gott, der junge Mann hatte echt Schwierigkeiten mit der PKK. Hatte vielleicht das zusätzliche Geld ausgegeben, sich womöglich auch mit seinem neuen ausländischen Freund gebrüstet. Hören Sie gut zu: So schnell kann eine Sache den Bach runtergehen. Man muss seine Informanten schützen, manchmal muss man das einfach für sie tun. Die PKK-Leute haben eine mittelalterliche Weltsicht, wenn sie mit Landsleuten zu tun haben, die sie für Verräter halten.

Er, Gable, hätte weggehen können. Aber als er die Kleine in der Tür stehen sah – süßes kleines Ding, Knopfnäschen und Rotznase –, dachte er: *Ach, scheiß drauf.* Er betrat die erste Stufe zum Haus und lächelte die Vollpfosten an. Sie blieben stehen und ließen den jungen Mann los, der auf der obersten Stufe auf den Hintern fiel. Die Frau hörte auf zu schreien und sah Gable an, diesen kräftigen Scheiß-*yabancı*, diesen Ausländer mit großen, kräftigen Händen. Ein Dutzend Nachbarn schlich in der Nähe herum, alles Kurden. Das ganze beschissene Viertel war totenstill, kein Laut, mitten auf der Straße lief Wasser. Der Vollpfosten mit der Pistole schrie irgendwas auf Kurdisch, was kein Schwein verstehen konnte.

Großmaul fing an, mit der Pistole rumzufuchteln, und richtete sie auf den jungen Kurden, auf die Frau, schüttelte sie wie einen Finger. Der junge Mann war hundertprozentig tot, wenn er, Gable, nicht irgendwas unternahm. Scheiß drauf, der Fall war sowieso gegessen, der Jungspund musste aus der Türkei raus, wenn er am Leben bleiben wollte. Der PKK-Typ ging eine Stufe runter und brüllte Gable weiter an. Er ignorierte die Knopfaugen, konzentrierte sich auf die Pistole. Die Fingerknöchel des kleinen Scheißers wurden weiß um den Griff, dann weißt du, du hast noch drei Sekunden. Langsam hob er den Lauf der Waffe.

Gable trug eine Hi-Power in einer Bianchi-Gürtelschlaufe hinter der Hüfte. Er zog die Browning und schoss auf den Kurden, pop-pop-pop. Man nennt das wohl den Mozambique: zwei Schüsse in die Körpermitte, dritte Kugel in die Stirn; der wurde da drüben erfunden oder so was. Der Vollpfosten riss die Augen auf, sackte sofort zusammen. Polterte kopfüber die Treppe runter. Hinter ihm klapperte die Pistole, er, Gable, hob sie auf, warf sie in einen Gully, es musste Millionen Knarren in Istanbuls Abwasserkanälen geben. Seine verschossenen Patronen waren kaum auf dem Bürgersteig aufgeschlagen, da flitzten die Nachbarn auch schon los wie die Eichhörnchen, rannten in alle Richtungen, hügelauf und -ab, und knallten die Fensterläden zu.

Der junge Kurde hielt seine Frau umarmt. War dem Typen eigentlich klar, dass genau hier ihr neues Leben begann? Die Frau hatte es wahrscheinlich kapiert, wirkte intelligent, die Nippel zeigten sich durchs T-Shirt. Er sah rüber zum anderen PKK-Typen, der Jesus oder Mohammed oder was immer gesehen hatte, und der Typ streckte die Hände aus, die Handflächen nach außen, stieg die Treppe hinunter und lief die Straße runter ins Dunkel.

Gable gab dem jungen Kurden fünf Riesen, damit er abhauen konnte, mehr konnte er dem Hauptquartier nicht aus den Rippen leiern. Keine Ahnung, wo die hingegangen sind, vielleicht sind sie in Deutschland oder Frankreich. Fünf kurdische Kids, die Deutsch lernen. Wenn *die* zwanzig sind, kann Nates *Sohn die* ja suchen und *anwerben*. Total verrückt. Okay, jetzt zur Moral dieser langen, verdammten Geschichte.

Was danach kam, war ein veritabler Shitstorm, das können Sie mir glauben, Nate. Erst kam der vom Konsulat und von dem hysterischen Generalkonsul, blecherne Stimme wie eine Spieldose, dann von der Botschaft in Ankara, schließlich von den feinen Herrschaften im Außenministerium. Diplomat in tödliche Schießerei verwickelt, die waren extrem verärgert, jede Menge Gejammer. Gravierende diplomatische Verwicklungen. Ich musste Istanbul verlassen. Die türkische Nationalpolizei hat mir dann doch noch eine Medaille verliehen und ein Essen ausgegeben; die waren hocherfreut. Türkische Polizisten lieben eine gute Schießerei. Aber alle anderen waren schwer genervt, dabei hatten die offiziellen CIA-Ermittlungen noch nicht mal angefangen.

Einen Monat kasperte sich Gable mit den Leuten vom Sicherheitsbüro im Hauptquartier ab. Nach vierzig Stunden Gesprächen einigte man sich auf »defizitäres Spionagehandwerk«. Der Stationschef in Ankara gab ihm keine Rückendeckung, zu viel politischer Druck, das klingt nach Gondorf, oder? Es gibt jede Menge Arschlöcher, denen man in seiner Laufbahn begegnet. Gable schien seine Chancen auf Auslandseinsätze auf unbestimmte Zeit verspielt zu haben. Er hockte im Hauptquartier in einem Kabuff und hörte dieser dreiundzwanzigjährigen Anfängerin auf der anderen Seite der Trennwand zu, die über die Außenleitung mit ihrer Freundin diskutierte, wie sie den Mumm aufbringen konnte, ihrem Freund am Wochenende eine Fellatio zu gönnen. Die jungen Agenten trugen verdammt noch mal nicht mal mehr Armbanduhren: Die lasen die Uhrzeit von ihren dämlichen Smartphones oder Tablets ab oder wie auch immer diese Dinger heißen.

Aber Gable verfiel nicht in Selbstmitleid – so lief das eben bei Operationen. Das alles war ihm passiert, aber aus dem richtigen Grund. Hören Sie zu: Das Wichtigste ist Ihr Informant, seine Sicherheit, dass Sie sein Leben retten. Es ist das Einzige.

Ungefähr zur selben Zeit hatte Forsyth *seinen* Shitstorm hinter sich gebracht, war aber zurückgekommen und in Helsinki gelandet. Er erfuhr, dass es bei Gable dumm gelaufen war – was nichts Neues war –, und forderte ihn als seine Nummer zwei an, so wie in den guten alten Zeiten, nur dass es keine guten alten Zeiten gibt, das ist ein Märchen. Die Ekstatiker im Hauptquartier waren hocherfreut, Gable als Stellvertretenden Stationschef nach Finnland abschieben zu können. Niemand sonst wollte den Job haben, außerdem wollten die ihn aus dem Büro weghaben, schlechter Einfluss.

»Da wären wir also, drei, die es vergeigt haben, an der Front, in der Nähe des beknackten Polarkreises operierend. Und Sie und ich, wir trinken Bier in einem türkischen Imbiss.« Gable trank sein Bier aus und rief: »*Hesap!*« Als Tarik aus der Küche kam, zeigte Gable auf Nate. »Er zahlt.« Nate lachte.

»Moment mal«, sagte Nate. »Was soll das heißen, Forsyth hat selber einen Shitstorm erlebt? Was ist denn passiert?« Nate zog ein paar Euros aus der Hosentasche und gab sie Tarik. »Stimmt so.« Tarik lächelte matt, nickte Gable zu und zog sich in die Küche zurück.

»Sie haben zu viel Trinkgeld gegeben«, sagte Gable. »Die dürfen sich nicht daran gewöhnen. Sie müssen dafür sorgen, dass sie hungrig bleiben.« Gable stand auf und streifte sich den Mantel über.

»Blödsinn«, sagte Nate. »Sie haben dem jungen Kurden fünf Riesen bezahlt, damit er aus Istanbul fliehen kann, aber sogar Sie haben zugegeben, dass er verbrannt war, nutzlos. Sie hätten ihm gar nichts zahlen müssen.« Nate sah Gable an, während sie aus der Seitenstraße bogen und vor dem Bahnhof entlanggingen. Gable vermied es, den Blick zu erwidern, und da wusste Nate, dass Gable mehr war als bloß ein harter Kerl. Aber er hatte nicht vor, in absehbarer Zeit Gables Grenzen zu testen.

Die Luft war kalt, Nate schlug den Kragen seines Mantels hoch. »Sie haben mir noch keine Antwort gegeben, was Forsyth betrifft«, sagte Nate. »Worum ging es bei der Geschichte?«

Gable überhörte die Frage und ging weiter den Bürgersteig entlang. »Wissen Sie, wo die russische Botschaft liegt?«, fragte Gable. »Die chinesische, iranische, syrische? Sie müssen in der Lage sein, in ein Auto zu steigen und auf direktem Weg zu einer davon zu fahren. Womöglich müssen Sie irgendein armes Schwein aus dem Land schleusen. Ich gebe Ihnen eine Woche Zeit, um die Botschaften zu finden.«

»Ja, okay, kein Problem. Aber was ist mit Forsyth? Was ist passiert?« Wieder musste Nate Fußgängern auf dem verschneiten Bürgersteig ausweichen, während sich Gable den Weg durch die nachmittäglichen Menschenmengen bahnte. Sie kamen zu einer Straßenecke und blieben stehen, um die Straße zu überqueren. Auf der anderen Straßenseite entdeckte Nate ein Café. »Einen Kaffee auf die Schnelle? Kommen Sie, ich gebe einen aus.« Gable nickte.

Bei Kaffee – und einem kleinen Cognac – erzählte Gable die Geschichte. Forsyth galt als einer der superheißen Stationschefs in der CIA. Im Laufe seiner fünfundzwanzigjährigen Karriere hatte Forsyth zahlreiche Erfolge aufzuweisen. Als junger Führungsoffizier hatte er den überhaupt ersten nordkoreanischen Informanten angeworben. Vor dem Fall der Berliner Mauer hatte er einen polnischen General geführt, der ihm die vollständigen Kriegspläne des Südkommandos des Warschauer Pakts lieferte. Ein paar Jahre später rekrutierte er den georgischen Verteidigungsminister, der, im Austausch gegen ein Schweizer Bankkonto, organisierte, dass ein T-80-Panzer mit dieser neuartigen Reaktivpanzerung um drei Uhr morgens über den Schieferstrand in Batumi und die Rampe hoch auf ein schweres Landungsfahrzeug gefahren wurde, das die CIA von den Rumänen gemietet hatte.

Während er die Karriereleiter hinaufstieg, gehörte Forsyth zu jenen Leitungskräften, die sich in der Praxis auskannten und wussten, worauf es bei dem Spiel ankam. Die Führungsoffiziere liebten ihn. Botschafter baten ihn um Rat. Die Anzugträger aus dem siebten Stock im Hauptquartier vertrauten ihm, weshalb er im Alter von vierzig Jahren mit dem Traumposten des Stationschefs in Rom belohnt wurde. Forsyths erstes Jahr in Rom war, erwartungsgemäß, ein voller Erfolg.

Aber wohl niemand hatte damit gerechnet, dass der in politischen Dingen ausgebuffte Tom Forsyth der hochnäsigen Stabsmitarbeiterin eines Senators, der mit einer Delegation des Kongresses Rom besuchte, während einer Besprechung in der Station sagte, sie solle den Mund halten und zuhören, statt zu reden. Sie hatte die »gebührende Klugheit« einer umstrittenen und abgeschotteten Operation der Station in Rom in Zweifel gezogen. Darüber hinaus hatte die dreiundzwanzigjährige Yale-Studentin der politischen Wissenschaften mit zwanzig Monaten Erfahrung im Kongress persönlich Forsyths Management des Falls mit den Worten kritisiert, sie finde das »eingesetzte Spionagehandwerk, mit einem Wort, suboptimal«. Das quittierte der normalerweise stoische Forsyth mit einem kryptischen »Sie können mich mal kreuzweise«. Dies wiederum führte einige Tage darauf zu einer Benachrichtigung seitens des Hauptquartiers, wonach der Senator sich beschwert habe und er, Forsyth, deshalb aus Rom abberufen werde.

Nachdem die übliche selbstgerechte Abmahnung in Forsyths Personalakte eingetragen war, bot der siebte Stock Forsyth den Posten als Stationschef in Helsinki an. Das sollte dem Kongress demonstrieren, dass das Hauptquartier mit Forsyths Reaktion auf die törichten Aufsichtsmaßnahmen sympathisierte, die fleißige Außenagenten während der Shoppingausflüge von Kongressdelegationen, die sich als Informationsreisen tarnten, belästigten. Zudem stellte der Helsinki-Posten ein unaufrichtiges, kalkuliertes Angebot an Forsyth dar, weil niemand glaubte, dass Forsyth es annehmen würde. Die Station war ein Fünftel so groß wie die in Rom, in einem der wohl unwichtigsten der irgendwie schläfrigen skandinavischen Länder, ein Posten für einen jungen Stationschef. Es wurde erwartet, dass Forsyth ablehnte, sich eine Stelle suchte, wo er eine ruhige Kugel schieben konnte, und in zwei Jahren ausscheiden würde, sobald er sich pensionieren lassen konnte.

»Indem er den Posten annahm, hat er den Leuten im siebten Stock im Grunde gesagt, ihr könnt mich alle mal«, sagte Gable. »Ein halbes Jahr später hat er mich als Vize geholt, und gestern sind Sie gekommen. Nicht, dass Sie ein Versager wären.« Gable lachte. »Sie sind bloß als einer bekannt.«

Gable sah den geistesabwesenden Ausdruck in Nates Gesicht. *Okay, den Jungen wurmt irgendetwas.* Das erlebte er nicht zum ersten Mal: der talentierte Führungsoffizier, der allzu besorgt um seinen Ruf und seine Zukunft ist, um sich zu entspannen und locker zu bleiben. Dieser Gondorf mit seinem Käsegesicht hatte den Jungen aus dem Konzept gebracht, er sollte sich was schämen, und jetzt mussten Forsyth und er dafür sorgen, dass Nash geradeaus denken konnte. Er nahm sich vor, mit dem Chef zu sprechen. Das Letzte, was die Station brauchte, war ein Führungsoffizier, der nicht wusste, wann der richtige Zeitpunkt gekommen war, einen Agenten anzuwerben.

### TARIKS ADANA-KEBAB

Rote Paprika und rote Chilischoten mit Salz und Olivenöl pürieren. Das Püree zum Lammhackfleisch, klein gewürfelte Zwiebeln und Petersilie, Butter in kleinen Stücken, Koriander, Kreuzkümmel, Paprika, Olivenöl, Salz und Pfeffer hinzugeben. Zu flachen Kebabs kneten und formen; grillen, bis sie leicht verkohlt sind. Mit gegrilltem Fladenbrot und dünn geschnittenen Zwiebeln servieren. Mit Zitronensaft und Sumak würzen.

# 8

Das weiß-blaue Woschod-Tragflügelboot senkte sich etwas tiefer ins Wasser und näherte sich, umhüllt von einem Fähnchen blauen Dieselqualms, der Anlegestelle. Mit einem kleinen Koffer in der Hand betrat Dominika die steile Pontonrampe am Rand des teerhaltigen Schlickwatts und strebte dem Bus zu, der auf der Schotterstraße oberhalb des Flusses stand. Hinter ihr gingen elf junge Menschen – sieben Männer und vier Frauen – mit schweren Schritten den Pier hinauf. Alle waren still und müde und stellten ihre Koffer vor dem offenen Gepäckabteil des Busses ab. Keiner sagte ein Wort, sie sahen einander nicht an. Dominika wandte sich um und blickte über die breite Wolga, deren Ufer bis hinunter zum Wasser von Kiefern gesäumt waren. Die Luft war schwül, der Fluss roch nach Dieseltreibstoff. Drei Kilometer nördlich, hinter einer Biegung des Flusses, waren die Türme und Minarette rings um den Kasaner Kreml im Morgendunst gerade so eben zu erkennen.

Dominika wusste, dass es sich um Kasan handelte, weil sie vom Flugplatz durch die Stadt gefahren waren, vorbei an den vielen Straßenschildern. Demnach befanden sie sich in Tatarstan, also noch im europäischen Teil Russlands. Um Mitternacht waren sie von Moskau aus siebenhundert Kilometer zu einem nachtschwarzen Militärflugplatz geflogen. Nichtbeleuchtete Schilder hatten verkündet: AERODROM BORISOGLEBSKOJE und STAATLICHE KASANER FLUG-

ZEUGWERKE. Schweigend hatten sie einen Bus bestiegen, dessen sternförmig gesprungene Fenster mit fleckigen grauen Gardinen verhängt waren. Kurz vor Morgengrauen fuhren sie auf ruhigen Straßen zu einer Anlegestelle, wo sie an Bord des schaukelnden Tragflächenboots gingen, während die Sonne über der Großstadt aufging.

Wortlos warteten sie eine Stunde in der stickigen Luft in den Sitzen, die denen eines Flugzeugs glichen. Das unrhythmische Schaukeln des Schiffsrumpfs, das Klatschen des Wassers gegen den Anleger und das Knarren der zerschlissenen Nylonleinen, die an den Pollern zerrten, machten sie erst flau im Magen, dann schläfrig. Bis auf den Busfahrer und einen Mann auf der Brücke des Schiffes hatten sie keinen Menschen zu Gesicht bekommen. Dominika beobachtete, wie sich das Sonnenlicht auf dem Wasser ausbreitete, und zählte die Seevögel.

Schließlich hielt ein grauer Lada neben der Landungsbrücke, und ein Mann und eine Frau stiegen aus, die zwei flache Pappschachteln trugen. Sie gingen an Bord, legten die Schachteln auf die Theke vorn in der Fahrgastkabine und klappten die Deckel auf. »Kommen Sie, bedienen Sie sich«, sagte die Frau und setzte sich mit dem Rücken zu den Passagieren in die vorderste Reihe. Sie erhoben sich langsam und gingen nach vorn. Seit dem Frühstück am Vortag hatten sie nichts mehr gegessen. Der eine Karton war voller frisch gebackener *bulotschki*, süßer Brötchen mit Rosinen, der andere voller Tetrapaks mit lauwarmem Orangensaft. Der Mann beobachtete, wie die Passagiere zu ihren Plätzen zurückkehrten, dann verließ er die Fahrgastkabine und sprach mit dem Mann auf der Kommandobrücke. Brummelnd starteten die Motoren, ein Zittern durchlief die Sitze. Die Landungsbrücke aus Aluminium knallte auf den Anlegesteg, die Leinen wurden losgemacht.

Das Boot hob sich ein wenig aus dem Wasser, auf seine Tragflächen. Das gesamte Schiff zitterte, während es flussabwärts raste. Der Sitz vor Dominika vibrierte, die Kabeldurchführungen an der Decke der Fahrgastkabine summten, die metallenen Aschenbechereinsätze in den Sitzlehnen klapperten. Sie unterdrückte ihre aufsteigende Übelkeit und konzentrierte sich auf den Stoff der schmuddeligen Kopfstütze vor ihr. Kurtisanen-College. Die Wolga hinunter preschte sie einer kolossalen Würdelosigkeit entgegen.

Endlich waren alle im Bus, die namenlose Frau saß in der vordersten Reihe. Sie schaukelten durch einen halbschattigen Kiefernwald und hielten schließlich vor einer Mauer aus Betonplatten. Das Sonnenlicht fiel auf die Glasscherben, die mit Mörtel oben darauf befestigt waren. Der Busfahrer hupte, der Bus zwängte sich durch das Tor, fuhr eine geschwungene Auffahrt hinauf und blieb vor einem zweistöckigen neoklassizistischen Herrenhaus mit einem Mansardendach voll aufgeplatzter Schieferschindeln stehen. Es war völlig still im Wald, kein Windhauch regte sich, nichts rührte sich im Herrenhaus.

Tief durchatmen. *Komm schon, reiß dich zusammen.* Diese ekelhafte Lehranstalt bedeutete ein weiteres Hindernis, mehr Opfer, eine weitere Prüfung ihrer Loyalität. Dominika stand vor dem senffarbenen Herrenhaus, umgeben von einem Kiefernwald, und wartete. Sie war in der Spatzenschule angekommen.

Nachdem sie mit ihrem Onkel gesprochen hatte, hatte sie gründlich darüber nachgedacht, ob sie ihnen allen sagen sollte, dass sie sich zum Teufel scheren sollten. Sie hatte überlegt, ihre Mutter zurück nach Strelna an der Newabucht nahe Petersburg zu holen. Sie könnte sich einen Job als Lehrerin oder Fitnesstrainerin suchen. Mit etwas Glück und Zeit könnte sie vielleicht eine Anstellung an der Waganowa-Akademie bekommen und zum Ballett zurückkehren. Aber nein, sie wollte nicht davonlaufen. Sie würde das hier durchziehen, was immer das erforderte. Man würde sie schon nicht erschießen. Es ging um körperliche Liebe, es würde keine Rolle spielen, was sie tun musste, ihre Seele konnten sie nicht besiegen.

Und noch während sie innerlich revoltierte, fragte sich Dominika, ihr geheimes Selbst, ob der schmuddelige Katechismus, der in dem Gebäude vor ihr gelehrt wurde, sie vielleicht nicht doch in gewisser Weise befriedigen könnte. Obgleich sie die Spatzenschule hasste und sich schämte, hergeschickt worden zu sein, war sie insgeheim doch erwartungsvoll, aufmerksam.

»Lassen Sie Ihr Gepäck im Flur und folgen Sie mir«, sagte die Frau, die ihnen voran die Vordertreppe hinauf- und durch die hohe Eingangstür aus verwittertem Holz geschritten war. Sie versammelten sich in einem Hörsaal. Nach den Bücherregalen zu urteilen handelte es sich um eine ehemalige Bibliothek, die in einen Vorlesungssaal umgewandelt worden war. Am Ende des Raums stand ein hölzernes Podium mit mehreren Reihen knarrender Holzstühle davor. Die Frau, die ein formloses schwarzes Kostüm trug, ging zwischen ihnen herum und überreichte jedem einen Umschlag. »Darin finden Sie Ihre Zimmernummer sowie die Namen, die Sie während Ihrer Ausbildung tragen werden. Benutzen Sie nur diese Namen. Es ist verboten, anderen Kursteilnehmern persönliche Informationen über sich anzuvertrauen. Jeder Verstoß führt zum sofortigen Ausschluss von der Ausbildung.« Die Verwalterin war Anfang fünfzig, hatte graues hochgestecktes Haar, ein quadratisches Gesicht und eine gerade Nase. Sie sah aus wie diese Frau auf den Briefmarken, Tereschkowa, die erste Frau im All. Ihre Worte tropften gelb aus ihrem Mund.

»Sie wurden zu einer Sonderausbildung zugelassen«, sagte die Matrone. »Das ist eine große Ehre. Einigen von Ihnen mag die Ausbildung fremd und merkwürdig vorkommen. Konzentrieren Sie sich auf die Lektionen und die Übungen. Alles andere ist nicht wichtig.« In dem Saal mit der hohen Decke hallte ihre Stimme laut wider. »Gehen Sie jetzt nach oben und suchen Sie sich Ihre Zimmer. Das Abendessen findet um sechs Uhr statt, im Speiseraum gegenüber dem Hörsaal. Der Unterricht beginnt hier heute Abend um sieben Uhr. Gehen Sie nun.«

Im Flur im ersten Stock zählte Dominika zwölf Zimmer, sechs auf jeder Seite, die Zimmernummern waren in gesprungene Emailleschilder eingebrannt, die mit Schrauben am Holz befestigt waren. Zwischen den Zimmertüren entlang des Flurs befanden sich weitere schlichte Türen, allerdings ohne Knauf oder Griff. Diese ließen sich nur mit einem Schlüssel öffnen. Dominikas Zimmer war hellgrün gestrichen und spartanisch eingerichtet, aber recht komfortabel: ein Bett, ein Schrank, Tisch und Stuhl. Es roch schwach, aber dauerhaft nach Desinfektionsmittel: auf dem Bettüberwurf, im Schrank, im Stapel Bettwäsche auf dem Regalbrett im Schrank. Das Zimmer verfügte über eine durch einen Vorhang abgetrennte Toilette (über der eine Handdusche hing) und ein rostfleckiges Waschbecken. Über dem Schreibtisch hing ein großer Spiegel, zu groß, unpassend in dem kasernenartigen Zimmer. Dominika legte die Wange flach gegen den Spiegel und betrachtete, wie sie es während der Ausbildung gelernt hatte, die Oberfläche im schrägen Lichteinfall: die silberfarbene Tönung eines Zweiwegspiegels. Willkommen in der Spatzenschule.

Abenddämmerung. Der Nachthimmel war durch die Kronen der Kiefern nicht zu sehen. Das Haus war schwach erleuchtet; Uhren gab es in dem Herrenhaus keine, nirgends. Kein Telefon läutete. Die Flure, die Treppenhäuser und die Erdgeschossräume lagen still; die Nacht senkte sich auf das Haus. Die Wände waren leer, an ihnen hingen keine Porträts von Lenin oder Marx, aber dort, wo früher einmal die Porträts gehangen hatten, waren die schimmeligen Umrisse noch zu erkennen. Welche tatarische Adelsfamilie hier wohl vor der Revolution gelebt hatte? Waren in diesen Kiefernwäldern prächtige Gesellschaften zur Jagd ausgeritten? Hatten sie die Sirene des Dampfschiffs aus Moskau vom Fluss her gehört? Welcher sowjetische Instinkt hatte die Schule so weit weg von Moskau verlegt?

Sie schaute sich um. Am Esstisch löffelten die elf anderen »Studierenden« schweigend *tokmatsch*, eine dicke Nudelsuppe, die ein Kellner wortlos aus einer riesigen blau-weißen Porzellanterrine in ihre Teller geschöpft hatte. Anschließend gab es einen Gang mit Kochfleisch. Die Frauen und drei von den Männern waren alle in den Zwanzigern; der vierte Mann schien noch jünger zu sein, im Teenageralter, dürr und blass. Waren irgendwelche von denen ebenfalls vom SWR ausgebildet worden? Dominika wandte sich zu der Frau links von ihr um und lächelte. »Ich heiße Katja.« Ihr Deckname während der Ausbildung.

Die Frau lächelte zurück. »Ich bin Anja.« Sie war zierlich und blond, hatte einen großen Mund und hohe Wangenknochen mit Sommersprossen. Mit ihren hellblauen Augen sah sie aus wie ein vornehmes Milchmädchen. Ihre zögernden Sätze waren kornblumenblau: Unschuld und Arglosigkeit. Auch andere nannten schüchtern ihren Decknamen. Nach dem Essen gingen alle leise in die Bibliothek.

In dem Raum war es völlig still, dann wurde das Licht gelöscht. Willkommen beim Unterricht an der Spatzenschule. Ein Film wurde gezeigt: schonungslose Schwarz-Weiß-Bilder, brutal, roh, viehisch, erschienen auf einer Leinwand an der Stirnseite des Raumes. Verzerrte Gesichter, einander umklammernde Leiber, Organe, die endlos ineinander eingeführt wurden, überall, jetzt in derart großer Nahaufnahme, dass sie gynäkologisch wirkten, unerkennbar, surreal. Der Ton setzte mit voller Lautstärke ein. Dominika sah die Köpfe der anderen Zöglinge zurückzucken ob dieser jähen Attacke durch Bild und Ton. Für sie war die Luft erfüllt von wirbelnden Farben; sie erkannte die Anzeichen der Reizüberflutung, als die rot-violett-blau-grün-gelbe Filmsequenz begann. Sie hatte keine Kontrolle mehr und schloss die Augen, um dem Ansturm der Farben auszuweichen. Dann versagte ein Lautsprecher, und der Ton wurde leiser, kaum noch hörbar, sodass die Frau auf der Leinwand zu flüstern schien, während ihre Haare an Gesicht und Körper klebten und sie schier endlos vom im Bild nicht sichtbaren Partner durchgerüttelt wurde.

Sieben Meter über Dominikas Kopf flackerte das Licht des Projektors an den Deckenbalken. Ob sie die Ausbildung bis zum Ende durchhalten würde? Was die wohl von ihr erwarteten? Was würden die tun, wenn sie aufstehen und den Raum verlassen würde? Würde man sie aus dem Dienst entlassen? Zum Teufel mit ihnen. Die wollten einen Spatzen, also würden sie einen bekommen. Niemand wusste, dass sie Farben sehen konnte. Was Menschenkenntnis betreffe, hatte Michail gesagt, sei sie die beste Studentin, die er je gehabt habe. Sie würde bleiben. Sie wollte lernen.

Das hier hat mit Liebe nichts zu tun, sagte sie sich. Diese Schule, dieses Herrenhaus, geschützt gelegen hinter Mauern mit Glasscherben obendrauf, war Teil des Machtapparats des Staates, der die Liebe entmenschlichte. Es zählte nicht, es war bloß Sex, es war Training, so wie in der Ballettschule. Im flackernden Licht der muffigen Bibliothek beschloss Dominika, die Ausbildung zu beenden, und zwar um es diesen *wnebratschnji rebjonoki*, diesen Dreckskerlen, zu zeigen.

Das Licht ging an; mit rotem Kopf und verlegen saßen die Kursteilnehmer da. Anja schniefte und wischte sich die Tränen mit dem Handrücken ab. Mit flacher, harter Stimme erklärte die Matrone: »Sie hatten eine lange Reise. Kehren Sie auf Ihre Zimmer zurück und ruhen Sie sich etwas aus. Morgen früh um Punkt sieben wird der Unterricht fortgesetzt. Sie sind entlassen.« Nichts an ihrem Gebaren deutete auch nur entfernt darauf hin, dass sie sich in den vergangenen eineinhalb Stunden einen Film angesehen hatten, in dem Menschen Geschlechtsverkehr hatten. Hintereinander verließen sie den Raum und gingen die große Treppe mit dem mächtigen Holzgeländer hinauf. Mit einem Nicken wünschte Anja »Gute Nacht« und schloss ihre Tür. Dominika fragte sich, ob Anja und die anderen wussten, dass heute Abend die bislang noch nicht in Erscheinung getretenen Mitarbeiter des Kon-Instituts, eingezwängt in die *cabinets de voyeur* zwischen den Zimmern, ihnen zuschauen würden, wie sie sich entkleideten, duschten und schliefen.

Dominika stand vor dem Spiegel und kämmte sich die Haare mit der langstieligen Bürste, das einzige vertraute Andenken, das sie von zu Hause mitgebracht hatte. Sie betrachtete die Bürste in ihrer Hand, als würde die sie verhöhnen. Sie knöpfte die Bluse auf, hängte sie auf einen verbogenen Drahtbügel und hakte diesen auf den Rahmen des Spiegels, sodass dieser teilweise zugehängt war. Dann stellte sie ihren kleinen Koffer auf den Tisch und klappte den Deckel gegen den Spiegel, wodurch ein weiteres Drittel vor Blicken geschützt war. Sie trat aus dem Rock und drehte sich, um den Bogen ihres Rückens und die Rundung ihres Pos in der Nylonstrumpfhose zu betrachten, dann warf sie den Rock lässig über den Rahmen, sodass das letzte Drittel des Spiegels verdeckt war. Am Morgen würde man den Spiegel freiräumen, vielleicht würde man deswegen auch ein scharfes Wort an sie richten, aber heute Abend war es die Sache wert. Dann putzte sie die Zähne, legte sich unter die Bettdecke, die nach desinfizierenden Mottenkugeln und Rosenöl roch, und knipste das Licht aus. Die Haarbürste ließ sie auf dem Toilettentisch liegen.

———

Die Männer wurden von den Frauen getrennt. Während die Tage ins Land gingen, verloren sie jegliches Zeitgefühl. Die ermüdenden Vormittage waren nicht enden wollenden Vorlesungen über Anatomie, Physiologie und die Psychologie der sexuellen Reaktionen des Menschen gewidmet. Einige neue Ausbilder erschienen. Eine Ärztin leierte in einem fort die Sexualpraktiken in unterschiedlichen Kulturen herunter. Dann kamen die Kurse über die Anatomie des Mannes, damit sie wussten, wie ein Männerkörper funktionierte, wie man einen Mann erregte. Die Techniken, Stellungen, Bewegungen gingen in die Hunderte. Sie wurden studiert, wiederholt, auswendig gelernt, ein Kamasutra der oberen Wolga. Dominika staunte nicht schlecht über diese monströse Enzyklopädie, diese ekligen Offenbarungen, die jede Normalität zerstörten und ihr für immer die Unschuld raubten. Ob sie je wieder mit jemandem schlafen konnte?

Die Nachmittage waren für »praxisnahe Themen« reserviert. Als wollte man ihnen Schlittschuhlaufen beibringen. Sie übten Gehen, sie übten, wie man den Korken aus einer Champagnerflasche zieht. Es gab Zimmer mit gebrauchter Kleidung, abgewetzten Schuhen, schweißfleckigen Dessous.

Sie machten sich fein und übten Konversation, sie lernten, zuzuhören, Interesse zu zeigen, Komplimente zu machen und zu schmeicheln und, am wichtigsten, dem Gegenüber Informationen zu entlocken.

Es war ein Nachmittag seltener Kameradschaft, fünf von ihnen saßen auf dem Boden in der Bibliothek im Kreis; ihre Knie berührten einander fast, sie lachten, plauderten und übten, was sie »Sexgespräche« nannten, auf Grundlage dessen, was sie aus den abendlichen Filmen gelernt hatten.

»Das geht so«, sagte eine Dunkelhaarige mit dem starken Akzent der Bevölkerung am Schwarzen Meer. Sie schloss die Augen und murmelte in eisenhartem, gebrochenem Englisch: »Ja, meine Lieben, ihr erregt mich so, dass ich komme.« Schallendes Gelächter. Dominika betrachtete die von Verlegenheit geröteten Gesichter und fragte sich, wie schnell sich einige aus ihrem Kreis wohl in Unterwäsche im Intourist-Hotel in Wolgograd wiederfinden und dürren vietnamesischen Handelsvertretern dabei zusehen würden, wie sie ihre Schuhe auszogen.

»Katja, versuch du's doch mal«, sagte die Dunkelhaarige zu Dominika. Seit dem ersten Abend spürten alle, dass sie irgendwie anders war, irgendwie besonders. Anja, neben ihr, sah sie erwartungsvoll an.

Ohne zu wissen, warum, vielleicht, um es ihnen zu zeigen, vielleicht auch, um es sich selbst zu beweisen, schloss Dominika die Augen und flüsterte: »Ja, Liebster … genau so … Oh, ja«, wobei sie die Worte tief aus dem Bauch hervorpresste. »AAAHHH.« Schockierte Stille. Und dann johlten die jungen Frauen und applaudierten. Die flachsblonde Anja schaute bloß ungläubig, ohne dass ihr bewusst war, wie unglaublich komisch das Ganze war.

Anja mit der wiesenblumenblauen Aura. Sie bemühte

sich, reagierte entsetzt auf die besonders anzüglichen Aspekte der Ausbildung und klammerte sich an Dominika, deren Mut und Unterstützung sie brauchte. »Du musst dich daran gewöhnen«, erklärte Dominika, aber Anja waren die abendlichen Filme enorm peinlich; sie umfasste Dominikas Hand, wenn auf der Leinwand das Bumsspektakel wieder losging. *Die Kleine vom Bauernhof wird es nicht schaffen*, dachte Dominika. *Die Farbe, die sie verströmt, wird schwächer statt stärker.*

An einem Abend, nach einem unglaublich verdorbenen Film, der sie zum Weinen gebracht hatte, kam Anja mit verheulten Augen und bebenden Lippen in Dominikas Zimmer. Ihre kornblumenblauen Sprechsilben waren kaum zu erkennen. Sie hatte ihre Freundin aufgesucht, um Trost zu finden, denn sie war kurz davor, den Verstand zu verlieren. Sie hatte ihnen gesagt, sie wolle aufhören, aber sie hatten ihr irgendetwas gesagt – Gott allein wusste, was –, das sie zum Bleiben zwang. Dominika zog sie an der Hand hinter den Badezimmervorhang. »Du musst das durchstehen«, flüsterte sie und rüttelte Anja sanft an den Schultern.

Schluchzend schlang Anja Dominika die Arme um den Hals. Presste ihre Lippen auf Dominikas Mund. Die kleine Idiotin zitterte, aber Dominika löste sich nicht aus der Umarmung, wies Anja nicht zurück. Sie legten sich auf den Boden in dem kleinen Bad. Dominika hielt Anja in den Armen, spürte, wie sie zitterte. Anja wandte den Kopf, damit Dominika sie noch einmal küsste, was Dominika beinahe verweigert hätte, dann aber gab sie nach und küsste sie ein zweites Mal.

Der Kuss wirkte, denn Anja griff nach Dominikas Hand, zog sie an sich und schob sie sich unter dem Bademantel auf ihre Brust. *Oh, um Himmels willen*, dachte Dominika. Sie selbst empfand keinerlei Leidenschaft, sondern Traurigkeit für die junge Frau in ihren Armen. War das die Bisexualität, über die man ihnen da unten Vorträge hielt? Konnte man sie hinter dem Vorhang beobachten? Wurde das Zimmer abgehört? Handelte es sich hier um ein schweres Vergehen?

Anja fasste Dominikas Hand und strich damit über ihre Brustwarze, die unter Dominikas Fingerkuppen anschwoll. Ihr Bademantel öffnete sich, Anja zog die Hand tiefer, zwischen die Beine. Perversion? Ein Akt der Güte? Irgendetwas anderes? Dominikas unbekannter weiblicher Casanova unter ihren Vorfahren – wer immer sie gewesen sein mochte – trieb sie weiter an, ein unerklärlicher, beinahe außerkörperlicher Zustand, in dem ihr das Aufhören ebenso schwierig erschien wie das Weitermachen. Mit federleichten Fingerkuppen beschrieb Dominika winzige vollkommene Kreise, und Anja schmolz dahin, mit dem Kopf Dominika zugewandt, ihr Nacken weich und verletzlich.

Dominika saß mit dem Rücken an den Kacheln des Bads und spürte Anjas Atem zwischen den Beinen. Nun gab es keinen Grund mehr aufzuhören. Das geheime Selbst befahl ihr, ihren Körper zu spüren. Das Gefühl, das Anjas hauchender Atem hervorrief, strahlte bis hinauf in den Bauch. Dominika ließ den Kopf gegen die Kachelwand sinken, mit der einen Hand packte sie den Waschbeckenrand, um sich festzuhalten. Sie tastete nach *Prababuschkas* Schildpattbürste und zog sie herunter. Die Haarbürste der Urgroßmutter, mit der Dominikas Mutter ihr das Haar gebürstet hatte und die Dominikas geheimer Begleiter während der Gewitterstürme ihrer Mädchenzeit gewesen war.

Dominika strich mit dem Griff über Anjas Bauch, weiter nach unten, wobei sie das sanft gebogene bernsteinfarbene Ende unendlich leicht, unendlich insistierend verwendete. Anja hielt den Atem an, ihre Augen flatterten hinter den fest geschlossenen Lidern. Und während sie Anja ins Gesicht schaute, brachte Dominika den Griff in Stellung und beugte das Handgelenk. Anja öffnete leicht den Mund, ihre Augen zeigten ein wenig von ihrem Weiß, ihre schlaffen Gesichtszüge wirkten wie die eines Leichnams auf einem Seziertisch.

Anja wurde steif und zitterte, langsam wurde der Schildpattgriff gestoßen, gezogen. Schweiß trat ihr auf die Stirn, sie sah hoch zu Dominika und flüsterte: »Ja, Liebling, genau so, ich komme.« Und Dominika lächelte und schaute zu, wie das kleine Milchmädchen herumzappelte, während sie *ihr* geheimes Selbst zurück in den Schutzraum in ihrem Innern sperrte und die Tür schloss.

Nach einigen Minuten seufzte Anja und reckte das Gesicht, um sich noch einmal küssen zu lassen. *Genug.* »Du musst gehen, schnell jetzt«, sagte Dominika. Verlegen schlang Anja sich den Bademantel um, sah Dominika an und verließ schweigend das Zimmer. Würde es morgen früh gebellte Anschuldigungen hageln? Hockte jemand hinter dem Spiegel? Zu müde, um sich dafür zu interessieren, ging Dominika zu Bett in dem dunklen Zimmer. Vergessen lag die Haarbürste auf dem Boden unter dem Waschbecken.

———

Am nächsten Morgen, in einem großen, holzgetäfelten Raum im Erdgeschoss mit einem blau-elfenbeinfarbenen kasachischen Teppich, wurden die Frauen angewiesen, sich in der Mitte des Zimmers auf Stühle zu setzen, die im Kreis aufgestellt waren. Die erste Studentin, eine zierliche junge Brünette, die mit dem beschwingten Singsang der Nowgoroder sprach, wurde aufgefordert, aufzustehen, sich zu entkleiden und im Kreis umherzugehen, damit sie von den anderen begutachtet werden konnte. Schockiertes Schweigen. Sie zögerte, dann aber legte sie die Kleidung ab. Die Ärztin und ihre Assistentin, beide in Laborkitteln, wiesen auf Stärken und Schwächen hin. Als das vorbei war, wurde der Studentin befohlen, wieder auf dem Stuhl Platz zu nehmen, aber nackt zu bleiben. Die nächste Studentin wurde aufgerufen, das Ganze wurde wiederholt. Gerötete Gesichter, Gänsehaut und zerbissene Lippen. Langsam füllte sich das Zimmer mit ganz unterschiedlichen fröstelnden nackten Leibern, unter jedem Stuhl lag ein jämmerlicher Haufen mit Kleidern und Schuhen.

Zum Glück waren keine Männer anwesend! Anja rang nervös die Hände, denn auch sie würde unweigerlich an die Reihe kommen. Panisch sah sie zu Dominika hinüber. Dominika schaute weg. Die Ärztin herrschte Anja an, sie solle sich beeilen, als diese zögerte, die Unterhose abzustreifen. Jetzt war Dominika an der Reihe. Sie ignorierte ihre Nervosität und stand sofort auf, als sie aufgerufen wurde. Es war eine Ungeheuerlichkeit, aufgefordert zu werden, sich in Gegenwart eines halben Dutzends wildfremder Menschen auszuziehen, aber sie zwang sich dazu. Anja sah sie forschend an. Während sie im Kreis an den Stühlen vorbeiging, schämte sich Dominika wegen ihrer Nacktheit ebenso sehr wie wegen der ehrfürchtigen Stille. »Beste Züchtung«, flüsterte die Assistentin. »Beste Schau«, korrigierte die Ärztin.

Am folgenden Tag stellte sich ein Mann in den Stuhlkreis und zog seinen kurzen Bademantel aus. Er war nackt darunter und hätte ein Bad gebrauchen können und seine Zehennägel säubern müssen. An die Studentinnen gewandt, inspizierte die Ärztin den blassen Körper, dann folgte eine Einschätzung aus nächster Nähe. Am Tag darauf war der Mann im Bademantel wieder da, diesmal in Begleitung einer kleinen, stämmigen Frau mit jodroten Haaren und spröden

Wangen und Ellenbogen. Sie legten ihre Kleidung ab, dann schliefen sie in der Mitte des Stuhlkreises der Studentinnen teilnahmslos auf einer Matratze miteinander. Die Ärztin erläuterte die unterschiedlichen Stellungen beim Liebesspiel; dann wies sie das Paar mittendrin an aufzuhören, um einen relevanten Punkt zu veranschaulichen oder eine besonders raffinierte Stellung zu demonstrieren. Die Modelle zeigten keinerlei Gefühle, weder für sich selbst noch für den Partner. Ihre Farben waren derart ausgewaschen, dass sie nicht mehr zu erkennen waren. Das Ganze war seelenlos.

»Ich kann die beiden gar nicht anschauen«, bekannte Anja Dominika gegenüber. Sie hatten es sich zur Gewohnheit gemacht, in den wenigen freien Minuten nach dem Frühstück im schäbigen Garten des Herrenhauses spazieren zu gehen. »Ich kann das nicht. Ich kann es einfach nicht.«

»Hör zu, man gewöhnt sich an alles«, sagte Dominika. Wie war die Kleine jemals ausgewählt worden? Aus welcher Provinzhauptstadt war sie ausgesucht worden? Dann fragte sie sich: *Was ist mit dir, kannst du dich denn nach genügend Zeit an alles gewöhnen?*

In der nächsten Woche kam es, wie Dominika vorausgesehen hatte, zu noch größeren Würdelosigkeiten. Wieder versammelten sie sich im Salon in dem bekannten Stuhlkreis, doch diesmal saßen Männer, brüske Männer in engen Anzügen und mit schlechten Haarschnitten, mit im Kreis. Den weiblichen Zöglingen wurde gesagt, sie sollten sich vor den Männern ausziehen, die dann jede junge Frau einzeln kritisierten, auf einen Makel in der Figur, im Teint oder Gesicht hinwiesen. Die Männer wurden nicht vorgestellt; ihre hefegelben Blasen verbanden sich derart, dass sie die Luft im ganzen Raum trübten.

Anja schlug die Hände vor das tränennasse Gesicht, bis die

Ärztin sie anherrschte, sie solle aufhören, sich wie eine dumme Gans zu benehmen, und auf der Stelle die Hände vom Gesicht nehmen. Als träumte sie, verließ Dominika ihren Körper, verschloss ihre Gedanken und ertrug die Blicke eines Mannes mit einem schrecklich pockennarbigen Gesicht. Die aus seinem Inneren kommende Farbe ließ seine Augen gelb erscheinen, wie die einer Katze in einer dunklen Gasse. Sie starrte zurück, während sein Blick über sie hinwegglitt. »Nicht genug Fleisch auf den Rippen«, sagte er laut in die Runde. »Und die Nippel sind auch zu klein.« Zwei andere Männer nickten zustimmend. Dominika starrte sie alle an, bis sie den Blick abwandten oder sich eine Zigarette anzündeten.

Überrascht stellte Dominika fest, dass sie allmählich taub wurde: taub gegenüber der Nacktheit, taub gegenüber den obszönen Bemerkungen, taub gegenüber den Blicken wildfremder Menschen, die ihre Brüste, ihr Geschlecht oder ihren Hintern angafften. *Die können machen, was sie wollen*, dachte sie, *aber ich werde nicht zulassen, dass sie mir in die Augen sehen.* Die anderen Kursteilnehmerinnen reagierten auf ihre eigene Weise. Eine kleine Idiotin aus Smolensk, die mit dem beschwingten Dialekt Südrusslands sprach, stöckelte, den Vamp spielend und mit den Hüften wackelnd, durch die Sitzungen. Anja schien gar nicht mehr über ihre Scham hinwegzukommen. Der intensive Geruch nach Desinfektionsmitteln in dem Herrenhaus wurde nun überlagert vom scharfen Geruch ihrer Körper: Moschus und Schweiß, Rosenwasser und Kernseife. Und wenn das Licht gelöscht wurde, hockten die schwitzenden Mitarbeiter in ihren Kammern, machten sich Notizen und vergewisserten sich, dass die Kameras freien Blick hatten.

Eines späten Abends klopfte Anja leise an die Tür. Dominika öffnete sie einen Spaltbreit und herrschte Anja an, sie solle verschwinden. »Ich kann dir nicht mehr helfen«, sagte sie, worauf sich Anja umdrehte und den dunklen Flur hinunter entschwand. *Das ist nicht mein Problem,* dachte Dominika. *Es reicht schon, wenn ich mich selbst bemühen muss, nicht den Verstand zu verlieren.*

Dann kam der Bus mit den Kadetten, denjenigen, die in ihrem Kurs die besten Noten erzielt hatten. Die Frauen warteten auf sie in ihren Zimmern, saßen auf dem Bett und beobachteten die dünnen, mit blauen Flecken übersäten Körper, während sich die jungen Männer Tunikahemd, Stiefel und Hose vom Leibe rissen, sich an ihnen festklammerten und rammelten wie die Ziegenböcke, bis die Zeit um war. Als der Bus danach durchs Tor in den Kiefernwald hinausschaukelte, warfen die Kadetten keinen Blick zurück auf die Frauen.

Am nächsten Morgen begann in der mit Vorhängen abgedunkelten Bibliothek erneut der Projektor zu rattern, doch statt des üblichen Films sahen sie ihre Mitstudentin in Zimmer Nummer fünf auf dem Einzelbett mit dem dünnen Kadetten mit rasiertem Schädel vom Vortag. Die Frauen ertrugen es kaum, den Blick auf die Leinwand zu richten. Sich selbst zu sehen, die Beine um einen pickligen Rücken gehakt, die Hände zu Klauen geformt auf knochigen Schultern, das war Schande, das war Würdelosigkeit. Hin und wieder hielt die Ärztin die Filme an, um irgendetwas zu kommentieren, Verbesserungen vorzuschlagen. Schlimmer noch: Nun ahnten sie alle, dass die Filme in einer Reihenfolge gezeigt werden würden – Zimmer fünf, sechs, sieben und so weiter. Anja hielt den Kopf gesenkt und die Hände vors Gesicht. Sie hatte Zimmer elf, deshalb würde sie nicht nur den Film ertragen müssen, sondern auch noch das Warten. Nachdem der Film mit ihr zu Ende war, lief sie weinend aus dem Raum. Die Ärztin ließ sie gehen. Und faselte weiter darüber, was falsch gemacht worden sei, wie man es verbessern könne.

Dominika hatte Zimmer zwölf, am Ende des Flurs. Die Filmsequenz mit dem Intermezzo mit ihrem Kadetten war deshalb die letzte. Ohne sich zu spüren, beobachtete sie sich selbst, wunderte sich über ihre schlaffen Gesichtszüge, darüber, wie mechanisch sie den jungen Mann gepackt und angeleitet, wie sie ihn am Ohr gezogen hatte, um ihn loszuwerden, als er auf ihr zusammensackte. Ohne jedes Gefühl betrachtete sie die Bilder auf der Leinwand, wobei sie sich immer wieder sagte, dass sie dem *Sluschba Wneschnei Raswedki* angehöre, dem Auslandsnachrichtendienst der Russischen Föderation.

Am nächsten Morgen erschien Anja nicht zum Frühstück. Zwei der jungen Frauen fanden sie in ihrem Zimmer. Sie mussten die Tür mit den Schultern aufdrücken. Anja hatte sich die Strumpfhose um den Hals geknotet, das andere Ende um einen Kleiderhaken an der Rückseite der Tür geschlungen, einfach die Beine angewinkelt und sich erdrosselt. Sie hatte die Kraft besessen, die Füße so lange vom Boden fernzuhalten, bis sie bewusstlos wurde. Das Gewicht ihres schlaffen Körpers hatte die Schlinge straff gehalten. Dominika, die im Garten war, hörte die Schreie. Sie rannte nach oben, schob die Tür auf, hob Anja vom Haken und legte sie auf den Boden. Wut und Schuldgefühle packten sie. Was hatte das kleine Dummerchen denn von ihr erwartet? Wie konnte sie den Mut aufbringen, sich zu erdrosseln, nicht aber dafür, eine halbe Stunde einem Mann beizuwohnen?

Es gab kaum eine Reaktion. Der Bär schnüffelte an der Leiche, dann kehrte er ihr den Rücken zu. Auf einer Segeltuchtrage, unter einer Decke, unter der ihr blondes Haar hervorschaute, wurde Anja aus dem Herrenhaus getragen. Kein Wort wurde darüber verloren, von niemandem. Der Unterricht wurde fortgesetzt.

Der Kursus näherte sich dem Ende. Die sechs Spatzen schauten zu, wie die vier jungen Männer wieder den Speisesaal betraten. Sie waren jetzt junge »Raben«, geschult in einer kleineren Villa weiter unten an der Straße, drei von ihnen Experten in der Kunst der Verführung verletzlicher, einsamer Frauen, die der SWR ins Visier genommen hatte – die unverheiratete Sekretärin des Ministers, die frustrierte Ehefrau des Botschafters, die vernachlässigte Adjutantin des Generals. Der vierte junge Mann hatte ein anderes Spezialgebiet: sich mit sensiblen, ängstlichen Männern anzufreunden – Chiffrierbeamte, Militärattachés, mitunter höhere Diplomaten –, die sich insgeheim nach Männerfreundschaften, nach Kameradschaft, Liebe sehnten, aber herzerweichend verletzbar waren, wenn die Bloßstellung drohte. Von oben herab erklärten die Raben, dass sie während der Ausbildung gelitten hätten. Trainingspartnerinnen hätten kaum zur Verfügung gestanden, flüsterte Dimitri; sie hätten an ungewaschenen jungen Frauen aus nahe gelegenen Dörfern geübt, mit teigigen Schlampen geschlafen, die aus den Fabriken in Kasan herbeigekarrt worden seien. Dominika fragte nicht nach dem vierten Jungen, danach, wie und mit wem er geübt hatte. »Aber nun sind wir darin geschult, in Liebesdingen zu glänzen«, sagte Dimitri. »Wir sind Spezialisten.« Er breitete die Arme aus und schaute in die Runde.

Die Frauen erwiderten wortlos seinen Blick. Dominika sah, dass die Gesichter der Frauen verschlossen waren, sah die Skepsis, den Fatalismus, das Misstrauen. Sie ähnelten den leeren Gesichtern der Prostituierten auf der Twerskaja Ulitsa in Moskau. *Das kommt bei der Spatzenschule heraus*, dachte

Dominika. Anjas leerer Platz am Tisch war nicht der einzige Preis, den sie gezahlt hatten.

Um Mitternacht verließen sie das Herrenhaus und fuhren zum Flughafen; sie trugen ihre billigen Pappkoffer und traten aus dem dunklen Haus, ohne einen Blick zurückzuwerfen. Die Hurenschule blieb geschlossen, bis die nächste Gruppe eintraf. Die Kiefernwälder lagen dunkel, still da. Das Flugzeug flog um die Schlote von Kasan herum und nach Westen über die unsichtbare Landschaft. Nach einer Stunde waren sie oberhalb der Lichter der Stadt Nischni Nowgorod, die vom schwarzen Band der Wolga durchzogen wurde. Dann kam der langsame Landeanflug auf das schlaflose Moskau. Dominika sollte keinen der anderen Lehrgangsteilnehmer jemals wiedersehen.

Am nächsten Morgen hatte sie sich in der Zentrale zu melden, in der Fünften Abteilung, um ihren Dienst als Nachwuchs-Nachrichtendienstoffizier anzutreten. Sie dachte an Simjonow, den Leiter der Fünften, und an die anderen Offiziere, die sie kennenlernen würde, daran, wie die sie anschauen, was sie sagen würden. *Nun ja*, dachte sie, *die ausgebildete Kurtisane ist aus der Steppe zurückgekehrt.* Und sie hatte vor, in der Welt dieser Männer zu leben.

Als sie kurz vor der Morgendämmerung auf Zehenspitzen die Wohnung betrat, war es dunkel im Wohnzimmer, aber ihre Mutter erschien, bekleidet mit einem Bademantel, im Flur. »Ich habe deine Schritte gehört«, sagte sie, und Dominika wusste, dass sie die ungleichmäßigen Tritte im Treppenhaus meinte. Dominika umarmte sie, dann ergriff sie die Hand ihrer Mutter und küsste sie – mit Lippen, die geschult worden waren, einen Mann zugrunde zu richten: als Akt der Wiedergutmachung.

Grob gehackte Kartoffeln, dünn geschnittene Zwiebeln und Möhren in Rinderbrühe kochen, bis sie weich sind. Dünne Nudeln hinzufügen und kochen, bis sie gar sind. Gekochtes Rindfleisch auf den Teller legen und Brühe und Gemüse darübergießen.

# 9

Noch immer erschöpft nach dem Flug aus Kasan meldete sich Dominika am nächsten Morgen im Hauptquartier, in der Fünften Abteilung. Sie ging den langen Flur mit den grünen Wänden entlang zum Büro von Simjonow, um zum Dienst anzutreten, aber ihr wurde gesagt, der Oberst sei außer Haus, sie solle später wiederkommen. Stattdessen schickte man sie zur Personalabteilung, dann zur Registratur, dann ins Archiv.

Als sie um die Ecke bog, erblickte sie Simjonow, der sich mit einem weißhaarigen Mann in dunkelgrauem Anzug unterhielt. Ihr fielen die buschigen weißen Augenbrauen und das freundliche Lächeln des Mannes auf. Er kniff die braunen Augen zusammen, während Simjonow sie einander kurz vorstellte: General Kortschnoi, Leiter der Amerika-Abteilung, Korporalin Egorowa. Der Name kam Dominika vage bekannt vor, und sie war sich seines höheren Rangs durchaus bewusst. Im Unterschied zur blassen Aura um Simjonows Kopf umgab Kortschnoi eine flammende Hülle aus Farben, so hell, wie Dominika das noch nie bei jemandem gesehen hatte. Purpurfarbener Samt, tief und kräftig.

»Die Korporalin ist soeben vom Lehrgang in Kasan zurückgekehrt«, sagte Simjonow grinsend. Alle beim Dienst wussten, was das bedeutete. Dominika schoss das Blut in die Wangen. »Und sie *assistiert* bei der Anwerbung dieses Diplomaten, in dem Fall, von dem ich Ihnen erzählt habe, General.«

»Mehr als nur assistieren«, sagte Dominika und blickte erst zu Simjonow, dann zu Kortschnoi. »Ich habe den letzten Lehrgang im ›Wald‹ absolviert.« Sie ignorierte die Spatzenschule und verfluchte Simjonow im Stillen. Sie wusste, was Simjonow dachte, aber bei dem alten Mann spürte sie nichts. Schwierig zu lesen.

»Ich habe von Ihren Leistungen auf der Akademie gehört«, sagte der General hintergründig. »Es freut mich, Sie kennenzulernen.« Kortschnoi schüttelte ihr die Hand. Ein trockener, fester Händedruck. Simjonow sah zu, lächelte und dachte, dass Kortschnoi der erste von vielen ranghohen Offizieren sein dürfte, die versuchen würden, ihr an die Wäsche zu gehen. Innerhalb eines halben Jahres würde sie im Vorzimmer irgendeines Generals sitzen (und auf seinem Ledersofa liegen). Überrascht und geschmeichelt schüttelte Dominika Kortschnoi die Hand und ging weiter den Flur entlang. Die Blicke der Männer folgten ihr.

»Mehr Dampf als eine Banja in Jakutsk«, flüsterte Simjonow, als Dominika um die Ecke gegangen war. »Wussten Sie eigentlich, dass sie die Nichte des Vizes ist?«

Kortschnoi nickte.

»Ob Nichte oder nicht, sie wird absolut schrecklich sein«, murmelte Simjonow. Kortschnoi schwieg. »Sie will Führungsoffizier werden. Aber schauen Sie sie sich doch mal an, bei der Figur muss sie einfach als *worobej* arbeiten. Genau deswegen hat Egorow sie doch nach Kasan geschickt.«

»Und der Franzose?«

Wieder abfälliges Schnaufen. »*Polowaja sapadnja*. Eine Venusfalle, klare Sache. Nur eine Frage von Wochen. Er ist Handelsspezialist, wir quetschen ihn aus, und das war's.« Mit einem Nicken deutete Simjonow den Flur hinunter. »Sie will die Akte lesen, will Zugriff darauf. Die einzige Stelle, auf die sie meinetwegen zugreifen soll, ist der Schritt des Franzosen.«

Kortschnoi lächelte, sagte: »Viel Glück, Herr Oberst«, und schüttelte Simjonow die Hand.

»Danke, Herr General.«

———

Man hatte ihr eine Ecke in der Sektion Frankreich in der Fünften Abteilung zugewiesen. Sie hatte auf den Winkel der fensterlosen Wände gestarrt, die sich an der Ecke des abgenutzten Schreibtischs trafen, auf dem nichts lag außer einem kaputten hölzernen Posteingangskorb. Zwei dicke Aktenmappen waren unordentlich auf ihren Schreibtisch geworfen worden. Simjonow hatte die Akten schließlich freigegeben, damit Dominika Ruhe gab. Die blassblauen Deckel mit den schwarzen diagonalen Streifen waren eselsohrig, die Rücken klebrig vom vielen Anfassen mit Schweißhänden. *Osobaja papka*. Ihre erste operative Akte. Dominika klappte sie auf und ließ die Sätze, die Farben auf sich wirken.

Bei der Zielperson handelte es sich um Simon Delon, achtundvierzig Jahre alt, erster Sekretär in der Handelsabteilung der französischen Botschaft in Moskau. Delon war verheiratet, aber seine Frau war in Paris geblieben. Ab und zu reiste er nach Frankreich, um sie zu besuchen. Als Strohwitwer in Moskau war Delon dem FSB fast augenblicklich aufgefallen. Zunächst setzten sie einen einzelnen Beschatter auf ihn an, aber im Laufe der Zeit, als das Interesse an ihm immer mehr zunahm, wurde er von mehreren FSB-Leuten observiert. Sie verbrachten viel Zeit mit ihrem *krolik*, ihrem Kaninchen. Ein zwölfköpfiges Team begleitete ihn zur Arbeit und brachte ihn zu Bett. Aus einem Briefumschlag, der zwischen den Seiten der Akte steckte, ragten Fotos heraus: Delon, allein am Fluss spazieren gehend, allein den Eisläufern im Dynamo-Eisstadion zuschauend, allein an einem Restauranttisch essend.

Dominika strich die knittrigen blauen Durchschläge der Observationsberichte glatt. Sie hatten einen Spiegel eingesetzt, um eine langbeinige Hure dabei zu beobachten, wie sie in einer kleinen Bar in einer Seitenstraße der Krimskij Val Ulitsa mit der Hand an Delons Hosenbein hinaufstrich. *Zielperson fühlt sich unbehaglich, ist nervös, weigert sich (Impotenz?), mit Prostituierter mitzugehen*, lautete der Eintrag. Armer Teufel, er gehörte nicht dahin, dachte Dominika.

Technischer Anhang: Das in einer Steckdose im Wohnzimmer verborgene Abhörgerät lieferte Stunden von Material: *20:36,29, Abwaschgeräusche im Spülbecken, 22:12,34, leise Musik. 23:01,47, zu Bett gegangen.*

Um das wöchentliche Telefonat mit seiner Frau abzuhören, hatten sie seinen Telefonanschluss angezapft. Dominika las die Abschrift auf Französisch. Madame Delon war ungehalten und abweisend, Delon einsilbig, beinahe stumm. *Eine freudlose Ehe ohne Sex mit einer unduldsamen Frau*, hatte ein unbekannter Übersetzer an den Rand geschrieben.

Irgendwann im Laufe des Bewertungsprozesses hatte sich der SWR in den Fall hineingedrängelt und ihn dem FSB entzogen – es handele sich um eine Auslands-, keine Inlandsoperation. Die zweite Akte begann mit der Beurteilung eines Einsatzes, geschrieben im Kürzelstil der halbgebildeten Sowjets, jene Art von Bericht, über die sie sich auf der Akademie lustig gemacht hatten. *Potenzial der Zielperson für geheimdienstliche Auswertung ausgezeichnet. Keine erkennbaren Laster. Sexuell unerfüllt. Zugang zu geheimen Informationsquellen gut. Beurteilt als schüchtern und nicht aggressiv. Angesichts der Ehe anfällig für Erpressungsversuch.* Und so weiter.

Dominika lehnte sich zurück, betrachtete die Seiten und dachte an ihre Ausbildung an der Akademie zurück. Ganz klar, es handelte sich um einen eher unwichtigen Fall, mit einer unbedeutenden Zielperson und geringen Aussichten, sich auszuzeichnen. Delon mochte ein einsamer Mann sein, verletzlich vielleicht, aber seine Zugangsmöglichkeiten in seiner Botschaft waren begrenzt. Hatte die Fünfte nichts Besseres zu bieten als diesen *navoz*, diesen Mist? Simjonow bauschte die ganze Sache auf, überhöhte den Fall, das stand fest. Sie hatte die Akademie durchlaufen, hatte die Hurenschule ertragen, aber hier prostituierten sich alle auf irgendeine Weise. Herrschten solche Verhältnisse in allen Geheimdiensten?

Sie fuhr im Lift hinunter in die Cafeteria, nahm sich einen Apfel und begab sich auf die Terrasse, in den Sonnenschein. Ein wenig entfernt von den Sitzbänken, auf einer niedrigen Mauer vor einer Hecke, nahm sie Platz, streifte die Schuhe ab, schloss die Augen und genoss die Wärme der Ziegelsteine an den Füßen.

»Darf ich mich zu Ihnen setzen?« Dominika schrak zusammen. Sie schlug die Augen auf und sah den adrett gekleideten General Kortschnoi aus der Amerika-Abteilung vor sich stehen. Seine Anzugjacke war zugeknöpft, er stand mit geschlossenen Füßen da wie ein Oberkellner. Das Sonnenlicht vertiefte die ausgeprägte violette Aura. Dominika sprang auf, hantierte mit ihren Pumps und versuchte, sie wieder anzuziehen. »Bleiben Sie ruhig barfuß, Korporalin.« Kortschnoi lachte. »Ich wünschte, ich könnte mir auch die Schuhe ausziehen und die Füße in einen Fischteich baumeln lassen.«

Dominika lachte. »Dann tun Sie's doch! Es fühlt sich herrlich an.« Kortschnoi betrachtete die blauen Augen, das kastanienbraune Haar, das arglose Gesicht. Sie wagte es, einem

Offizier im Rang eines Generals diesen unerhörten Vorschlag zu machen? So einen Mumm hatte diese junge Offiziersanwärterin? Dann beugte sich der Leiter der Hauptverwaltung des SWR, zuständig für alle offensiven nachrichtendienstlichen Operationen auf der nördlichen Halbkugel, vor und zog Schuhe und Socken aus. Gemeinsam saßen sie in der Sonne.

———

»Und, wie läuft es bei der Arbeit, Korporalin?«, fragte Kortschnoi und sah in die Bäume, die die Terrasse umgaben.

»Es ist meine erste Woche. Ich habe einen Schreibtisch und einen Posteingangskorb. Außerdem lese ich mich in die Akte ein.«

»Ihre erste Fallakte. Und, wie finden Sie die?«

»Interessant«, sagte Dominika und dachte an die Schludrigkeit der Akte, die zweifelhaften Schlussfolgerungen, die wenig überzeugenden Empfehlungen.

»Sie scheinen nicht gerade begeistert zu sein«, sagte Kortschnoi.

»Oh doch, bin ich«, sagte Dominika.

»Aber …?« Kortschnoi wandte sich ihr halb zu. Das Sonnenlicht warf einen spinnenhaften Schatten auf seine buschigen Augenbrauen.

»Ich brauche Zeit, um mich mit operativen Akten vertraut zu machen, glaube ich.«

»Soll heißen?« Kortschnoi benahm sich ihr gegenüber sanft, beruhigend. Dominika fühlte sich wohl im Gespräch mit ihm.

»Nach der Lektüre der Akte bin ich zu einem anderen Schluss gekommen. Ich erkenne nicht, wie die zu ihrem gelangt sind.«

»Mit welchem Teil sind Sie denn nicht einverstanden?«

»Es geht um eine eher unbedeutende Zielperson«, sagte sie, wobei sie bewusst nicht allzu viele Details preisgab, um den Sicherheitsaspekt zu beachten. »Der Mann ist einsam, verletzlich, aber ich bezweifle, dass er die Mühe wert ist. Im ›Wald‹ wurde oft darüber gesprochen, dass man nachrichtendienstliche Ressourcen nicht vergeuden, nicht unergiebigen Zielpersonen nachstellen soll.«

»Es gab einmal eine Zeit«, stellte Kortschnoi sie auf die Probe, »da wurden Frauen nicht zur Akademie zugelassen. Eine Zeit, in der es undenkbar gewesen wäre, dass ein rangniedriger Offizier die Akte einer laufenden Operation einsehen darf, ganz zu schweigen davon, sie zu kommentieren.« Er blickte in die mittägliche Sonne und kniff die Augen zusammen. Tiefes Königsblau.

»Entschuldigen Sie, General«, sagte Dominika in sanftem Tonfall. Sie wusste, war sicher, dass er nicht böse auf sie war. »Es war nicht meine Absicht, Kritik zu üben oder mich auf irgendeine unangemessene Weise zu äußern.« Sie sah ihn an, blinzelte in die Sonne, ruhig, abwartend. Intuitiv spürte sie, dass sie mit dem Mann offen reden konnte. »Verzeihen Sie, General, ich wollte nur anmerken, dass ich die Argumente nicht überzeugend finde. Ich kann nicht erkennen, wie die zu ihren Schlussfolgerungen bezüglich der Operation gelangt sind. Sicher, ich habe kaum Erfahrung, aber das erkennt doch jeder.«

Kortschnoi wandte sich um und sah Dominika an – sie war gelassen und selbstbewusst. Er schmunzelte. »Sie sollen die Akte ja mit kritischem Blick lesen. Und diese Trottel an der Akademie haben ja recht: Wir müssen effizienter agieren. Die alten Zeiten sind vorbei. Es fällt uns schwer, uns das einzugestehen.«

»Ich wollte nicht respektlos sein«, sagte Dominika. »Ich möchte gute Arbeit leisten.«

»Und das ist recht so.« Kortschnoi lächelte. »Ordnen Sie Ihre Fakten, bringen Sie Ihre Argumente in eine Reihenfolge und melden Sie sich zu Wort. Sie werden auf Ablehnung stoßen, aber lassen Sie sich davon nicht beirren. Ich wünsche Ihnen viel Glück.« Er erhob sich von der Mauer, nahm Schuhe und Socken in die Hand. »Ach, übrigens, Korporalin, wie heißt die Zielperson?« Er sah, dass sie zögerte. »Ich bin nur neugierig.« Blitzartig wurde Dominika klar, dass dies nicht der richtige Zeitpunkt war, sich zu zieren. Wenn er den Namen nicht bereits kannte, hätte er ihn in zehn Sekunden herausgefunden.

»Delon«, sagte sie. »Französische Botschaft.«

»Vielen Dank.« Und damit drehte er sich um, immer noch mit den Schuhen und Socken in der Hand, und ging den Fußweg entlang davon.

———

Sie hatte nichts anderes erwartet – aber die Schwierigkeiten begannen während der täglichen Planungssitzungen. Mit der zweibändigen Akte unterm Arm betrat Dominika das Konferenzzimmer und setzte sich an die Stirnseite eines abgewetzten Tischs, zu drei Offizieren, alle in brauner oder grauer Uniform, aus der Fünften Abteilung (zuständig für Frankreich, die Beneluxländer, Südeuropa und Rumänien). Dominika spürte den Mangel an Energie im Raum. Von diesen Männern gingen keinerlei emotionale Impulse aus, sie hatten keinerlei Fantasie, waren ohne jede Leidenschaft.

Eine gesamte Wand wurde von einer riesigen Landkarte von Eurasien eingenommen, auf einer verstaubten Anrichte am Ende des Zimmers standen mehrere Telefone. Als sie eintrat, stellten die Männer ihre Gespräche ein. Es kursierten bereits Gerüchte über die schöne Absolventin der Spatzenschule. Dominika erwiderte ihre Blicke, ohne die harten Gesichter, das schiefe Grinsen zu beachten. Brauntöne, Grautöne, die schmuddeligen Farben schmuddeliger Männer. Die billigen Aluminiumaschenbecher in der Mitte des Tischs quollen über von Zigarettenkippen.

»Gibt es irgendwelche einleitenden Bemerkungen?«, fragte Simjonow am gegenüberliegenden Ende des Tisches. Simjonow war genauso ausdruckslos und desinteressiert wie beim ersten Treffen mit Dominika. Er blickte in die drei Gesichter am Tisch. Keiner äußerte sich. Er wandte sich zu Dominika um – forderte sie zu einer Wortmeldung auf. Sie atmete tief durch.

»Mit der Erlaubnis des Obersts würde ich gern die Zugangsmöglichkeiten der Zielperson erörtern.« Dominika konnte ihren Herzschlag hören.

»Wir haben seine Zugangsmöglichkeiten bewertet«, sagte Simjonow. Sein Tonfall bedeutete, dass es Dominika nicht gestattet war, sich mit den Feinheiten der Operation zu befassen. »Der Mann ist eine lohnende Quelle. Jetzt müssen wir nur noch die Art der Kontaktaufnahme festlegen.« Er warf dem Offizier neben sich einen kurzen Blick zu.

»Das ist leider nicht ganz richtig«, sagte Dominika. Die Männer hoben die Köpfe, sahen sie an. Was war das? Eine eigene Meinung? Von einer Absolventin der Akademie? Von einem Spatzen? Alle Blicke richteten sich auf Simjonow – wie würde er reagieren? Das konnte ja heiter werden.

Simjonow streckte die Hände aus, beugte sich weit über den Tisch. Heute verströmte er einen schwachen gelben Glanz. Dieser Mann würde sich keine Widerworte gefallen lassen. Seine Augen waren rot und wässrig, die grauen Haare lagen schlaff am Kopf an.

»Sie sind hier, Genossin«, sagte er, »um bei der Kontaktaufnahme mit dem Franzosen zu assistieren. Fragen im Hinblick auf seine Zugangsmöglichkeiten, seine Führung und seine Ergiebigkeit als Quelle liegen im Verantwortungsbereich der Offiziere dieser Abteilung.« Er beugte sich etwas weiter vor und sah Dominika durchdringend an. Wieder wandten sich die Männer zu Dominika um. Sicherlich war die Diskussion damit beendet.

Dominika ließ die Hände, damit sie nicht zitterten, fest verschränkt auf den Aktenmappen liegen. »Entschuldigen Sie, wenn ich widerspreche, *Genosse*«, wiederholte sie seine Anrede – die ein Anachronismus war. »Aber mir wurde der Auftrag erteilt, an dieser Operation in der Funktion als Führungsoffizier teilzunehmen. Ich freue mich darauf, in alle Phasen der Anwerbung involviert zu sein.«

»Als Führungsoffizier, sagten Sie?«, sagte Simjonow. »Sie, als Absolventin der Akademie?«

»Ja.«

»Wann haben Sie Ihren Abschluss gemacht?«

»Im letzten Semester.«

»Und seitdem?« Simjonow blickte sich erwartungsvoll um.

»Sonderausbildung.«

»Welche Art von Sonderausbildung?«, fragte Simjonow ruhig.

Darauf hatte sie sich vorbereitet. Simjonow wusste ganz genau, wo sie gewesen war. Er wollte sie demütigen. »Ich habe am Grundkurs des Kon-Instituts teilgenommen«, presste Dominika hervor. Sie dachte nicht daran, sich diesen *litschinki*, diesen Maden, zu unterwerfen. Im selben Atemzug verfluchte sie Onkel Wanja.

»Ach ja, die Spatzenschule«, sagte Simjonow. »Und genau deswegen sind Sie hier. Um an der Verführung der Zielper son Delon *teilzunehmen*.« Einer der Männer am Tisch unterdrückte fast, aber nicht ganz ein Grinsen.

»Entschuldigen Sie, Oberst«, sagte Dominika. »Ich wurde der Abteilung als vollwertiges Mitglied des Teams zugeteilt.«

»Verstehe. Haben Sie Delons *papka* gelesen?«

»Beide Bände«, sagte Dominika.

»Bewundernswert. Welche einleitenden Beobachtungen können Sie zu dem Fall und seinem Nutzen beisteuern?« Die Männer verfielen in Schweigen, Zigarettenqualm kräuselte sich hinauf zur Decke. Dominika blickte in die Gesichter, die sie musterten.

Sie schluckte. »Entscheidend ist die Frage der Zugangsmöglichkeiten. Die Zielperson, Delon, hat in ihrer Funktion als Handelsattaché auf mittlerer Ebene keinerlei Zugang zu geheimen Informationsquellen, sodass eine politisch heikle *tschernota* nicht gerechtfertigt wäre.«

»Und wie stehen Sie zu einer Erpressung?«, fragte Simjonow gelassen, leicht amüsiert. »Sie kommen doch frisch von der Akademie.«

»Delon selbst lohnt die Mühe nicht«, wiederholte Dominika.

»In der Abteilung R sind mehrere Analysten anderer Ansicht.« Simjonows Tonfall wurde strenger. »Delon hat Zugang zu französischen und EU-Handelsdaten. Haushaltszahlen. Wirtschaftsprogramme. Investitionsstrategien, Energiepolitik. Wollen Sie auf diese Informationen einfach verzichten?«

Dominika schüttelte den Kopf. »Delon weiß nichts, was nicht auch einer unserer Informanten in dem halben Dutzend französischen Wirtschafts- und Handelsministerien in Paris direkt liefern könnte. Dieser Weg wäre sicherlich effizienter und würde den allgemeinen Anforderungen eher Genüge tun.«

Simjonow, dessen Gesichtszüge sich verhärtet hatten, lehnte sich im Stuhl zurück. »Offenbar haben Sie auf der Akademie viel gelernt. Sie würden also vorschlagen, dass die Abteilung die Operation nicht absegnet? Dass wir uns zurückziehen und nichts gegen die Zielperson Delon unternehmen?«

»Ich sage nur, dass das potenzielle Risiko, einen westlichen Diplomaten in Moskau bloßzustellen, nicht gerechtfertigt ist, und zwar, weil er ein so geringes Potenzial als Quelle hat.«

»Gehen Sie zurück und lesen Sie die Akte noch einmal, Korporalin«, sagte Simjonow. »Und kommen Sie zurück, sobald Sie einen konstruktiven Beitrag leisten können.« Alle starrten Dominika an, während sie vom Tisch aufstand, die Akten in die Hand nahm und in dem langen Raum bis zur Tür ging. Sie hielt den Rücken gerade und konzentrierte sich auf den Türgriff. Als sie die Tür schloss, hörte sie gedämpftes Gemurmel und Gelächter.

Am nächsten Morgen traf Dominika an ihrem leeren Schreibtisch ein und fand in ihrem schäbigen Posteingangskorb einen weißen Briefumschlag vor. Sorgfältig schlitzte sie ihn mit dem Daumennagel auf und faltete das einzelne Blatt auseinander. Mit dunkelblauer Tinte und in Schönschrift geschrieben stand da nur eine einzige Zeile:

*Delon hat eine Tochter. Folgen Sie Ihrer Intuition. K.*

———

Am darauffolgenden Tag saßen sie wieder um den Konferenztisch, auf dem sich Fotos und Observationsberichte stapelten. Die Aschenbecher quollen über. Dominika ging zu ihrem Platz an der Stirnseite des Konferenztischs. Die Männer ignorierten sie. Sie lasen Delons Dossier, eine rauchgeschwängerte Übung, die mit Desinteresse und einem Auge auf der Wanduhr absolviert wurde. Bei keinem der Männer konnte sie Primärfarben erkennen. Sie gingen Delons alltägliche Gewohnheiten und Verhaltensmuster durch, die die Teams beschrieben hatten, und stritten darüber, an welchen Orten eine Kontaktaufnahme stattfinden könnte. Gelangweilt wie immer sah Simjonow zu Dominika hoch. »Nun, Korporalin, haben Sie irgendwelche Ideen bezüglich geeigneter Orte zur Kontaktaufnahme? Vorausgesetzt natürlich, Sie haben Ihre früheren Einwände gegen die Operation überdacht.«

Gelassen antwortete Dominika: »Ich habe die Akte noch einmal durchgelesen, Oberst, und ich glaube nach wie vor, dass dieser Mann keine geeignete Zielperson ist.« Diesmal hoben die Männer nicht die Köpfe; sie richteten den Blick auf die Unterlagen, die vor ihnen lagen. Diese *worobej* wird nicht lange in der Fünften bleiben, dachten sie, wahrscheinlich nicht einmal lange im SWR.

»Sie bestehen auf Ihrem Argument? Wie interessant«, sagte Simjonow. »Wir blasen die Aktion also ab, ist das Ihre Empfehlung?«

»Ich habe nichts dergleichen gesagt. Ich glaube, wir sollten Delon in der Tat als Zielperson ins Visier nehmen und uns dabei seine Einsamkeit zunutze machen.« Sie klappte die vor ihr liegende Akte auf. »Aber das Ziel, der Endzweck der Operation, sollte nicht Delon selbst sein.«

»Was reden Sie da für einen Unsinn?«, sagte Simjonow.

»Es steht bereits in der Akte. Ich habe einige zusätzliche Nachforschungen angestellt.«

Simjonow sah in die Runde, dann wieder zu Dominika. »Der Fall wurde bereits gründlich recherchiert …«

»… und ich habe herausgefunden, dass Monsieur Delon eine Tochter hat«, unterbrach ihn Dominika.

»Und eine Ehefrau in Paris, das wissen wir doch alles!«

»Und die Tochter arbeitet im französischen Verteidigungsministerium.«

»Eher unwahrscheinlich«, polterte Simjonow. »Die gesamte Familie ist überprüft worden. Die Pariser *Residentura* hat sämtliche örtliche Datenbanken überprüft.«

»Dann hat man dort anscheinend etwas übersehen. Sie ist fünfundzwanzig Jahre alt, ledig, lebt bei ihrer Mutter. Sie heißt Cécile.«

»Das ist anmaßend.«

»Sie wird nur einmal in den Abschriften erwähnt. Ich habe die ausländischen Datenbanken in der Bibliothek der Abteilung R überprüft.« Dominika blätterte abermals in der Akte. »Cécile Denise Delon ist im Register der Rue Saint-Dominique aufgeführt. Das heißt in der zentralen Regierungsdatenbank des Verteidigungsministeriums.« Sie blickte in die Runde, in die Gesichter, die sie anstarrten. »Das lässt darauf schließen, soweit ich das feststellen konnte, dass sie Zugang zu den Geheimberichten zur Landesverteidigung hat, die die Regierung täglich erhält. Sie verwaltet die Planungsdokumente des französischen Militärs. Vermutlich ist sie für die Verbreitung und Aufbewahrung ganz unterschiedlicher Berichte über das Budget, die Einsatzbereitschaft und die Stärke des französischen Militärs zuständig.«

»Alles bloße Vermutungen zu diesem Zeitpunkt«, sagte Simjonow.

»Wir wissen zwar nicht, wo die Franzosen ihre geheimen Informationen über Kernwaffen aufbewahren, aber es würde mich nicht wundern …«

»Es besteht keinerlei Anlass zu Kaffeesatzleserei«, sagte Simjonow. Der gelbe Kreis um seinen Kopf wurde größer – und auch dunkler. Dominika wusste, dass er frustriert war, wütend, berechnend und dass ihr Trotz und ihre Unbot-mäßigkeit jetzt schon ausreichten, um sie aus dem Dienst zu entfernen.

Totenstille im Raum. Simjonows vorsintflutliche Instinkte waren geweckt; der Bürokrat in ihm kalkulierte. Sekunden-schnell folgten seine Gedanken entlang der Linien eines alt-gedienten KGB-Funktionärs: *Diese kleine* tsarewna *mit ihrem großen Nachnamen sorgt dafür, dass ich als dumm und einfalls-los dastehe. Wie kann ich am Ende von ihrer Arbeit profitieren? Wenn dieses* maneken *recht hat, sind die Chancen womöglich riesig, aber auch die Risiken. Aber jede Operation, die das fran-zösische Verteidigungsministerium ins Visier nimmt, muss von ganz oben abgesegnet werden.*

»Wenn das stimmt«, sagte er knapp, »dann *könnte* das einen zusätzlichen Nutzen bringen.« Das äußerte er so, als hätte er es von Anfang an gewusst. Er schnippte die Asche seiner Zi-garette in den Aschenbecher.

Sie las Simjonows ölige, feuchte Gedanken. »Ich stim-me Ihnen zu, Oberst. Das ist Delons wahres Potenzial, der Grund, warum es lohnt, ihn ins Visier zu nehmen, weshalb es das Risiko lohnt, ihn anzuwerben.«

Simjonow schüttelte den Kopf. »Die Tochter lebt in Paris, zweitausendfünfhundert Kilometer weit weg.«

»Nicht so weit, glaube ich.« Dominika lächelte. »Wir wer-den sehen.« Ihr Lächeln verunsicherte Simjonow. »Selbstver-ständlich werden wir ein detailliertes Dossier über die Bezie-hung zwischen Vater und Tochter erstellen.«

»Natürlich, vielen Dank, Korporalin.« Wenn das noch eine Minute so weiterging, konnte sie ja gleich die Fünfte Ab-teilung übernehmen. Na schön, dachte er, sie kann die vor-bereitenden Arbeiten erledigen, so viel sie will. Im Laufe der Operation würde er dann dafür sorgen, dass sie auf dem Rücken lag, mit den Beinen in der Luft, vor laufenden Kameras, und damit wäre die Sache erledigt.

»Nun gut, Korporalin. Und da Sie auf dieses interessante Detail gestoßen sind, möchte ich, dass Sie Ihre Gedanken zur Kontaktaufnahme mit der Zielperson Delon zu Papier bringen.«

»Mit Ihrer Erlaubnis, Oberst, habe ich bereits einen Plan skizziert, wie sich der Erstkontakt herstellen ließe.«

»Verstehe …«

Die Offiziere der Fünften Abteilung lehnten sich in den Stühlen zurück und drückten ihre nicht zu Ende gerauchten Zigaretten in den Aschenbechern aus. Grundgütiger, der Klatsch über diesen Spatzen hatte sich auf ihre blauen Augen bezogen, darauf, wie sie ihren Dienstrock ausfüllte, den Umfang ihrer Brüste. Von ihren *jaitsa*, ihren »Eiern«, hatte keiner etwas gesagt. Sie verließen der Reihe nach den Raum, und Dominika sammelte die Unterlagen ein, die auf dem Tisch herumlagen; die Neue konnte sich ja nützlich machen und aufräumen. Sie stapelte ihre Unterlagen, legte sie auf die eselsohrigen Mappen mit Delons Dossier, verließ das Konferenzzimmer und schloss die Tür hinter sich.

━━

Im Stadtteil Arbat gibt es am Nikitski Bulwar 12 ein kleines Restaurant namens Jean Jacques. Es ist so etwas wie eine französische Brasserie: lärmig, rauchgeschwängert und erfüllt vom weinähnlichen Duft der Cassoulets und Eintöpfe. Die Tische mit weißen Tischdecken und den Bugholzstühlen stehen eng an eng auf dem schwarz-weißen Fliesenboden. Vor den Wänden stehen deckenhohe Regale mit Weinflaschen, Barhocker säumen den geschwungenen Tresen. Das Jean Jacques ist immer voll von Einheimischen. Kommt man ohne Begleitung, so teilt man sich zur Mittagszeit einen Tisch mit einem Fremden.

An diesem Mittag an einem regnerischen Dienstag herrschte im Jean Jacques noch mehr Betrieb als sonst. Die Gäste standen im Eingangsbereich oder draußen unter der Markise und warteten darauf, dass ein Platz frei wurde. Der Geräuschpegel war hoch, schwerer Zigarettenqualm lag in der Luft. Die Kellner eilten zwischen den Tischen umher, öffneten Flaschen und trugen Tabletts. Nachdem er eine Viertelstunde gewartet hatte, wurde Simon Delon von der französischen Botschaft in Moskau zu einem für zwei gedeckten Tisch in einer Ecke des Speiseraums geführt. Auf dem anderen Platz saß ein junger Mann, der gerade seinen Teller mit Dijoner Gemüse-Fleisch-Eintopf zu Ende aß und ein Stück dunkles Brot in die Brühe tunkte. Als Delon sich setzte, nahm der junge Mann ihn kaum wahr.

Trotz der vielen Gäste und des Lärms mochte Delon das Restaurant, es erinnerte ihn an Paris. Mehr noch: Die russische Sitte, Fremde zur Mittagszeit an einen Tisch dazuzusetzen, bot die Gelegenheit, neben einer hübschen Studentin oder einer attraktiven Verkäuferin platziert zu werden. Manchmal lächelten sie ihn sogar an, als wären sie ein Paar. Zumindest würde das von der anderen Seite des Raumes aus so aussehen.

Delon bestellte ein Glas Wein und las die Speisekarte. Der junge Mann ihm gegenüber zahlte, wischte sich den Mund und griff nach seinem Jackett, das über der Stuhllehne hing. Als Delon aufblickte, sah er eine atemberaubend schöne dunkelhaarige Frau mit eisblauen Augen auf seinen Tisch zugehen. Die Frau setzte sich tatsächlich auf den Platz, den der junge Mann soeben freigemacht hatte. Sie hatte das Haar hochgesteckt, um den Hals eine einreihige Perlenkette. Unter dem leichten Regenmantel trug sie eine beigefarbene Seidenbluse über einem dunkleren schokoladenfarbenen Rock mit braunem Krokogürtel. Delon trank einen Schluck Wein und beobachtete verstohlen, wie sich die Bluse an den Körper der Frau anschmiegte.

Aus ihrer Kroko-Clutch zog sie eine kleine Lesebrille, setzte sie auf und las die Speisekarte. Als sie merkte, dass er sie ansah, hob sie die Brauen. Rasch versteckte er sich wieder hinter seiner Speisekarte. Noch ein kurzer Blick auf ihre eleganten Finger, die die Speisekarte hielten, den schlanken Hals, die Wimpern über diesen Röntgenaugen. Wieder schaute sie ihn an.

»*Iswinite*, entschuldigen Sie, stimmt irgendetwas nicht?«, sagte Dominika auf Russisch. Delon war in den Fünfzigern und hatte blondes, quer über den großen Kopf gekämmtes Haar. Der dürre Hals saß auf schmalen, runden Schultern. Mit seinen kleinen dunklen Augen, der spitzen Nase, den geschürzten Lippen und dem Schnauzbart hatte er etwas von einem Mäuserich. Eine Spitze seines Hemdkragens schaute leicht aus der blauschwarzen Anzugjacke hervor, der Knoten seiner Krawatte war klein und schlecht gebunden. Dominika widerstand der Anwandlung, ihm den Kragen unter das Jackett zu stecken und den Schlips zurechtzurücken. Sie kannte sein Geburtsdatum, die Farbe des Überwurfs auf seinem Bett, sie wusste, welches Kopfschmerzmittel sich in seinem Badezimmerschrank befand. Na ja, dachte sie, er sieht wirklich aus wie ein Handelsattaché.

Delon schaffte es kaum, ihr in die Augen zu schauen. Dominika spürte, dass es ihm schwerfiel, sie anzusprechen. Als er sich schließlich traute, waren seine Worte zartblau, ähnlich dem Kornblumenblau, das Anja in der Spatzenschule ausgezeichnet hatte. Er atmete tief durch, Dominika wartete.

Schon jetzt wusste sie, dass ihre Einschätzung zutraf, dass das, was sie mit ihm vorhatte, begonnen hatte.

»Wie bitte? Entschuldigen Sie, aber ich kann kein Russisch. Sprechen Sie Englisch?«

»Ja, natürlich«, sagte Dominika auf Englisch.

»*Et français?*«

»*Oui.*«

»Wie wundervoll. Ich wollte Sie nicht anstarren«, stammelte Delon auf Französisch. »Ich dachte nur, wie viel Glück Sie hatten, einen Platz zu bekommen. Mussten Sie lange warten?«

»Nicht allzu lang.« Dominika sah sich im Restaurant um und blickte zum Eingang. »Wie dem auch sei, es sind nicht mehr so viele Gäste da.«

»Nun, es freut mich, dass Sie einen Platz bekommen haben.« Delon wusste langsam nicht mehr, was er noch sagen sollte.

Dominika nickte und blickte noch einmal in die Speisekarte. Mit Glück hatte das gar nichts zu tun, dass sie diesen besonderen Platz am Tisch in der Ecke bekommen hatte. Denn an diesem Tag waren alle Gäste im Jean Jacques Offiziere des SWR.

———

Eine zweite zufällige Begegnung im Jean Jacques lieferte den Vorwand, sich dem eulenhaften kleinen Diplomaten unter ihrem Decknamen »Nadia« vorzustellen. Als sie sich einige Tage später nochmals vor der Brasserie über den Weg liefen, brachte er irgendwie den Mut auf, ihr vorzuschlagen, gemeinsam essen zu gehen. Danach probierten sie ein anderes Restaurant zum Mittagessen aus. Delon war ungemein schüchtern, hatte geradezu höfisch gute Manieren. Er trank in Maßen, sprach stockend über sich selbst und wischte sich verstohlen über die Stirn, wenn er sah, dass sich Dominika geistesabwesend eine Haarsträhne hinters Ohr strich. Im Laufe dieser Kontakte nahm Delons Zurückhaltung allmählich ab, und seine azurblaue Aura wurde kräftiger. Genau damit hatte sie gerechnet.

Arglos hatte Delon die Tarngeschichte geglaubt, wonach Nadia bei Liden & Denz in der Grusinski-Straße als Fremdsprachenlehrerin arbeite. Er reagierte bewusst nicht, als sie von ihrem Ehemann sprach, einem Geologen, der weit im Osten des Landes arbeite, in einer anderen Zeitzone, und täuschte höfliches Desinteresse vor, als Dominika vage ihre kleine Wohnung erwähnte, deren einziger Lichtblick darin bestehe, dass sie sie mit niemandem teile. Insgeheim rasten Delons Gedanken.

Simjonow wollte schnell vorgehen: Dominika sollte den kleinen Franzosen ins Bett locken und sofort zur Sache kommen. Dominika widersetzte sich, mauerte, widersprach bis zur Grenze der Insubordination. Sie wusste, dass Simjonow sie als Lockvogel einsetzen wollte, dass er die ganze Operation nur als eine Venusfalle sah, dass er auf die Möglichkeiten, die der Fall bot, keinerlei Wert legte. Dominika sprach sich mit Nachdruck dafür aus, sich Delon über einen längeren Zeitraum sorgfältig heranzuziehen – was doppelt wichtig sei, weil seine Tochter das Potenzial zu einer enorm ergiebigen Quelle habe. Delon müsse sanft mitgenommen werden. Simjonow beherrschte seine Wut, wenn diese kurvige Absolventin der Akademie ihn belehrte, von Fortschritten berichtete und Folgemaßnahmen vorschlug.

In den nächsten Wochen entwickelte sich eine klassische *rasrabotka*, Annäherung. Dominika führte Delon durch die Stadien der lockeren Bekanntschaft bis zur unkomplizierten

Freundschaft und beobachtete, wie er sich in ihrem Beisein entspannte, langsam vertrauter mit ihr wurde und sein zunehmendes Verlangen nach ihr verbarg. Sie nahm seine Wünsche vorweg, ermunterte ihn, deutete an, dass sie ihn allmählich lieb gewonnen habe. Er fasste es kaum. Der Franzose war völlig vernarrt in sie, war aber viel zu schüchtern, zu ängstlich, um sich ihr jemals aufzudrängen. Dominika konnte ihn nur dann anheuern, wenn er sich nicht getäuscht oder in Gefahr wähnte. Nur auf Grundlage ihrer Freundschaft, Delons zunehmender Verliebtheit und schließlich seiner Unfähigkeit, ihr irgendetwas abzuschlagen, würde die Anwerbung Erfolg haben.

Zunächst trafen sie sich einmal, dann zweimal pro Woche, dann verabredeten sie sich fürs Wochenende zu Spaziergängen in der Stadt und zu Museumsbesuchen. Dabei verhielten sie sich sehr diskret. Schließlich waren sie beide verheiratet. Sie unterhielten sich über seine Familie, die sorgenfreie Kindheit in der Bretagne, die Eltern. Dominika musste vorsichtig agieren. Delon war wie eine Schildkröte, beim kleinsten Schreck zog er sofort den Kopf ein.

Nach einer gewissen Zeit kam Delon auf seine lieblose Ehe zu sprechen. Seine Frau war mehrere Jahre älter, hochgewachsen und patrizisch, sie machte die Dinge auf ihre Art. Ihre Familie war wohlhabend, sehr wohlhabend, und sie hatten nach nur kurzem Liebeswerben geheiratet. Delon erzählte Dominika, seine Frau habe sich entschlossen, etwas aus ihm zu machen, hochfliegende Pläne für seinen Rang und seine Stellung in der Gesellschaft, begünstigt durch den Einfluss ihrer Familie. Als seine Zurückhaltung und Milde zum Vorschein kamen, hatte seine Frau der Ehe den Rücken zugekehrt. Sie wahrte den Schein, natürlich, doch die Trennungen, die seine Versetzungen als Diplomat erforderlich machten, störten sie nicht. Sein Ansehen im diplomatischen Dienst hing von ihr ab.

Delon himmelte Cécile an, ihr einziges Kind. Das Foto zeigte eine zierliche, dunkelhaarige junge Frau mit scheuem Lächeln. Sie ähnelte ihrem Vater: schüchtern, zaghaft und reserviert. Mit wachsender Vertrautheit und zunehmendem Vertrauen offenbarte er Dominika schließlich, dass seine Tochter im Verteidigungsministerium arbeitete. Natürlich war er enorm stolz auf ihre Karriere, die von seiner Frau und ihrem einflussreichen Vater arrangiert worden war. Voll Freude sprach er davon, was er sich für seine Tochter erhoffte. Eine gute Ehe, Erfolg im Beruf, ein angenehmes Leben. Seine Bereitschaft, über Cécile zu sprechen, stellte einen wichtigen Meilenstein in der Annäherung dar.

Eines Nachmittags, über den Rand einer Espressotasse in einem Café hinweg, fragte Dominika Delon, ob er Zukunftsängste habe, befürchte, seine Frau könnte ihn verlassen, sich sorge, seine Tochter könnte den falschen Mann kennenlernen und in einem melancholischen Leben wie dem seinen feststecken. Delon betrachtete Dominika – das Objekt seiner zunehmenden Zuneigung – und hätte erstmals die seidenweiche Berührung des SWR-Handschuhs an seiner Wange spüren sollen. Ein Alarmsignal. Doch er ignorierte den Schauder, verwirrt von Dominikas blauen Augen, ihrem wallenden Haar und, wie er zugeben musste, den waagerechten Streifen des Jerseystoffs, die den Umriss ihrer Brüste nachzeichneten. Trotzdem setzten sie ihre keusche Freundschaft fort. Die Ausflüge endeten mit ungelenken Abschieden, man gab sich die Hand und, einmal, einen hastigen, parfümierten Kuss, der ihn schwindeln machte.

»Worauf warten Sie denn noch?«, tobte Simjonow. »Wir sind dazu da, diesen *robkij francus*, diesen schüchternen Franzosen, in die Falle zu locken, nicht seine Biografie zu schreiben.«

»Jetzt ist nicht der richtige Zeitpunkt für törichte Aktionen«, entgegnete Dominika im Wissen, dass sie sich eines gravierenden Verstoßes schuldig gemacht hatte. »Lassen Sie mich die Sache regeln, und ich werde den Franzosen *und seine Tochter* anwerben.«

Simjonow kochte vor Wut, der pulsierende gelbe Nebel rings um ihn herum lichtete sich, verstärkte sich dann, lichtete sich wieder. Er wollte sie hintergehen, plante einen Verrat, garantiert. Sie bedrängte ihn weiter, aber nicht nur mit Argumenten, sondern auch körperlich, pflanzte sich direkt vor ihm auf. Delon hing fast an der Angel. Er war bereit für den Haken, bestimmt. Er würde für sie spionieren, er wusste es nur noch nicht. Ihr fiel ein, was einer ihrer alten Ausbilder gesagt hatte.

»Keine Sorge, Genosse. Diese *swekla*, diese Rübe, ist fast gekocht.« Sie kam sich vor wie eine Veteranin, als sie den Satz wiederholte.

»Hören Sie«, Simjonow zeigte mit dem Finger auf sie, »lassen Sie die dämlichen alten Witze und bringen Sie diese Anwerbung unter Dach und Fach. Hören Sie auf, Zeit zu verplempern.« Doch noch während er schimpfte, wurde ihm klar, dass Dominika Kleinigkeiten in die Operation einbaute, Verfeinerungen, die seine Fähigkeiten überstiegen und daher gar nicht nach seinem Geschmack waren.

—

Schließlich lud Dominika Delon in ihre Agentenwohnung im Norden Moskaus ein, in der Nähe des Weißrussland-Bahnhofs und nicht weit entfernt von der Sprachenschule, an der sie zu arbeiten behauptete. Es handelte sich um eine kleine

Zweizimmerwohnung mit einem Wohnzimmer, einer Küche mit einem durch einen Vorhang abgetrennten Bad und einem winzigen Schlafzimmer. Der Teppichboden war abgewetzt, die Tapete ausgeblichen und wellig. Der zerbeulte Teekessel auf dem Propangasherd mit einer Kochstelle war zu alt, um pfeifen zu können. Alles war klein und schäbig, aber wenn man seine Wohnung in Moskau nicht mit Verwandten oder Arbeitskollegen teilen musste, war das ein unglaublicher Luxus.

Die andere Seite, die Delon nicht zu würdigen wusste, war, dass die Wände, Decken und Installationen der Wohnung voll mit Kameraobjektiven und Mikrofonen waren. Die Wohnungen rechts und links und darunter wurden ebenfalls vom SWR kontrolliert. Der Stromverbrauch allein dieses Wohnblocks hätte für das Startsystem einer Tupolew Tu-95 ausgereicht. Manchmal konnte man, spätabends, im Keller die Transformatoren summen hören.

»Simon, du musst mir helfen«, sagte Dominika, als sie die Wohnungstür öffnete. Delon, mit einem Strauß blauer Blumen in der Hand und einer Flasche Wein unterm Arm, schaute sofort besorgt. Es war der dritte Besuch in Nadias Wohnung, bei den vorhergehenden hatten sie sich darauf beschränkt, züchtig CDs anzuhören, Wein zu trinken und sich zu unterhalten. Dominika legte etwas Panik in die Stimme und schüttelte den Kopf. »Ich habe einen vorübergehenden Job als Dolmetscherin angenommen, vom Französischen ins Russische, für die Handelsmesse im kommenden Monat. Um mir was dazuzuverdienen. Was habe ich mir eigentlich dabei gedacht? Ich kenne mich im Vokabular für Industrie, Energie, Handel doch gar nicht aus – und zwar weder in der einen noch in der anderen Sprache.«

Delon lächelte. Dominika fiel auf, dass seine blaue Aura

vor lauter Selbstbewusstsein und Zuneigung erstrahlte. Sie nahmen auf dem kleinen Sofa im Wohnzimmer Platz. Er wusste alles über die Messe, das gehörte zu seinem Job. Mindestens sechs SWR-Mitarbeiter hinter den Wänden beobachteten das Treffen und zeichneten es auf. »Ist das alles?«, sagte Delon. »In einem Monat kann ich dir alle Vokabeln beibringen, die du kennen musst.« Er tätschelte ihre Hand. »Mach dir keine Sorgen.« Dominika beugte sich zu ihm hinüber, umfasste sein Gesicht und gab ihm einen dicken Kuss auf den Mund. Zeitpunkt und Art des Kusses hatte sie sorgfältig berechnet. So übertrieben und mädchenhaft der Kuss gewesen sein mochte, es war das erste Mal, dass Delon bewusst Dominikas Lippen spürte. »Mach dir keine Sorgen«, wiederholte er. Er schmeckte Dominikas Lippenstift. Jetzt waren die blauen Wörter gleichmäßig getönt und dunkler. Er hatte sich entschieden.

Dominika hatte stets Interesse an seiner Arbeit gezeigt, an seinen Aufgaben als Diplomat, und Delon hatte sich daran gewöhnt, seine Arbeit zu schildern, erfreut, dass sich jemand dafür interessierte. Jetzt konnte er etwas für sie tun, und so begab er sich am nächsten Abend mit seiner Aktentasche auf direktem Weg von der Botschaft zu Nadia in die Wohnung und zeigte ihr einen zwanzigseitigen Bericht der Handelsabteilung über Investitionsmöglichkeiten in Russland. Er las ihn zusammen mit ihr. Oben und unten auf jeder Seite stand das Wort *Vertraulich*.

Weitere Treffen, weitere Dokumente. Wenn Delon keine Originale hinausschaffen oder kopieren konnte, machte er mit dem Smartphone lesbare Fotos der Dokumente. Sie arbeiteten mit technischen Wörterbüchern auf Französisch und mit ihren auf Russisch. Wie es sich für eine Sprachlehrerin gehörte, meisterte Dominika das Vokabular, und mit dem Stolz eines Lehrers sah er, dass sie gleichermaßen jene Themen meisterte, die internationalen Handel und Energie betrafen. Delon fasste einen Entschluss: Er würde sie unterrichten, sie schulen, sie zur Spezialistin machen. Er liebte sie, sagte er sich.

Um das Problem zu lösen, wie man die Botschaftsdokumente über Nacht bei Dominika lassen konnte, damit sie die Vokabeln lernen konnte, fertigte er Kopien für sie an. Dabei war der SWR nicht so sehr am Inhalt interessiert – die Kameras in der Decke über dem Tisch konnten jedes Komma entziffern –, sondern daran, dass das Kopieren einen unumkehrbaren Verstoß gegen die Sicherheitsvorschriften der Botschaft darstellte. Er gehörte ihr, das wusste Dominika jetzt. Für Delon verblasste die Fiktion des »Vokabelnlernens« zur Fiktion der »Erziehung Nadias«, die zu einer überwältigenden Ergebenheit mutierte, alles zu tun, worum sie ihn bat. Dieses Motiv war stärker als jedes Informantengehalt, das sie hätte anbieten können, stärker als jede erpresserische Drohung nach einem sexuellen Abenteuer. Sollte ihm bewusst sein, dass er es mit dem russischen Geheimdienst zu tun hatte, so gestand er es sich nicht ein.

Simjonow verfolgte die Fortschritte der Operation und berief eine weitere Sitzung ein. Auf ihr zog er eine Schau ab und faselte, man müsse endlich vorankommen, sie solle den kleinen Franzosen endlich ins Bett kriegen. »Nur zu, dann steigen Sie doch mit ihm ins Bett«, sagte Dominika zu Simjonow und den Männern am Tisch. »Wer von Ihnen möchte ihn vögeln?« Schweigen im Saal.

Dominika schwächte den Affront etwas ab. »Schauen Sie«, sagte sie. Der nächste Schritt sei ausgesprochen heikel. Als Erstes müsse sie Delon dazu bringen, Kontakt zu seiner Tochter aufzunehmen und sie vorsichtig darum zu bitten, ihm geheime Informationen aus dem Verteidigungsministerium zu liefern. So wie wenn man an den Strippen ziehe, um eine Marionette zu bewegen, die wiederum an einer anderen Marionette befestigt sei. Sobald seine Tochter die Grenze überschritten habe, müsse Delon sicherstellen, dass sie weiter mitmache. »Sobald die französischen Verteidigungsdokumente hereinkommen, werben wir ihn an«, sagte Dominika.

Simjonow hörte missmutig zu, er war nicht überzeugt. Der Plan war zu kompliziert. Diese *diletantka* war unbotmäßig. Aber er würde noch eine Weile warten. Nach einem weiteren Gespräch auf dem Flur mit General Kortschnoi fühlte er sich in seinem Vorhaben bestätigt. Der altgediente hochrangige Spion sagte, er stimme absolut zu, dass es notwendig sei, mit der Anwerbung voranzukommen, und zeigte Mitgefühl mit Simjonow, als er von Dominikas eigensinniger Einstellung hörte.

»Diese jungen Offiziere«, sagte Kortschnoi. »Erzählen Sie mir mehr von ihr.«

———

Ironischerweise war es dann der ängstliche Delon, der die Anwerbung beschleunigte. Als er eines Abends neben Dominika auf der Couch saß und sie ein weiteres Dokument von mittlerer Geheimhaltungsstufe aus der Handelsabteilung durchsahen, hatte Delon impulsiv den Arm ausgestreckt und ihre Hände mit seinen umfasst. Dann hatte er sich zu ihr gebeugt und sie zärtlich geküsst. Vielleicht hatte die Nähe, die bei jeder Zusammenarbeit entsteht, ihn schließlich überwältigt, vielleicht hatte ihn auch die Intuition, langsam ins Netz der Spionage gezogen zu werden, fatalistisch gestimmt. Doch was immer ihn auch bewegte, Dominika erwiderte zärtlich seinen Kuss, während sie fieberhaft kalkulierte. Sie standen am Scheideweg der Operation. Wenn sie jetzt mit ihm schlief, bevor sie die Tochter in den Plan einbeziehen konnte, könnte das den Übertritt auf ihre Seite gefährden. Umgekehrt könnte es ihre Kontrolle über Delon zementieren. Dominika dachte an die gespannten Gesichter, die überhängenden Bäuche der Männer im heißen kleinen Zimmer hinter der Wand.

Als hätte er ihre Unentschlossenheit gespürt, zögerte Delon und riss die Augen auf. Im unwahrscheinlichsten Moment machte er einen Rückzieher. Der Schein um seinen Kopf leuchtete, glühte förmlich. Da wusste Dominika, dass sie die Initiative ergreifen musste, dass sie ein Liebespaar werden mussten. Sie würde ihn mitziehen, ihm helfen, sie zu verführen.

Sie registrierte bei sich ein leises Bedauern, dieses Stadium erreicht zu haben. Mit Delon war alles so vertrauensvoll und lieb – so ganz anders als ihr Techtelmechtel mit Ustinow. Außerdem hatte sie inzwischen die Spatzen-Ausbildung durchlaufen, deren Lehrsätze ihr nun wieder durch den Kopf gingen.

Dominika umfasste seinen Hinterkopf, drückte ihre Lippen fester auf seine (*Nr. 13: »Signalisieren Sie unzweideutig sexuelle Bereitschaft«*) und holte tief Luft (*Nr. 4: »Bauen Sie die sexuelle Reaktion auf, indem Sie Leidenschaft bekunden«*). Er wich zurück und sah sie aus großen Augen an. Sie liebkoste seine Wange und legte dann, während sie ihm fest in die Augen schaute, seine Hand auf ihre Brust. Er spürte ihr Herz klopfen, und sie presste seine Hand erregter auf ihre Brüste (*Nr. 55: »Stellen Sie sexuelle Hingabe zur Schau, um körperliche Erregung unter Beweis zu stellen«*). Sie erschauerte. Delon schaute sie noch immer an, nahm die Hand nicht weg. »Nadia«, flüsterte er.

Mit geschlossenen Augen strich Dominika mit ihrer Wange über seine und führte ihren Mund nah an sein Ohr (*Nr. 23: »Geben Sie mündliche Aufforderungen, um das Verlangen anzustacheln«*). »Simon, *baise-moi*«, flüsterte sie. Und dann standen sie auf und gingen in das schummrige Schlafzimmer (das in Wirklichkeit heller erleuchtet war als das Fußballstadion von Dynamo Moskau, jedoch von unsichtbarem Infrarotlicht). Dominika trat aus ihrem Rock, streifte die Bluse ab, behielt den tief ausgeschnittenen Büstenhalter aber an (*Nr. 27: »Setzen Sie ein gewisses Missverhältnis von Nacktheit und Bekleidung ein, um die Sinne anzufachen«*). Sie schaute zu, wie Delon in lächerlicher Manier aus der Hose sprang, während sie seine Hände an ihren Schenkeln hinabführte (*Nr. 51: »Stimulieren Sie sich selbst, um Pheromone zu erzeugen«*).

Im Bett war er wie eine Turteltaube. Flatternd, zart, gewichtslos lag er auf ihr. Sanft schmiegte er sich an ihre Brüste; sie spürte ihn kaum, aber sie wölbte den Rücken, spreizte die Beine (*Nr. 49: »Erzeugen Sie dynamische Spannung in den Extremitäten, um Nervenreaktionen zu beschleunigen«*) und konzentrierte sich einen Moment lang auf den Durchbruch in der Decke für die Kameralinse. Aber Delon hob den Kopf, zwischen ihren Brüsten, um sie noch einmal anzuschauen. Sie erwiderte seinen Blick, und da seufzte er und bewegte sich energischer auf ihr. Dominika schloss die Augen (*Nr. 46: »Blockieren Sie Ablenkungen, die die Reagibilität stören«*), sagte immer wieder seinen Namen, spürte, wie ein zunehmendes Zittern seinen Körper durchlief. Sie half ihm (*Nr. 9: »Stärken Sie den Pubococcygeus-Muskel«*), und da wimmerte er: »*Nadia, je t'aime.*«

Sie streichelte seinen Nacken, flüsterte: »*Ljubow' moja*«, mein Liebling, und wusste, was geschah, als die Tür zum Schlafzimmer plötzlich aufgestoßen wurde und die orange-

farben getönte Glühbirne (besserer Kontrast für die Digital-
kamera in der Decke) den Raum in ein grelles Licht tauchte
und drei Männer in Anzügen in den Raum stürmten. Ihre
Hemdkragen waren feucht, und ihre Augen glänzten wie
Schweinsaugen in einem Trüffelwald. Sie hatten von nebenan zugeschaut, die Gerüche ihres Schweißes, ihrer tagealten
Hemden, ihrer wochenalten Socken erfüllten den Raum.

Kaum hatte sich die Tür geöffnet, setzte sich Dominika im
Bett auf, drückte den verängstigten, schrumpfenden Delon
an sich wie eine Lieblingspuppe und schrie die Männer auf
Russisch an, sie sollten rausgehen. Simjonow hatte ihre sorgsam herbeigeführte Anwerbung in tausend Stücke zerschlagen. Er konnte nicht warten, er musste nach seinem kunst-
losen Drehbuch vorgehen. Das war ein Schlag gegen sie. Jetzt
büßte sie für ihre schlagfertigen Antworten am Konferenztisch, ihre respektlosen Unterbrechungen. Ihr fiel ein, wie
sie versucht hatte, wie einer aus der Altherrenriege zu reden.
»Diese Rübe ist fast gekocht«, hatte sie gesagt. Nun, die alten
Knaben zeigten ihr, wer das Sagen hatte.

Sie rissen Delon von ihr weg, zerrten ihn vom Bett und
führten ihn nackt ins Wohnzimmer. Stießen ihn aufs Sofa
und warfen ihm seine zerknitterte Hose hin. Verständnislos
sah er zu den muskulösen Männern hoch. Dominika stieß
vom Bett aus weiter Flüche gegen sie aus, griff nach der Bettdecke, um ihre Blöße zu bedecken, und stand auf. Sie war
fast rasend vor Wut, und ihr Körper, ihr Hals, ihr Kopf – alles
fühlte sich angespannt an. In ihren Ohren rauschte es.

Sie war entschlossen, die Männer aus dem Zimmer zu ver-
treiben und die Kontrolle über die Situation zurückzugewin-
nen. Bevor sie aufstehen konnte, packte der dritte Mann sie
am Handgelenk und zog sie vom Bett herunter, hinein ins
Wohnzimmer. Als Delon sah, wie unsanft sie behandelt wur-

de, wollte er aufstehen, aber die anderen beiden Männer stießen ihn aufs Sofa zurück. Der Mann drehte Dominika zu ihm hin und versetzte ihr einen Schlag auf die Wange. Dabei rief er: »*Schalawa, suka!*«, und stieß sie zu Boden. Ob das nun inszeniert war oder nicht, Dominika sah hoch zu dem Mistkerl, der sie Schlampe und Hure genannt hatte, und schätzte die Entfernung zu seinen Augen ab.

Sie rappelte sich auf, die Bettdecke glitt zu Boden. Alle Blicke waren auf sie gerichtet, ihre Brust hob und senkte sich, breitbeinig und steif stand sie da. In einer Finte zuckte ihr Fuß vor. Der SWR-Mann beugte sich vor, um sich zu schützen. Blitzschnell bohrte sie ihm die Nägel von Daumen und Zeigefinger ins Septum zwischen den Nasenflügeln, drückte fest zu und zog ihn zu sich heran – eine Folterkammermethode des NKWD aus den dreißiger Jahren. Dann hieb sie den Kopf des schreienden, widerstandslosen Schlägers auf den Tisch – übersät mit Handelsdokumenten der französischen Botschaft –, dessen Ecke ihn an der Wange traf, wodurch Tisch und Schriftstücke den Mann unter sich begruben. Vom Sofa her sah Delon sie ungläubig an.

Es hatte nur ein paar Sekunden gedauert. Einer der anderen SWR-Männer packte Dominika und drängte sie aus der Wohnung, führte sie im Polizeigriff über den Flur und stieß sie in einen anderen Raum. »Nehmen Sie die Hände weg«, sagte sie, als die Tür vor ihrem Gesicht zuknallte. Dann war der Mann verschwunden. Aus dem rückwärtigen Teil des Zimmers ertönte eine Stimme.

»Eine beeindruckende Vorstellung, Korporalin, ein starker Abschluss für eine diskrete Geheimdienstoperation.« Dominika drehte sich um – und sah Simjonow auf einem Sofa vor zwei Monitoren sitzen. Ein Bildschirm zeigte die Wohnung, ein Mann beugte sich über den bewusstlosen Mann auf dem

Boden, während der andere über Delon stand, der noch immer seine Hose in der Hand hielt. Mit erhobenem Kopf, wie im Gebet, blickte Delon zu ihm auf. Auf dem anderen Bildschirm lief eine Wiederholung der Aufnahme von Dominika und Delon im Bett. Weil der Ton ausgeschaltet war, wirkte ihr Liebesspiel klinisch, inszeniert. Dominika ignorierte es.

Mit einer Hand griff sie nach der Bettdecke, mit der anderen befingerte sie ihre pochende Wange. »*Tschopa!* Arschloch! Wir hätten alles bekommen«, kreischte sie. Simjonow blieb ungerührt. Sein Blick glitt von einem Monitor zum anderen. »Er hätte seine Tochter für mich angeworben«, tobte sie. Simjonow drehte sich nicht um, um sie anzusehen, sondern murmelte: »Das wird er sowieso tun.« Er betätigte die Fernbedienung, worauf der Ton aus dem Live-Monitor drang. Die beiden SWR-Männer schrien Delon an, der reglos auf der Couch saß. Dominika machte einen weiteren Schritt ins Zimmer auf Simjonow zu und zog ernsthaft in Betracht, ihm ein Auge auszustechen. »Begreifen Sie denn nicht, dass er sich nicht erpressen lassen wird? Dafür ist er nicht tapfer genug. Glauben Sie wirklich …?«

Simjonow zündete sich eine Zigarette an und drehte sich zu Dominika um. Seine Augen loderten gelb. »Wenn das nicht klappt, können wir die Aktion ja als Fehlschlag in Ihre Akte eintragen. Es ist nicht Ihre Entscheidung, ist es nie gewesen.« Er lächelte sie an. »Außerdem ist dieser Geheimdienst nicht Ihr Privatrevier.« Er wandte sich zum stumm geschalteten Monitor um. Gelangweilt verfolgte Dominika, wie sie die Beine um Delons Taille schlang.

»Was bezwecken Sie damit, den Schlafzimmerfilm zu wiederholen, Genosse?« Simjonow gab ihr keine Antwort, sondern blies den Rauch seiner Zigarette an die Decke.

»Angesichts der Tatsache, dass Serow Sie geschlagen hat,

werde ich keine Anklage gegen Sie erheben.« Er zeigte auf den anderen Monitor und auf Serow, der immer noch bewusstlos auf dem Boden lag. »Sie haben ziemlich viel Temperament, nicht wahr, *worobej*? Es sollte Ihnen in Ihrer noch jungen Karriere zum Vorteil gereichen.« Wieder lächelte er und wies mit einem Nicken zum angrenzenden Zimmer.

»Darin befindet sich eine zweite Garnitur Kleidung, falls Sie sich anziehen möchten, Korporalin. Es sei denn, Sie möchten lieber die ganze Nacht nackt bleiben.« Dominika betrat das kleine Zimmer und zog rasch ein formloses Kittelkleid mit einem Kunststoffgürtel und schwarze Schnürschuhe an: in den letzten fünfzig Jahren der anerkannte Look für die moderne sowjetische Frau.

——

Dominika sah Delon nie wieder. Die Geschichte wurde häppchenweise bekannt. So berichtete ein SWR-Informant, der als Angestellter in der französischen Botschaft arbeitete, Delon habe am Morgen danach um einen Termin beim Botschafter gebeten. Delon habe eine »nicht gemeldete intime Beziehung mit einer Russin« eingeräumt. Er habe ziemlich viel Mut bewiesen, als er die Anzahl und den Charakter der Handelsdokumente beschrieb, die er der Frau zugespielt, kopiert oder auf andere Weise verraten habe. Der Leiter des DGSE in Moskau benachrichtigte sein Hauptquartier in Paris und die Gegenspionage-Abteilung des DST. Man hatte vielsagend die Köpfe geschüttelt. Eine schöne Frau, *quoi faire*? Was konnte man da tun?

Die Deutschen hätten ihn für schuldig befunden und drei Jahre lang eingesperrt. Die Amerikaner hätten den armen Tropf zum Opfer einer Sexspionageaktion gestempelt und zu acht Jahren verurteilt. In Russland wäre der *predatel'*, der

Verräter, hingerichtet worden. Die französischen Ermittler sprachen eine strenge Rüge wegen grober Fahrlässigkeit aus. Delon wurde schnell nach Hause zurückgeschickt – außer Reichweite – und anderthalb Jahre lang auf Posten gesetzt, wo er keinerlei Zugang zu geheimen Informationen hatte. Er war seiner Tochter nah, wieder in Paris. Seine größte Strafe bestand darin, dass er wieder in dem eleganten, vornehmen Haus seiner Frau im sechzehnten Arrondissement wohnte, getröstet nur von seinen Erinnerungen – in den schlaflosen frühen Morgenstunden – an eine schäbige kleine Wohnung in Moskau und zwei kobaltblaue Augen.

## GEMÜSE-RINDFLEISCH-EINTOPF À LA JEAN JACQUES

Rindfleischwürfel würzen, mit Mehl bestäuben und scharf anbraten. Fleisch aus dem Topf nehmen. Gehackten Schinkenspeck, gewürfelte Zwiebeln, Tomaten, Möhren und Thymian sautieren, bis alles weich ist. Fleisch in den Topf zurückgeben, mit Rinderbrühe aufgießen und so lange köcheln lassen, bis das Fleisch zart ist. Senf und einen Klacks Schmand hinzugeben; erneut erhitzen und servieren.

# 10

Wanja Egorow rauchte Kette, die Gitanes, die ihm über SWR-Kuriere vom Residenten in Paris zugeschickt worden waren. Er hatte müde Augen und das Gefühl, als hätte sich ein Stahlband um seine Brust gelegt. Auf der roten Schreibtischunterlage lag ein weiterer Observationsbericht des FSB, der dritte in ebenso vielen Monaten. Zwei Tage zuvor war ein amerikanischer Diplomat – mutmaßlich von der CIA – während einer zwölfstündigen Überwachungserkennungsroute beschattet worden. Mehrere Teams waren auf den jungen Amerikaner angesetzt. Im Laufe des Nachmittags und Abends, als es immer wahrscheinlicher wurde, dass der Amerikaner sich im operativen Einsatz befand und unterwegs war zu einer Zielperson, war die Anzahl der Beschatter aufgestockt worden. Als es den Anschein hatte, dass der junge amerikanische Dummkopf die Observation nicht entdeckt hatte, waren die Teams in Aufruhr geraten. Was sehr selten vorkam.

Die Anzahl der Überwacher habe zum Schluss hundertzwanzig betragen, brüstete sich der FSB-Bericht unumwunden. Wegen des Schneetreibens am Tage hatten Aufklärungsflugzeuge nicht starten können, aber die Einheiten am Boden waren in mehreren Wellen nachgestoßen, wobei sie die Stoßrichtung häufig wechselten. Beschatter zu Fuß wurden vorausgeschickt, aufgestellt an den vermuteten Routen des Amerikaners, dazu Teams an den Flanken. Mindestens je ein FSB-Beschatter hatte in sechzig der hundertachtzig Moskauer U-Bahn-Stationen Posten bezogen – für den Fall, dass der Amerikaner plötzlich seine Route änderte. Ungeduldig blätterte Egorow die letzten Seiten des Berichts durch. Diese FSB-*dolbojobi*, diese Vollidioten.

In der Abenddämmerung betrat der Amerikaner den Sokolniki-Park im Nordosten Moskaus, ging durch den heruntergekommenen Freizeitpark, dunkel und schneebedeckt, vorbei am verrosteten Riesenrad und tauchte im Labyrinth der von schwarzen kahlen Bäumen gesäumten Sträßchen unter. An einem leeren Springbrunnen blieb er stehen, setzte sich in der Kälte auf den Betonrand und starrte auf die leeren Blumenrabatten. Der verschlüsselte Funkverkehr nahm zu. Das musste es sein. Ein konspiratives Treffen. Haltet die Nachtsichtgeräte weiter auf den Ami gerichtet, aber schwärmt aus und nehmt alle Leute in der Umgebung ins Visier, alle. Ein einsamer Fußgänger, verstohlen, nervös, der in Richtung Springbrunnen ging.

Egorow las den Bericht und stellte sich dabei vor, wie die FSB-Männer, die Nachtsichtgeräte auf dem Kopf, von Baum zu Baum huschten, eine Schar grüner, glotzender Außerirdischer. Ein Spürhund wurde hinzugezogen, der nach vergrabenen Depots suchen sollte. Der hypernervöse Schäferhund wurde zur Verfolgung von Amerikanern eingesetzt, war abgerichtet auf den Geruch, den *Dial*-Seife und *Sure*-Deodorants hervorbrachten – den Duft Amerikas.

Und sie warteten. Und der Amerikaner wartete. Weitaus länger als das übliche Vier-Minuten-Zeitfenster. Zehn, zwanzig, dreißig Minuten. Nichts. Der übrige Park war leer. Der Hund wurde zurückbeordert, auf die Fußroute des Amerikaners angesetzt, schlug aber nicht an. Keine Depots, keine Bodenanker, keine Kommunikationsgeräte, nichts. Funkwagen am äußeren Rand des Parks kreuzten langsam und registrierten hundert Nummernschilder in der Gegend, die überprüft und nochmals überprüft wurden. Nichts. Dann verließ der Amerikaner den Park und ging, wieder unüblicherweise, auf direktem Weg nach Hause, ohne sich die Mühe zu machen zu überprüfen, ob er beschattet wurde. Die Funkgeräte des FSB verstummten.

Angewidert warf Egorow den Bericht in den Postausgangskorb. Der FSB beglückwünschte sich selbst für den »perfekten Ablauf der Überwachung«, weil das Kaninchen keine Ahnung gehabt habe, dass man so nahe dran gewesen sei. Großartig, dachte Egorow, aber was hatte man erreicht?

———

Wanja Egorow wusste es zwar nicht, aber die ungestüme FSB-Observation des amerikanischen Agentenführers machte so viel Wirbel, dass MARBLE, unterwegs zu einem Treffen mit dem Amerikaner im Sokolniki-Park, stattdessen beschloss, von einer überdachten Bushaltestelle an der Malenkowskaja Ulitsa aus, die mehrere Häuserblocks vom Eingang des Parks entfernt lag, das Treiben zu beobachten. Sein herausragender operativer Instinkt bestätigte sich, als er drei Überwachungsfunkwagen hundert Meter entfernt vorfahren und hintereinander parken sah. Die Beschatter lehnten sich mit dem Rücken an die Wagen, rauchten und ließen ziemlich unverhohlen eine Flasche kreisen. Das war der klassische Fehler auf der Straße: Pulks bilden, sich zusammenrotten wie *tarakanki*. Kakerlaken.

*Nun gut, eine weitere Gnadenfrist im Leben, das ich mir ausgesucht habe*, dachte MARBLE, als er das Viertel zu Fuß verließ. Wie viele ihm wohl noch gewährt werden würden? Er dachte daran, was er am Abend in den Bericht schreiben wollte und dass er unbedingt einen Grund für eine Auslandsreise finden musste. Er musste sich noch einmal mit Nathaniel treffen.

———

Am nächsten Morgen schickte der Leiter der Abteilung KR, Sjuganow, eine geheime *zapiska* an General Egorow, um diesem zu beweisen, dass er, Sjuganow, von der Situation Kenntnis und sie völlig im Griff hatte.

Für die Aktivitäten des amerikanischen Offiziers gibt es eine begrenzte Anzahl von Erklärungen. 1. Es könnte sich um eine Übung gehandelt haben, um die Überwachungskapazität des FSB zu überprüfen, dann zu quantifizieren, darunter das Sammeln geheimer Informationen auf verschlüsselten Frequenzen des FSB. 2. Der Amerikaner hat tatsächlich die Observation entdeckt, seine Pläne für ein Treffen fallen gelassen und die Observationsteams in den Park gelockt, um sie in die Irre zu führen. 3. Der Amerikaner wusste nichts, aber sein Informant hat das Treffen aus unbekannten Gründen abgebrochen.

Dieser Einsatz seitens der Amerikaner erscheint schlecht geplant und ungeschickt ausgeführt und spiegelt unsere bestehende Einschätzung des CIA-Stationsleiters Gondorf als eines ranghohen Offiziers wider, der sein Handwerk nicht versteht – das glücklose Kind lang bestehender Vetternwirtschaft.

*Wen interessiert denn dieser Polyp?*, dachte Egorow. *Wir haben selbst genug begriffsstutzige, eitle, verwöhnte Stümper in unserem Dienst.*

Wanja wusste, ja war *überzeugt davon*, dass sie es wieder

einmal verpatzt hatten, dass der Maulwurf noch immer da draußen war, nachts in seinem Bett schwitzend, Russland verratend, seine – Wanjas – politische und persönliche Zukunft gefährdend.

Anschließend war ihm der Tag durch einen Anruf am Nachmittag aus dem Kreml verdorben worden. Blechern ertönte die leise Stimme des Präsidenten durch die verschlüsselte Leitung. Präsident Putin wusste von der Überwachung im Sokolniki-Park am Vorabend und wiederholte die verschiedenen Interpretationen der Geschehnisse. Wanja merkte sich, dass Sjuganows *zapiska* den Weg in den Kreml gefunden hatte.

»Ein Gegenspionageerfolg gegen die Amerikaner wäre im Augenblick nicht unwillkommen«, hatte der Präsident gesäuselt. »In einer Zeit der Krise für das Vaterland bleibt für diese *hosjaiki*, diese Hausfrauen, weniger Zeit, protestierend auf Töpfe und Pfannen einzuschlagen.« Völlige Stille in der Leitung, aber Wanja unterbrach den Präsidenten nicht; er kannte sich mit seinem Tonfall aus. »Wir können uns diesen Luxus nicht mehr leisten«, sagte Putin schließlich, dann war die Leitung unterbrochen.

Wanja starrte auf den Telefonhörer und legte auf. *Sookin syn.* Schweinehund. Er drückte einen Knopf auf der Gegensprechanlage. »Sjuganow, sofort.« Der Maulwurf lief noch immer frei herum, aber wenn es mit konspirativen Treffen in Moskau nicht klappte, dann waren Treffen in Dritte-Welt-Ländern außerhalb Russlands der Schlüssel. Und Nash befand sich praktisch direkt nebenan, in Finnland. Er drückte erneut den Knopf auf der Gegensprechanlage. »Egorowa. Meine Nichte. Auf der Stelle.«

Nach zwanzig Minuten saß Dominika vor seinem Schreibtisch. Neben ihr saß der Leiter der Gegenspionage, Sjuganow, dessen Füße kaum den Boden berührten. Alle drei Knöpfe des formlosen schwarzen Anzugs des Zwergs waren geschlossen, und er hielt beide Armlehnen umklammert. Sein ewig ironisches Lächeln ärgerte Wanja. Dieser Giftzwerg.

Dominika war wie üblich ein Traum. Sie trug einen marineblauen Wollrock, dazu ein Jackett und hatte sich das Haar zu einem Knoten gesteckt. Sie blickte kurz zu Alexej Sjuganow und den schwarzen Dreiecken hinter seinem Kopf. Sie war lange genug im Dienst, um von seinem Treiben in den Folterzellen der Lubjanka in den letzten Jahren der Sowjetunion gehört zu haben.

Es kursierten Flüstergeschichten, unglaubliche, die nur unter engen Freunden im SWR wiederholt wurden. In der alten Zeit sei Sjuganow einer von zwei Henkern gewesen, zwar noch jung für den Job, aber einfach deshalb sehr geeignet, weil er immun gegen den Horror gewesen sei. Von den hingerichteten Gefangenen, die von den Deckenbalken hingen, auf den Tischen oder ausgestreckt auf dem geneigten Boden lagen, mit dem Kopf in Richtung der Abflüsse, sei für Sjuganow etwas Faszinierendes ausgegangen, hieß es. Er habe sie angefasst, sie hin und her bewegt – das sogenannte »Stoffpuppenspiel« –, sie gegen die Wand gelehnt, damit er mit ihnen reden konnte, während er gleichzeitig ihre Gliedmaßen immer wieder penibel neu arrangierte. Dominika stellte sich die schmutzigen Kleider vor, die purpurnen Hälse, die …

»Es kommt mir vor, als würden wir dauernd hier sitzen, du und ich«, sagte Wanja gut gelaunt. Dominika schüttelte die Gedanken an die Folterkeller ab. Sie nahm Wanjas gelben Halo wahr, hell und breit. Das würde ein interessantes Gespräch werden. »Es ist schön, dich wiederzusehen.«

»Vielen Dank«, entgegnete sie ruhig. Sie wappnete sich.

»Es freut mich zu hören, dass General Kortschnoi dir eine Stelle in der Amerika-Abteilung angeboten hat.«

*Fang doch endlich an*, dachte sie. »Nachdem Oberst Simjonow mich aus der Fünften entlassen hatte, war ich ohne Aufgabe. Ich bin dem General dankbar, dass er mir diese Chance gegeben hat.«

»Kortschnoi hat mir gesagt, dass ihn deine Anwerbung des Franzosen beeindruckt hat«, sagte Wanja.

»Allerdings hatte die Operation keinen Erfolg«, sagte Dominika.

»Wir haben alle unsere Erfolge und Niederlagen«, sagte Wanja, er war in Gelb getaucht, wollte freundlich sein.

Dominika hob ein wenig die Stimme. »Die Operation gegen Delon würde noch immer fortgeführt werden, wenn die Fünfte Abteilung nicht verfrüht gehandelt hätte. Wir hätten das französische Verteidigungsministerium infiltrieren können.«

»Ich habe die Akte gelesen. Ein vielversprechender Fall. Warum haben wir es denn nicht getan?«, unterbrach Sjuganow. Dominika bemühte sich wegzuschauen, als sie die schwarzen Parabeln sah, die sich wie Fledermausflügel hinter Sjuganows Schulter entfalteten. *Schaitan*, dachte Dominika, *das absolute Böse*.

»Da müssen Sie den Leiter der Fünften Abteilung fragen«, sagte Dominika. Dabei schaute sie Sjuganow nicht in die Augen, denn sie wollte nicht sehen, was dahinter lag.

»Vielleicht tue ich das«, sagte Sjuganow.

»Das reicht. Vorwürfe bringen uns nicht weiter. Korporalin Egorowa, es steht Ihnen nicht zu, die Entscheidung von hochrangigen Offizieren in Zweifel zu ziehen«, sagte Wanja milde.

Ohne dass sie den Blick von ihrem Onkel abwandte, sagte sie ruhig: »Das ist der Grund, warum der Dienst so große Mühe hat. Genau deswegen kann Russland im Wettbewerb nicht bestehen. Wegen Einstellungen wie dieser. Wegen Offizieren wie Simjonow. Das sind *krowopijtsj*, die sich am Bauch festkrallen, Blut saugend, unmöglich zu entfernen.« Stille im Raum. Man schaute einander ausdruckslos an. Sjuganow musterte ihr Gesicht, seine Hände umfassten weiter die Armlehnen.

»Was soll ich mit dir tun, Nichte?«, sagte Wanja schließlich, stand von seinem Schreibtisch auf und trat ans Panoramafenster. »Du hast große Erfolge vorzuweisen, du solltest die Karriere, die vor dir liegt, nicht gefährden. Die Art und Weise, wie du mit mir gesprochen hast, reicht bereits, dich aus dem Dienst zu entfernen. Möchtest du mit deinen Beschwerden fortfahren?« *Und denk dabei an deine Mutter*, dachte Dominika. »Aber unsere Arbeit ist zu wichtig, um sie von *starinnji* erledigen zu lassen, auf die Art, wie sie immer erledigt wurde.« Sie wandte sich um, beobachtete ihren Onkel am Fenster und begriff zweierlei: Wanja interessierte das alles nicht, er hatte eine andere Agenda, die sie, Dominika, einschloss, außerdem hatte sie einen gewissen Spielraum für ihre Bemerkungen. Und ihr war auch bewusst, dass Sjuganow ihre Sätze begierig aufnahm, denn er verströmte eine Hitze wie ein Backofen. Er war ein Tier, erst dann zufrieden, wenn er die Beute erlegt hatte. Sie sah ihn nicht an.

Wanja schaute aus dem Fenster und schüttelte den Kopf. Willkommen im SWR von heute, dachte er – *Verbesserungen, Reformen, Public Relations und Frauen im Geheimdienst*. Rangniederen Offizieren war es gestattet, die alten Mittel und Wege zu kritisieren. »Gefallen dir also die alten Mittel und Wege nicht?«

»Ich mag es nicht, bei einer Operation zu scheitern – aus

welchem Grund auch immer –, die Erfolg hätte haben können«, sagte Dominika.

»Und du glaubst, so weit zu sein, um eine eigene Operation durchführen zu können?«, fragte Wanja in sanftem Tonfall.

»Wenn Offiziere wie du und General Kortschnoi … und Oberst Sjuganow mich mit Rat und Tat unterstützen, natürlich.« Dominika musste sich zwingen, den kleinen Leichenliebhaber einzuschließen, der neben ihr saß. Er wandte den Kopf mit den Henkelohren in ihre Richtung und nickte.

»Die meisten würden zwar behaupten, dass du noch zu jung bist, zu unerfahren, aber wir werden sehen.« Dominika registrierte Wanjas Tonfall – erst das Zuckerbrot und dann die Peitsche. »Bei dem Auftrag, der mir vorschwebt, wirst du die Amerika-Abteilung verlassen müssen.«

»Wie lautet der Auftrag?« Sie würde schreien, wenn er ihr mitteilte, sie solle jemanden verführen.

»Es handelt sich um einen Auslandseinsatz, an einer *Residentura*, du müsstest richtige operative Arbeit leisten. Eine Anwerbung.« Wanja erinnerte sich nur noch vage an seine Einsätze im Ausland, aber er sprach auf eine Weise darüber, als hätte er großen Gefallen daran gefunden.

»Ein Auslandseinsatz?« Dominika wusste nicht, was sie sagen sollte. Sie war noch nie im Ausland gewesen.

»In Skandinavien. Ich benötige jemanden, der neu ist, frisch, der über die Instinkte verfügt, die du gezeigt hast.« *Du meinst, ich soll mit einem Mann schlafen*, dachte sie verbittert. Er sah ihre Augen und hob die Hand. »Ich meine nicht, was du denkst. Ich brauche dich als *operupolnomotschenni*, als Offizier, der die Operation leitet.«

»Und genau das möchte ich sein«, sagte Dominika. »Ein vollwertiges Mitglied des SWR, damit ich Russland dienen kann.«

Sjuganow sagte, und seine Stimme klang milde und ölig,

die Worte waren kohleschwarz: »Und das sollen Sie auch tun. Es handelt sich um einen heiklen Auftrag, der großes Geschick erfordert. Ein besonders schwieriger Einsatz. Sie müssen einen amerikanischen CIA-Offizier vernichten.«

——

Aus seinem Büro verfolgte Maxim Wolontow, der Chef des SWR an der russischen Botschaft in Helsinki, wie Dominika am Abend den Flur entlangging, um die graubraune Akte zum Aktenraum zurückzubringen. Seit ihrer Ankunft aus Moskau hatte Dominika die Akte jeden Morgen an ihren Arbeitsplatz mitgenommen, wobei sie ihre Notizen meistens in eine Kladde schrieb. Am Ende des Tages gab sie dann die Akte dem Archivbeamten zurück, so wie es in der *Residentura* gängige Praxis war. Außer Wolontow war Dominika der einzige Offizier, der diese besondere Akte einsehen durfte. Es handelte sich um eine Kopie der SWR-*papka* über den amerikanischen CIA-Offizier Nathaniel Nash, die von Jassenewo weitergeleitet worden war.

Wolontow betrachtete die Tänzerinnenbeine, stellte sich den Körper unter dem maßgeschneiderten Rock vor. Wolontow war fünfundfünfzig Jahre alt, warzig und kräftig, hatte eine silbergraue 1950er-Schmalzlockenfrisur. Hinten im Mund hatte er einen Stahlzahn, der nur dann sichtbar wurde, wenn er lächelte – was nie geschah. Er trug einen dunklen, ausgebeulten und stellenweise glänzenden Anzug. Wenn heutige Spione aus Komponenten des Raumfahrtzeitalters bestehen, so bestand Wolontow sozusagen noch aus Stahlplatten und Nieten.

Mit Interesse beobachtete Dominika die orangefarbene Dunstglocke aus Täuschung und Karrierismus, die seinen Quadratschädel umgab. Orangefarben, anders als die gelb gefärbten Walrosse zu Hause. Aber er war schon viele Jahre dabei, seit den wirklich schwierigen Zeiten beim KGB, und ein gewiefter Überlebenskünstler. Seine ganz speziellen Instinkte rieten ihm, die Nichte Egorows, des Ersten Stellvertretenden Direktors des SWR, mit Samthandschuhen anzufassen, auch wenn ihm das gegen den Strich ging. Außerdem war diese junge Sexbombe hier, um einen Sondereinsatz durchzuführen. Und zwar einen heiklen. Nach einwöchiger Vorbereitung sollte Dominika am Abend ihren ersten diplomatischen Empfang besuchen – Nationalfeiertag in der prächtigen spanischen Botschaft –, um einmal zu schauen, ob sie den Amerikaner Nash entdecken konnte. Wolontow würde ebenfalls dort sein. Es würde interessant sein festzustellen, wie sie sich auf dem Empfang anstellte. Wolontows Gedanken wandten sich den ausgezeichneten Horsd'œuvres zu, die die Spanier immer servierten.

Dominika war vorübergehend in einer Wohnung in der Altstadt von Helsinki untergebracht worden; sie war eilig von der *Residentura* auf Anweisung Moskaus angemietet worden, absichtlich getrennt von den Mitarbeitern der russischen Botschaft, die normalerweise in winzigen Apartments auf dem Gelände wohnten. Helsinki war ein Traum. Verblüfft hatte sie die sauberen Straßen betrachtet, die Gebäude mit den ausgekehlten Gesimsen, gelb und rot und orange gestrichen und mit Spitzengardinen vor den Fenstern versehen, sogar die Geschäfte.

In der behaglichen kleinen Mietwohnung bereitete sich Dominika auf den spanischen Nationalfeiertag vor. Sie trug Make-up auf, zog sich an. Sie bürstete sich die Haare; der Griff fühlte sich heiß an in ihrer Hand. Besser gesagt: *Sie* war heiß, zum Kampf bereit. Die Wohnung erstrahlte in wogenden Farbstreifen: Rot, Karmesinrot, Lavendel; Leidenschaft,

Aufregung, Herausforderung. Sie ging Wolontows Anweisungen bezüglich des Amerikaners durch. An diesem ersten Abend den Kontakt aufnehmen; in den kommenden Wochen ein Anschlusstreffen vereinbaren, dann sich regelmäßig treffen, eine Freundschaft entwickeln, Vertrauen aufbauen, seine Verhaltensmuster aufdecken. Ihn zum Reden bringen.

In der Zentrale war sie eingewiesen worden. Vor ihrer Abreise aus Moskau hatte Sjuganow kurz mit ihr gesprochen. »Korporalin, haben Sie irgendwelche Fragen?« Und ohne ihre Antwort abzuwarten, fügte er hinzu: »Ihnen ist sicher klar, dass es sich hier nicht um eine Anwerbung handelt, wenigstens nicht im klassischen Sinne. Das primäre Ziel besteht nicht darin, geheime Informationen zu erlangen.« Er leckte sich die Lippen. Dominika blieb ruhig und hielt den Mund. »Nein«, sagte Sjuganow, »es handelt sich eher um eine Falle, eine Schlinge. Alles, was wir brauchen, ist ein Hinweis – ob gewollt oder nicht gewollt, das spielt keine Rolle –, wann und wie dieser Amerikaner mit seinem Informanten zusammentrifft. Ich erledige dann den Rest.« Er sah Dominika mit leicht geneigtem Kopf an. »Verstehen Sie?« Sein Tonfall wurde seidiger. »*Obdirat*, ich will ihm das Fleisch von den Knochen schälen. Wie Sie die Sache regeln, überlasse ich Ihnen.« Er sah ihr in die Augen. Dominika war sich sicher, dass er wusste, dass sie Farben sehen konnte. Denn sein Blick sagte: *Lies mich, wenn du kannst*. Dominika hatte ihm für die Einweisung gedankt und war davongeeilt.

Dieser Nash war ein ausgebildeter CIA-Offizier. Selbst eine einzige Kontaktaufnahme mit ihm erforderte große Sorgfalt. Aber der Unterschied lag darin, dass es jetzt *ihr* oblag, die Operation gegen den Amerikaner durchzuführen. Es war *ihre*. Sie legte die Haarbürste aus der Hand, packte die Kante des Schminktischs und sah in den Spiegel.

Sie betrachtete ihr Spiegelbild. Wie würde er sein? Würde sie den Kontakt mit ihm aufrechterhalten können? Was, wenn er ihr nicht gefiel? Würde sie sich in seine Aktivitäten einbringen können? Sie musste rasch herausfinden, wie sie sich ihm annähern konnte. *Erinnere dich an deine Techniken: Eruiere, evaluiere, manipuliere seine Schwächen.*

Sie beugte sich näher zum Spiegel vor. *Resident* Wolontow würde zuschauen, und auch die *buiwoli* in der Zentrale würden das Resultat beobachten, alle Blicke der Büffelherde wären auf sie gerichtet. Na schön, sie würde denen zeigen, was sie konnte.

Amerikaner waren materialistisch, eitel, *nekulturni*. In den Vorlesungen an der Akademie war immer wieder betont worden, dass die CIA alles mit Geld und Technik erreichte, dass ihre Leute keine Seele hätten. Sie würde ihm ihre Seele zeigen. Außerdem waren die *Amerikanskij* weich, mieden Auseinandersetzungen, gingen keine Wagnisse ein. Sie würde ihn in Sicherheit wiegen. In den sechziger Jahren, während Chruschtschows Kaltem Krieg, hatte der KGB die Amerikaner beherrscht. Jetzt war sie an der Reihe. Die Hände taten ihr weh, so fest hatte sie den Schminktisch gepackt. Dominika zog sich den Wintermantel über und drehte sich zur Tür um. Dieser CIA-Junge würde nicht wissen, wie ihm geschah.

———

Das palastartige Erdgeschoss der spanischen Botschaft war von drei mächtigen, glitzernden Kronleuchtern hell erleuchtet. Reihen von Fenstertüren säumten die eine Seite des Raums und führten in den Garten, waren aber wegen der spätherbstlichen Kälte geschlossen. Der Raum war brechend voll, zahllose Eindrücke zogen an Dominika vorbei, während sie auf der niedrigen Empore stand und auf die Gäste hinabblickte. Businessanzüge, Smokings, Abendkleider, tiefe Dekolletés, hochgesteckte Haare, geflüsterte Bemerkungen, schallendes Gelächter. Zigarettenasche auf Jackenaufschlägen, Unterhaltungen in einem Dutzend Sprachen, von feuchten Papierservietten umhüllte Gläser. Die Festgäste zirkulierten in einem ständig sich ändernden Muster, der Lärm ihrer Stimmen war wie ein stetes Dröhnen. An den Rändern des Raums wurden Buffets voll mit Speisen und Getränken aufgestellt. Die Leute stellten sich in Dreierreihen an. Dominika hatte große Mühe, das Kaleidoskop der Farben anzuhalten, damit sie der Reizüberflutung Herr wurde.

Wie sollte sie diesen Nathaniel Nash in solch einem Getümmel entdecken? Vielleicht war er heute Abend noch nicht einmal hier. Kaum hatte sie den Empfangsbereich betreten, wurde sie auch schon von einigen älteren Herren umlagert, Diplomaten dem Aussehen nach, die sich allzu nahe vorbeugten, allzu leise sprachen, allzu offensichtlich auf ihre Brüste starrten. Dominika trug ein gedecktes graues Kostüm mit einer einreihigen Perlenkette; die Jacke war zugeknöpft, hier und da schaute ein wenig schwarze Spitze hervor. Nichts Schlampenhaftes, dachte Dominika, sondern etwas, das elegant und zugleich sexy war. Einige der Skandinavierinnen waren ziemlich nuttig angezogen. Zum Beispiel diese statueske Blondine, die bei den bodentiefen Fenstern stand, die platzte beinahe aus ihrem Kaschmir-Oberteil, jede Körperrundung deutlich sichtbar. Ihr Haar war so blond, dass es fast weiß war, und sie spielte damit, während sie über irgendetwas lachte, das ein junger Mann gerade zu ihr sagte. Der junge Mann. Das war Nash. Sie kannte sein Gesicht aus den vielen Überwachungsfotos in seiner Akte.

Dominika schlenderte zu den Terrassentüren. Es war, als drängelte man sich durch die abendlichen Menschenmassen der Moskauer Metro. Als sie bei den Terrassentüren ankam, waren Miss Skandinavien und Nash verschwunden. Dominika suchte nach dem blonden Haarschopf der Frau – die Amazone war einen halben Kopf größer als alle anderen im Saal –, konnte ihn aber nirgendwo sehen. Wie sie es in der Akademie gelernt hatte, ging sie im Uhrzeigersinn am Rand des Empfangssaals entlang und hielt dabei Ausschau nach Nash. Sie näherte sich einem der Buffettische, an dem *Resident* Wolontow stand, er hatte den Teller und den Mund voller Tapas. Er versuchte mit allen gleichzeitig zu reden und schob sich ein Stück Tortilla Española in den Mund, ohne die Menschenansammlung ringsum wahrzunehmen.

Dominika ging weiter am Rand des Saals entlang. Plötzlich sah sie die Blondine mit den breiten Schultern, umgeben von den freudestrahlenden, verschwitzten Gesichtern von mindestens vier Männern. Aber kein Nash. Schließlich erblickte Dominika ihn in einer der Ecken des Saals, in der Nähe von einem der Servicetresen.

Dunkle Haare, sportliche Figur. Bekleidet mit einem dunkelblauen Anzug, hellblauem Hemd und schlichter schwarzer Krawatte. Seine Gesichtszüge waren offen, der Gesichtsausdruck lebhaft. *Er hat ein strahlendes Lächeln*, dachte Dominika; es verströmte Aufrichtigkeit. Sie stellte sich neben eine Säule, einigermaßen beiläufig, aber unbeachtet vom Amerikaner. Am meisten erstaunte Dominika, dass Nash von einem tiefen Violett durchdrungen war, eine gute Farbe: warm, ehrlich und selbstbewusst. Diese Farbe hatte sie bislang nur bei zwei Menschen wahrgenommen: ihrem Vater und General Kortschnoi.

Nash unterhielt sich mit einem kleinen Mittfünfziger mit schütterem Haar und einer Knollennase, einem der Übersetzer der russischen Botschaft. Wie hieß er noch gleich?

Trentow? Titow? Nein, Tischkow. Der Dolmetscher des Botschafters. Sprach Englisch, Französisch, Deutsch, Finnisch. Sie ging näher heran, wobei sie die Menschentraube an der Bar als Deckung nutzte, und griff nach einem Glas Champagner. Hörte, wie Nash sich in ausgezeichnetem, akzentfreiem Russisch mit dem verschwitzten Tischkow unterhielt, der ein halb volles Glas Scotch in der Hand hielt. Er hörte Nash nervös zu, blickte ihn unruhig von unten herauf an und nickte hin und wieder. Nash redete sogar wie ein Russe. Er öffnete und schloss die Hände, unterstrich seine Sätze mit ausholenden Gesten. Bemerkenswert.

Dominika nippte am Champagnerglas und näherte sich Nash weiter. Beobachtete ihn über den Rand ihres Glases hinweg. Er stand locker da, bedrängte Tischkow nicht, sondern beugte sich vor, um sich bei all dem Lärm im Saal Gehör zu verschaffen. Er erzählte der kleinen Kartoffel den Witz vom Sowjetbürger, der sein Auto vor dem Kreml parkt. *»Ein Polizist stürmt herbei und schreit ihn an: ›Spinnen Sie? Darin befindet sich die ganze Regierung.‹ – ›Kein Problem‹, antwortet der Mann. ›Mein Wagen hat gute Schlösser.‹«* Tischkow verkniff sich ein Lachen.

Vom anderen Ende des Buffets aus beobachtete Dominika, wie Nash noch einen Scotch für Tischkow holte. Der erzählte jetzt seinen Witz, wobei er Nashs Arm festhielt. Nash lachte, und Dominika sah, wie er dem Mann seinen Charme förmlich aufzwang. Aufmerksam, charmant, diskret. Nash wiegte Tischkow in Sicherheit. *Er ist ein Spion*, dachte Dominika.

Dominika blickte über Nash und Tischkow hinweg zu Wolontow, der mitten im Saal stand. Das Warzenschwein von Spionagechef hatte von der schulmäßigen Begegnung zwischen einem amerikanischen Geheimdienstoffizier und seinem potenziellen Informanten nichts mitbekommen. Nash sah eine Sekunde lang hoch und blickte sich um. Ihre Blicke trafen sich und blieben kurz aneinander haften, Dominika schaute weg, und Nash drehte sich rasch wieder zu Tischkow um. Er schien sie nicht gesehen zu haben. Doch in diesem Bruchteil einer Sekunde verspürte Dominika einen Ruck, diesen Kitzel, wenn man die Zielperson zum ersten Mal aus der Nähe sieht. Ihre Beute. Früher war Amerika der Erzfeind genannt worden.

Dominika zog sich wieder hinter die Säule zurück und beobachtete den Amerikaner. Faszinierend, wie locker und entspannt er war. Der jüngere Mann hielt den älteren Tischkow bei Laune. Selbstbewusst, aber nicht *newospitannji*, nicht flegelhaft oder prahlerisch, ganz anders als ihre ehemaligen Kollegen in der Fünften. *Sjmpatitschnji*. Ihre anfänglichen Ängste, den Kontakt herzustellen, den Amerikaner in Angriff zu nehmen, legten sich. Sie wollte ihn auf der Stelle ansprechen, in seine Welt, in seinen Kopf hineinkommen, so wie sie das bei Michail in Moskau geübt hatte, als sie ihr Gesicht und ihre Figur eingesetzt hatte, um ihn auf sich aufmerksam zu machen. Dafür musste sie nur in seine Richtung gehen, sich kurz vorstellen …

*Nein. Beruhige dich.* Solange Tischkow bei ihm stand, wollte sie Nash nicht ansprechen. Die Zentrale hatte ihr eindeutige Anweisungen erteilt, was Nash anging. Der Kontakt musste privat sein, inoffiziell, und niemand in der Botschaft – bis auf Wolontow – sollte davon erfahren. Sie würde sich weiter professionell verhalten: präzise, berechnend. Das erforderte die Operation, und davon würde sie nicht abweichen. Um ihn kennenzulernen, brauchte Dominika eine andere Strategie, als einfach nur zu planen, im folgenden Kalenderjahr sämtliche diplomatischen Veranstaltungen in Helsinki zu besuchen.

—

Mehrere Tage später verschaffte eine glückliche Fügung Dominika die Gelegenheit, die sie brauchte, und das an einem Schauplatz, den sie nicht hätte voraussagen können. Trotz des bescheidenen Eingangs unter dem unaufdringlichen Neonschild war die Yrjönkatu-Schwimmhalle in der Helsinkier Innenstadt ein neoklassizistisches Kleinod, erbaut in den zwanziger Jahren, ein paar Straßen vom Hauptbahnhof entfernt. Die kupfernen Art-déco-Lampen entlang des Zwischengeschosses mit der Brüstung über dem eleganten Schwimmbecken warfen filmsetgleiche Schatten auf die grauen Säulen und glitzernden Bodenfliesen.

Dank der ständigen Schwimmtherapiesitzungen in der Ballettschule war Dominika eine kräftige und begeisterte Schwimmerin. Zunächst besuchte sie das Schwimmbad, das einige Häuserblocks entfernt von ihrer Wohnung lag, als eine Art Ausgleich. Am liebsten waren ihr die Mittagsstunden. Abends war es dunkel, zu kalt, der Nachhauseweg zu deprimierend. Außerdem fühlte sie sich zunehmend einsam und unruhig. Wolontow, der Moskaus Ungeduld an sie weitergab, drängte sie, bei der Kontaktaufnahme mit Nash Fortschritte zu erzielen; es interessiere ihn nicht, dass es, selbst in einer eher kleinen Stadt wie Helsinki, schwierig war, eine plausible »zufällige Begegnung« mit einer Zielperson herbeizuführen.

Den Durchbruch erzielte Dominika, als Wolontow sie darum bat, einen dringend benötigten aktualisierten Bericht nach Jassenewo zu schicken. Sie verpasste ihr Mittagsschwimmen. Deshalb ging sie nach der Arbeit hin, trotz aller Kälte und Dunkelheit. Und sah Nate aus dem Umkleideraum für Herren kommen und am Beckenrand entlanggehen, ein Handtuch um den Nacken geschlungen. Dominika saß gerade am anderen Ende des Beckens, mit den Beinen im Wasser, als sie ihn erblickte. Ohne Hast stand sie auf, ging in Richtung der Marmorsäulen und beobachtete ihn. Er schwamm geschmeidig und kraftvoll. Sie beobachtete das Muskelspiel seiner Schultern, während er durchs Wasser pflügte.

Dominika bezwang ihre Nervosität. Sollte sie den Sprung wagen? Vielleicht könnte sie ja warten und Wolontow berichten, dass sie eine von Nashs Aktivitäten entdeckt habe und mit ihren Planungen zur Kontaktaufnahme gut vorankomme. Aber das würde bloß als Verzögerung angesehen werden. Sie sollte jetzt den ersten Schritt tun, in diesem Augenblick – *Priwodit' w dejstwie*, hatte man auf der Akademie dazu gesagt: die Operation in Gang setzen. Nun bot sich die ideale Gelegenheit für den ersten Kontakt, der zufällig und ungekünstelt wirken musste. *Auf geht's.*

Dominika trug einen züchtigen einteiligen Schwimmanzug und eine schlichte weiße Badekappe. Sie glitt ins Wasser und schwamm über mehrere Bahnen zur Bahn neben Nates. Sie begann, langsam ihre Bahn entlangzuschwimmen, wobei sie Nash mehrmals passieren ließ. Seine dritte Überholung passte sie so ab, dass sie am Ende des Beckens stattfand, als Nate leicht und locker wendete und eine weitere Bahn zog.

Dominika schwamm los, um auf gleicher Höhe mit ihm zu sein, was ihr mühelos gelang, wie sie feststellte. Beide schwammen nicht sehr schnell. Durch ihre Schwimmbrille sah Dominika seinen Körper unter Wasser, sich rhythmisch bewegend in einem geschmeidigen Freistil. Am anderen Ende schlugen Dominika und Nate gleichzeitig an und schwammen zurück ins Tiefe. Mittlerweile hatte Nash den Schwimmer bemerkt, der sein Tempo mithielt. Als er sich unter Wasser umschaute, sah er, dass es sich um eine Frau handelte, schlank, im Schwimmanzug, geschmeidig und kräftig kraulend.

Nate schwamm etwas schneller, um festzustellen, ob er

mit einem Dutzend kräftigeren Schwimmzügen vor der geheimnisvollen Schwimmerin einen kleinen Vorsprung herausholen konnte. Sie blieb gleichauf, allem Anschein nach ohne Mühe. Nate kraulte kräftiger, spannte die Rückenmuskeln an. Sie hielt mit. Nate erhöhte ein wenig die Schlagzahl seiner Beine und schaute nach. Sie war immer noch da. Der Beckenrand kam näher, und da beschloss Nate, loszulegen und nach einer schnellen Rollwende auf der nächsten Bahn das Tempo zu erhöhen. *Mal sehen, ob sie gut wenden und einen Spurt hinlegen kann.* Nate schlug am Beckenrand an und holte Luft. Seine Beine reckten sich über die Schultern, die Füße schlugen an die Kacheln, dann stieß er sich ab, geschmeidig und fest, bereit, loszuspurten. Er stach die Arme ins Wasser, Ellenbogen hochgereckt, tauchte sie ein, zog. Hörte nichts als das metronomartige Geräusch, wenn er mit den Armen ins Wasser glitt. Steigerte seinen Fußschlag und spürte die Bugwelle an Kopf und Schultern. Gewandt und schnell schwimmend, atmete er nur zu einer Seite, weg von der Frau. Es würde noch viel Zeit sein, wenn er anschlug, um so lange auf sie zu warten, bis sie zum Beckenrand gekrault kam. Auf den letzten fünf Metern streckte sich Nate, glitt und drehte das Gesicht zur Seite, um in die Richtung der Frau zu blicken. Aber als er anschlug, hatte sie den Beckenrand bereits erreicht. Auf den letzten Metern hatte sie ihn überholt. Sie sah zu ihm herüber, während sie im Flachen dastand, die Badekappe abnahm und ihre ein wenig feuchten Haare ausschüttelte.

»Sie schwimmen sehr elegant«, sagte Nate auf Englisch. »Sind Sie in einem Team?«

»Nein, eigentlich nicht«, sagte Dominika. Nate betrachtete ihre kräftigen Schultern, die schönen Hände, die auf dem Beckenrand lagen, die unlackierten kurzen Fingernägel und diese blauen Augen, elektrisch, groß. Nach ihrem Englisch zu urteilen kam sie aus dem Baltikum oder aus Russland. Aber es gab auch viele Finnen, die Englisch mit russischem Akzent sprachen.

»Stammen Sie aus Helsinki?«, fragte Nate.

»Nein, ich bin Russin«, sagte Dominika und suchte sein Gesicht daraufhin ab, ob sich Verachtung oder Ablehnung darin abzeichnete. Stattdessen sah sie ein strahlendes Lächeln. *Weiter so, Mr CIA*, dachte sie. *Was sagst du nun?*

»Ich habe einmal bei einem Wettkampf in Philadelphia das Schwimmteam von Dynamo Moskau gesehen«, sagte Nate. »Sie waren sehr gut, besonders im Schmetterling.« Das Wasser des Schwimmbeckens schwappte über seine Schultern und spiegelte seinen violetten Dunst wider.

»Natürlich«, sagte Dominika, »russische Schwimmer sind die besten der Welt.« Sie wollte sagen: *Wie in allen Sportarten*, hielt aber den Mund. *Zu viel*, dachte sie, *beruhige dich. Also gut, Kontakt hergestellt, Nationalität bestimmt, jetzt den Haken auswerfen.* Spionagehandwerk, erlernt im »Wald«. Sie schwamm zur Leiter, um aus dem Becken zu steigen.

»Kommen Sie jeden Abend hierher?«, fragte Nate, als Dominika sagte, sie müsse gehen. Ihre Rückenmuskeln spannten sich, als sie die Leiter hinaufstieg.

»Nein, ich habe keine festen Zeiten.« Dabei versuchte sie, nicht wie die Garbo zu klingen. »Überhaupt keine.« Sie musterte sein Gesicht; er schien enttäuscht zu sein. Gut. »Ich weiß nicht, wann ich wieder hier sein werde, aber vielleicht treffen wir uns ja wieder.« Sie spürte noch seinen Blick auf sich, als sie aus dem Becken stieg und in den Umkleideraum für Frauen ging.

———

Wie sich herausstellte, trafen sich Dominika und Nate zwei Tage später im Schwimmbad wieder. Sein Winken beantwortete sie mit kurzem Nicken. Wieder zogen sie einige Bahnen, schwammen Seite an Seite. Dominika ließ es langsam angehen, zeigte sich gleichgültig. Sie verhielt sich korrekt, reserviert – ein bewusstes Gegengewicht zu seiner amerikanischen Ungezwungenheit. Ständig ermahnte sie sich, nicht nervös zu sein. Wenn er sie ansah, las sie in seinem Gesichtsausdruck, dass er arglos war. *Er hat keine Ahnung, worum es hier geht*, dachte sie begeistert. Der CIA-Offizier weiß nicht, mit wem er es zu tun hat. Als es Zeit war zu gehen, stieg sie wieder sofort aus dem Becken. Diesmal aber blickte sie zu ihm zurück. Ein Winken, ohne zu lächeln. Das reichte vorerst.

Im Laufe mehrerer Wochen trafen sie sich fünf- oder sechsmal, aber kein einziges Mal zufällig. Dominika hatte sich im Hotel Torni einquartiert, das schräg gegenüber vom Eingang des Schwimmbads lag. An den meisten Abenden saß sie im Wohnzimmer am Fenster und verfolgte seine Ankunft. Soweit sie das erkennen konnte, wurde er nie von jemandem begleitet. Er wurde nicht überwacht.

Dominika versuchte in kleinen, nicht erkennbaren Schritten das Momentum zu steigern. Während sie sich weiterhin am Beckenrand trafen, war es deshalb ganz natürlich, sich miteinander bekannt zu machen. Nate sagte, er arbeite als Diplomat an der amerikanischen Botschaft, in der Wirtschaftsabteilung. Dominika sagte, sie sei als Verwaltungsangestellte in der russischen Botschaft tätig. Sie hörte sich seine Covergeschichte an, dann erzählte sie ihm ihre. *Er ist sehr natürlich*, dachte Dominika. *Wie die wohl ausgebildet werden?* Typisch, ein vertrauensseliger Amerikaner, unfähig zu einer richtigen *konspiratsia*. Er blickte sie arglos an, sein violetter Halo änderte sich nie.

*Gott, sie meint es ernst,* dachte Nate. *Typisch russisch, hat Angst, den Fuß falsch aufzusetzen.* Aber ihm gefiel ihre Reserviertheit, die unterschwellige Sinnlichkeit, die Art, wie sie ihn mit ihren blauen Augen ansah. Besonders mochte er, wie sie seinen Namen betonte. »Nejt.« Aber er blieb skeptisch, sie hatte vermutlich keinen Zugang zu geheimen Informationsquellen. *Komm runter, sie ist nur eine hübsche Angestellte der russischen Botschaft, vierundzwanzig, fünfundzwanzig, Moskauerin. Auslandsdienst, Nachwuchskraft, vergiss nicht, dir von der Anmeldekarte des Schwimmbads Vor- und Zunamen zu besorgen. Wenn man sie in so jungen Jahren aus Moskau herausgelassen hat, muss sie wohl einen Gönner haben.* Was nicht schwer zu glauben war, wenn man ihr Gesicht betrachtete, den Körper unter dem Schwimmanzug. Unerreichbar. Nate nahm sich vor, Langley der Form halber um Nachforschungen zu bitten, aber er wusste, er würde weiterziehen.

Es ging hier nicht um eine Venusfallenoperation gegen einen unglücklichen Europäer in ihrem heimatlichen Revier, sagte sich Dominika. Sondern um eine Operation im Ausland gegen einen ausländischen Geheimdienstoffizier. Sie war von der Zentrale ausgebildet worden, also würde sie ihn vorsichtig an Land ziehen. Sie hatte einen ersten Kontaktbericht in Jassenewo eingereicht und die ersten Kontakte darin genau aufgeführt. Wolontow drängte zu schnellem Vorankommen.

Nach zwei Wochen war immer noch keine Antwort aus Langley auf die Nachforschungsanfrage gekommen. *Typisch, aber wen juckt's?,* dachte Nate. Es reichte, sich hin und wieder mit ihr zu treffen und ihr Gesicht zu betrachten. Zweimal hatte er sie zum Lächeln gebracht, ihr Englisch war so gut, dass sie Witze verstand. Er hatte nicht vor, Russisch zu sprechen und sie dadurch zu verschrecken.

Eines Abends, sie hatten gerade ihre Bahnen zu Ende geschwommen, drehte sie sich um, um die Leiter hochzusteigen und das Becken zu verlassen. Dabei stießen sie zusammen. Ihr Schwimmanzug war hauteng, sodass Nate ihren Herzschlag unter dem straffen Elastanstoff sah. Er bot Dominika seine Hand, damit sie leichter die Leiter hochkam. Ihre Hand war kräftig, fühlte sich warm an. Sekundenlang hielt er sie fest, dann ließ er sie los. Ausdruckslose Miene, keine Reaktion. Wieder sah er sekundenlang in ihr Gesicht. Sie nahm ihre Schwimmkappe ab und schüttelte ihr Haar.

Dominika wusste, dass er sie anschaute, blieb ruhig, distanziert. Was er wohl sagen würde, wenn er wüsste, dass sie zum Spatzen ausgebildet worden war, wenn er wüsste, was sie mit Delon und Ustinow getan hatte? Sie würde ihn nicht verführen, nein, auf keinen Fall. Sie hörte bereits das Gekicher von ganz Moskau. Nein, sie würde das hier mit Disziplin, mit Cleverness hinbekommen. *Treib die Sache voran. Höchste Zeit, den menschlichen Umschlag zu öffnen, diese frustrierend dichte purpurne Hülle durcheinanderzubringen.*

An diesem Abend willigte Dominika in Nates Vorschlag ein, in einer Bar in der Nähe etwas trinken zu gehen. Seine Gesichtszüge hatten sich vor Erstaunen, dann Freude aufgehellt. Einander in Straßenkleidung auf dem Bürgersteig zu sehen war irgendwie lustig. Dominika saß kerzengerade auf der anderen Seite des kleinen Tischs, vor sich ein Glas Wein.

Jetzt das Hervorlocken von Informationen: Aus welcher Gegend in den USA stammen Sie? Haben Sie Geschwister? Was machen Ihre Familienangehörigen beruflich? Sie ging die Liste durch, füllte die leeren Seiten seiner *papka*.

Hätte Nate es nicht besser gewusst, das Gespräch hätte sich wie eine Einsatzbesprechung angehört. *Vielleicht ist sie nur nervös und will Fragen zu sich selbst aus dem Weg gehen.*

*Entweder zeigen die Russen tiefe Gefühle*, dachte er, *oder sie brüten vor sich hin.* Na ja, soll sie sich erst einmal entspannen. Er wollte sie nicht verschrecken, indem er allzu forsch auftrat. Aber inwiefern sollte er sie auch verschrecken? Sie war keine Zielperson, und er wollte auch nicht mit ihr ins Bett.

Er bestellte Schwarzbrot und Käse. *Sehr schlau*, dachte sie, *er glaubt, wir Russen essen nichts anderes.* Noch ein Glas Wein? Nein, danke. Es war Dominika, die schließlich sagte, sie müsse nach Hause. Nate fragte, ob er sie begleiten dürfe. An der Tür zu ihrer modernen Wohnung sah sie, dass er mit sich rang, ob er ihr ein Küsschen auf die Wange geben sollte, sah, wie er sich zu entscheiden versuchte – Männer sind doch alle gleich –, dann gab sie ihm die Hand, schüttelte sie einmal fest und betrat die Wohnung. Durch die Glastür sah sie, wie er sich, Hände in den Hosentaschen, zum Gehen wandte.

Die ausgebildete SWR-Agentin, Absolventin der Spatzenschule und der Akademie der russischen Auslandsspionage, beglückwünschte sich zu einem erfolgreichen Abend, dem guten Vorankommen, vor allem aber dafür, dass sie dem Amerikaner den Kuss verweigert hatte. Dann lachte sie. *Du bist mir vielleicht eine Kurtisane*, dachte sie, eine Kämpferin gegen das Böse, die Verführerin von Diplomaten, und jetzt bist du *otkasatsja* und verweigerst einen Gutenachtkuss.

━━━

»Hallo, Romeo«, sagte Forsyth und steckte den Kopf in Nates Büro, »haben Sie heute Morgen schon die Nachricht aus dem Hauptquartier über Esther Williams gelesen?« Forsyth bezog sich auf das Ergebnis der Nachforschungsanfrage, die Nate bezüglich Dominika Egorowa gestellt hatte: Geburtsjahr: 1989; Beruf: Verwaltungsangestellte, russische Botschaft. Er hatte die Anfrage vor mehr als einem Monat losgeschickt. Nate hatte erwartet, dass das Hauptquartier keine Daten über die Frau hatte, weil sie nicht einmal auf der örtlichen Liste für Anwerbungskandidaten gestanden hatte. Sie hatte behauptet, eine kleine Büroangestellte zu sein. In der Anfrage hatte Nate den Kontakt vage skizziert, basierend auf den unregelmäßigen Treffen im Schwimmbad. Völlig nutzlos, kein Zugang zu geheimen Informationsquellen, kein Potenzial.

»Nein, ich habe die Nachricht nicht gelesen«, sagte Nate. »Kann ich sie lesen?«

»Hier, meine Kopie«, sagte Forsyth. »Sehen Sie sich das mal an.« Forsyth lachte und reichte Nate den Text. Während Nate zu lesen begann, erschien Gable hinter Forsyth.

»Hat unser Herr Schwerenöter die Antwort auf die Nachforschungsanfrage gelesen?«, fragte Gable. Auch er lachte. Nate hielt den Kopf gesenkt und las weiter:

1. Nachforschungen zu obengenannter Person deuten auf Status als SWR-Korporalin hin, möglicherweise in der Hauptverwaltung I (Computer und Informationsverbreitung). Ungefähres Datum des Eintritts in den SWR 2007–2008. Absolventin der Akademie für Auslandsspionage (AWR), 2010. Vermutlich familiäre Verbindung zum Ersten Stellvertretenden Direktor Iwan (Wanja) Dimitrijewitsch EGOROW des SWR. Versetzung der Person nach Finnland in den Listen des Außenministeriums der Russischen Föderation nicht verzeichnet, was auf eine Beurlaubung vom Dienst und/oder einen speziellen operativen Einsatz mit begrenzter Dauer hindeutet.

2. Kontakt ist von Interesse für das Hauptquartier. Familiäre Verbindung der Person zur SWR-Führung liefert ihr unter

Umständen einzigartige Zugangsmöglichkeiten und bietet die Chance zu bedeutender Anwerbung.

3. Wir begrüßen die Gewissenhaftigkeit bei der aggressiven Observation sowie die Aktivitäten im Zusammenhang mit der Anbahnung. Stationsoffizier wird aufgefordert, Person zum Zweck weiterer Beurteilung und Anbahnung im Visier zu behalten. Das Hauptquartier hält sich bereit, um, falls nötig, operativen Plan zu unterstützen.

Mit freundlichem Gruß.

Nate hob den Kopf und blickte Forsyth und Gable an. »Eine bessere Antwort auf eine Nachforschungsanfrage bekommt man nicht«, sagte Forsyth. »Das kann sich zu etwas Großem entwickeln, wenn Sie die Sache durchziehen und die Person anwerben können.«

Nate glaubte, seine Beine füllten sich mit Beton. »Mir kommt das falsch vor, Tom; sie wird nicht gesteuert, sie ist zu jung. Man muss abwarten, ob sie sich anwerben lässt. Sie hat so etwas Distanziertes und Verschlossenes.« Wieder blickte er auf die Nachricht. »In den letzten fünfzig Jahren wurden Frauen nicht auf der Akademie zugelassen. Möglicherweise verschwende ich sechs Monate bei dem Versuch, sie anzuwerben – für nichts. Meiner Meinung nach sollte ich mich auf andere Personen konzentrieren.«

Gable trat etwas weiter ins Zimmer, vorbei an Forsyth. »Genau, überleg dir das in aller Ruhe.« Er lachte. »Machst du Witze? Bei einer so umwerfenden Frau, die dazu auch noch einen nahen Verwandten in der obersten Etage des SWR hat? Du solltest sie dir genau anschauen, und zwar gründlich. Vergiss es, anderen hinterherzujagen. Sie ist eine reife Pflaume, die nur darauf wartet, gepflückt zu werden.«

»Hab schon verstanden«, sagte Nate. »Nur wirkt sie auf

mich nicht wie eine typische SWR-Agentin: mürrisch und verängstigt; zumindest ist das meine Einschätzung.« Er hob die Schultern und blickte Forsyth und Gable an.

»Nimm nur weiter deine Einschätzungen vor, Kleiner. Aber hier bietet sich dir die Gelegenheit zu einer Anwerbung«, sagte Gable und verließ das Büro. »Über die operativen Pläne reden wir, wenn du so weit bist«, sagte er über die Schulter. Forsyth wandte sich zum Gehen, zwinkerte Nate zu.

Nate nickte. *Gut, mal sehen, wo das alles hinführt. Reine Zeitverschwendung. Na komm, motivier dich.* Von nun an war Dominika Egorowa mehr als nur ein hübsches Gesicht. Sie war seine Zielperson, die es zu rekrutieren galt.

———

In der russischen Botschaft hielt Spionagechef Wolontow Dominika wegen des langsamen Voranschreitens ihrer Operation eine Standpauke.

»Korporalin Egorowa, Sie sind gut gestartet, aber Sie kommen nicht schnell genug voran. General Egorow hat seit Ihrer Ankunft bereits drei Anfragen hinsichtlich der jüngsten Entwicklungen geschickt. Sie müssen Ihre Anstrengungen verdoppeln, damit Ihre Freundschaft mit Nate voranschreitet. Häufigere Treffen. Skireisen. Wochenendausflüge. Lassen Sie sich etwas einfallen. General Egorow hat erneut empfohlen, dass Sie in Nash eine gefühlsmäßige Abhängigkeit fördern.« Wolontow lehnte sich im Stuhl zurück und fuhr sich mit den Fettfingern durchs pomadisierte Haar.

»Vielen Dank, Oberst«, sagte Dominika. Ihr Onkel, Simjonow und jetzt dieser übelriechende alte Kerl. »Können Sie mir bitte verraten, was Direktor Egorow mit ›gefühlsmäßige Abhängigkeit‹ meint?« Ihr ruhiger Blick forderte ihn auf, nur ja nicht vorzuschlagen, den Amerikaner zu verführen.

»Ich kann da natürlich nicht für den Stellvertretenden Direktor sprechen.« Wolontow bog von der unterspülten Brücke ihres Gesprächs ab. »Sie müssen einfach nur Ihr Augenmerk darauf richten, die Beziehung weiterzuentwickeln. Vertrauensvolle Bande knüpfen.« Er wedelte mit der Hand, um zu veranschaulichen, was »vertrauensvolle Bande« bedeuten könnte. »Am wichtigsten aber: Bringen Sie ihn dazu, dass er über sich selbst spricht.«

»Selbstverständlich, Oberst.« Dominika stand auf. »Ich werde meine Bemühungen intensivieren und Sie auf dem Laufenden halten. Vielen Dank für Ihre wertvolle Unterweisung.«

Nach der Sitzung mit Wolontow war Dominika ernüchtert. Er operierte in einer pubertären, schmuddeligen Welt voller unterschwelliger Andeutungen und Unterstellungen. »Vertrauensvolle Bande«, »gefühlsmäßige Abhängigkeit«. *Sparrow school*. Würde sie sich während ihrer gesamten Karriere mit so etwas herumschlagen müssen?

Auf dem Nachhauseweg dachte Dominika angestrengt nach. *Komm runter*. Sie war im Einsatz, im Ausland, und wohnte in einer eigenen Wohnung in einer märchenhaften Stadt. Sie hatte einen wichtigen Auftrag zu erledigen, der sich gegen einen ausgebildeten amerikanischen CIA-Offizier richtete. Na ja, er machte zwar keinen gefährlichen Eindruck, aber er war ein CIA-Agent. Heute Abend wollte sie ihn dazu bewegen, von sich zu reden. Sie würde ihn fragen, was er von den Russen hielt – bislang hatte er noch nicht zugegeben, dass er Russisch spricht. Sie würde ihn dazu bringen, von Moskau zu sprechen. Er musste eingestehen, dass er dort einen Posten innegehabt hatte. Während sie raschen Schrittes Richtung Yrjönkatu ging, ohne zu bemerken, dass sie dadurch stärker als sonst humpelte, freute sie sich auf das Treffen.

Nate, der ebenfalls in Richtung Yrjönkatu ging, dachte angestrengt nach. Er war derart in Gedanken versunken, dass er die Straße kaum wahrnahm, dass er die sechs Grundregeln ignorierte. *Wach auf, Kumpel,* dachte er, *es ist der erste Abend deines neuen Falls.* An einer roten Ampel überquerte er die Straße und änderte seine Richtung, damit er sich nach Verfolgern umsehen konnte. *Keine Profis, keine Amateure. Geh drei Häuserblocks weiter und sieh dich noch mal um. Keine wiederkehrenden Personen. Es geht hier nicht mehr um ein spritziges Spaß-Techtelmechtel mit einer blauäugigen Slawin in einem feuchten Schwimmanzug.* Nein, falls sie eine SWR-Agentin war – was er immer noch bezweifelte –, musste er wachsam sein und einige weitere Einschätzungen vornehmen. Mein Gott, lieber würde er diesen Trunkenbold Tischkow bearbeiten. Immerhin hatte der Zugang zu Dokumenten und Protokollen von geheimen Treffen. Das wäre ein echter Skalp, etwas, das zu Hause für Wirbel sorgen würde.

Ebenfalls tief in Gedanken vernachlässigte auch Dominika, sich nach Überwachungsteams umzuschauen, bis sie drei Häuserblocks vom Schwimmbad entfernt war. Um ihre Unaufmerksamkeit wiedergutzumachen, bog sie einfach in eine Nebenstraße ab – die *pensionerki* hätten entsetzt aufgeschrien –, wobei sie sich lächerlich vorkam. Während Nate und Dominika geistesabwesend weiterspazierten, bogen sie um zwei verschiedene Ecken und trafen gleichzeitig am Eingang des Schwimmbads ein. Dominikas Atem ging schneller, Nates Puls beschleunigte sich, aber sie riefen sich in Erinnerung, was sie dem anderen antun mussten, und machten sich an die Arbeit.

———

Dominika lehnte sich zurück und drehte langsam ihr Weinglas. Ihr gegenüber saß Nate, die Beine ausgestreckt und an den Knöcheln übereinandergeschlagen. Er hatte einen V-Pulli und Jeans an, sie einen blauen Pullover mit Zopfmuster und einen Faltenrock. Dazu trug sie eine dunkle Strumpfhose und schwarze Schuhe mit flachen Absätzen. Nate fiel auf, dass sie unter dem Tisch mit dem Fuß wippte.

»Amerikaner nehmen nie irgendetwas ernst genug«, sagte Dominika. »Ständig machen sie Witze.«

»Wie viele Amerikaner kennen Sie denn?«, fragte Nate. »Und waren Sie schon einmal in den Vereinigten Staaten?«

»An unserer Ballettschule gab es einen ausländischen Studenten, einen Amerikaner. Er hat dauernd Witze gerissen.« Es machte ihr nichts aus, die Ballettausbildung zu erwähnen, die gehörte schließlich zu ihrer Legende.

»Aber war er ein guter Tänzer?«

»Nicht besonders gut. Der Unterricht war sehr anspruchsvoll, aber er hat sich nicht angestrengt.«

»Er muss sich einsam gefühlt haben. Haben Sie ihm denn Moskau gezeigt, sind Sie beide einmal zusammen etwas trinken gegangen?«

»Nein, natürlich nicht, das war verboten.«

»Verboten? Welcher Teil? Das Trinken von Alkohol oder dass man dafür sorgt, dass der andere sich wohlfühlt?« Nate sah auf sein Weinglas. Dominika schaute ihn kurz an, dann wandte sie den Blick ab.

»Sehen Sie, Sie machen ständig Witze.«

»Das ist kein Witz. Ich frage mich nur, woran er sich bezüglich Russland, bezüglich Moskau erinnern wird. Wird er schöne Erinnerungen an die Stadt haben oder sich nur entsinnen, einsam und ungeliebt gewesen zu sein?« *Welch eine seltsame Bemerkung*, dachte Dominika.

215

»Was wissen Sie über Moskau?«, fragte sie, obwohl sie einen Teil der Antwort bereits kannte.

»Ich habe ein Jahr lang dort gelebt, das habe ich Ihnen bereits gesagt, glaube ich, ich habe an der amerikanischen Botschaft gearbeitet. Ich war in der Wohnanlage in der Nähe der Staatskanzlei untergebracht.«

Kein Interesse, kein besonderer Tonfall. »Hat Ihnen die Stadt denn gefallen?«, fragte sie.

»Ich war dauernd beschäftigt, hatte nicht genug Zeit, um sie zu erkunden.« Er nahm einen Schluck Wein und lächelte sie an. »Ich wünschte jedoch, ich hätte Sie gekannt; Sie hätten mich herumführen können. Es sei denn, das wäre verboten gewesen.«

*Unschuldiger kleiner Junge*, dachte sie. *Was für eine Show*. Dominika überhörte die Bemerkung. »Warum haben Sie denn Moskau nach einem Jahr verlassen? Ich dachte, Diplomaten blieben länger an einem Ort.« Seine Antwort würde als Einleitungssatz in ihrem Bericht stehen.

»Plötzlich wurde eine Stelle frei in Helsinki. Deshalb habe ich mich zum Wechsel entschlossen.« *Sehr schlau*, dachte Dominika. Ihr fiel auf, dass sich das Violett rings um Nates Schultern nicht veränderte, wenn er die Unwahrheit sagte. Sehr professionell.

»Waren Sie traurig, als Sie Moskau verlassen haben?«

»In gewisser Hinsicht ja. Vor allem tat Russland mir leid.«

»Russland tat Ihnen leid? Warum?«

»Wir haben den Kalten Krieg beendet, ohne uns gegenseitig in die Luft zu jagen, auch wenn es ein paarmal kurz davor war. Was immer man vom Sowjetsystem gehalten hat, es war vorbei. Ich glaube, alle haben gehofft, Russland würde eine neue Entwicklung nehmen, seinen Bürgern persönliche Freiheit, ein besseres Leben bieten.«

»Und Sie glauben, das Leben in Russland hat sich nicht verbessert?« Dominika hatte Mühe, die Empörung aus ihrem Ton herauszuhalten.

»In gewisser Hinsicht doch, natürlich.« Nate hob die Schultern. »Aber ich glaube, das Leben der Menschen ist immer noch schwer. Besonders grausam ist es, das Heraufziehen einer neuen Ära mitzuerleben, aber es kommt nichts dabei heraus.«

»Das verstehe ich nicht«, sagte Dominika.

*Mal sehen, ob sie den Köder schluckt*, dachte Nate. »Bitte verstehen Sie mich nicht falsch, aber ich glaube, dass Ihre gegenwärtigen politischen Führer ein System schaffen, das genauso berüchtigt sein wird wie das frühere Sowjetsystem. Nur ist das nicht so offensichtlich. Das System ist moderner, telegener, dynamischer. Öl und Gas sind die neuen Waffen, aber hinter den Kulissen gibt es genauso viel Grausamkeit, Unterdrückung und Korruption wie früher.« Nate sah Dominika verlegen an und hob die Hände. »Entschuldigen Sie. Ich wollte keine Kritik üben.«

Obwohl sie gut ausgebildet war, hatte Dominika sich noch nie mit einem Amerikaner auf so eine Diskussion eingelassen. Sie durfte nicht vergessen, dass er ein Nachrichtendienstoffizier war, versiert darin, provozierende Sachen zu sagen, damit er verräterische Bemerkungen entlocken konnte. *Entspann dich*, ermahnte sie sich. Jetzt war nicht der richtige Zeitpunkt, die Beherrschung zu verlieren. Trotzdem: Sie musste darauf antworten. »Was Sie da sagen, stimmt nicht. Das ist genau die Art antirussischer Einstellung, der wir uns ständig bewusst sind. Aber es stimmt einfach nicht.«

Nate dachte an den abtrünnigen KGB-Offizier, der mit Polonium vergiftet worden war, die Journalistin, die im Fahrstuhl erschossen wurde, und trank seinen Wein aus.

»Erzählen Sie das mal Alexander Litwinenko oder Anna Politkowskaja.«

*Oder Dimitri Ustinow*, dachte Dominika schuldbewusst. Aber sie war immer noch wütend auf ihn.

### TORTILLA ESPAÑOLA NACH ART DER SPANISCHEN BOTSCHAFT

Gewürzte, mittelgroß geschnittene Kartoffeln und gehackte Zwiebeln in reichlich Olivenöl garen, bis sie weich sind, dann herausnehmen und abtropfen lassen. Geschlagene Eier zu den Kartoffeln und Zwiebeln hinzugeben und wieder in eine eingeölte Pfanne auf Mittelhitze geben, bis die Ränder und die Unterseite braun werden. Einen Teller umgekehrt auf die Bratpfanne legen, die Pfanne umdrehen, dann die Tortilla wieder in die Pfanne gleiten lassen und braten, bis sie goldbraun ist.

# 11

Nate saß in der Station und starrte auf die Lamellen der Jalousie vor dem Fenster in seinem Büro. Geistesabwesend schlug er mit der Hand gegen die Kordel, sodass der Plastikgriff gegen die Wand schlug und davon abprallte, klick, klick, klick. Gestern Abend hatte ein weiterer Nationalfeiertagsempfang an irgendeiner Botschaft stattgefunden. Das halbe Dutzend Einladungskarten auf seinem Schreibtisch ging ihm auf die Nerven, und zwischen den Schulterblättern war er völlig verspannt.

Er dachte ans Schwimmen – und an Dominika. Er hatte sie unter die Lupe genommen, sie waren mehrmals zusammen ausgegangen, aber er glaubte immer noch, dass der Fall zu nichts führen würde. Sie war eine Überzeugungstäterin, eine eingefleischte Russin, keine Zweifel, keine Schwächen. Er verschwendete seine Zeit. Der Plastikgriff der Kordel prallte klickend gegen die Wand. Die Einladungskarten auf dem Schreibtisch verhöhnten ihn. Ein einzelnes Blatt – sein letzter Bericht über den Kontakt mit Dominika – lag in einem metallenen Ablagekasten auf dem Schreibtisch.

Gable warf einen Blick in sein Büro. »Wen haben wir denn da – den Gefangenen von Zenda. Warum bist du nicht draußen auf der Straße? Oder lädst jemanden zum Mittagessen ein.«

»Ich bin schon gestern Abend ausgegangen.« Nate sah aus dem Fenster. »Vier Nationalfeiertage allein in dieser Woche.«

Gable schüttelte den Kopf, ging zum Fenster und drehte die Jalousie zu. Er setzte sich auf die Kante von Nates Schreibtisch und beugte sich vor.

»Und nun spitz mal die Ohren, Hamlet. Denn gleich wirst du von mir einen weisen Spruch hören. Es gibt da ein aberwitziges Element in diesem Anwerben und Abschöpfen von Zielpersonen. Manchmal gilt: Je angestrengter man versucht, einen Informanten an Land zu ziehen, einen Fall in Gang zu bringen, umso mehr entzieht er sich einem. Und dann liegt plötzlich Ungeduld, Aggressivität – in deinem Fall Verzweiflung – in der Luft, niemand will mehr mit einem reden, niemand will mehr mit einem essen gehen. Und du riechst wie verfaulte Eier.«

»Ich kann dir nicht ganz folgen«, sagte Nate.

Gable beugte sich näher heran. »Du hast Angst, zu versagen«, sagte er gedehnt. »Je länger du auf deinen Pimmel starrst, desto weicher wird er. Mach weiter, aber nimm das Gas raus.«

»Danke für die anschauliche Metapher, aber ich bin schon eine Weile in der Station und habe noch nichts vorzuweisen.«

»Hör auf, oder *ich* fange noch an zu weinen«, sagte Gable. »Die Einzigen, die du zufriedenstellen musst, sind ich und der Stationschef, und wir beschweren uns nicht … noch nicht. Du hast Zeit, mach also weiter.« Gable nahm das Blatt mit dem Bericht in Nates Posteingangskorb in die Hand.

»Außerdem ist diese russische Zuckerpuppe Gold wert. Sie wartet nur darauf, rekrutiert zu werden, abweichend von deiner Einschätzung. Bearbeite sie, verdammt noch mal. Ich habe da eine Idee, wie wir ihr Luft unters Kleid blasen können, um ein bisschen was sehen zu können.«

———

Gable machte den Vorschlag, das kleine Überwachungsteam der Station auf Egorowa anzusetzen, damit sie ein Gefühl dafür bekamen, was sie in Helsinki so trieb. Nate kam das übertrieben vor. Er hatte Forsyth und Gable davon zu überzeugen versucht, dass es sich bei Egorowa um eine wenig ergiebige Quelle handele, eine kleine Verwaltungsangestellte, die keinerlei Zugang zu Geheimdokumenten besitze. Es sei Zeitverschwendung, sie zu überwachen. »Stimmen wir also darin überein, dass wir unterschiedlicher Meinung sind«, sagte Gable. »Anders ausgedrückt: Halt den Mund.«

Forsyth hob die Hände. »Nate, da Sie den Fall Egorowa leiten, könnten Sie doch das Team führen, solange es Egorowa observiert. Da könnten Sie nützliche Erfahrungen sammeln, außerdem könnten Sie denen Informationen liefern. Ist ein interessantes altes Pärchen. Achten beide penibel auf sauberes Handwerk.«

*Na toll*, dachte Nate. Gable hatte vorgeschlagen, das Überwachungsteam einzusetzen, um die Operation anzukurbeln, und Forsyth hatte ihn damit beauftragt, das Team zu führen, damit er sich auf den Fall konzentrierte. Forsyth und Gable arbeiteten gut zusammen, sie waren echte Profis, die wussten, wie sie ihre Führungsoffiziere motivieren konnten.

Gable schob ihm die Akte hin. Sein Blick konnte alles bedeuten. »Hier ist die Akte zu ARCHIE und VERONICA.« Er machte eine Kunstpause. »Die beiden sind Legenden. Arbeiten für uns seit den sechziger Jahren. Haben im Laufe der Jahre ein paar superheiße Operationen durchgeführt, darunter Golitsyns Überlaufen auf unsere Seite. Richte ihnen meine Grüße aus.«

Vierundzwanzig Stunden später, nach einer zweistündigen Überwachungserkennungsroute, bei der er eine Stunde lang auf der E75 nach Norden und dann auf Nebenstraßen westwärts nach Tuusula und auf der 120 zurück in die Stadt gefahren war, stellte Nate den Wagen auf einem öffentlichen Parkplatz am Bahnhof Pasila ab und ging zu Fuß nach Länsi-Pasila, einem Stadtteil mit Wohntürmen und Geschäftshäusern. Er fand das richtige Gebäude, ein unscheinbares vierstöckiges Mietshaus aus Backstein mit schrägen, glasumschlossenen Balkonen. Er drückte den Knopf der Gegensprechanlage mit dem Schild Räikkönen und wurde eingelassen. An der Wohnungstür im vierten Stock klingelte er.

»Kommen Sie rein«, sagte die ältere Frau, die ihm öffnete. Rüstig. In den Siebzigern. VERONICA. Ihr Gesicht war schmal und vornehm, sie hatte eine gerade Nase und einen festen Mund, der andeutete, dass sie in ihrer Jugend ziemlich gut ausgesehen haben musste. Ihre eisblauen Augen waren immer noch strahlend, der Teint rosa und gesund. Das dichte weiße Haar trug sie zu einem Knoten gesteckt, aus dem ein Bleistift hervorragte. Bekleidet war sie mit einer Wollhose und einem leichten Pullover. Eine Lesebrille hing an einer Kette um ihren Hals, und auf dem Boden neben dem Sessel lag ein Stapel Zeitungen und Zeitschriften. »Wir waren schon ganz gespannt, Sie kennenzulernen«, sagte sie. »Ich bin Jaana.« Sie ergriff Nates Hand und schüttelte sie kräftig. Jaana verströmte Vitalität und Energie. Der Handschlag, die Augen, die Körpersprache.

»Möchten Sie einen Tee? Oh, wie spät ist es eigentlich?« Sie schaute auf ihre Armbanduhr, die sie mit dem Ziffernblatt unten am Handgelenk trug. Klassisch, so was sieht man bei vielen Überwachungsleuten, dachte Nate. »Spät genug für etwas Stärkeres«, befand Jaana. »Darf ich Ihnen einen Schnaps anbieten?«

»Marty Gable lässt Sie grüßen«, sagte Nate.

»Wie nett von Marty«, sagte Jaana und machte auf dem

ziemlich unaufgeräumten Beistelltisch eine kleine Fläche frei. »Er ist ein ganz Lieber. Ihr Glück, dass Sie ihn zum Mentor haben.« Aus der Küche kehrte sie mit Gläsern und einer klaren Flüssigkeit in einer ovalen Flasche zurück. Schnaps. »Wir haben im Laufe der Jahre einige seltsame Stationschefs erlebt«, sagte sie, »auf beiden Seiten. Die Russen waren natürlich durch die Bank schlimmer, abscheuliche Trampel, die in ihrem abscheulichen System zu überleben versuchten, Gott hab sie selig. Aber sie haben uns mit Sicherheit interessante Zeiten beschert.«

Jaana Räikkönen schenkte zwei Gläser ein, hob ihr Glas zu einem skandinavischen Trinkspruch und sah Nate in die Augen, während sie bereits den ersten Schluck nahm. Das Wohnzimmer war klein und gemütlich. Polstermöbel und Bücherregale säumten die holzvertäfelten Wände. In der Wohnung roch es nach Gemüsesuppe.

»Ist Ihr Mann zu Hause?«, fragte Nate. »Ich hatte gehofft, auch ihn zu treffen.«

»Er kommt gleich«, sagte Jaana. »Er ist auf der Straße und hat Ihre Ankunft observiert.« Sie zuckte die Schultern. »Ist leider eine schlechte Gewohnheit von uns.« Nate musste innerlich lachen. Er war eine zweistündige Route abgefahren, auf der Suche nach Beschattern, aber den alten Kerl, der vor dem Gebäude herumlungerte, hatte er übersehen. *So operieren die schon all die Jahre*, dachte er.

Im selben Moment kratzte ein Schlüssel im Schloss, die Wohnungstür ging auf, und Marcus Räikkönen betrat das Zimmer. ARCHIE. Er führte einen hellbraunen Dackel an der Leine, der, nachdem er Nate kurz beschnüffelt hatte, zu seinem Körbchen trottete und sich auf die Seite legte. Rudy hieß er. Marcus war groß, über einen Meter achtzig, mit breiten Schultern. Er hatte klare blaue Augen unter buschigen

Augenbrauen. Am Hals, unter dem ausgeprägten Kinn, zeichneten sich kräftige Sehnen ab. Seine Bewegungen wirkten mühelos, athletisch. Er hatte schütteres Haar und eine Igelfrisur. Der Handschlag war fest. Bekleidet war er mit einem dunkelblauen Jogginganzug und schwarzen Trainingsschuhen. Auf der linken Brust des Anzugs prangte ein Abzeichen mit der finnischen Flagge.

»Auf der anderen Straßenseite, im Hof?«, fragte Nate. »Die Sitzbank in der Nähe der Treppe?«

»Sehr gut«, sagte Marcus. »Ich hätte nicht gedacht, dass Ihnen das auffällt.« Er lächelte und griff nach dem dritten Schnapsglas. »Auf Ihre Gesundheit.« Er leerte das Glas, sah Nate dabei weiter in die Augen.

Nate rief sich die Akte über die beiden in Erinnerung. Seit fast vierzig Jahren gehörten ARCHIE und VERONICA zum harten Kern des Überwachungsteams der Station in Helsinki. Inzwischen waren beide pensioniert. ARCHIE hatte als Ermittlungsbeamter in der finnischen Steuerverwaltung gearbeitet, VERONICA war Bibliothekarin gewesen. Sie waren deshalb effizient, weil sie bei Einsätzen auf der Straße verschiedene Kleidungsstile mischten und instinktiv wussten, was das Kaninchen als Nächstes tat. Natürlich kannten sie sich in der Stadt und im U-Bahn-Netz hervorragend aus, sie waren schließlich in Helsinki groß geworden, als die Stadt wuchs. Beharrlich, diskret, mit der Geduld und Erfahrung eines ganzen Lebens, waren sie in der Lage, eine Zielperson über Monate zu observieren, ohne zu verbrennen. Ihre Form der Beschattung glich, in Gables Worten, »eher der Liebkosung einer Ehefrau und weniger dem Finger eines Urologen«.

Nate und die Räikkönens skizzierten einen Überwachungsplan für Dominika, die sie in unregelmäßigen Abständen, aber zu sorgfältig ausgewählten Zeiten observieren wollten – abends nach der Arbeit, an Wochenenden –, immer dann, wenn vermutlich irgendetwas Interessantes passierte. Von Weitem beobachtete Nate sie bei der Arbeit. An einem Tag Wollmützen, Fäustlinge und Parkas, an einem anderen Businesskleidung und Regenschirme. Ein unauffälliger grauer Volvo-Kombi, ein Motorroller mit Korb. Manchmal gingen sie gemeinsam los, Händchen haltend, manchmal getrennt. Eines Tages folgte Jaana Dominika in ein Geschäft und setzte dabei einen Rollator ein. ARCHIE und VERONICA beherrschten sämtliche Formen der Observation – verfolgende, statische, führende, querende, parallele, springende.

Nach den ersten beiden Wochen traf sich Nate wieder mit ihnen in ihrer Wohnung. Sie hatten ein paar Fotos gemacht. Marcus fasste die bisherigen Ergebnisse zusammen. Knapp, präzise. Gelegentlich unterbrach Jaana ihn mit kurzen Anmerkungen. »Zunächst einmal«, sagte Marcus, »sind wir ziemlich sicher, dass sie die Überwachung bisher weder vermutet noch entdeckt hat.« Er zuckte die Achseln. »Sie ist jung, aber wir sehen da ein beträchtliches Können auf der Straße. Sie greift nicht auf die üblichen Tricks zurück, und sie bewegt sich gut, nutzt ihre Umgebung. Ich würde sagen, beim Einsatz auf der Straße liegt sie erheblich über dem Durchschnitt.

Sie kennt sich in Helsinki bereits gut aus. Wir haben nur einmal gesehen, wie sie spezielles Spionagehandwerk eingesetzt hat«, sagte Marcus mit Blick auf Jaana. »Sie wartet im Zwischengeschoss des Hotels Torni gegenüber vom Yrjönkatu-Schwimmbad und beobachtet Ihre Ankunft. Wartet einige Augenblicke, dann betritt sie das Schwimmbad.«

»Marcus ist zwar anderer Meinung als ich«, sagte Jaana, »aber ich glaube, sie ist nicht im Einsatz. Sie führt keine Agenten und unterstützt auch nicht die *Residentura* bei

Operationen. Sie hat keinen Auftrag zu erledigen.« Jaana sah zu Marcus und wartete auf seine Entgegnung.

»Natürlich hat sie einen Auftrag zu erledigen«, sagte Marcus. »Wir haben nur noch nichts davon mitbekommen. Lass etwas Zeit verstreichen.«

»Eines steht fest«, sagte Jaana und ignorierte Marcus. »Sie ist einsam. Sie geht von der Botschaft auf direktem Weg zu ihrer Wohnung. Sie kauft Lebensmittel für eine Person ein. Am Wochenende geht sie allein spazieren.«

»Haben Sie irgendwelche Hinweise darauf entdeckt, dass *sie* beschattet wird?«, fragte Nate. »Wird sie von jemandem aus der *Residentura* überwacht?«

»Wir glauben nicht«, sagte Marcus. »Wir werden aber weiter nach jedem Hinweis Ausschau halten, ob sie observiert wird.«

»Ich werde mich weiter mit ihr treffen«, sagte Nate. »Sie müssen mir helfen, einige unserer Treffen außerhalb des Schwimmbads zu observieren.«

Marcus nickte. »Wenn Sie sich öfter mit ihr treffen, wird es interessant. Vor allem, was sie unmittelbar nach Ihren Treffen so treibt. Dann laufen die immer zum Telefon oder treffen sich mit einem Botschaftsangehörigen. Informieren Sie uns über Ihre Pläne, soweit Sie das können. Wenn Sie möchten, machen wir ein paar Vorschläge, wo Sie sich mit ihr treffen können«, sagte Marcus.

»Noch eine Sache zum Schluss.« Jaana schenkte allen noch ein Glas Schnaps ein. »Mit Verlaub: Sie wirkt auf mich wie ein netter Mensch, ein liebes Mädchen. Sie braucht einen Freund.« Marcus zog die Brauen hoch und blickte erst sie und dann Nate an.

———

Nate ging mit Gable den Bericht von ARCHIE und VERO-
NICA durch. »Gut, behalt sie im Auge, vor allem, wenn sie
von jemandem aus der Botschaft unterstützt wird«, sagte
Gable. »Wenn wir mitkriegen, dass sie Rückendeckung hat,
ist sie möglicherweise im Einsatz und vielleicht sogar auf
dich angesetzt.«

»Nie im Leben«, sagte Nate. »Ausgeschlossen.«

»Freut mich, dass du da so sicher bist. Trotzdem: Rück ihr
auf den Pelz. Lass dir Zeit, aber beeil dich.«

Nate steckte sich das Ziel, sich mindestens einmal pro
Woche mit Dominika außerhalb des Schwimmbads zu verabreden. Er suchte die Stadt nach Orten ab, an denen man
sich treffen konnte, ohne gesehen zu werden. Sie trafen sich
nach der Arbeit in Bars, samstagmorgens zum Kaffee, sonn-
tags zum Mittagessen in abgelegenen Cafés. Er bot ihr den
Stuhl an, auf dem sie dann mit dem Rücken zum Raum
saß. In Helsinki wimmelte es von Russen aus der Botschaft,
und Nate wollte vermeiden, dass Dominika zufällig gesehen
wurde. *Bau eine Freundschaft auf, bleib undercover, triff allein
ein, geh später als sie. Halte dich von Telefonen fern, variiere
Verhaltensmuster, bau eine Beziehung auf.* Reine Zeitverschwendung.

Auch Dominika setzte ihr Handwerkszeug ein. Sie
schaute sich nach Beschattern um, wenn sie zu ihren Treffen
durch die Stadt ging. Dann schauten die Finnen der schönen
dunkelhaarigen Frau hinterher, die die Rolltreppe hinauf-
ging, sich in eine verschneite Nebenstraße stahl oder ein Geschäft durch den Hintereingang verließ, allerdings ohne zu
erkennen, dass sie sich nach Beschattern umsah oder von
der anderen Straßenseite verfolgte, wie Nate ihr Café betrat,
Köpfe zählte, Gesichter betrachtete, sich Hüte und Mäntel
einprägte.

Allmählich lernten sie sich kennen. Bei den vergangenen Treffen hatten sie geredet, sich richtiggehend unterhalten: eine natürliche Entwicklung, nachdem sie so viel Zeit miteinander verbracht hatten. Dominika schätzte Nate als ehrlich, natürlich, intelligent ein. Er war nicht *nekulturni*. Er war, na ja, Amerikaner. Über sein Leben in Moskau äußerte er sich ausweichend, was er natürlich auch tun musste, wobei er die Tatsache verbarg, dass er einen russischen Maulwurf geführt hatte. Seine Bemerkungen über Russland interessierten Dominika nicht sonderlich, auch wenn sie im Grunde gleicher Meinung war. *Komm schon, fang an*, ermahnte sie sich. Sie musste mehr Zeit mit ihm verbringen, sich weiter auf seine wiederkehrenden Verhaltensweisen konzentrieren. Sie musste dahinterkommen, ob er im Einsatz war.

Sie spürte den Druck. Wenn sie nicht bald einen Durchbruch erzielte und die Zentrale und Wolontow ihr auf den Pelz rückten, würde sie dann eine körperliche Beziehung in Betracht ziehen? *Nelsja!*, dachte sie. Nein, niemals. Er sah gut aus, seine Offenheit und sein Humor waren anziehend. Aber vergiss es.

Wie viele Treffen hatte es gegeben? Nate freute sich darauf, Dominika wiederzusehen, aber er bezweifelte, dass er sie zu irgendetwas überreden konnte. Sie war unbeugsam. Sich hundert Überwachungswagen in Moskau gegenüberzusehen brachte ihn nicht aus der Fassung, aber er zerbrach sich den Kopf darüber, wie er dahinterkommen sollte, was sie antrieb. Sollte Dominika eine operative Agenda haben, konnte Nate sie jedenfalls nicht erkennen. Es kam ihm beinahe so vor, als wäre sie nur in Helsinki, um Erfahrungen zu sammeln, was aber keinen Sinn ergab. Die Verbindung zum SWR war wichtig, der Aspekt, der sie zu einer lohnenden Zielperson machte. Wenn er nicht bald etwas vorweisen konnte, würde Forsyth ungeduldig werden, und Gable würde ihm in den Hintern treten.

Was besonders war: Er hätte Dominikas Gesicht stundenlang betrachten können. *Verdammt, hör dich mal an. Konzentrier dich auf die Anwerbung, auf die Beurteilung, darauf, was sie antreibt.* Unterdessen waren ihre Gespräche entspannt geworden, auch wenn sie unterschiedliche Meinungen vertraten. Sie echauffierte sich, wenn er an Russland herummäkelte, das sah man, aber er hatte auch das Gefühl, dass sie ihm manchmal widerwillig zustimmte. Sie glaubte nicht an all die Propaganda. Vielleicht war das ein Ansatzpunkt. Vielleicht auch nicht.

Er sah in den Spiegel und kämmte sich die Haare. Für diesen Sonntag hatte er vorgeschlagen, in einem kleinen Ethno-Restaurant in Pihlajisto zu Mittag zu essen, ein Einwandererviertel an der U-Bahn-Linie, die in nordöstlicher Richtung aus dem Stadtzentrum hinausführte. Dominika hatte eingewilligt, sich dort mit ihm zu treffen. Wochen zuvor hatte ARCHIE das Lokal vorgeschlagen, weil es außerhalb des Zentrums lag. »Dort treffen wir sicher keinen von unseren russischen Freunden«, sagte er. »Der eine von uns sitzt im U-Bahn-Waggon und beobachtet sie, der andere gibt Ihnen Deckung.« Nate zog eine Wachstuchjacke an, darunter trug er V-Pulli und Cordhose. Dazu feste Schuhe mit Riffelsohle. Er verließ die Wohnung und ging eine kurze Route durch die gefegten Straßen von Kruununhaka ab, dann unten am zugefrorenen Hafen entlang, schließlich ging er auf die eigentliche, lange Route.

Auf der anderen Seite der Stadt betrachtete sich Dominika ebenfalls im Spiegel. Sie hatte kein Parfüm aufgetragen, kämmte sich aber wohl zum zehnten Mal die Haare mit ihrem Schildpatt-Talisman. Gleich wollte sie die Wohnung verlassen und zur Metro gehen, vorher warf sie noch einen schrägen Blick durch die Gardinen des Vorderfensters auf die Straße. Sie freute sich auf die Verabredung, darauf, sich mit Nate zu unterhalten, die Klingen zu kreuzen, jedes Mal ein wenig mehr zu erfahren.

Sie hatte einen Rollkragenpullover und ein Tweedjackett über einer warmen Wollhose an. Auch sie trug vernünftiges Schuhwerk. Sie band sich einen Schal um, als wäre sie eine alte Babuschka, trat aus der Wohnung und schloss hinter sich ab. Ging hinunter in den Keller des Mietshauses, durch den Vorratsraum und durch den Heizungskeller. Ein schmaler Flur führte aus dem Raum zu einem mit einem Eisengitter versehenen Fenster hoch oben in der Wand, das sie einige Wochen zuvor entdeckt hatte. Anscheinend hatte es früher einmal als Kohlenschütte gedient, obwohl es längst umfunktioniert worden war. Zwei Abende zuvor hatte sie beinahe eine Stunde dafür benötigt, das mit einem Vorhängeschloss gesicherte Gitter aufzubekommen; die verdammten Dinger waren nicht leicht zu knacken, insbesondere weil sie nur einen improvisierten Dietrich, hergestellt aus einer Haarnadel, besaß. Dominika stellte zwei Kisten übereinander, zog sich hoch und schlängelte sich durchs Fenster. *Super Anfang für ein Date*, dachte sie. Behutsam schob sie das Fenster zu, trat hinaus in die Gasse und sah zu den Fenstern mit zugezogenen Gardinen hoch. Nichts. Leise ging sie die Gasse entlang, zwängte sich zwischen einen geparkten Lieferwagen und ein Müllauto, stieg über eine niedrige Ziegelmauer auf eine Hauptstraße. Sie befand sich bereits einen Häuserblock von ihrem Mietshaus entfernt. Hatte den Kragen hochgeschlagen, der Schal verbarg ihr Gesicht. Sie schlenderte einen weiteren Häuserblock entlang Richtung Westen, sah sich nach wiederkehrenden Personen um, wenn sie die Straße überquerte, schaute nach links und rechts, um auffällige Fahrzeuge zu erkennen. Sie betrat den Kamppi-Gebäudekomplex, ging durch die Einkaufspassage, blieb vor einem Buchladen stehen, schaute sich nach Gesichtern um, dann ging sie hinunter zum Eingang der U-Bahn-Station. Sie blieb auf der langsam nach unten führenden Rolltreppe stehen und blickte in die spiegelnden Modeplakate an den Wänden. Keine Silhouetten. Sie war auf halbem Weg zur Bahnsteigebene, als eine zierliche alte Dame in Regenmantel und Schlapphut oben die Rolltreppe betrat und hinter Dominika herging. Sie trug einen Strauß Blumen in grünem Einwickelpapier und ein Einkaufsnetz mit zwei Äpfeln. VERONICA hoffte, eines Tages mit dem lieben Mädchen besprechen zu können, wie vorhersehbar sie operiert hatte, als sie das Einkaufszentrum mit der U-Bahn-Station in der Nähe ihrer Wohnung für ihre Route nutzte.

Nates Ausbilder im Fach Observation vor gefühlt hundert Jahren hieß Jay, ein ehemaliger Physiker mit Van-Dyck-Bart und langem sandfarbenen Haar, der, nun ja, so ziemlich aussah wie van Dyck. »*Schlagen Sie sich das aus dem Kopf, hören Sie auf, den Helden zu spielen*«, hatte er gesagt. »*Wenn Sie einen Beschatter entdecken, ist die Nacht vorbei, dann müssen Sie abbrechen.*« Er hatte einen waagerechten Strich auf der Tafel gezogen. »*Ihre* Überwachungserkennungsroute *dient dazu, die Überwachungsleute, die Sie noch nicht gesehen haben, dazu zu zwingen, sich zu zeigen. Sie ist nicht dazu da, jemanden zu verlieren. Bei jeder Observation gibt es eine Grenze der Belastbarkeit*«, hatte er gesagt und die waagerechte Linie mit einem senkrechten Strich durchkreuzt. »*Das ist der Punkt, an dem die Bösen sich entscheiden müssen, ob sie unentdeckt bleiben oder die Zielperson aus den Augen verlieren wollen.*« Er wischte sich das Kreidepulver von den Händen. »*Wenn Sie die dazu* zwingen können, sich zu zeigen, ohne dass Sie auffliegen, dann hatten Sie Erfolg. Aber nur in dieser Nacht. Danach müssen Sie wieder ganz von vorne anfangen.«

*Auffliegen will ich bestimmt nicht*, dachte Nate. Würde er beschattet, dann müssten die sich zeigen. Er rutschte eine Böschung in der Nähe des Depots hinter dem Hauptbahnhof runter, kletterte über einen Maschendrahtzaun in eine Seitenstraße, wich dem Verkehr aus, als er die E12 überquerte. Was sie wohl tragen würde? Nate wollte nach ARCHIE Ausschau halten, aber das war reine Zeitverschwendung. Der alte Mann war wie ein Geist auf der Straße, Protoplasma, Rauch um Trockeneis. ARCHIE observierte seinerseits Nate, hielt Ausschau nach Personen, die wiederholt zu sehen waren, wobei er Zeit und Entfernung maß. Vergiss Mäntel, vergiss Hüte – ARCHIE achtete darauf, wie die Leute gingen, sich bewegten, wie sie die Schultern hielten, die Formen ihrer Ohren und Nasen. Dinge, die Beschatter nicht ändern können. Und Schuhe. Nie wechselten die ihre Schuhe.

Drei Stunden nachdem er durch halb Helsinki geklettert war und – endlich – ARCHIE entdeckt hatte, mit dem Dufflecoat in der rechten Hand (niemand folgte ihnen), war Nate schließlich davon überzeugt, nicht beschattet zu werden. Das bescheidene Esslokal gehörte einer afghanischen Familie. Nate betrat den kleinen kalkgetünchten Speiseraum, der mit Teppichen an den Wänden und farbigen Kissen auf den Stühlen eingerichtet war. Auf jedem Tisch stand eine Kerze. Auf einem Regal dudelte leise ein Röhrenradio. Das Restaurant war fast leer, nur ein Paar – junge Finnen – saß an einem Ecktisch. Aus der Küche drang ein herrlicher Duft nach Gewürzen und geschmortem Lammfleisch. Nate bekam einen Platz an einem Ecktisch zugewiesen, mit Blick zum Fenster. Nach zwei Minuten gingen ARCHIE und VE-

RONICA Arm in Arm am Fenster vorbei, wobei sie geradeaus schauten. VERONICA hob den Finger kurz an die Nase. Das Entwarnungssignal. ARCHIE fand das idiotisch, aber sie hatte darauf bestanden. Er sah sie an und verdrehte die Augen, dann verschwanden die beiden.

Kurz darauf betrat Dominika das Restaurant, sie sah Nate und ging zu seinem Tisch. Cool, selbstbewusst, gelassen. Er stand auf, aber sie legte den Mantel selbst ab, als er Anstalten machte, ihr zu helfen. Zwei Gläser Wein wurden gebracht. Nates Knie, das er sich eine Stunde zuvor an einem Zaunpfahl aufgeschlagen hatte, schmerzte immer noch. Seine linke Hand war aufgeschürft, nach dem kontrollierten Rutsch die Eisenbahnböschung hinunter. Dominika hatte sich an der Schulterpartie die Jacke eingerissen, als sie hinter dem Haus an der Ecke eines Müllwagens hängen geblieben war. Eine Wollsocke und ein Schuh waren nass. Beim Überqueren einer Straße, nachdem sie in Pihlajisto aus dem Zug gestiegen war, war sie knöcheltief in eine Schneematschpfütze getreten.

»Schön, dass Sie das Restaurant gefunden haben«, sagte Nate. »Es liegt ein wenig abseits, aber ein Freund sagte mir, das Essen sei ausgezeichnet.« Er betrachtete ihr vom Licht erhelltes Haar. »Ich hoffe, Sie fanden den Weg nicht zu weit.«

»Es war eine bequeme Fahrt, es befand sich kaum jemand im Zug.«

*Wenn du wüsstest*, dachte Nate. »Ich hoffe, Ihnen gefällt das Restaurant. Haben Sie schon einmal afghanisches Essen probiert?«

»Nein, aber in Moskau gibt es viele afghanische Restaurants. Sie sollen sehr gut sein.« Satter, voller Halo. Dominika musste an ihren Vater denken.

»Wissen Sie, ich habe mich nämlich gefragt, ob ich Sie in ein afghanisches Restaurant einladen soll, weil Sie das vielleicht für eine Provokation halten könnten«, sagte Nate lächelnd. Damit wollte er Dominika dazu bewegen, sich zu entspannen.

»Ich finde Sie gar nicht provokant. Sie sind Amerikaner, Sie können nicht anders. Allmählich verstehe ich Sie, jedenfalls ein bisschen.« Sie tauchte ein Stück warmes Fladenbrot in eine kleine Schüssel mit Kichererbsenpüree, das mit Öl beträufelt war.

»Solange Sie mir vergeben können, dass ich Amerikaner bin ...«

»Ich verzeihe Ihnen.« Sie sah ihm mitten ins Gesicht. Mona-Lisa-Lächeln. Dann biss sie noch einmal von ihrem Brot ab.

»Da bin ich aber froh.« Er stützte sich auf die Ellenbogen und betrachtete sie. »Und, wie ist es bei Ihnen – sind Sie glücklich?«

»Was für eine komische Frage.«

»Nein, nicht im Moment, ich meine, sind Sie grundsätzlich glücklich, mit Ihrem Leben?«

»Ja.«

»Es ist nur, dass Sie manchmal so ernst wirken ... fast traurig. Sicher, Ihr Vater ist vor einigen Jahren gestorben. Ich weiß, Sie hatten ihm sehr nahegestanden.« Sie hatte Nate gegenüber ihren Vater erwähnt.

Dominika wollte nicht darüber sprechen, nicht über sich. »Mein Vater war ein wunderbarer Mann, Universitätsprofessor, gütig und großzügig.«

»Was hat er über den Wandel in Russland gedacht? War er froh, als die Sowjetunion unterging?«

»Ja, natürlich, so wie wir alle, ich meine, wir haben den Wandel begrüßt. Er war ein russischer Patriot.« Sie trank noch einen Schluck Wein, wackelte mit den nassen Zehen im

Schuh. »Aber was ist mit Ihnen, Nejt?« Sie würde keinesfalls zulassen, dass er das Gespräch an sich riss. »Was ist mit Ihrem Vater? Sie haben mir gesagt, dass Sie aus einer großen Familie kommen, aber wie ist Ihr Vater? Stehen Sie einander nahe?«

Nate atmete tief durch. Sie kamen nicht voran, tauschten nur die eine Frage gegen eine andere aus.

Eine Woche zuvor hatte Nate Gable anvertraut, er habe das Gefühl, mit der Russin nicht weiterzukommen. Sie sei zu verschlossen, zu zurückhaltend, er könne einfach nicht erkennen, dass er irgendeine Delle in ihre Rüstung mache. »Was erwartest du?«, sagte Gable. »Willst du sie auf der Stelle bumsen? Sie ist jung und nervös, eine kleine russische Wahnsinnige, sie hat keinen Mentor, der so sensibel und hilfreich ist wie ich.« Nate fiel erstmals auf, dass in Gables Büro ein Laos-Kalender von 1971 hing. »Wirf ihr ein paar Knochen hin, zeig ein bisschen von dir selbst. Aber verscheißer sie nicht, schau, ob sie sich entspannt.«

»Mein Vater ist Anwalt. Er ist überaus erfolgreich, hat eine eigene Kanzlei. Er hat Einfluss in politischen und juristischen Kreisen. Er steht meinen beiden älteren Brüdern nahe, beide arbeiten bei ihm in der Kanzlei. Die Kanzlei ist seit vier Generationen im Familienbesitz.«

*Steht seinen beiden älteren Brüdern nahe*, dachte Dominika. Sie packte den Stier bei den Hörnern. »Und warum sind nicht auch Sie in die Kanzlei Ihres Vaters eingetreten? Sie könnten längst ein reicher Mann sein. Wollen nicht alle Amerikaner reich sein?«

»Woher haben Sie das denn? Ich weiß nicht, ich wollte vermutlich immer auf eigenen Beinen stehen, unabhängig sein. Die Diplomatie hat mich angesprochen, außerdem reise ich gern. Deshalb dachte ich, ich könnte erst einmal etwas anderes ausprobieren.«

»Aber Ihr Vater – war er denn nicht enttäuscht, dass Sie es Ihren Brüdern nicht gleichgetan haben?«

»Doch, ich glaube schon. Aber vielleicht wollte ich von Menschen wegkommen, die mir ständig sagen, was ich zu tun habe. Sie wissen, was ich meine.«

In Dominikas Kopf blitzten Bilder auf. Ballett, Ustinow, Spatzenschule, Onkel Wanja. »Aber genügt es, einfach nur vor der Familie davonzulaufen? Muss man denn nicht selbst etwas erreichen?« Sie würde ihn drängen, beschloss sie.

»Davonlaufen – so würde ich es nicht beschreiben«, sagte Nate, ein wenig verärgert. »Ich habe eine Karriere. Ich leiste einen Beitrag für mein Land.« Er sah Gondorfs Gesicht über dem Tisch schweben.

»Natürlich. Aber wie genau leisten Sie Ihren Beitrag?« Sie trank einen kleinen Schluck Wein.

»Auf vielerlei Weise.«

»Geben Sie mir ein Beispiel.«

*Na ja, beispielsweise führe ich den besten Spion der CIA, dringe auf höchster Ebene in Ihren ahnungslosen, gigantischen Dienst ein, um die weltweiten bösen Absichten der Russischen Föderation zu vereiteln und Ihren wölfischen Präsidenten endgültig schachmatt zu setzen.* »Ich habe mich in letzter Zeit mit einigen interessanten Wirtschaftsfragen beschäftigt, es ging da um die finnischen Holzexporte.«

»Klingt ja sehr interessant.« Dominika blinzelte ihn an. »Ich habe gedacht, Sie wollten mit mir über den Weltfrieden sprechen.« Nate sah zu ihr hoch. Die violette Hülle hinter seinem Kopf und den Schultern loderte.

»Das würde ich auch – wenn ich glaubte, dass die Russen wüssten, was Weltfrieden ist.« Er schaute sich in dem Speiseraum um. »Ich spreche hier von *Afghanistan* und alldem.«

Dominika trank noch einen Schluck Wein. »Beim nächsten Mal gehe ich mit Ihnen in ein *vietnamesisches* Restaurant, das ich kenne.« Sie saßen da und blickten einander an, keiner war bereit wegzusehen. *Was läuft hier eigentlich ab?*, dachte Nate. Sie war ihm ein bisschen unter die Haut gekrochen. Ihm fiel ein, dass VERONICA glaubte, dass sie keinen Auftrag zu erledigen habe. Bearbeitete sie ihn? Sie blickte ruhig über den Tisch.

»Ist schon in Ordnung.« Dominika hatte seine Gedanken gelesen. »Aber setzen Sie bitte nicht ständig Russland herab; wir verdienen Respekt.«

*Sehr interessant*, dachte er. »Wenn wir zurückdenken, können wir uns daran erinnern, dass das hier unser erster Streit war.«

Dominika biss in ein Stück Fladenbrot. »Wie man bei Ihnen sagt: Ich werde ihn in guter Erinnerung behalten.«

Das Essen kam. Dominika hatte einen deftigen Linsen-Lamm-Eintopf bestellt, der in einem tiefen Teller serviert wurde. Obendrauf breitete sich ein Klacks fetten Joghurts aus. Nate hatte *bowrani* bestellt, dunkel karamellisierte Stücke eines süßen Kürbisses in Fleischsauce mit Joghurt. Das Gericht schmeckte köstlich. Nate ließ Dominika davon probieren. Sie tranken ihren Wein aus und bestellten Kaffee.

»Beim nächsten Mal zahle ich«, sagte Dominika. »Wir sollten Suomenlinna besuchen, bevor es zu warm und überfüllt wird.«

»Ich überlasse Ihnen die Planung.« Sie nickte und sah ihn eindringlich an.

»Wissen Sie, Nate. Ich finde Sie ehrlich und lustig und sehr nett. Ich hätte Sie gern als Freund.« Nate wappnete sich gegen das, was jetzt möglicherweise kam. »Ich hoffe, Sie betrachten mich als eine Freundin.«

*Sie will sich mit mir anfreunden.* »Natürlich tue ich das.«

»Obwohl ich aus Russland bin.«

»Gerade weil Sie aus Russland sind.«

Im schwindenden Licht saßen sie da und schauten einander an. Jeder überlegte, wohin das alles führen würde, wie er den anderen auf seine Seite ziehen könnte. Eine Dreiviertelstunde später standen sie auf dem Bahnsteig der U-Bahn-Station. Es war dunkel, kalt, aber nicht eisig. Nate bot Dominika nicht an, sie nach Hause, zurück in die Stadt zu fahren – sie hätte das Angebot ohnehin abgelehnt. Aber er wollte es nicht riskieren, dass sie von jemandem aus ihrer Botschaft in seinem Wagen mit dem Diplomaten-Nummernschild gesehen wurde.

Der Zug sauste in den Bahnhof und fuhr langsamer. Niemand sonst stand auf dem Bahnsteig, die erleuchteten Waggons waren leer. »Vielen Dank für den schönen Nachmittag«, sagte Dominika und drehte sich ihm zu. Ihre Blicke trafen sich, sie schüttelte ihm die Hand, wie eine echte SWR-Gladiatorin. Er hatte sich vorgenommen, sie ein wenig auf die Probe zu stellen, deshalb hielt er ihre Hand, beugte sich vor und küsste sie auf die Wange. *Sehr charmant*, dachte sie, aber in ihrer kurzen Berufslaufbahn hatte sie schon mehr erlebt. Das Abfahrtssignal ertönte, mit leichtem Humpeln betrat sie den Waggon, dann wandte sie sich um und winkte. Die Türen schlossen sich.

Als der Zug beschleunigte, sah Nate eine alte Frau im Parka, die im nachfolgenden Waggon saß, mit einem Korb mit Strickzeug auf dem Schoß. Der Zug rauschte derart schnell vorbei, dass Nate fast nicht gesehen hätte, dass VERONICA den Finger an die Nase legte. Der Bahnsteig war doch leer gewesen? Wie war sie in den Zug gelangt?

Auf der Rückfahrt in die Innenstadt hätten Dominika und Nate eigentlich ihre Eindrücke katalogisieren, sich an Details erinnern und ihre Berichte vorformulieren müssen. Was aber beide nicht taten. Nate rief sich in Erinnerung, wie sich ihre Wange angefühlt hatte und wie Dominika durch die offene Tür in den Waggon gestiegen war, ganz leicht das Bein nachziehend; Dominika dachte an seine Hände, die eine rot und aufgeschürft, und wie er überrascht geblinzelt und sich dann gefreut hatte, als sie sich mit dem Hinweis auf den Vietnamkrieg revanchierte.

### KADDO BOWRANI – AFGHANISCHER KÜRBIS

Große Stücke eines geschälten süßen Kürbisses kräftig bräunen, großzügig mit Zucker bestreuen und zugedeckt bei mittlerer Hitze im Ofen backen, bis die Stücke weich und karamellisiert sind. Mit dicker Fleischsauce aus angebratenem Rinderhackfleisch, gehackten Zwiebeln, Knoblauch, Tomatensauce und Wasser servieren. Mit einer Sauce aus griechischem Joghurt, Dill und püriertem Knoblauch garnieren.

# *12*

Durch die offene Bürotür sah Forsyth Nate beim Schreiben des Berichts über das Essen mit Egorowa zu. Inzwischen forcierte Nate die Anwerbung, war aber nach wie vor skeptisch. Er kam mit der Russin nur langsam voran und hatte noch immer kein echtes Vertrauen gefasst. Er wollte unbedingt einen Erfolg vorweisen, aber mit dem Kopf gegen die Wand zu laufen forderte seinen Tribut. Es war unvermeidlich, dass der Einsatz höher wurde. Nach jedem Kontakt mit Egorowa brachte Forsyth deutlicher zum Ausdruck, dass das Hauptquartier stärker drängen, Bewertungen von außen anbieten, die Forderung nach Überprüfung der Operationen stellen würde. Falls Nate sie anheuerte, würde man auf Befragungen und einem Lügendetektortest bestehen. Die jüngste Antwort auf Nates Kontaktberichte war, wie Gable sich ausdrückte, »schon ein beschissener Vorbote der Dinge, die da noch kommen werden«.

1. Bei Erhalt dieser Depesche Berichterstattung über diesen Fall bitte auf Kanäle mit Zugangsbeschränkung begrenzen. Obengenannte Person ist als GTDIVA verschlüsselt. Bitte eine TOP-SECRET-Liste zusammenstellen und an Hauptquartier weiterleiten.

2. Das Hauptquartier lobt weiterhin ausdrücklich Station und die Umsicht des Führungsoffiziers bei seinen Anwerbungsbemühungen. Als besonders bedeutsam erachten wir DI-

VAs fortbestehende Bereitschaft, sich mit dem Agenten-
führer zu treffen (sicherlich unautorisiert) und über Persönliches zu sprechen. Bitte den Führungsoffizier weiterhin
auffordern, nach berufsbezogenen Details zu forschen und
festzustellen, in welchem Maße obengenannte Person darauf reagiert. Die Bemühungen des Führungsoffiziers um
die Eruierung von Daten haben sich bislang bezahlt gemacht. Freuen uns auf künftige Fortschritte. Hut ab!

3. Im Lichte der obengenannten Entwicklungen erbitten wir
Updates des Operationsplans der Station und erwägen
Überprüfungen künftiger Kontakte mit DIVA. Bitten um Termin für kommendes Treffen und geplante Sicherheitsmaß-
nahmen. Das Hauptquartier steht bereit, um bei möglichen
nächsten Schritten zu beraten.

Was das hieß, wusste Forsyth genau. Die letzte Zeile ließ
erahnen, dass sich das Hauptquartier einschalten würde, sobald die Anwerbung richtig in Fahrt gekommen war. Die
Geier würden kreisen, aber der Ansturm der Besucher würde erst einsetzen, sobald es wärmer in Helsinki war. Gegen
Abend rief er Nate zu sich ins Büro. »Nehmen Sie Platz, Nate.
Ihre letzten Berichte über DIVA waren wirklich erstklassig,
objektiv, mit treffenden Einschätzungen«, sagte Forsyth.

»Danke, Chef.« Insgeheim war Nate sich da nicht so sicher.
Immer mehr Leute bekamen seine Depeschen zu Gesicht,
die man sicher mit zunehmend kritischem Blick lesen würde.

»Sie sind nahe an Ihrer Zielperson dran, belassen Sie es
dabei. MARBLE geht natürlich vor, aber sorgen Sie auch dafür, dass DIVAs Botschaft von Ihren Anwerbungsversuchen
nichts mitbekommt.« Forsyth dachte kurz nach. »Dieser
Dolmetscher, den Sie da kennengelernt haben, wie heißt er
noch gleich, Tischkow, das war eine interessante Entdeckung.

Aber zwei Russen aus der gleichen Botschaft zu bearbeiten ist wahrscheinlich keine gute Idee, vor allem weil DIVA aus der Deckung kommt. Vielleicht können Sie sich Tischkow für später aufheben.«

Wenn ich Dominika nicht rekrutiere, dachte Nate, können mir alle Tischkows in Helsinki nicht helfen. Zu große Erwartungen. Und dann wies Forsyth auf eine weitere Gefahr hin. »Die Anwerbung ist jetzt ins Blickfeld des Hauptquartiers geraten. Und zwar ganz groß. Alle werden ihre Nase hineinstecken. Sobald Sie DIVA rekrutiert haben, werden alle Ego-Ärsche aus ihren Löchern kriechen.

Derzeit müssen Sie herausfinden, ob DIVA die Neigung hat, ihr System in Zweifel zu ziehen. Ist sie bereit, Ihnen zuzuhören und sich von Ihnen dazu verleiten zu lassen, die ›große Entscheidung‹ zu treffen?« Forsyth lehnte sich zurück. »Ist eigentlich gar kein schlechter Job, mit einer schönen Russin zusammenzusitzen und zu versuchen, sie davon zu überzeugen, dass sie für einen spionieren soll. Okay, ziehen Sie los und amüsieren Sie sich. Falls Sie Fragen haben – die Tür steht Ihnen jederzeit offen.«

Am Abend führte Gable ihn in ein kleines, von Griechen geführtes Bistro aus, wo Nate unbedingt das Rührei, flockig und mit Zwiebeln und Tomaten, probieren musste. Beim Essen und bei mehreren Bieren versuchte er, Nates Stimmung zu heben, was den Fall DIVA anging. »Versuch erst, sie ins Bett zu kriegen, wenn du sie angeworben hast. Sie wird sonst korrekterweise den Schluss ziehen, dass du mit ihr gevögelt hast, damit sie unterschreibt. Wirb sie erst an, dann kannst du zwei der größten Freuden im Leben auskosten: eine SWR-Agentin führen und mit feuchten Fingern im Bett frühstücken.« Gable kippte sein Bier hinunter und bestellte noch zwei.

»Mein Gott, Marty, allmählich habe ich das Gefühl, unter deiner Anleitung richtig groß zu werden«, sagte Nate und verdrehte die Augen. »Ich weiß bloß, dass ich sie dazu bringen muss, sich zu entspannen, mich zu mögen. Aber was passiert, wenn Gefühle in den Fall hineinspielen?«

Gable sah ihn verdutzt an. »Wie bitte? Dass ein Führungsoffizier sich in seine Informantin verliebt – das geht gar nicht. Es ist nicht erlaubt. Es darf nicht sein. Schlag es dir aus dem Kopf. Leg los, vögel mit ihr, wenn's sein muss – aber Liebe?«

---

Der große Hauptraum der SWR-*Residentura* in der russischen Botschaft in Helsinki war übersät mit schlichten Holzschreibtischen, die in leicht versetzt angeordneten Reihen aufgestellt waren. Auf keinem der Schreibtische stand ein PC, aber die meisten verfügten über eine elektrische Schreibmaschine mit einer schlecht lackierten, türkisfarbenen Haube. Diese JAJUBAVA-Schreibmaschinen wurden in Moskau in Lizenz speziell für den SWR und den FSB angefertigt und per Diplomatengepäck an *Residenturi* im Ausland versandt, sodass nicht daran herumgebastelt werden konnte.

Der niedrige Raum wurde von Neonröhren erhellt, die aus denselben Gründen ebenfalls in Moskau produziert wurden. Sie summten, flackerten und spiegelten sich milchweiß in den zerkratzten gläsernen Schreibtischplatten. Die kleinen Dachfenster – die *Residentura* lag im Dachgeschoss der russischen Botschaft – wurden erst durch Gitterstäbe und Rollläden aus Stahl, dann durch doppelverglaste Fenster und schließlich durch schwere graue Vorhänge gesichert, deren ausgefranste Säume über den Boden schleiften. Auf dem fadenscheinigen Teppich zwischen den Schreibtischen zeigten sich deutliche Trittspuren. In dem schäbigen Raum roch es nach abgestandenem Zigarettenrauch und kaltem schwarzen Tee in Pappbechern.

An dem einen Ende befanden sich zwei Büros. Das eine war verglast – der Aktenraum mit den Geheimdokumenten; der Angestellte saß an einem Schreibtisch im Lichtkreis einer Schwanenhalslampe. An den Wänden standen hohe Tresore, deren Schubfächer teilweise offen standen, andere waren geschlossen und mit unregelmäßig angebrachten gelben Wachssiegeln gesichert – als wären Spiegeleier dagegengeworfen worden. Der andere Raum war völlig privat, das fensterlose Büro des *Residenten* Wolontow.

Als Wolontows Stimme hinter der geschlossenen Tür ertönte, zogen ein Dutzend Offiziere der SWR-*Residentura* den Kopf ein. Es war unüberhörbar: Die frisch eingetroffene Offiziersanwärterin aus Moskau, Egorowa, wurde abgekanzelt.

»Moskau kommandiert mich herum und erwartet Berichte über Fortschritte«, schrie Wolontow und beugte sich über den Schreibtisch. »Die wollen mehr Ergebnisse im Kampf gegen die Amerikaner sehen.« Die orangefarbene Wolke um seinen Kopf war wie Rauch, wirbelnd und unstet. *Der spürt den Druck*, dachte Dominika.

»Ich *mache* Fortschritte, Oberst. Wir hatten ein Dutzend Treffen, alle davon diskret. Es gibt keinen Hinweis darauf, dass er seinen Vorgesetzten den Kontakt gemeldet hat, das ist eine bedeutsame Entwicklung.«

»Erzählen Sie mir nicht, was bedeutsam ist und was nicht. Ich habe Sie angewiesen, die Zentrale hat Sie angewiesen, jedes Ihrer Treffen mit Nash einzeln zu dokumentieren. Warum schreiben Sie keine Berichte, die ich durchlesen und nach Jassenewo schicken kann?«

»Ich *habe* mehrere Berichte entworfen. Sie selbst haben mir gesagt, dass ich einen zusammenfassenden Bericht schreiben soll. Ich kann erst dann über Kontakte Bericht erstatten, wenn es diese tatsächlich gibt.«

Wolontow knallte die Schublade seines Schreibtischs zu, der orangefarbene Qualm wirbelte im Zimmer herum. »Sie täten gut daran, respektvoll zu sein und sich Ihren Sarkasmus für andere Anlässe aufzuheben. Ich wünsche, dass Sie diesen langsamen Walzer mit dem Amerikaner schneller tanzen. Wie Sie sich sicher erinnern, ist es unser Ziel, an Informationen heranzukommen, die möglicherweise zur Enttarnung eines Verräters führen. Es ist dringend, von größter Bedeutung, dass Sie das tun.«

»Ja«, sagte Dominika, »ich verstehe durchaus, welches Ziel wir verfolgen. Ich habe schließlich das Konzept für die Operation geschrieben. Alles verläuft nach Plan.«

»Dazu gehört, zu beobachten, ob er sich auf eine Operation vorbereitet, ob er eine Reise antreten will, ob er nervös ist, durcheinander oder ängstlich.«

»Ja, Oberst, das ist mir alles bekannt. Ich bin zuversichtlich, Änderungen in seinem Zeitplan erkennen zu können.« Dominika war sich nicht sicher, ob sie das konnte; ihre Beziehung steckte anscheinend fest.

Wolontow tat so, als ob er Dominika nachdenklich betrachtete. Sein Blick huschte zu ihrem Kinn, zur Taille und zum Bereich dazwischen. »Viele der Indikatoren, nach denen wir suchen«, sagte er und lehnte sich zurück, »sind am deutlichsten zu erkennen, wenn man die Zielperson besser kennt. Meine Erfahrung sagt mir: Je intimer die Beziehung, desto intimer die Gespräche.« *Deine Erfahrung mit marokkanischen Tea-Boys*, dachte Dominika. Sie unterdrückte ihre kalte Wut und betrachtete die Warzen an seinem Hals.

»Nun gut, Oberst. Nächste Woche treffe ich mich wieder mit dem Amerikaner. Ich werde mir Ihre Worte, was Intimität betrifft, in Erinnerung rufen – und Fortschritte vermelden. Ich werde zusätzliche Treffen vorschlagen in der Hoffnung, dass wir seine Arbeitsweise aufdecken können. Findet das Ihre Zustimmung?«

»Ja, ja, das ist gut. Aber unterschätzen Sie nicht die gefühlsmäßige Abhängigkeit. Verstehen Sie?« Um seinen Kopf wirbelte orangefarbener Nebel: Anspannung, Angst.

Die Worte sprudelten nur so aus ihr hervor: »Wieso sagen Sie es nicht rundheraus?« Dominika erhob sich vom Stuhl. »Weshalb befehlen Sie mir nicht einfach, die Beine breit zu machen? Ich bin Offizierin des SWR. Ich diene meinem Land. Ich verbitte mir, dass Sie so mit mir sprechen.« Dominika zitterte vor lauter Wut und Frust. Noch bevor der böse schauende Wolontow antworten konnte, machte sie auf dem Absatz kehrt, verließ sein Büro und knallte die Tür hinter sich zu. *Wäre sie eine andere Offiziersanwärterin gewesen*, dachte Wolontow verbittert, *wäre ich ihr ins Vorzimmer gefolgt, hätte ihr mit einer Birkenrute den Rücken zerschunden und sie dann in Ketten in den Keller der Lubjanka geschickt. Aber ich will das noch einmal durchgehen lassen. Bei ihrem Stammbaum ist es sicherer so.*

Alle Blicke folgten Dominika, als sie aus Wolontows Büro stürmte und mit hochrotem Kopf zu ihrem Schreibtisch ging, der direkt unter einem der Dachfenster stand. Sie setzte sich, packte die Schreibtischkante, senkte den Kopf. *Die ist ein echter Hitzkopf*, dachten ihre Kollegen. Sie hatten Dominikas erhobene Stimme gehört. War sie eine Idiotin? Am besten, man hielt sich fern von dieser *samoubijstwo*, dieser Selbstmörderin, dachten alle. Alle bis auf eine.

———

In den darauffolgenden fünf Tagen, bevor sie sich wieder mit Nate treffen wollte, diesmal zum Abendessen, nagte das Gespräch mit dem *Residenten* Wolontow an Dominika. Nachts, in ihrer Wohnung, betrachtete sie ihr Spiegelbild im dunklen Glas des Fensters, während die Lichter von Punavuori durch die Baumkronen schienen. *Wer bist du?*, fragte sie sich müde. *Wie viel kannst du einstecken?* Wie sehr sie sich danach sehnte, diesem Monster die Augen auszukratzen, die Luft aus diesen selbstgefälligen Lügnern und Betrügern zu lassen. Tat man es öffentlich, war das reiner Selbstmord. Nein, besser war es, sich im Geheimen zu rächen, unerkennbar, irgendetwas Ergötzliches, das sie für sich behalten konnte, etwas, von dem *sie* wusste, dass *die* keine Ahnung davon hatten.

Wolontow war nur der letzte *nadsiratel* in einer Folge von schweinischen Aufpassern in ihrem Leben und ihrem Beruf, aber er war nun einmal da, hier und jetzt, und sie wollte ihm schaden, den schmuddeligen, orangefarbenen Halo um sein Warzengesicht auslöschen. Dafür musste sie ihren zunehmenden Zorn wegsperren und berechnend sein. Für Wolontow war die Operation gegen Nate entscheidend; er fürchtete, vor der Zentrale als Versager dazustehen. Sie konnte sich an ihm – an *denen* – rächen, indem sie die Operation scheitern ließ. *Wie tat man das, ohne sich selbst zu zerstören?* Später am Abend hielt sie inne, mit der Zahnbürste noch im Mund, und betrachtete sich im Spiegel. *Du könntest dem Amerikaner eine Überraschung bereiten, die Deckung fallen lassen, ihn wissen lassen, dass du vom SWR bist.*

*Izmena.* Das wäre Verrat. *Gosudarstwennaja izmena.* Hochverrat. Aber es würde Wolontows Operation ruinieren, die Amerikaner vorwarnen, Nate einen Schock versetzen. Es würde interessant sein, sein erstauntes Gesicht zu sehen, wenn er erführe, dass sie eine Nachrichtendienstlerin war.

Dafür würde er sie respektieren, beeindruckt sein. Er würde ihr Achtung entgegenbringen.

*Bist du denn irre? Hast du deine Pflichten vergessen? Die Verantwortung für die* Rodina? Aber es handelte sich hier nicht um einen Akt gegen Russland. Sondern sie rächte sich an *denen*, stieß ihre Dominosteine um, verkaufte keine Staatsgeheimnisse. Nein, es war Wahnsinn, würde Ärger bedeuten – es war unmöglich. Sie musste sich ihre Befriedigung anderswo holen. Sie kämmte ihr Haar und betrachtete den konischen Griff der Bürste, wobei sie sich vorstellte, wie er zwischen Wolontows Hinterbacken steckte. Dann schaltete sie das Licht aus und ging ins Schlafzimmer.

———

Am Ende der Woche saßen Nate und Dominika an einem Ecktisch im Ristorante Viletta in Töölö. Ein klassischer Italiener. Aus dem ersten Stock des Mietshauses, in dem er untergebracht war, ragte ein Baldachin in den italienischen Farben hervor. Drinnen vervollständigten die unvermeidlichen rot-weißen Tischtücher und Kleckerkerzen das Dekor. Es war immer noch kalt, doch der Winter neigte sich dem Ende zu, es würden noch ein paar Handbreit mehr Schnee fallen, dann aber würde der kurze Frühling dem prächtigen Sommer weichen, der Hafen voller Segelboote und Fähren sein. Dominika und Nate waren, wie üblich, getrennt eingetroffen. Unter ihrem Wintermantel trug Dominika ein schwarzes Strickkleid mit Gürtel und schwarze Woll-Leggings. Das Kleid betonte sehr vorteilhaft ihre Rundungen, als sie den Mantel über den Stuhl hängte.

Nate trug einen Anzug, aber keine Krawatte, sein blau gestreiftes Hemd stand am Hals offen. Er hatte die Botschaft vor zwei Stunden verlassen, hatte die E12 bis Ruskeasuo genommen, war Richtung Westen abgebogen und auf Landstraßen zurück nach Süden gefahren. Er war erst nach Töölö gefahren, nachdem er ARCHIE gesehen hatte, der in einer Seitenstraße parkte. Die Luft war rein.

Tags zuvor hatte sich Nate mit Gable zusammengesetzt. »Bring sie dazu, dass sie über die Arbeit redet«, hatte Gable gesagt. »Sie ist eine SWR-Mitarbeiterin, das ist ihr süßes Geheimnis.« Nate nickte. Er zerbrach sich den Kopf darüber, wie er den Durchbruch schaffen konnte. Forsyth hatte ihn zwar gelobt, und Gable ermunterte ihn ständig, dennoch wurde er allmählich nervös. Er musste über den Berg kommen, und zwar schnell.

Sie plauderten eine Weile und blickten zwischendurch in die absurd großen Speisekarten. »Sie sind so still heute Abend«, sagte Dominika und sah ihn über die Speisekarte hinweg an. *Das gleiche majestätische Violett. Er ändert sich nie.*

»Schwieriger Tag im Büro«, sagte Nate. *Bleib nonchalant.* »Ich hab mich zu einer Besprechung verspätet, in einem Bericht Zahlen vergessen, mein Chef war gar nicht glücklich darüber und hat es mir auch gesagt.«

»Ich kann gar nicht glauben, dass Sie in Ihrer Arbeit nicht exzellent sind.«

»Na ja, jetzt geht's mir schon besser.« Er bestellte bei dem in der Nähe stehenden Kellner zwei Gläser Wein. »Sie sehen hübsch aus heute Abend.«

»Finden Sie?« Er machte ihr ein Kompliment. Wie selbstbewusst er schien.

»Ja. Es ist Ihnen gelungen, dass ich meinen Chef, die Arbeit und den verflixten Tag vergessen habe.«

Seinen Chef. Was er wohl tatsächlich dachte? Wieder blickte Dominika in die Speisekarte, hatte aber Mühe, sich auf das Geschriebene zu konzentrieren.

»Damit Sie sich nicht so allein fühlen, Nate – mein Vorgesetzter schimpft auch mit mir.« Sie konnte ihren Herzschlag fast bis in die Ohren hören. Sie trank einen Schluck Wein, spürte die entspannende Wirkung des Alkohols.

»Also stecken wir beide in Schwierigkeiten. Was haben Sie denn getan?«

»Das ist nicht wichtig«, sagte Dominika. »Er ist ein unangenehmer Mensch, *nekulturni*. Und hässlich. Er hat Warzen.« *Wie viele Spionagechefs in Helsinki wohl Warzen haben?*

»Was heißt das, *nekulturni*?«

*Als ob du das nicht wüsstest*, dachte Dominika. »Er ist ein Bauer, unkultiviert.«

Nate lachte. »Wie heißt er denn? Bin ich ihm schon mal begegnet?«

In den vergangenen fünf Tagen hatte sie sich fünfmal umentschieden und letztlich beschlossen, sich von den albernen Spielchen fernzuhalten. Sie sah Nate über den Tisch hinweg an. Er knabberte an den Grissini und grinste sie an. Nein! *Izmena!* Verrat!

»Sein Name ist Wolontow, Maxim«, sagte sie und vernahm ihre Stimme wie durch das Gehör eines anderen. *Bosche moi, mein Gott*, dachte sie, ich hab's gesagt. Sie schaute Nate forschend an. Er blickte in seine Speisekarte und hielt den Kopf gesenkt. Der rundliche Schein um seinen Kopf blieb unverändert.

»Nein, ich glaube nicht, dass ich ihm schon mal begegnet bin.« *Heiliger Bimbam. Was macht sie denn da? Sie hat sich soeben geoutet.*

»Dann können Sie sich glücklich schätzen.« Dominika schaute ihn nachdenklich an. Nate blickte von der Speisekarte auf. Hatte Dominika sich versprochen, und der Name des *Residenten* war ihr nur so herausgerutscht? Ruhig erwiderte sie seinen Blick. Nein. Sie hatte den Namen mit Absicht erwähnt.

»Und wieso ist er so schlimm?«, fragte Nate.

»Er ist ekelhaft, ein alter sowjetischer Mistkerl. Jeden Tag glotzt er mich an – wie heißt noch gleich dieser schöne Ausdruck in Ihrer Sprache?« Dominika sah ihn weiter ruhig an.

»Er zieht Sie mit den Augen aus.«

»Ja.« Keine Reaktion. War ihm entgangen, was sie gerade eben gesagt hatte? Mein Gott, war sie zu weit gegangen? Aber dann, ganz plötzlich, war es ihr egal. Sie war den Hang hinabgerutscht und hütete jetzt ein tödlich gefährliches Geheimnis. *Bist du jetzt zufrieden, du* durak, *du kleine Idiotin?*

»Er scheint schrecklich zu sein … aber ich kann schon verstehen, dass er sie anstarrt.« Nate sah Dominika an und lächelte jungenhaft. *Mann, das ist wie aus heiterem Himmel gekommen. Ist das ein Signal an mich?* Er betrachtete ihre unverwandt schauenden blauen Augen. Ihre Brust hob und senkte sich unter dem Wollkleid. Ihre Fingerspitzen packten die Ränder der Speisekarte.

»Nun sind Sie *nekulturni*.« Wusste er bereits Bescheid? Beherrschte er seine Arbeit so gut, dass er seine Reaktion verbarg?

»Na ja, wie's aussieht, haben wir beide Schwierigkeiten am Arbeitsplatz. Wir könnten uns gegenseitig bemitleiden.«

»Was bedeutet dieses Wort?«, fragte Dominika. Blick aus blauen Augen.

»Sich gegenseitig an der Schulter eines anderen ausweinen«, sagte Nate. Violett, stetig und warm.

Dominika wusste nicht, ob sie lachen oder weinen sollte. *Bleib professionell.* »Das Weinen können wir uns für später aufheben. Ich habe Hunger, bestellen wir.«

———

Es war ein Montagmorgen, als die Depesche mit Zugangsbeschränkung aus dem Hauptquartier an Nate weitergeleitet
wurde; darin wurde die Station informiert, dass MARBLE auf
verdeckte Weise kommuniziert hatte, dass er in zwei Wochen
in Helsinki eintreffen werde, als Mitglied einer russischen
Handelsdelegation, die an einem zweitägigen skandinavisch-
baltischen Wirtschaftsgipfel teilnehmen werde. Zudem übermittelte MARBLE, dass er die Delegation als Tarnung für seine Reise nutzen werde. Auf diese Weise könne er unter dem
Radar der Spionageabwehr bleiben. Zudem sei er undercover, denn er führe in der Stadt eine Operation durch, um
den Leiter der kanadischen Delegation, den stellvertretenden
Handelsminister Anthony Trunk, anzusprechen, von dem der
SWR glaube, dass sein Faible für Männer Anfang zwanzig ihn
zu einem möglichen Anwerbungskandidaten machen könne.

Ein leitender kanadischer Staatsbeamter, und ein *pidor*
noch dazu. Die Amerika-Abteilung war federführend, und
MARBLE war der logische Kandidat, um nach Helsinki zu
reisen und den parfümierten Trunk zu beschnüffeln. Die
Zentrale stimmte der Reise zu. Wie MARBLE gewusst hatte,
wurde die Weisung erteilt, die *Residentura* in Helsinki sowohl
von der Konferenz als auch von der Operation auszuschließen. MARBLE hatte folglich in seiner Übermittlung per Satellit signalisiert, dass er am späten Abend mit CIA-Mitarbei-
tern zusammentreffen könne, nachdem die täglichen Sitzungen und festlichen Abendessen beendet seien. Riskant, aber
machbar.

Zwei Tage vor dem Beginn der Konferenz würde ein Russ-
land-Analyst aus dem Hauptquartier eintreffen, der dabei
helfen sollte, die aktuellen nachrichtendienstlichen Anforderungen für die Treffen vorzubereiten. An die Station wurde eine lange Liste von Nachfragen geschickt, die sich aus

MARBLEs vorhergehenden Berichten ergaben. Unten auf der Liste standen, wie immer, die vorsichtig formulierten Fragen: Haben Sie Kenntnis von irgendwelchen Maulwürfen in der US-Regierung? Wissen Sie von irgendwelchen Gefährdungen von geheimem Material der Vereinigten Staaten? Wissen Sie von irgendwelchen Geheimdienstoperationen, die sich gegen Personen oder Institutionen der Vereinigten Staaten richten? Milde, offene Fragen, die dazu dienten, die Tür zum Glutofen kurz zu öffnen und einen Blick hineinzuwerfen.

Sie gingen die Checkliste durch. Die Wiederaufstockung der Kommunikationsausrüstung war nicht möglich – MARBLE musste bei seiner Rückkehr aus Helsinki durch den Zoll. Der Kontaktplan musste auf den neuesten Stand gebracht werden. Forsyth legte Einspruch gegen die Teilnahme von zwei weiteren ranghohen Offizieren aus dem Hauptquartier an den Einsatzbesprechungen ein. Nate war MARBLEs Führungsoffizier und würde die ganze Sache leiten.

Jetzt kamen die Vorbereitungen, die nur Nate durchführen konnte: Er zog sich zurück, ging hinaus auf die Straße, verschwand von der Bildfläche. Nachts kundschaftete er die Gegend um das neoklassizistische Hotel Kämp aus, in dem der Gipfel stattfinden und die Delegierten untergebracht sein würden, dunkle Gassen, Mauerwinkel, Laderampen – potenzielle Treffpunkte. Er spazierte an Cafés, Restaurants, den Stadt- und Skulpturenmuseen vorbei und legte geeignete Orte für die konspirative Übergabe fest, die vom Kämp leicht zu Fuß zu erreichen wären.

Ganz zum Schluss, in einer Nacht, als der strömende Regen von den Karyatiden an der Fassade des Hauptbahnhofs hinunterfloss, stieg Nate eine Seitentreppe hoch und spürte, kaum dass er das Hotel GLO betreten hatte, erst eine Hand, dann das schwere Gewicht des Zimmerschlüssels in seiner Tasche. Der Mann mit hageren Gesichtszügen, ein inoffizieller Mitarbeiter aus Europa, hatte in dem Hotel unter einem Wegwerf-Decknamen ein Zimmer für eine Woche angemietet. Jeden Abend während der Konferenz würde Nate nun in dem Hotelzimmer warten, um sich mit MARBLE zu treffen, sobald dieser es einrichten konnte, auf das leise Kratzen an der Tür lauschen, warten, um mit langen Gesprächen im überheizten Raum zu beginnen, bei zugezogenen Vorhängen und laut aufgedrehtem Fernseher, bis in die frühen Morgenstunden. Als MARBLE schließlich in Helsinki aus dem Flugzeug stieg, war die Station darauf vorbereitet, so viel Zeit wie aus Sicherheitserwägungen irgend möglich mit ihm zu verbringen, ohne dass sich auf den Straßen auch nur der kleinste Hinweis auf die Präsenz von Amerikanern zeigte.

—

Es war früher Abend, nach Arbeitsschluss: Dominika stand an einem Fenster im Zwischengeschoss des Hotel Torni gegenüber vom Schwimmbad und wartete auf Nates Ankunft. Inzwischen schwammen sie mindestens drei Tage in der Woche gemeinsam, aber Nate war sechs Tage hintereinander nicht im Schwimmbad erschienen. Seltsam, dachte sie und kam sich ein wenig wie sitzen gelassen vor. Ein Woche zuvor, an einem windigen Frühlingssonntag, hatten sie sich auf einen Kaffee im Carusel-Café in Ullanlinna verabredet. Im Hafen ein Meer aus schaukelnden Masten. Fahnen klirrten gegen Aluminiummasten. Wolken zogen über den klaren blauen Himmel.

Dominika hatte einen Bus genommen, dann die U-Bahn und schließlich zwei Taxis, um zum Jachthafen zu gelangen. Sie hatte mit sich selbst gestritten, während sie die Havsstranden entlangging, sich aber schließlich doch ein wenig Parfüm hinter die Ohren getupft. Nate kam zu Fuß, überquerte die Straße, sein Gang hatte etwas Federndes. Sein violetter Halo war dunstig, blass. Er war abgelenkt, irgendetwas ging ihm durch den Kopf. Bei früheren Gelegenheiten hatten sie vier, fünf Stunden zusammen verbracht, aber nun sagte Nate nach einer Stunde, er habe eine andere Verpflichtung – unerwartete Arbeit, keine andere Verabredung, aber er müsse los. Sie waren ein kleines Stück nebeneinanderher gegangen, und als Dominika vorschlug, sie könnten am kommenden Wochenende doch mit der Fähre nach Suomenlinna übersetzen und ausgiebig die alte Festung erkunden, hatte Nate erwidert, er würde sehr gern, aber am übernächsten Wochenende passe es ihm besser.

Die Bäume entlang der Straße zeigten erste Knospen, und Nate und Dominika spürten das warme Sonnenlicht auf ihren Gesichtern. An einer ruhigen Straßenecke blieben sie stehen und sahen einander an. Dominika wollte nach Hause, Nate musste in die andere Richtung. Dominika spürte, dass er eine nervöse Energie verströmte. Er wartet darauf, dass irgendetwas passiert, dachte sie. »Tut mir leid, dass ich solch ein Langweiler bin«, sagte Nate. »Ich habe nur eben so viel zu tun. Wir fahren also in zwei Wochen zur Festung?«

»Natürlich«, sagte sie. »Ich werde im Schwimmbad nach Ihnen Ausschau halten. Für Suomenlinna können wir uns verabreden, wenn wir uns wiedersehen.« Sie wandte sich um, um die Straße zu überqueren. Was hatte sie bloß geritten, fragte sie sich selbst, Parfüm aufzutragen? Nate sah sie den Bürgersteig entlanggehen, wobei ihm ihr leichtes Humpeln auffiel. Die Waden ihrer schlanken Tänzerinnenbeine zogen sich zusammen, und sie schwang die Arme leicht hin und her.

Dann fiel ihm MARBLEs unmittelbar bevorstehende An-

kunft ein. Noch immer musste er einen Ort für das Entwarnungssignal in der Nähe des Hotels GLO finden, damit
MARBLE wusste, dass er aufs Zimmer kommen sollte. Er
machte sich auf den Weg.

### *GRIECHISCHE STRAPATSADA-EIER*

Geschälte, gehackte Tomaten, Zwiebeln, Zucker, Salz
und Pfeffer in erhitztem Olivenöl zu einer dicken Sauce
reduzieren. Geschlagene Eier zu den Tomaten hinzugeben und kräftig rühren, bis die Eier stocken. Mit
gegrilltem Landbrot, beträufelt mit Olivenöl, servieren.

# 13

Es dauerte schon zu lange. *Wo steckt er denn? Was macht er? Hat er eine andere Zielperson, eine andere Frau?* Hatte er den Kontakt abgebrochen, weil sie ihre Tarnung aufgegeben hatte? Sie ließ einen weiteren Tag verstreichen. Stand jeden Abend im Hotel Torni gegenüber vom Schwimmbad und wartete auf ihn. Sie ahnte, dass er auch heute Abend nicht kommen würde. *Darum also hat man mich hierhergeschickt.* Sie wehrte das geistige Bild von Onkel Wanja in seinem Büro ab, das talgige Gesicht Wolontows, der sie jeden Tag anstarrte. Am Morgen musste sie Bericht erstatten.

Auf dem Nachhauseweg nahm Dominika weder die Straßen noch das Licht in den Fenstern wahr. Sie dachte daran, was morgen in der *Residentura* passieren würde. Ihr Bericht über Nates wochenlanges Nichtauftauchen würde umgehend zum Vizedirektor weitergeleitet werden, streng geheim. Die Abteilung KR würde eine Dringlichkeitsanfrage an das »Reisebüro« stellen und eine Liste mit allen Russen erhalten, die nach Skandinavien reisen, sechs Monate in die Vergangenheit zurückgerechnet und sechs Monate in die Zukunft. Diplomaten, Geschäftsleute, Akademiker, Studenten, Beamte, sogar Flugpersonal. Diese Liste würde endgültig sein. Dann würden die geduldigen Wölfe im KR Namen streichen, und zwar auf Grundlage von Alter, Beruf, Lebenslauf und, was am wichtigsten war, Zugang zu Staatsgeheimnissen. Die abgespeckte Liste mit den Hauptverdächtigen konnte ein Dutzend oder hundert Namen enthalten. Es würde keine Rolle spielen. Um näher an diese Leute heranzukommen, würde der SWR sie in Moskau observieren, ihre Post öffnen, ihr Telefon abhören, ihre Wohnungen und Datschas durchsuchen, Agenten losschicken.

Die Suche dürfte sich bis nach Helsinki erstrecken, dachte sie. Möglicherweise würde die Hauptverwaltung K ein Überwachungsteam einsetzen, um Nate zwei, drei Wochen lang zu observieren. Unerwartet und unsichtbar – über das Team der Hauptverwaltung K wurde hinter vorgehaltener Hand mit großer Ehrfurcht gesprochen. Es würde von seinen Observationen berichten, dann würden die endlosen Beobachtungen beginnen, sobald die betreffende Person nach Moskau zurückgekehrt war. Es war unvermeidlich. Am Ende würde der Informant, so er tatsächlich Russe war, festgenommen, angeklagt und hingerichtet werden. Und die grauen Eminenzen hätten wieder ihren Willen bekommen.

Dominikas Schritte hallten laut durch die Nacht. Die Stadt lag still. Wer war Nates Informant? Warum verriet er Russland? War dieser Mann beziehungsweise diese Frau anständig? Käuflich? Edelmütig? Verrückt? Sie wollte seine Stimme hören, sein Gesicht betrachten. Könnte sie jemals mit seinen Motiven sympathisieren? Jemals seinen Verrat rechtfertigen? Die eigene Überschreitung ging ihr durch den Kopf. *Du hast das ziemlich mühelos vor dir gerechtfertigt, nicht wahr,* sagoworschika, *du große Verschwörerin?*

Dominika schloss die Augen und lehnte sich an die Mauer eines nachtschwarzen Gebäudes. Im Moment war sie der einzige Mensch, der vermutete – nein, wusste –, dass Nate seinen Informanten, den Maulwurf, treffen würde. Und wenn sie nichts sagte? Wenn sie *denen* das Wissen und die Macht vorenthielt, dieses Spiel gewinnen zu können? War sie so illoyal?

Sie entsann sich, wie dieses Flittchen Sonja ihren Fuß ruiniert hatte. Erinnerte sich an den grünen Angstschrei im Duschraum der Akademie. Blitzartig trat ihr das orangefarbene Deckenlicht vor Augen, als der hilflose Delon im Angesicht der Straßenschläger in ihr schrumpfte, sie erinnerte sich an den Geschmack von Ustinows Blut in ihrem Mund. Und sie sah auch Anjas blaues Milchmädchengesicht.

*Lass sie warten.* Gleichzeitig fühlte sie sich zu allem entschlossen. Die ganze Sache war wahnsinnig gefährlich, potenziell tödlich. Ihr Entschluss war brüchig, erlesen, verboten – die Macht, die sie über Wolontow und Onkel Wanja ausüben würde, wäre echt. Ihre Mutter hatte immer gesagt, sie solle ihr Temperament zügeln, aber jetzt empfand sie dieses eisige Gefühl als erregend.

Sie ging weiter. Ihre Absätze klickten auf dem Bürgersteig. Da war noch etwas anderes, eine Erkenntnis, die sie überraschte. Sie wusste genug vom Spiel der Spionage, dass Nate vernichtet, seine Reputation ausgelöscht würde, sollte er seinen Informanten verlieren. Sie ließ ihre gemeinsame Zeit in Helsinki Revue passieren. Sie würde ihm das nicht antun – denn sie dachte daran, wie sehr Nate ihrem Vater glich, wie sehr er ihr gefiel.

━━━

Am nächsten Morgen zeigte sie, mit einem mulmigen Gefühl im Magen, ihren Pass an der Eingangstür der Botschaft vor, überquerte den Innenhof und stieg die Marmorstufen zum Dachgeschoss hinauf – abgenutzt von den zahllosen Offizieren, die vor ihr gedient hatten. *Sluschba Wneschnei Raswedki*, der Auslandsnachrichtendienst. Oben an der Treppe befand sich die mächtige Tresortür mit den massiven Angeln; dann kam die Tür mit dem Ziffernschloss, dann das Gitter mit der elektronischen Tastatur. Sie legte ihre Handtasche auf den Schreibtisch, nickte einem Kollegen zu. Wolontow stand neben der Tür zu seinem Büro und winkte.

Dominika stand vor seinem Schreibtisch, unfähig, den Blick von seinen teigigen Händen abzuwenden. »Haben Sie neue Entwicklungen zu vermelden, Korporalin?«, fragte Wolontow. Ihr Herz raste, und das Dröhnen im Kopf hörte einfach nicht auf. Zeigte sich das? Wusste er irgendetwas? Sie hörte ihre Stimme im Kopf, so, als spräche ein anderer.

»Oberst, ich habe herausgefunden, dass der Amerikaner gern Museen besucht.« Ihr Tonfall klang hölzern. »Ich habe ihn eingeladen, mit mir die Kunstgalerie Kiasma zu besuchen. Ich habe vor, hinterher mit ihm zu Abend zu essen … in meiner Wohnung.« Was sagte sie denn da? Genau das, was Wolontow hören wollte. Wolontow brummelte irgendetwas, dann starrte er ihr auf die Brüste.

»Wird ja auch Zeit. Sorgen Sie dafür, dass Sie ihn so bewirten, dass er Sie wieder besuchen will«, sagte er. »Irgendetwas Außergewöhnliches ist Ihnen nicht aufgefallen?«

Drei Worte – *doch, ist mir* –, und der Apparat würde das Kommando übernehmen, ihre Mission wäre beendet. Ein einfacher Satz – *Er hat gesagt, er habe in den nächsten zwei Wochen viel zu tun* –, mehr wäre nicht erforderlich. Das Dröhnen in ihren Ohren wurde lauter, ihr Gesichtsfeld verengte sich. Dominika konnte dieses Schwein hinter seinem Schreibtisch kaum erkennen, eingehüllt in seinen schmuddeligen, orangefarbenen Dunst. Die Kehle schnürte sich zu, und verwundert stellte Dominika fest, dass ihre Beine zitterten, die Knie tatsächlich aneinanderschlugen – was ganz außergewöhnlich war. Aber sie widerstand, sich gegen seinen Schreibtisch zu lehnen, zwang sich innezuhalten. Wolontow sah weiter auf ihre Brust, von seinem Kopf stand seitlich ein Büschel pomadisierter Haare ab. In der letzten Sekunde fasste Dominika ihren Entschluss.

»Diesmal habe ich nichts zu berichten«, sagte sie mit klopfendem Herzen. Sie hatte die Grenze überschritten, hatte sich des Landesverrats schuldig gemacht. Sie würden es herausfinden, sie würden Männer mit Eispickeln losschicken, um sie zu ermorden, so wie Trotzki. Sie würden ihre Mutter in einen Verbrennungsofen schieben. Einen Moment lang sah Wolontow sie an, dann brummelte er wieder und entließ sie mit knapper Geste. Blitzartig wurde Dominika bewusst, dass er keinen Verdacht geschöpft hatte. Sie war sich ihrer sicher und spürte das Eis in ihren Adern klirren.

Dominika kehrte an ihren Schreibtisch zurück und ließ sich auf den Stuhl fallen. Ihre feuchten Hände zitterten, sie sah zu den anderen Offizieren und Sekretärinnen an den anderen Schreibtischen. Alle hielten den Kopf gesenkt, lasen, tippten oder schrieben. Außer Marta Jelenowa, die an einem Schreibtisch gegenüber von Dominikas saß. Marta hielt eine Zigarette in der Hand und schaute Dominika an. Dominika lächelte matt und sah weg.

Marta war die einzige Freundin, die Dominika in der Botschaft hatte. Sie war die Verwaltungsleiterin der *Residentura*. Sie hatten gelegentlich miteinander gesprochen, beim Abendessen für irgendeinen unbekannten Botschaftskollegen nebeneinandergesessen. An einem regnerischen Sonntagmorgen hatten sie sich zu einem Spaziergang am Hafen getroffen. Marta war elegant, aristokratisch, um die fünfzig, das dichte braune Haar trug sie schulterlang. Sie hatte dunkle, kräftige Brauen über sehr auffälligen haselnussbraunen Augen. Ihr schöner Mund neigte dazu, sich an den Winkeln zu einem ironischen Lächeln hochzuziehen, was auf eine unerschütterlich zynische Weltsicht hindeutete. Sie gehörte zu jenen Menschen mit kräftigen Farben um Kopf und Körper, ein tiefes Rubinrot der Leidenschaftlichkeit, der Wärme, so rot, wie wenn Dominika Musik hörte.

In ihrer Jugend musste Marta eine Schönheit gewesen sein. Jeden Mann im Büro, der auch nur die kleinste Bemerkung über ihre junoeske Figur machte, die um die Taille ein wenig füllig geworden war, herrschte sie derart an, dass er sofort das Weite suchte. Marta gehörte zu jenen Menschen, die sich vom *Residenten* Wolontow nicht aus der Fassung bringen ließen. Meistens entgegnete sie, dass er die Buchungsbelege, die Spesenabrechnung oder den Monatsbericht dann bekommen werde, wenn sie *damit fertig* sei. Gegen ihren olympischen Aplomb war selbst Wolontow machtlos.

═══

Dominika hatte bislang nichts über Martas Leben erfahren. Aber wenn sie es hätte, hätte sie zu ihrer Verwunderung festgestellt, dass der KGB Marta Jelenowa 1983 angeworben hatte, damit sie die Staatsschule Vier – die Spatzenschule – im Wald außerhalb von Kasan besuchte. Sie war zwanzig Jahre alt. Ihr Vater hatte im Großen Vaterländischen Krieg gekämpft, wurde dann NKWD-Wächter im Leningrader Hauptquartier, Parteimitglied, ein treuer Vasall des Staates. Martas herzzerreißende Schönheit war einem KGB-Major aus Moskau aufgefallen, der sich auf einer Inspektionsreise befand und dafür sorgte, dass der Dienst sie als seine Sonderassistentin einstellte, so wie er gehofft hatte. Martas Vater, der das Spiel kannte, aber dennoch ein besseres Leben für sie erhoffte, schwieg und schickte seine einzige Tochter nach Moskau, wo sie bei seiner Schwester wohnte und in der Hauptverwaltung Zwei (Innere Sicherheit), Abteilung Sieben (Operationen gegen Touristen), Sektion Drei (Hotels und Restaurants) arbeitete. Die Abteilung Sieben allein hatte eine Belegschaft von zweihundert Offizieren und eintausendsechshundert inoffiziellen Informanten und Agenten.

Inzwischen in Moskau, war es unvermeidlich, dass Marta einem Oberst aus der Zweiten Hauptverwaltung des KGB auffiel, der rangmäßig über dem Major stand und der sie seinem Stab zuwies. Deshalb fiel sie einem General aus der Zweiten Hauptverwaltung auf, der rangmäßig über dem Oberst stand und der sie zu seiner Adjutantin machte, auch wenn Marta keine Ahnung hatte, was zu deren Pflichten gehörte. Das stellte sie fest, als der General sie eines Nachmittags in seinem Büro aufs Sofa stieß und die Hand unter ihren Uniformrock schob. Marta versetzte ihm mit einer (typisch sowjetischen) stählernen Wasserkaraffe einen Hieb an die Schläfe. Der daraus resultierende Skandal im seltsam puritanischen KGB wurde dadurch noch größer, dass die Ehefrau des Generals die Schwester eines Stellvertretenden Mitglieds des Politbüros war. Eilig wurde Marta an die Staatsschule Vier versetzt. Sie hatte keine andere Wahl. Sie musste sich zum Spatzen ausbilden lassen.

Marta zeichnete die seltene Mischung von außerordentlicher sexueller Anziehungskraft und überlegenem Intellekt aus. Erstere diente dazu, unglückselige ausländische Diplomaten, Journalisten und Geschäftsleute anzulocken. Letzterer verlieh ein scharfes Auge dafür, wie man einflussreiche Freunde gewann. Am Ende ihrer fast einundzwanzigjährigen Karriere war Marta als *korolewa worobej* bekannt, die Spatzenkönigin. Sie war an zahllosen, von der Zweiten Hauptverwaltung inszenierten Venusfallen beteiligt, wozu unter anderem die Anwerbung eines sexbesessenen japanischen Milliardärs, eines untreuen britischen Botschafters und eines durchtriebenen indischen Verteidigungsministers gehörte. Auf dem Höhepunkt ihrer Karriere fungierte Marta als Lockvogel bei der legendären Verführung, Kompromittierung und Rekrutierung einer Dechiffrierexpertin, die in der deutschen Botschaft arbeitete und deren Bestechung es dem KGB ermöglichte, sieben Jahre lang streng geheime deutsche und NATO-Informationen ununterbrochen zu lesen. Es war das einzige Mal, dass Marta gegen eine Frau operierte, aber die Anwerbung wurde an der KGB-Hochschule noch lange als Musterbeispiel für eine klassische Venusfalle unterrichtet.

Im Laufe der Jahre gehörten zu Martas nichtoperativen Affären diskrete Liebschaften mit zwei Mitgliedern des Politbüros, einem General der Ersten Hauptverwaltung sowie diversen Söhnen einflussreicher Beamter innerhalb der Führungsriege des KGB. Viele der alten Herren mit buschigen Brauen entsannen sich ihrer voller Zuneigung. Dank dieser »Mentoren« war Marta unangreifbar. Ihre dankbaren, aber erschöpften Wohltäter gewährten ihr die Pension einer SWR-Majorin, als sie sich von den Lockvogeloperationen zurückzog. Marta beschloss, das Leben zu genießen und etwas von der Welt zu sehen, und so ersuchte sie um ihre Versetzung ins Ausland, nach Helsinki, die ihr sofort gewährt wurde.

———

Zunächst wusste Marta nicht, ob Dominika als Schreib- oder Verwaltungskraft beim SWR arbeitete. Mit Sicherheit aber war sie sehr jung für nachrichtendienstliche Einsätze. Der Nachname erklärte viel, doch der Umstand, dass Dominika keine ständigen Pflichten in der *Residentura* hatte, kam und ging, wann es ihr gefiel, deutete darauf hin, dass sie mit Sonderaufgaben nach Helsinki entsandt worden war. Dominikas Kleidung war neu, man musste ihr also eine Garderobe bereitgestellt haben. Der Büroklatsch nahm weiter zu, als man dahinterkam, dass die schöne Neue eine Wohnung außerhalb des Häuserblocks zugewiesen bekommen hatte, in dem alle anderen Botschaftsangehörigen wohnen mussten. Für Marta klang das vertraut.

In der *Residentura* verhielt sie sich korrekt, reserviert, erledigte ihre Arbeiten schnell und gut, wenngleich mit ungewöhnlicher Konzentration. Auf der Straße sah Marta, wie Dominikas Blicke von den Gesichtern der Menschen zu den Türen huschten, am Bürgersteig entlang, über die Straße, wobei sie ganz normale Bewegungen nutzte, um das ständige Sich-Umschauen zu verbergen. Wenn sie gemeinsam in einem Café saßen, blitzte hin und wieder ihre erfreuliche Intuition auf, ein Hauch Verspieltheit, ihr strahlendes Lächeln. Mit Kennerblick registrierte Marta Dominikas nahezu unbewussten Gebrauch ihrer Schönheit – Augen, Lächeln, Körper –, wenn sie mit anderen Menschen zusammentraf. Außerdem fiel Marta in ihren Unterhaltungen auf, dass Dominika nachrichtendienstliche Techniken der Gesprächsführung und der Informationsgewinnung einsetzte.

*Ziemlich interessantes Geschöpf*, dachte Marta, *und dann auch noch eine Agentin!* Schönheit, Intelligenz, Beherrschung des Spionagehandwerks und strahlend blaue Augen. Dass sie ihre Pflicht kannte, ihr Land liebte, war offensichtlich, aber da war etwas unter der Oberfläche, eine unterirdische Quelle, die ungesehen sprudelte. Stolz, Wut, Ungehorsam. Und da war noch etwas anderes, schwierig zu bestimmen, eine geheime Seite, eine Art Sucht zu rebellieren, als wollte sie das Risiko herausfordern. Wie lange es wohl dauerte, bis diese junge Frau mit dem scharfen Blick und den natürlichen Instinkten erkannte, dass die Arbeit der Zentrale *pokasucha* war, etwas, das allein um der Wirkung willen getan wurde, im Grunde bloß Show. *Resident* Wolontow war ein Extrembeispiel für dieses Arbeitsethos, jener Typus Funktionär, der den KGB und den Kreml in den vergangenen siebzig Jahren geführt hatte.

Sie begannen, nach Büroschluss die Botschaft gemeinsam zu verlassen und in einer Bar ein Glas Wein zu trinken und ein sündhaft teures Stück Kaviarkuchen zu essen, der vor Crème fraîche und Käse nur so troff. Sie sprachen über ihre Familien, Moskau, ihre Erfahrungen. Die Spatzenschule verschwieg Dominika dabei. Marta lachte und brachte sie zum Lachen, und am Ende des Abends schlenderten sie Arm in Arm die Bürgersteige entlang.

Eines Abends, in einer Bar, nachdem sie einem ekelhaften Deutschen Bescheid gegeben hatte, er solle sie in Ruhe lassen, erzählte Marta Dominika ihre Lebensgeschichte, von ihrer Karriere als Lockvogel. Sie sei stolz, ihrem Land gedient zu haben; sie denke nicht mehr an die grässlichen Jahre beim KGB. Sie schäme sich nicht im Geringsten dafür, wer sie sei oder was sie getan habe. Dominikas Lippen zitterten, dann sah sie ihre Freundin an und begann leise zu weinen. Es wurde ein langer Abend, an dessen Ende Marta alles über Dominika wusste. Der Auftrag, sich an Nate heranzumachen, Onkel Wanja, die Spatzenschule, der Franzose Delon, sogar Ustinow. Die Worte sprudelten nur so aus Dominika heraus. Dabei verschwendete sie keinen Gedanken an Nachrichtenbeschaffung, an Manipulation. Danach waren die beiden Frauen Freundinnen.

Abend um Abend, gelassen und gefasst, hörte Marta zu und dachte: *Donnerwetter, wie viel die* wlastiteli, *die Chefs, aus dem Mädchen in so kurzer Zeit herausgequetscht haben.* Aber Marta erkannte eine große Energie und noch etwas anderes in Dominika. Sie vermutete, dass Dominikas Begegnung mit dem unkomplizierten amerikanischen CIA-Offizier tiefere

Gefühle ausgelöst hatte. Das zu sagen hätte jedoch bedeutet, durchblicken zu lassen, dass Dominika nicht ordnungsgemäß operieren konnte, deshalb schwieg sie.

»Ich weiß nicht«, sagte Dominika. »Er ist arrogant. Er ist sarkastisch, er mag Russland nicht, oder zumindest hält er nicht viel von uns. Onkel Wanja hält ihn für einen verzweifelten Agenten.«

»Er scheint unangenehm zu sein«, sagte Marta. »Aber das sollte es dir erleichtern, gegen ihn zu operieren – sogar mit ihm zu schlafen –, damit du bekommst, was du willst.« Sie steckte sich eine Zigarette an und betrachtete Dominika, die sich in der Nische zurücklehnte. Mittlerweile waren sie beim dritten Glas Wein angekommen.

»Nicht so sehr unangenehm, sondern eher frustrierend. Aber nett.« Sie seufzte. »Ich soll Wolontow informieren, wenn ich glaube, dass er im Einsatz ist, abgelenkt. Die wollen ihn mit seinem Informanten erwischen.« Dominika spürte die Wirkung des Weins.

»Und du kennst ihn gut genug, das zu tun?«, fragte Marta. »Wirst du das erkennen können?«

Dominika strich sich eine Locke aus der Stirn. »Ich glaube, das habe ich schon – ich meine, ich weiß es bereits.«

»Und dann bist du gleich zu Wolontow gelaufen und hast es gemeldet.« Marta wusste bereits, was passiert war.

»Nicht ganz. Ich habe gesagt, ich würde ihn weiter beobachten.«

»Und du hast mit keinem Wort erwähnt, dass du vermutest, dass dein junger Amerikaner im operativen Einsatz ist.«

»Er ist nicht mein ›junger Amerikaner‹«, sagte Dominika mit geschlossenen Augen.

»Aber du vermutest, dass dem so ist, und Wolontow hat dich auf den Kopf zu gefragt, und da hast du nichts gesagt, stimmt's?« Marta beugte sich vor. »Mach die Augen auf, sieh mich an.«

Dominika öffnete die Augen. »Stimmt. Ich habe nichts gesagt.« Sie schloss die Augen.

Marta nippte an ihrem Wein. Ein wenig distanziert fiel ihr auf, dass Dominika nicht nur Verrat am *Staat* begangen hatte – Verrat an der *Duma* klang lächerlich –, indem sie nicht Bericht erstattet und gelogen hatte, sondern dass sie auch Marta an diesem Abend zur Landesverräterin gemacht hatte, weil sie von der Straftat erfahren hatte. Sie drückte Dominikas Hand. »Du musst aufpassen.«

Marta hatte ihr Leben dem Staat gewidmet, jahrelang seine Exzesse ignoriert und persönlich zum Sturz von Männern beigetragen, deren einzige Sünde darin bestand, sich den Freuden des Fleisches hinzugeben. Doch im Stillen hatte sie mit den Mistkerlen längst gebrochen. Sie wusste, in was für einer Lage Dominika sich befand. *Diese Bestien*, dachte sie, *sie werden dieses schöne, intelligente Mädchen auspressen und dann wegwerfen*. Und wenn ihr Tun Wladimir Putin auch nur ansatzweise hinderlich werden würde, wäre das tödlich gefährlich. Dominikas Wissen glich einem zugebundenen Sack voller Schlangen – im Moment zwar sicher, aber man werfe ihn nur nicht gegen eine Wand.

———

MARBLEs Stippvisite in Helsinki war ein Triumph in mehrfacher Hinsicht. Erstens traf MARBLE mit Handelsminister Trunk zusammen und machte erhebliche Fortschritte, wodurch er unbezweifelbar ermittelte, dass man den extravaganten Kanadier weiter im Auge behalten musste. Zweitens hatten die Treffen von Mitternacht bis zum Morgengrauen im Hotel GLO mit Nate schon acht hoch eingestufte nachrichtendienstliche Berichte über SWR-Operationen in Europa und Nordamerika produziert (samt Anmerkungen für siebenunddreißig weitere). Drittens lieferte MARBLE den Namen eines Polizeirats in der Strategischen Politik- und Planungsverwaltung der Königlich-Kanadischen Militärpolizei, der sich mit einem russischen Illegalen traf (der bei Tage als Tänzer im *Bare Fax* in Ottawa arbeitete). Und schließlich wiederholte der alte Agent aus der Erinnerung – er hatte nur wenig Zugang zu chinesischen Berichten – das Wesentliche aus drei erstklassigen SWR-Berichten aus Peking, die detailliert den Machtkampf schilderten, der sogar noch Anfang 2012, zwei Jahre nach der Entfernung von Bo Xilai, im Ständigen Ausschuss des Politbüros schwelte. MARBLEs »Quellenkommentare« in Bezug auf Präsident Putins Interesse an der Uneinigkeit innerhalb der Kommunistischen Partei Chinas – das er »in hohem Maße zwanghaft« nannte – wurden von den Analysten sehr geschätzt.

Dies waren aber nur die nachrichtendienstlichen Informationen. Der explosivste Hinweis, den MARBLE aufgeschnappt hatte, war, dass es einen Agenten gebe, der aus dem vierten Stock in Jassenewo geführt werde, einen Spion im Sold Russlands, den die SWR-Führung als so wichtig erachtete, dass sie den Fall zur »Chefsache« gemacht hatte. Für die Spionageabwehr der CIA konnte diese spezielle Vorsichtsmaßnahme nur bedeuten: ein Mega-Maulwurf. Irgendeine Regierung, irgendein Land hatte ein großes Problem, war gravierend infiltriert worden, und sie alle sahen einander an und fragten sich, ob es sich dabei um die USA handelte. Diese Information wurde aus MARBLEs Berichten herausgenommen und gesondert behandelt.

Niemand musste dem alten Spion erklären, was er zu tun habe. *Er* erklärte *ihnen*, was er tun werde. Er wusste, wie man die Strippen zog, wie man sich wie eine Spinne im Netz verhielt und auf das Zittern der Radialfäden wartete. Er wollte, wenn möglich, behutsam, vorsichtig weitere Informationen sammeln. Unterdessen wurden die Worte *SWR-Maulwurf*, *Fall für den Direktor* und *Jassenewo* auf die Whiteboards in den Büros von einem Dutzend Gegenspionageanalysten im Hauptquartier der CIA geschrieben. Sie waren gut im Warten, sie würden Monate, ja Jahre warten, bis sie weitere Stücke ins Puzzle einsetzen konnten.

Am letzten Abend erzählte MARBLE Nate, dass Anthony Trunk im kommenden halben Jahr an einer Wirtschaftskonferenz in Rom sowie an der UN-Generalversammlung in New York teilnehmen werde. Das böte zwei Gelegenheiten für MARBLE, mit einer plausiblen Tarnung Russland zu verlassen.

Im Hauptquartier war man mit den Treffen mit MARBLE und Nates Leistungen hochzufrieden. Auf MARBLEs Geheimfondskonto wurde ein Bonus eingezahlt, und Nate bekam eine Gehaltserhöhung für besondere Leistungen, die sich auf 153 Dollar pro Monat belief, nach Steuern. »Spitzenmäßig«, sagte Gable, als er von Nates Gehaltserhöhung erfuhr. »Hundertdreiundfünfzig Dollar. Aber nur, solange die deinen Beitrag nicht herunterstufen. Ist dir eigentlich klar, dass du auch einen Gutschein für sechs Autowäschen kriegst?«

—

Zum Schluss der Treffen, bevor MARBLE nach Moskau zurückkehrte, kam Nate vorsichtig auf die Sicherheit des Generals zu sprechen. Weil er und Nate in jener Nacht auf den verschneiten Straßen Moskaus fast aufgeflogen seien – es schien Ewigkeiten her zu sein –, würde in Jassenewo eine regelrechte Maulwurfsjagd stattfinden, wie MARBLE recht nonchalant einräumte. Sein alter Kamerad, der Erste Stellvertretende Direktor Egorow, sei der Überzeugung, dass ein hochrangiger Offizier im SWR für die CIA spioniere. »Mit anderen Worten ... ich«, sagte er und lachte. Nates Besorgnis zeigte sich in seiner Miene.

»Schauen Sie«, sagte MARBLE, »ich bin das Risiko gewohnt. Ich weiß, wie mein Dienst funktioniert. Ich bin mir im Klaren darüber, wie dieser *schulik*, dieser alte Gauner Egorow, denkt und handelt. Es gibt keinen Grund zur Besorgnis.« Im Stillen dachte er an die vierzehn Jahre als Agent im Dienste Langleys, an die schlaflosen Nächte, in denen er auf Schritte im Treppenhaus gelauscht hatte, an das Engegefühl in der Brust, wenn er »zu Konsultationen« nach Moskau zurückbeordert wurde. Er erinnerte sich an seine unbeschreibliche Erleichterung, wenn er das volle Konferenzzimmer sah, nachdem er zu einer Besprechung zitiert worden war. Andere vor ihm hatten einen leeren Konferenzraum betreten, während die *ubijca*, die Schläger, bereits hinter der Tür warteten.

Der alte Mann hielt seinen angespannten jungen Führungsoffizier bei Laune; sie besprachen ihre Notfallpläne für den höchsten Drahtseilakt im Rahmen einer Operation auf feindlichem Territorium: die Ausschleusung. Jemanden in die Freiheit schmuggeln. Aus Moskau, während die Gegenseite einem dicht auf den Fersen ist, mit der Familie oder der Geliebten, eingezwängt im Kofferraum eines Autos, oder indem man einfach durch die Passkontrolle geht. Nach vierzig Minuten hob MARBLE die Hand. »Nathaniel, das reicht für heute Abend, glaube ich. Ihre Gründlichkeit in allen Ehren.« Nate errötete vor Verlegenheit, dann wünschten sie einander eine gute Nacht.

———

Unterdessen war MARBLE wohlbehalten nach Hause zurückgekehrt; Nate freute sich, die Lobeshymnen des Hauptquartiers über das ergiebige Treffen mit dem Informanten zu lesen.

In einer Nachricht wurde erwähnt, dass Nates Berichterstattung »*auf den höchsten Ebenen* gut aufgenommen« worden sei, Spionagejargon für das Weiße Haus und den Nationalen Sicherheitsrat.

Forsyth klopfte ihm auf die Schulter für die gute Arbeit, und Gable gab ihm ein Bier aus. »Du erntest den ganzen Ruhm, aber niemand denkt an den Informanten«, sagte Gable. »Es liegt in deiner Verantwortung, ihn niemals zu vergessen. Hast du verstanden?«

Mit der Zeit ließ Nates Hochstimmung nach, deshalb widmete er sich wieder seinem größten Problem: Dominika. Worauf steuerte die Anwerbung zu? Was bedeutete ihr Eingeständnis, dass sie für den *Residenten* arbeitete? Wenn er nicht bald ein paar Fortschritte erzielte, würde es Beschwerden aus dem Hauptquartier hageln.

»Das Hauptquartier kann uns mal«, sagte Gable und gönnte sich noch ein Bier. »Schon dich einfach zwei Wochen, sonn dich in deiner mordsmäßig guten Leistung, dann entscheiden wir, was du als Nächstes tun kannst.«

Nate kannte Gable inzwischen gut genug. »Tatsächlich meinst du: *Steh von diesem Stuhl auf und geh auf die Straße, bevor ich dir einen Tritt verpasse und dich zur Tür hinausbefördere*, stimmt's?«

»Ja, ja, das stimmt schon«, sagte Gable. »Geh ins Schwimmbad. Finde deine SWR-Korporalin. Schenk ihr Blumen. Sag ihr, es gehe dir schlecht ohne sie, dass sie dir gefehlt habe. Führ sie zum Essen aus.«

»Um die Wahrheit zu sagen, Marty: Irgendwie fehlt sie mir

wirklich.« Nate schaute auf den Teppich. Dann wieder hoch zu Gable.

»Jesus, Maria und Josef«, sagte Gable und verließ das Zimmer.

## KAVIARTORTE

Sautierte Schalotten, Crème fraîche und geriebenen Neufchâtel-Käse vermengen und die Mischung in eine Springform gießen. Mit gehackten gekochten Eiern bestreuen. Eine dünne Schicht kleinkörnigen Kaviar (Ossietra oder Sevruga) auf die Torte streichen und kühlen. Aus der Form stürzen und Blini oder Toastecken damit bestreichen.

# 14

Marta konspirierte mit Dominika im Kleinen. Sie half ihr, Anwesenheitszeiten und ihr Arbeitstagebuch zu schönen, außerdem besprachen sie, wie Dominika am besten Kontaktberichte formulierte, die aussichtsreiche Fortschritte zeigten und gleichzeitig so nichtssagend waren, dass sie den schlafenden Bären in der Zentrale nicht weckten. Dominika meldete angenehme, aber ergebnislose Treffen mit dem Amerikaner in einem Museum, Besuche im Restaurant oder Café, wobei sie auf kaum verhüllte Weise auf seine geradezu gelangweilte Unempfänglichkeit hinwies. »Das klingt so, als wäre er grässlich«, sagte Dominika, »und ich komme auch als grässlich rüber. Wir enden noch als alte Jungfern, du und ich!«

»Meinst du?« Marta zündete sich eine Zigarette an. »Vielleicht enden wir ja wie die beiden Mädchen, die zwei Würstchen kaufen. Der Metzger hat kein Wechselgeld, also gibt er ihnen eine Extrawurst. ›Und was machen wir mit der dritten Wurst?‹, flüstert das eine Mädchen. ›Psst‹, erwidert ihre Freundin. ›Die essen wir.‹« Dominika lachte.

Wolontow hielt sich immer in ihrer Nähe auf, er spürte den Druck aus Moskau und gab ihn nach unten weiter. Die Freundschaft zwischen den beiden Frauen, dem alternden ehemaligen Spatzen und der jungen Freundin, war ihm keineswegs entgangen. Außerdem wurde Egorowa offensichtlich von Jelenowa protegiert. Jelenowas ohnehin chronischer

Mangel an Respekt und Disziplin nahm zu und wurde mit jedem Tag deutlicher.

Es war ein stürmischer Tag, die Regenschauer kamen in Wellen aus dem Süden, aus Estland. Dominika war nicht in der Botschaft, als Wolontow Marta zu sich ins Büro zitierte. Marta nahm unaufgefordert Platz, straffte die Schultern. »Sie wollten mich sprechen, Oberst?«

Wolontow sah Marta an. Sein Blick wanderte von ihren Beinen zum Gesicht. Marta schaute ihm in die Augen. »Was wünschen Sie, Oberst?«

»Mir ist Ihre enge Freundschaft mit Korporalin Egorowa aufgefallen. Sie scheinen ziemlich viel Zeit miteinander zu verbringen.«

»Was spricht dagegen, Oberst?« Sie zündete sich eine Zigarette an, hob den Kopf und blies den Rauch in Richtung Decke.

Wolontow beobachtete sie wie ein Bauernjunge. »Was haben Sie zu Egorowa gesagt?«

»Ich bin mir nicht sicher, ob ich Ihre Frage verstanden habe, Oberst. Wir gehen aus, trinken ein Glas Wein, reden über unsere Familien, Reisen, Essen.«

»Worüber unterhalten Sie sich noch? Sprechen Sie über Männer, über Freunde?« Das Licht der Neonröhren in Wolontows Büro spiegelte sich auf dem abgewetzten Revers seines bulgarischen Anzugs.

»Entschuldigen Sie die Frage, Oberst. Aber was ist der Grund für diese persönlichen Fragen?«

»*Sookin syn!*« Wolontow schlug mit der flachen Hand auf den Schreibtisch. »Ich muss Ihnen keinen Grund nennen«, brüllte er. »Was immer Sie zu Egorowa gesagt haben – ich möchte, dass das aufhört. Ihre bekanntermaßen zynische Einstellung und Ihre sarkastischen Ansichten schaden ihr. Ihre

Produktivität hat darunter gelitten. Sie gerät in Rückstand mit ihrem Arbeitsauftrag. Ihre schriftlichen Berichte sind unzureichend. Lassen Sie sie in Ruhe. Oder ich ergreife Maßnahmen.«

An das verschleimte Gebrüll sowjetischer Beamter gewöhnt, beugte sich Marta seelenruhig vor und drückte ihre Zigarette im Aschenbecher auf seinem Schreibtisch aus. Sein Blick huschte zum Spalt in ihrer Bluse. Sie legte die Hand auf die Kante seines Schreibtischs und beugte sich weiter vor, um ihm einen noch tieferen Einblick zu gönnen. »Oberst, ich muss Ihnen etwas sagen. Sie sind abstoßend. *Sie* sollten Egorowa in Ruhe lassen. Besudeln Sie sie nicht mit Ihrem ekelhaften Benehmen. Sie hat nichts Unrechtes getan.«

»Wissen Sie überhaupt, mit wem Sie sprechen?«, brüllte Wolontow. »Sie sind nichts als eine überreife Hure, *bljadischa*! Ich kann Sie heute Abend nach Hause schicken, mit Stricken gefesselt wie die Sau, die Sie sind. Dann würden Sie ein regionales Reisebüro in Magnitogorsk besetzen, wo Sie den ganzen Tag Visa überprüfen und die ganze Nacht zahnlosen Eishockeyspielern aus dem Kohlerevier einen blasen müssten.«

»Ah ja, Oberst, all die bekannten Drohungen.« Marta kannte diese Art Kröte, diese Art Feigling genau. »Aber was ist mit *dieser* Drohung? Ich wende mich an Ihre vorgesetzte Stelle und bereite Ihnen so viel Ärger in Moskau, dass *Sie* in Magnitogorsk auf den Knien sein werden. Wanja Egorow dürfte gar nicht erfreut sein, wenn er hört, dass Ihre *Residentura* eine *swalka* ist, eine Müllhalde, und dass Ihre Erfolge nicht vorhanden sind. Auch dürfte es ihn sehr interessieren, wie Sie nach seiner Nichte schielen und davon träumen, Ihr Gesicht zwischen ihre Beine zu schieben. Sie Dreckskerl. *Mudak*.«

Das war eine kolossale Insubordination. Das war Verrat.

Wolontow stand hinter seinem Schreibtisch auf und brüllte Marta an: »Packen Sie Ihre Sachen. Ich möchte, dass Sie morgen Abend hier raus sind. Es ist mir egal, wie: Zug, Schiff, Flugzeug. Wenn Sie nicht bis morgen Abend verschwunden sind ...«

»*Schopa!* Arschloch!« Marta hatte Wolontow den Rücken zugekehrt und ging zur Tür. Zitternd vor Wut riss Wolontow die Schreibtischschublade auf, kramte darin und holte eine kleine Makarow Automatik heraus, die Pistole, die er während seiner gesamten Laufbahn immer bei sich getragen hatte. Er hatte sie nie im Einsatz, nie vor Wut abgefeuert. Jetzt aber zog er mit zitternder Hand den Schlitten zurück, damit die Kugel in die Kammer glitt. An der Tür hörte Marta das Geräusch und drehte sich um. Wolontow hatte die Pistole gehoben und zielte direkt auf sie. »Ich bin nicht Dimitri Ustinow, Oberst Wolontow. Sie und Ihresgleichen können nicht alles vernichten, was Sie nicht beherrschen.« Martas Herz klopfte – ob Wolontow wohl abdrücken würde?

Ustinow? Der ermordete Oligarch? Hingeschlachtet in seinem Penthouse, eimerweise Blut, gerüchteweise eine Mafia-Vendetta? Wolontow hatte keine Ahnung, wovon dieses Aas redete, aber die alten 1950er-Röhren in seinem Kopf wurden warm. Sein wasserwanzengleicher Instinkt sagte ihm, dass etwas unter der Oberfläche lauerte, vielleicht etwas sehr Wichtiges. Er senkte die Pistole. Marta drehte den Türknauf seiner Bürotür und verließ sein Zimmer. Auf dem Flur hatten sich die Kollegen versammelt; sie hatten das Geschrei gehört.

In seinem Büro rauchte Wolontow eine Zigarette und versuchte, sich zu beruhigen. Er griff nach dem abhörsicheren Telefon und sagte zur Telefonistin: »Stellen Sie mich nach Moskau durch.« Nachdem er eine halbe Minute gewartet hatte, sprach er mit dem Ersten Stellvertretenden Direktor

Egorow. Zwei Minuten später hatte er seine Anweisungen erhalten: Ignorieren Sie, was Jelenowa Ihnen gesagt hat, wiederholen Sie es gegenüber niemandem und unternehmen Sie nichts weiter. Wolontow wollte gerade einwenden, dass diese Art von Insubordination seine Autorität untergrabe. Da sagte Egorow, er solle jetzt aufmerksam zuhören:

*»Jest' tschelowek, jest' problema. Njet tscheloweka, njet problemi.«* Wolontow schauderte. Den Satz kannte er auswendig. Einer der Sprüche des Genossen Stalin: *Ein Mensch, ein Problem, kein Mensch, kein Problem.*

———

Nate und Dominika saßen auf dem Sofa in seiner Wohnung. Die Lichter des Hafens schienen durch das Fenster, der Basston einer Schiffssirene drang aus der Dunkelheit hinter den Inseln in die Bucht. Ein Sicherheitsteam hatte Nates Wohnung überprüft, damit er Dominika zum Abendessen einladen konnte. Keiner wusste in diesem Stadium, wer operativ im Vorteil war. Keiner verstand vollständig den Einsatz des Spiels. Sie wussten nur, dass sie sich darauf gefreut hatten, einander zu sehen. Nates Wohnzimmer wurde von zwei Lampen schwach erleuchtet. Leise Musik erklang, Benny Morés Balladen.

Nate hatte für Dominika gekocht, *vitello piccata*, Kalbsmedaillons in einer Zitronen-Kapern-Sauce. An den Küchentisch gelehnt hatte Dominika zugesehen, wie er die hauchdünnen Fleischmedaillons in Öl und Butter anbriet und wieder herausnahm. Sie trat an den Herd, während er Wein und Zitronensaft in die Pfanne goss, um den Fond abzulöschen, dünne Zitronenscheiben und Kapern und dann Stücke kalter Butter hinzugab. Um sie wieder aufzuwärmen, legte er die Kalbsmedaillons in die Pfanne zurück. Sie aßen auf dem

Sofa, mit den Tellern auf den Oberschenkeln. Dominika trank ihren Wein aus und schenkte sich noch ein Glas ein.

Nach der Unterbrechung mehrere Wochen zuvor hatten sie ihre Beziehung wieder aufgenommen und seitdem viel Zeit miteinander verbracht. An einem kühlen Sonntag – sie schlenderten durch die alte Festung – hatten sie wieder gestritten.

»Du hast ein Jahr in Moskau gelebt«, sagte Dominika. »Aber du kennst die Russen nicht. Dein Denken ist schwarzweiß. Du hast nichts gelernt.«

Nate lächelte und reichte ihr seine Hand, um ihr über eine grasbewachsene Brüstung zu helfen, die zur Burgmauer gehörte. Dominika ignorierte das Hilfsangebot und stapfte allein den Hügel hinauf. »Schau mal, Nationalstolz ist in Ordnung. Du hast viel, worauf du stolz sein kannst«, sagte Nate. »Aber die Welt wird nicht von deinen Feinden bevölkert. Russland sollte sich darauf konzentrieren, dem eigenen Volk zu helfen.«

»Es geht uns sehr gut, vielen Dank.«

Nach dem Abendessen stritten sie in seiner Wohnung weiter. »Ich sage nur, dass Russland sich nicht grundsätzlich verändert hat seit der alten Zeit, dass es die großen Chancen verpasst, die sich ihm bieten. Dass die bekannten schlechten Gewohnheiten alle wieder da sind.«

»Welche schlechten Gewohnheiten?«, fragte Dominika. Sie wusch gerade einen Teller in der Spüle ab.

»Korruption, Unterdrückung, Inhaftierungen. Die sowjetischen Verhaltensweisen sind das Problem, sie ersticken die Demokratie in Russland.«

»Es scheint dir fast Freude zu bereiten, die Liste zu wiederholen. Und in Amerika gibt es so etwas nicht?«

»Sicher haben wir unsere Probleme, aber wir lassen Dissidenten nicht im Gefängnis sterben und ermorden auch nicht politische Gegner.« Dominikas Gesichtszüge veränderten sich. »Es gibt Menschen, die die Menschlichkeit wertschätzen, die glauben, dass alle Menschen Rechte haben, unabhängig davon, aus welchem Land sie stammen. Und dann gibt es Menschen, denen ihre Mitmenschen offenbar gleichgültig sind, die kein Gewissen haben, so wie manche Leute in der ehemaligen Sowjetunion, im alten KGB. Einige davon sind immer noch da.« Dominika fasste es nicht, dass sie dieses Gespräch führten. Zum einen war es beleidigend, hier zu sitzen und sich von diesem jungen Amerikaner belehren zu lassen. Andererseits wusste sie, dass vieles von dem, was Nate sagte, stimmte, aber das einzugestehen war undenkbar. »Jetzt bist du auch noch ein Experte«, sagte sie, stellte den Teller ab und nahm einen weiteren in die Hand, »für den KGB.«

»Na ja, ich kenne ein, zwei von den Leuten da«, sagte Nate.

Dominika trocknete weiter den Teller ab. »Du kennst Leute vom KGB? Unmöglich. Wer soll das sein?« *Und was machst du, wenn er's dir sagt?*, dachte sie.

»Niemand, den du kennst. Aber im Vergleich ziehe ich die Bekanntschaft mit SWR-Offizieren vor. Sie sind sehr viel netter.« Wieder dieses Grinsen, tiefviolett.

Dominika überhörte das, schaute auf ihre Armbanduhr und sagte, es sei schon spät. Eingeschnappt. Nate half ihr in den Mantel und zog ihr das Haar vom Kragen weg. Dominika spürte seine Hand an ihrem Hals. »Danke für das Abendessen, Nate.« Sie konnte ihre Wut so gerade eben im Zaum halten.

»Darf ich dich nach Hause bringen?«

»Nein, danke.« Sie ging zur Wohnungstür, drehte sich um und streckte die Hand aus, aber er stand direkt hinter ihr, legte ihr die Hand auf die Schulter und küsste sie leicht auf den Mund. »Gute Nacht«, sagte sie und trat hinaus auf den Flur. Ihre Lippen kribbelten.

## NATES KALBSPICCATA

Kalbsmedaillons hauchdünn klopfen, würzen und kurz in Butter und Öl anbraten, bis sie goldbraun sind. Herausnehmen und abdecken. Fond mit trockenem Weißwein und Zitronensaft ablöschen, einkochen. Hitze reduzieren, dünne Zitronenscheiben, Kapern und kalte Butter hinzugeben. Zu einer dicken Reduktion einköcheln (nicht wieder aufkochen). Medaillons zurück in die Sauce geben. Aufwärmen.

# *15*

Inzwischen war es nach Mitternacht. Der Helsinkier Schnee war dem Regen des heranziehenden Frühjahrs gewichen – er pladderte auf den Asphalt, tropfte von den kahlen Ästen der Bäume und prasselte gegen die Fenster. Nate wälzte sich unruhig hin und her im Bett. Zwölf Häuserblocks entfernt lag Dominika wach. Sie hörte den Regen und verspürte noch immer das Kribbeln nach Nates Gutenachtkuss auf den Lippen. Sie war froh, dass sie den Kuss erwidert hatte, und würde es immer wieder tun.

Dem Himmel sei Dank, dass es Marta gab. Nicht nur hatte die Unterstützung der Freundin ihr bei der Entscheidung geholfen, vielmehr hatten Martas ironische Kommentare über das Leben auch ihr Denken kristallisiert, besonders im Hinblick auf die Frage, ob sie ihr Geheimnis vor dem SWR verbergen sollte. Marta hielt nichts von blinder Ergebenheit. Sie hatte Dominika ermahnt, sich nicht wie eine *tricoteuse* aufzuführen, sich treu zu sein, zuallererst sich selber die Treue zu schwören und erst dann, wenn noch Raum war, Russland. Dominika wälzte sich unruhig hin und her in ihrem Bett.

Fünf Häuserblocks östlich schob Marta Jelenowa sachte die Tür zu ihrer Wohnung in dem Häuserblock auf, der für die Mitarbeiter der russischen Botschaft reserviert war. Im Flur hingen Essensgerüche nach Kochfleisch und Kohl, sie erinnerten sie an Mietskasernen in Moskau. Sie schüttelte die Regentropfen vom Mantel und hängte ihn auf den Haken neben der Tür.

Ihre Wohnung war klein, ein Zimmer mit einer Kochnische, hinter der das winzige Bad lag. Die Wohnung war von Generationen von Mitarbeitern der russischen Botschaft bewohnt worden und schäbig und abgenutzt, das Mobiliar verschrammt und wacklig. Marta geriet ins Stolpern, als sie die nassen Schuhe auszog. Sie kicherte. Sie hatte einen Schwips nach dem langen Abend, den sie allein in einer Bar verbracht hatte. Irgendwann am Abend hatte sie *pytt i panna* bestellt, ein beliebtes skandinavisches Gericht aus Rindfleisch, Zwiebeln und Kartoffeln. Sie hatte die Bar verlassen und war im Regen nach Hause gegangen. Ihr Wutausbruch, bei dem sie Wolontow beschimpft hatte, lag schon einige Zeit zurück, und die erwartete Zurückberufung nach Moskau, die Maßregelung, die Entlassung aus dem Dienst, das alles hatte nicht stattgefunden. Der *Resident* ignorierte sie ganz bewusst, aber bislang war noch nichts passiert.

Marta hatte mitbekommen, dass Dominika in den vergangenen Tagen versucht hatte, häufigere konspirative Treffen mit Nathaniel festzulegen, hauptsächlich, weil das Wolontow bei Laune halten würde, aber auch, wie Marta bemerkte, weil Dominika sich darauf freute, mit dem Amerikaner in Kontakt zu kommen. Wolontow hatte Dominika ebenfalls zu sich ins Büro zitiert, und sie war an ihren Schreibtisch zurückgekehrt und hatte Marta ein Zeichen gegeben. »Er war ganz kleinlaut, hat sich fast entschuldigt«, sagte Dominika beim Wein nach der Arbeit. »Er hat mich ermutigt weiterzumachen, zu versuchen, das Tempo zu forcieren, wenn ich kann.«

»Ich traue dieser Qualle nicht über den Weg«, sagte Marta. »Mein Rat lautet: Erzähl denen weiter, dass du sehr fleißig arbeitest, dass du zwar nur langsam vorankommst, die Entwicklungen dir aber Mut machen. Die wollen der Zentrale alle Erfolge melden, deshalb wird Wolontow gute Miene machen.« Später am Abend, auf dem Nachhauseweg, erzählte sie Dominika in beschwipstem Zustand, dass sie, wenn sie beide noch bei Verstand wären, überlaufen würden. Skandalös.

Marta ging in ihr Schlafzimmer. Schwerfällig setzte sie sich aufs Bett, zog die nassen Sachen aus und ließ sie zu Boden fallen. Sie streifte sich ein kurzes seidenes Pyjamahemd über. Es stammte aus Indien, war hellbeige, weit geschnitten und von grünen und goldfarbenen Fäden durchwirkt. Passende grüne Knotenknöpfe verliefen vom Hals bis zum Saum. Sie stellte sich vor einen Wandspiegel mit einer gesprungenen Ecke und schaute sich an. Das Hemd war das Geschenk eines Generals des russischen Militärgeheimdienstes, der an die sowjetische Botschaft in Neu-Delhi abkommandiert worden war. Er hatte Marta während der Venusfallenoperation gegen den indischen Verteidigungsminister kennengelernt. Zwei Monate lang hatten sie eine stürmische Affäre, aber dann hatte er sie beendet. Die Spatzenkönigin als Geliebte in Moskau zu haben, das sei eine Sache, sagte er, aber mit »einer wie dir« eine feste Beziehung einzugehen eine ganz andere.

*Einer wie mir*, dachte Marta und betrachtete ihr Spiegelbild. Sie öffnete das Nachthemd, betrachtete sich nackt im Spiegel. Sie war knapp über fünfzig, aber sie hatte noch eine gute Figur. Um die Taille hatte sie etwas zugelegt, ein paar Fältchen um die Augen bekommen, aber die Brüste waren noch nicht ganz gesackt; und als sie sich ein wenig drehte und den Stoff zur Seite zog, sah sie, dass ihr Po noch immer die schönen Rundungen hatte, die größtenteils dafür verantwortlich waren, dass der junge französische Geheimdienstoffizier 1984 pflichtvergessen *einen Monat voller Sonntage* in einem

Leningrader Hotelzimmer mit ihr verbracht hatte. Manchmal dachte sie an ihn, ohne besonderen Grund.

Barfuß tappte Marta in die Küche, um sich ein Glas Leitungswasser einzuschenken. Ihr Kopf würde klarer werden, wenn sie etwas trank, und sie würde besser schlafen. Als sie ins Schlafzimmer zurückkehrte, spürte sie, wie sich von hinten ein Arm um ihren Hals schlang. Sie hatte nichts gehört. Der Mann drückte ihr die Kehle zu. Um den Druck zu verringern, packte sie seinen Arm mit beiden Händen. Die Person hinter ihr schien nicht groß zu sein, fühlte sich eher schmächtig an. Der Atem an ihrem Nacken ging regelmäßig; der Mann hatte keine Angst. Er verstärkte den Griff um ihren Hals nicht übermäßig – er hielt sie einfach nur fest. Vielleicht ein Perverser, eine Vergewaltigung? Sie bereitete sich darauf vor, nach hinten zu greifen, um ihm die Hoden abzudrehen.

Erst als er sie im Polizeigriff zur Seite führte, um sie vor den Spiegel zu stellen, erkannte sie, dass sie es nicht mit einem finnischen Botenjungen mit einem feuchten Fleck vorn auf seiner Hose zu tun hatte. Sie roch Ammoniak und Schweiß. Dann drang eine Stimme an ihr Ohr, wie ein Käfer, der über Reispapier geht. Ein russisches Wort. »*Moltschat.*« Ruhe. Mit blitzartigem Entsetzen wusste sie: Es war einer von denen.

Ein Mann schaute ihr über die Schulter, in den Spiegel. Ihre Blicke trafen sich. Genauer: Marta sah das eine Auge. Das andere, eine kreideweiße Murmel in der Augenhöhle, starrte schräg. Im schummrigen Licht ihres Schlafzimmers konnte Marta den Körper des Mannes nicht erkennen, nur den körperlosen Arm und das pockennarbige Gesicht voller Narben über ihrer Schulter. Wieder vernahm sie die Stimme des Mannes.

»Guten Abend, Genossin Jelenowa. Darf ich dich Marta nennen? Oder vielleicht ›mein kleiner Spatz‹?« Martas Nachthemd stand ein wenig offen. Die Goldstickereien vibrierten, nahmen das Zittern ihres Körpers auf. Ihr Schamhügel war zwischen den Falten des leicht geöffneten Hemds sichtbar. Der Unmensch hob Marta ein wenig an, sodass sie auf den Zehenspitzen stand. »Mein kleiner Spatz«, flüsterte er. »Was hast du getan?« Dann schob er sie, immer noch auf den Zehenspitzen, einen Schritt näher an den Spiegel heran. Marta schaute in den Spiegel und sah ihre verängstigten Augen, die ihr entgegenblickten.

»Möchtest du das Bett mit mir teilen, kleiner Spatz?«, sagte der Mann. »Ich komme von weit her.« Von hinten, in einem schwarzen Handschuh, erschien eine zweite Hand, die einen fünfzig Zentimeter langen Dolch mit einem gebogenen Griff hielt und damit quer über ihren Körper strich. Mit der Spitze schnippte der Mann die eine Seite ihres Hemds weiter auf. Ihre Brust hob sich vor panischer Angst. Der Mann lächelte, legte das Kinn in ihre Halsbeuge und drückte fester zu. Martas Bild von sich im Spiegel wurde an den Rändern grau. Das Rauschen in ihren Ohren wurde lauter. Sie hörte den Teufel sagen: »*Pokasat gde raki simujut.*« Ich werde dir zeigen, wo die Krebse überwintern. Diesen Satz, sein tödliches Omen, kannte sie. Dann wurde das Rauschen lauter, und sie wurde ohnmächtig.

Marta kam schnell wieder zu Bewusstsein – es war wie ein jäher Aufstieg aus der Tiefe, wenn man zurück ans Licht kommt. Sie war nackt, lag auf dem Rücken, auf ihrem schmalen, kleinen Bett. Sie spürte den Zug von Klebeband auf ihrem Mund. Ihre Hände waren auf dem Rücken gefesselt, die Knoten an ihren Handgelenken schnitten ins Fleisch. Die vertraute Nachttischlampe mit dem ausgeblichenen pinkfarbenen Schirm tauchte den Bettüberwurf in ein weiches Licht. Ihre Beine waren an den Sprunggelenken zusammengebunden. Sie zerrte an den Knoten, aber da war kein Spielraum.

Sie hörte ein Geräusch, wandte den Kopf, da blieb ihr fast das Herz stehen. Etwas Furchterregenderes hatte sie noch nie gesehen. Der Mann trug ihr indisches Nachthemd. Er tanzte in dem kleinen Zimmer und wiegte sich dabei. Den Dolch hielt er in der Hand, gelegentlich ließ er ihn über seinem Kopf kreisen, während er seine Pirouetten vollführte. Marta begann leise zu weinen.

Sergej Matorin war in Gedanken 4500 Kilometer weit weg – auf einem Trip ins Pandschir-Tal. Er betrachtete die Schatten, die die kleine Lampe in Martas Schlafzimmer warf. Er befand sich in dem Sandsackbunker seiner Alpha-Gruppe, den sie in den Hügel geschlagen hatten, die zischende Sturmlampe warf ihr grünliches Licht in die Winkel des Unterstands. Martas gefesselter Körper verwandelte sich in den Leib der Frau des Dorfvorstehers; sie hatten sie während eines frühmorgendlichen Überfalls als Geisel genommen, als Bestrafung dafür, dass er Aufständischen Unterschlupf gewährt hatte. Der Regen in Helsinki, der gegen das Fenster prasselte, wurde zum »Wind der hundert Nächte«, der in dicken Wolken den Sand der nördlichen Wüste über den Hindukusch wehte und an der Wellblechtür des Bunkers rüttelte. »Khyber« war wieder daheim.

Irgendwann am frühen Abend war die Afghanin gestorben, zu viel Aufregung oder zu viel Umgang mit einer Reihe seiner Soldaten. Vielleicht hatte sich auch der Munitionsgürtel, der an der Sperrholzwand befestigt war, zu fest um ihre Kehle gelegt. Die Frau saß aufrecht an der Wand, das Kinn gereckt, wie aus Stolz, gehalten von der Schlinge, die toten Augen blitzten grün im Schein der Sturmlampe. Die Frau leistete Khyber Gesellschaft. Er setzte sich und bewegte sich hin und her zu den blechernen afghanischen Klängen aus einem Tapedeck, aber die Batterien waren schwach, sodass die Musik mal langsamer und dann wieder schneller erklang.

Marta warf sich hin und her, in der Hoffnung, einen Arm loszukriegen, die Beine freizubekommen, sich gegen den Mann wehren zu können. Ihre Bewegungen weckten seine Aufmerksamkeit, er stieg auf das Bettende und kroch auf Händen und Knien zentimeterweise auf sie zu. Ihr Hemd bauschte sich um seinen Körper. Er verharrte über ihr, blickte auf sie herab und legte sich auf sie. Sie verrenkte weiter die Arme, wobei ihre Halssehnen hervortraten. Matorin senkte sein Gesicht zentimeternah vor ihr Gesicht und sah ihr in die Augen, lauschte ihren schnaufenden Atemzügen. Er riss ihr das Klebeband vom Mund und kostete ihr panisches Keuchen aus. »*Bosche*«, flüsterte sie.

Sein Blick suchte ihr Gesicht ab, während seine unsichtbare Hand die Spitze des Khyber-Dolchs in flachem Winkel fast dreißig Zentimeter hinaufstieß, unter ihr Zwerchfell, mitten durchs Herz und hinauf in den Hals. Marta wölbte den Rücken, erbebte. Ihrem offenen Mund entrang sich kein Laut, ihr Körper zerrte an den Fesseln. Matorin ritt auf dem Zittern in ihrem Leib, spürte, wie Martas abgehackte Atemzüge sich beschleunigten, und schaute, schaute zu, schaute zu, wie das Licht in Martas Augen erlosch. Blutstropfen sickerten aus einem Nasenloch und einem Mundwinkel. Es dauerte drei Minuten, bis Marta starb. Sie hörte Matorin nicht flüstern: »*Bosche?* Nein, Gott hatte heute Abend schon was anderes vor.«

———

Am nächsten Morgen betrat Dominika die *Residentura* und blickte kurz hinüber zu Martas leerem Schreibtisch. *Wahrscheinlich ein langer Abend mit Aquavit,* dachte sie.

Als Marta auch im Laufe des Vormittags nicht am Arbeitsplatz erschien, steckte Wolontow den Kopf aus seinem Büro und brüllte: »Wo bleibt denn Jelenowa heute Morgen? Hat sie sich krankgemeldet?« Niemand wusste, wo sie war. »Korporalin Egorowa, rufen Sie sie in ihrer Wohnung an. Schauen Sie, ob Sie sie erreichen können.« Dominika wählte mehrmals, aber niemand hob ab. Wolontow rief den Sicherheitsoffizier zu sich und wies ihn an, in ihre Wohnung zu gehen, an die Tür zu klopfen, sich mit dem Büro-Zweitschlüssel Zutritt zu verschaffen. Eine Stunde später kam er zurück und sagte, die Wohnung sei leer, erscheine aber völlig normal: Kleidung im Schrank, Geschirr in der Spüle, Bett gemacht.

»Entwerfen Sie eine kurze Mitteilung an die Zentrale«, blaffte Wolontow den Sicherheitsmann an, der Wolontow ansah wie ein Rottweiler, der auf Handzeichen wartete. »Informieren Sie die, dass die Verwaltungsassistentin Jelenowa, Marta, nicht zur Arbeit erschienen ist, Aufenthaltsort unbekannt. Sie hat sich nicht krankgemeldet. Informieren Sie die, dass wir nach ihr suchen und wir sie bei der finnischen Polizei zur Fahndung ausschreiben lassen werden. Rufen Sie Ihren Kontaktmann bei der Polizei an. Sagen Sie, die Botschaft verlange unverzügliches Handeln und äußerste Diskretion. Abtreten.«

Wolontow rief seinen Referenten für Gegenspionage zu sich ins Büro und schloss die Tür. »Möglicherweise haben wir ein Problem«, sagte er. »Marta Jelenowa ist nicht am Arbeitsplatz erschienen.« Er blickte auf die vom SWR bereitgestellte Wanduhr über der Tür. »Das ist jetzt fast fünf Stunden her.«

Sein Mann von der Abteilung KR, dieser fantasielose Packesel, der früher bei der Hauptverwaltung Grenzschutz des KGB gearbeitet hatte, sah auf seine Uhr, als wollte er Wolontows geschätzte Zeit bestätigen. »Gehen Sie rüber zur Supo«, sagte Wolontow. »Bitten Sie um einen Termin mit Sundqvist. Erzählen Sie denen von Jelenowa, dass wir glauben, dass sie entführt worden ist. Bitten Sie die, alle Häfen, Bahnhöfe, Flughäfen zu überprüfen.«

»Entführt?«, fragte der Spionageabwehrmann. »Wer hat denn ein Interesse daran, Jelenowa zu entführen?«

»Sie Idiot – wir werden dem finnischen Geheimdienst doch nicht sagen, dass wir glauben, dass sie übergelaufen ist. Bringen Sie die nur dazu, nachzusehen. Die haben Visa-Fotos von ihr. Sagen Sie, dass äußerste Diskretion unerlässlich ist. Und halten Sie die Klappe.«

In den nächsten sechs Stunden hatte die Polizei keine Fortschritte erzielt, aber der finnische Geheimdienst hatte an der Haaparanta-Grenzstation an der schwedischen Grenze am Bottnischen Meerbusen das Foto einer Frau erfasst, die Jelenowa vage ähnelte. Die Frau trug einen Schal und eine dunkle Sonnenbrille, die ihr Gesicht größtenteils verbarg, aber Nase und Kinnpartie stimmten. Der finnische Geheimdienst sagte, die Frau sei mit einem finnischen Pass auf den Namen Rita Viren von der Einwanderungsstelle abgefertigt worden, ein Name, dem man nachgehe. Sie sei in Begleitung eines nicht identifizierten Mannes mit Sonnenbrille und Baseballkappe gewesen.

»Das ist die Bestätigung«, sagte der Spionageabwehrmann. »Das war der Amerikaner. Sie ist zur CIA übergelaufen.«

»Sie Vollidiot – wie kommen Sie denn darauf?«, sagte Wolontow.

»Sehen Sie sich doch die Kappe an, Oberst«, sagte der Spionageabwehrmann und zeigte auf die Standbilder aus dem Sicherheitsvideo des finnischen Geheimdienstes, die sie den Russen gefaxt hatten. »Da steht New York drauf.« Wolontow befahl ihm, das Zimmer zu verlassen.

Das Büro schwirrte nur so von Gerüchten. Ermordet? Entführt? Das Wort, das niemand auszusprechen wagte. Übergelaufen? Alle wussten, dass Marta und Wolontow sich vor einigen Wochen angeschrien hatten. Aber übergelaufen? Dominika war außer sich. Marta war nicht übergelaufen, und wenn doch, dann wäre sie nicht gegangen, ohne sich zu verabschieden. Sie hatte *nur Scherze darüber gemacht*, zusammen überzulaufen. Nein. Etwas Schlimmes war passiert. Plötzlich schrak sie zusammen. Wussten *die* irgendwoher, dass sie, Dominika, die Fortschritte mit Nash falsch darstellte? War Martas Verschwinden eine Warnung? Lächerlich. Es gab irgendeine einfache Erklärung. Marta war mit ihrem Yoga-Lehrer durchgebrannt, nach Lappland, eine Woche Urlaub. Irgend so etwas. Aber so richtig überzeugt war Dominika nicht.

Die Suche nach Jelenowa wurde mehrere Tage fortgesetzt – ohne Ergebnis. Wolontow war fuchsteufelswild, weil das Verschwinden einer seiner Angestellten seinen Ruf in der Zentrale besudelte – eine paradoxe Vorstellung, wenn man bedachte, dass seine dreiunddreißigjährige Laufbahn von Faulheit, Unachtsamkeit und Karrieredenken buchstäblich bekleckert war. Die russische Botschaft protestierte beim finnischen Außen- und Innenministerium wegen der Entführung einer ihrer diplomatischen Mitarbeiterinnen, deren Sicherheit, wie man den bestürzten Finnen in Erinnerung rief, in der unmittelbaren Verantwortung der finnischen Regierung liege. Ein Sonderermittler aus Moskau von der Hauptverwaltung K traf ein, um Botschaftsangehörige und den *Residenten* zu befragen wie auch um sich mit den finnischen Ermittlern zu beratschlagen. Nach vier Tagen reiste er ab, nachdem er feierlich zu dem Schluss gelangt war, dass Frau Jelenowa verschwunden war.

Dominika vermutete die Wahrheit, während sie mit dem Kopf nach unten auf dem Bett in ihrer Wohnung lag und ihre Freundin beweinte. Marta war eine echte Freundin gewesen – die große Schwester, die sie nie gehabt hatte; es war monströs, unbegreiflich, was *die* ihr angetan hatten. Aber warum? Während sie sich die Sache durch den Kopf gehen ließ, kam ihr die – jähe, schaurige – Erinnerung, dass sie Marta von Ustinow erzählt hatte. Wussten *die* davon? Hatte Marta die Geschichte jemandem gegenüber erwähnt? Konnte ein Patzer ihrerseits zum Verschwinden einer Kollegin führen, eines Offiziers des Dienstes, aus dem verschlafenen Helsinki, im 21. Jahrhundert, in dieser vernünftigen, zivilisierten Welt? Sie schloss die Augen und spürte, wie das Bett sich drehte – und plötzlich war sie wieder in Ustinows Liebesnest, auf seinem blutdurchtränkten Drehbett. Rückblickend erinnerte sie sich an Wolontows Miene, die Angst gezeigt hatte, sein orangefarbener Halo war flatterig gewesen.

Dominika stand auf, trat ans Fenster und sah in den Nachthimmel. Sie schalt sich. Ausgebildete Nachrichtendienstoffizierin. Eine richtige Agentin. Skrupellose Verführerin. Die hatten sie benutzt, benutzten sie immer noch, wie eine Schachfigur, einen kleinen Bauerntrampel. Wer auch immer es war, den Nate führte, jetzt konnte sie diesen Menschen etwas besser verstehen, den Hass honorieren, den er empfinden musste.

Mehr denn je fühlte sich Dominika in ihrem Entschluss bestätigt, über Nate nicht Bericht zu erstatten. Es war ein kalter Windhauch gewesen, der über sie hinwegfegte. Aber ihre Spielchen waren passiv, nicht wahr? Sie erblickte Martas Gesicht in der Fensterscheibe. Wie konnte sie es schaffen, dass *die* für das büßten, was sie Marta angetan hatten? Wie konnte sie *die*, Wolontow, Onkel Wanja, all die anderen, vernichten?

Tränen rannen ihr über die Wangen. Sie weinte um Marta, ihren Vater, vielleicht auch um sich selbst. Sie weinte um Russland, aber sie glaubte nicht mehr an das Land. Sie wandte sich vom Fenster ab, schloss die Augen. Etwas in ihr zerbrach. Und da wischte sie, mit zusammengebissenen Zähnen und geballten Fäusten, eine kleine Keramikblumenvase von einem Beistelltisch; Marta hatte sie auf einem Sonntagsmarkt für sie gekauft.

In der *Residentura* wartete Wolontow angstvoll auf einen offiziellen Verweis in irgendeiner Form. Stattdessen bekam er einen freundlichen Anruf, auf dem abhörsicheren Cheftelefon, von Wanja Egorow, der ihm mitfühlend mitteilte, der Dienst an vorderster Front sei ja nie ganz ohne Risiko. Es habe in der Vergangenheit Überläufer gegeben, es werde Überläufer auch in Zukunft geben. Wir verachten sie, sagte er, und wir müssen wachsam sein, aber es ist nicht möglich, sie alle davon abzubringen. Egorow bat Wolontow, sich darauf zu konzentrieren, für einen sicheren Geschäftsbetrieb zu sorgen und dabei besonderes Augenmerk auf das »Sonderprojekt« mit seiner Nichte und dem Amerikaner zu legen. »Selbstverständlich, General«, sagte Wolontow erleichtert, »ich glaube, wir machen an dieser Front gute Fortschritte.«

*Tschusch' sobatsch'ja.* Schwachsinn, dachte Egorow und beendete das Telefonat. Wanja wusste, dass seine Nichte zumindest einen Teil der Ustinow-Geschichte dieser Jelenowa gegenüber erwähnt hatte, ein schweres Vergehen, aber eines, das er momentan durchgehen lassen musste. Im Grunde war es sogar ein glücklicher Zufall, dass Jelenowa anschließend vor diesem Wolontow auf die Palme gegangen war, der aber zum Glück die Geistesgegenwart besessen hatte, ihn anzurufen. Es war ein Leichtes gewesen, Matorin zu entsenden, dann eine vergleichsweise einfache *konspiratsia* anzuzetteln, die Ermittler zum Schein loszuschicken, all die offenstehenden Probleme zu lösen. O Gott, wenn der Präsident von dieser Verfehlung Wind bekommen hatte – Egorow wollte gar nicht daran denken.

An der finnisch-russischen Grenze, drei Kilometer westlich von Wjartsilja, Russland, in einem unbewohnten Landstrich mit dichten Kiefernwäldern und sanft gewellten Hügeln, hatten die Sowjets nach dem Zweiten Weltkrieg eine Infiltrationsroute vorbei an den Wachttürmen, dem Grenzzaun und dem gepflügten Todesstreifen angelegt. Auf der finnischen Seite der Grenze wurde dabei stets nur leicht patrouilliert. Jahrzehntelang wurden von Zeit zu Zeit befugte KGB-Grenzwächter in die Gegend abkommandiert, damit Agenten die Grenzanlagen unbehelligt passieren konnten. Je mehr sich die Techniken veränderten, desto mehr blieben sie sich gleich: 1953 wurde die Route durch die Minenfelder mit Holzpfosten angezeigt – in den Schnee getrieben, mit daran befestigten Stoffstreifen. Seit 2010 wurde die korrekte Route durch das Feld von Kunststoffpylonen markiert – ausgestattet mit Infrarotlichtern, die nur mit Nachtsichtgeräten zu erkennen waren.

Eine Woche zuvor war Matorin auf dieser Route nach Finnland eingeschleust worden. Dort wurde er von einem Illegalen der Hauptverwaltung S auf der Landstraße Nr. 70 abgeholt, auf der Überlandstraße 6 vierhundert Kilometer nach Süden und schließlich auf der Autobahn E75 in die Stadt gefahren. Der SpezNas-Killer hatte sich auf direktem Weg in Jelenowas Wohnung begeben, sie um Mitternacht getötet und ihren Leichnam in einen Militärleichensack aus

Kautschuk gelegt. Er hatte die Wohnung desinfiziert, dann dem Illegalen das Signal gegeben, der in den frühen Morgenstunden Matorin und Martas Leichnam nach Norden zum Schlupfloch bei Wjartsilja zurückfuhr. Anschließend kehrte der Illegale nach Helsinki zurück. Am folgenden Morgen verließen der Illegale und seine leicht verkleidete Ehefrau mit echten finnischen Dokumenten bei Haaparanta das Land, angeblich, um einen Urlaub in Schweden anzutreten. Sie würden nie mehr nach Finnland zurückkehren und damit die Ermittlungen in Bezug auf den Verbleib von Marta Jelenowa verkomplizieren. Die ganze Operation hatte etwas weniger als vierzig Stunden gedauert.

Sonnenlicht stieg durch die Kiefernwälder von Wjartsilja auf und warf lange, zarte Schatten, die die schneebedeckten Hügel hinaufkrochen. Im Turm B30 standen Wachposten des Grenzschutzes der Russischen Föderation und beobachteten durch Feldstecher die Baumlinie. Die Sonne stieg hinter dem Turm auf, über die Kronen der Kiefern, und tauchte die ganze Landschaft in ein goldenes Licht. »Wot«, sagte einer der Männer. Eine schmale Gestalt trat zwischen den Bäumen hervor. Sie trug einen weißen Schneeanzug samt Haube und Schneeschuhen. Die Wachposten schauten zu, wie der Mann sich stetig durch die Schneewehen bewegte, wobei er lange Schatten warf. Er zog einen kleinen Ausrüstungsschlitten an einem Seil hinter sich her. Auf dem Schlitten lag eine längliche Gestalt, umhüllt von weißem Nylonstoff. Marta Jelenowa war in die *Rodina* zurückgekehrt.

In schäumender Butter Rindfleischstücke, Kartoffeln und klein geschnittene Zwiebeln getrennt und scharf anbraten, bis sie knusprig sind. Die Zutaten in der Bratpfanne mit zusätzlicher Butter binden, würzen und wieder erhitzen. Eine kleine Vertiefung in der Mischung formen und ein rohes Ei hineinschlagen. Das Ei mit der Masse vermengen, dann servieren.

# 16

Nate saß mit Gable im India Prankkari in Kallio, im rückwärtigen Bereich, und sah aus dem Fenster. Das Restaurant war fast leer. Gable hatte darauf bestanden, *Rogan Josh* zu bestellen, einen duftenden, scharfen, ölig-zinnoberroten Lammeintopf. Sie aßen ihn mit *Naan*, einer scharfen Würzsauce aus Tomaten und Ingwer, dazu gab's reichlich Bier. Gable verglich seinen ersten Löffel mit dem nepalischen *Rogan Josh*, das er vor Ewigkeiten an einem Lagerfeuer in Dhahran gegessen hatte, als er am Flugplatz neben der Pilatus wartete, die die vier Tibeter nach China eingeschleust hatte.

»Die Skandinavier können einfach keine indischen Speisen zubereiten«, sagte er kauend. »Bei denen gibt's immer nur Rentier, Blaubeeren mit Sahne und gekochte Kartoffeln. Wenn der Koch zu Petersilie greift, kriegen die einen Schlaganfall.« Wie üblich verschwand das Essen mit ungeheurer Geschwindigkeit in Gables Mund.

»Vier kleine Burschen, Sherpas, zäh wie Leder, wir haben die einen Monat lang trainiert, die sollten kurz rein- und rausgehen, ein Relais in die Telefonhauptleitung einbauen, die entlang der Grenze verlief, buchstäblich im Schatten des Everest und des Kangchendzönga. Der Arsch der Welt. Die sind über die Berge reingeflogen und sollten zu Fuß wieder raus … sind aber nie zurückgekommen. Wahrscheinlich hat eine Grenzpatrouille der Chinesen sie erwischt.« Eine Minute lang schwieg er, dann bestellte er Würzsauce nach, und sie unterhielten sich über das Projekt DIVA, wie man es anschieben könnte. Nate wurde einfach nicht schlau aus Dominika, kam nicht über den Berg mit ihr. Sie mauerte, er vergeudete kostbare Zeit. Gable hörte auf zu kauen und sah ihn ausdruckslos an, als Nate ihm gestand, dass sie ihm gefiel.

»Sie ist bereit mitzumachen, wir diskutieren über dieses und jenes, aber es geht nicht voran«, sagte Nate.

»Schon mal daran gedacht, dass *sie* dich bearbeitet, und nicht umgekehrt?«, sagte Gable mit vollem Mund.

»Kann schon sein. Aber ich erkenne nicht, dass sie einen Hebel ansetzt. Sie lockt mich nicht mit irgendeinem Karrierescheiß, nicht mit Geld, mit nichts.«

»Ja, aber was würdest du tun, wenn sie mit nichts unter ihrem Regenmantel auftauchen würde? Ich denke mal, damit könnte sie dich angeln.«

Nate sah Gable genervt an. »So ein Annäherungsversuch würde nicht zu ihr passen. Ist nur so ein Bauchgefühl.«

»Schön wär's. Na ja, klingt jedenfalls so, als würdet ihr feststecken. Ich schlage vor, du lässt dir was einfallen, wie du das Projekt flottmachen kannst. Rüttel sie wach, bring sie durcheinander, bring sie aus dem Gleichgewicht.« Er trank sein Bier aus und rief nach zwei weiteren.

»Die übliche Anwerbenummer wird bei ihr nicht klappen, Marty. Ich habe versucht, sie dazu zu bringen, mehr über Russland zu reden, über die Probleme, aber ich habe sie nicht gedrängt, sondern ihr nur Stichworte geliefert. Da ist etwas in ihrem Blick, aber sie zögert noch.«

»Dann musst du nach einem anderen Anreiz suchen: das gute Leben im Westen, Luxusgüter, dickes Bankkonto.«

»Falsche Richtung, so ist sie nicht. Sie ist idealistisch, eine Nationalistin, aber kein tumber Sowjet. Sie ist mit Ballett, Musik, Büchern, Sprachen aufgewachsen.«

»Redet ihr über den Kreml? Den ganzen Schwachsinn, der hinter dessen Mauern abläuft?«

»Na klar. Aber sie ist zu patriotisch. Sie betrachtet das alles aus dem Blickwinkel der *Rodina*.«

»Was ist das denn?«

»Der nationale Mythos – das Vaterland, die Heimat, die Lieder, Nazis über die Steppen jagen.«

»Ach ja, ein paar von den Mädels in der Roten Armee waren echt heiß.« Gable sah zur Decke hoch. »Diese Tuniken und Stiefel, die sahen aus …«

»Sieht so dein Coaching aus? Reden wir hier über DIVA?«

»Na ja, du musst etwas finden, das sie aus ihrer Verteidigungsstellung herausholt.« Gable lehnte sich im Stuhl zurück, schaukelte ein wenig, verschränkte die Hände hinterm Kopf. »Unterschätz nicht, was sie für dich empfindet. Vielleicht will sie dir bei deiner Karriere helfen, als Geschenk. Für sie wird sich das nicht wie Verrat anfühlen. Vielleicht braucht sie auch den Kitzel der Erregung. Manche Agenten sind Adrenalin-Junkies.«

———

Am Abend klingelte es an Nates Tür. Dominika stand vor der Tür, sie wirkte erschöpft, ihre Augen waren gerötet. Sie weinte nicht, doch ihre Lippen bebten, und sie legte die Hand auf den Mund, als wollte sie einen Schluchzer unterdrücken. Schnell suchte Nate den Flur ab und zog sie in die Wohnung. Dominika fühlte sich bleischwer an, wehrte sich aber nicht. Er nahm ihr den Mantel ab. Sie trug ein weißes Stretch-Top und eine Jeans. Er setzte sie sanft aufs Sofa. Sie blieb am Rand sitzen und blickte auf ihre Hände. Nate wusste weder, was nicht stimmte, noch, was er tun sollte.

*Du musst sie beruhigen. Was es auch ist, sie ist völlig durch-*

*einander, verletzlich.* Ein Glas Wein, Scotch, Wodka? Mit klappernden Zähnen am Glas nahm sie einen Schluck.

»Ich weiß, du kannst Russisch«, sagte Dominika plötzlich auf Russisch mit ausdrucksloser, erschöpfter Stimme. Noch immer hielt sie den Kopf gesenkt, ihre Haare hingen schlaff am Gesicht herab. »Du bist der Einzige, mit dem ich reden kann, ein Typ von der CIA, das ist doch verrückt, oder?«

*Ein Typ von der CIA?*, dachte Nate. *Was geht hier ab?* Er saß still da. Dominika trank noch einen Schluck.

Dann redete sie, langsam, mit leiser Stimme. Sie berichtete ihm von Marta, von ihrem Verschwinden. Als Nate nach den Gründen fragte, erzählte Dominika ihm von der Geschichte mit Ustinow. Als Nate nach dem Wie fragte, berichtete sie ihm von ihrer Ausbildung. *Diese Gerüchte über die Staatsschule Vier*, dachte er. *Grundgütiger.*

Plötzlich sah sie zu ihm hoch; sie versuchte herauszufinden, wie er darauf reagierte, dass sie die Spatzenschule besucht hatte. Da war kein Mitleid, keine Verachtung, ihre Blicke trafen sich. Er wirkte wie immer. Die purpurne Hülle um seinen Kopf pulsierte. Sie wollte ihm unbedingt vertrauen. Er schenkte ihr noch ein Glas ein. »Was brauchst du?«, fragte er auf Englisch. »Ich möchte dir helfen.«

Sie überhörte die Frage, schaltete auf Englisch um. »Ich weiß, dass du kein amerikanischer Diplomat bist. Und dass du CIA-Offizier bist. Und du weißt sehr gut, dass ich in der *Residentura* in meiner Botschaft als Offizier für unsere Staatssicherheit arbeite. Wenigstens hätte dir das aufgehen müssen, als ich dir erzählt habe, dass Wolontow mein Chef ist. Vermutlich weißt du auch, dass Wanja Egorow, der Erste Stellvertretende Direktor des SWR, mein Onkel ist.« Nate blieb ganz ruhig sitzen.

»In Moskau, nach der Ausbildung an der Akademie, habe

ich in der Fünften Hauptverwaltung eine Operation gegen einen französischen Diplomaten durchgeführt. Sie hatte keinen Erfolg. Dann wurde ich nach Helsinki versetzt.« Sie blickte zu ihm auf. Ihr Gesicht wirkte aufgedunsen. Als sie ihn forschend ansah, streckte er die Hand aus und ergriff ihre. Sie fühlte sich kalt an.

»Marta war meine Freundin. Sie hat ihr Leben lang loyal gedient, auf Posten im Ausland. Sie war stark, unabhängig. Sie hat nichts in ihrem Leben bereut, hat alles genossen. In der Zeit, in der ich sie gekannt habe, hat sie mir gezeigt, wer ich bin.« Sie drückte Nates Hand.

»Ich weiß nicht, was mit Marta passiert ist, aber sie ist verschwunden, ohne ein Wort, und ich weiß, dass sie tot ist. Sie hat denen nie etwas getan. Mein Onkel hat Angst, bloßgestellt zu werden. Er muss sich schützen. Es gibt da einen Mann, einen *koschmar*, eine Albtraumgestalt, die meinem Onkel ergeben ist. Es sähe ihm ähnlich, den Mann für so was einzusetzen.«

»Schwebst du in Gefahr?« Nates Gedanken rasten. Sie redete da über frühere Operationen, einen politischen Mord, die Liquidierung von einem der eigenen Leute, einen Skandal an der Spitze des SWR. Sie diktierte mindestens ein halbes Dutzend Geheimdienstberichte, genau hier, vom Sofa aus. Er wagte es nicht, sich Notizen zu machen, er musste sie weiter am Reden halten.

»Du warst an der Ustinow-Geschichte beteiligt«, sagte Nate, »möglicherweise hat dein Onkel deshalb ebenfalls Angst.«

Sie schüttelte den Kopf. »Mein Onkel weiß, dass ich ihm nichts anhaben kann. Meine Mutter lebt in Moskau. Er missbraucht sie als *saloschnika*, als Geisel, wie in den alten Zeiten. Außerdem hat er mir meine Ausbildung ermöglicht, hat mich ins Ausland geschickt. Ich bin genauso sein Geschöpf wie dieses Monster.

Ich wurde nach Helsinki entsendet, damit ich mich mit dir treffe, eine Freundschaft zu dir entwickle. Mein Onkel behauptet, dass er mich als einen seiner Geheimdienstoffiziere betrachtet, aber er sieht mich an, als wäre ich sein kleiner Spatz. Man ist ungeduldig, weil ich noch keine Fortschritte mit dir erzielt habe. Die wollen hören, dass ich dich ins Bett bekommen habe.«

»Ich wäre bereit, dir dabei zu helfen«, sagte Nate. Sie erwiderte seinen Blick und schniefte kurz.

»Dir macht es Spaß, weiter Witze zu reißen. Vielleicht findest du es ja nicht so lustig, wenn ich dir sage, dass ich über deine früheren Aktivitäten in Moskau Bescheid weiß, über den Maulwurf, mit dem du dich triffst. Onkel Wanja hat mich losgeschickt, damit ich dich beobachte und feststelle, ob du im Einsatz bist, so wie zwei Wochen lang im letzten Monat.«

*Den Maulwurf, mit dem du dich triffst?* Nate kam sich vor wie ein Kind, das neben den Gleisen steht, während ein Güterzug vorbeidonnert, Zentimeter davon entfernt, mitgerissen zu werden. Er versuchte, sich seine Angst nicht anmerken zu lassen, aber er wusste, dass Dominika sie in seinem Gesicht las.

»Ich habe diesem Ekelpaket Wolontow nichts gesagt«, sagte Dominika. »Marta war damals noch am Leben. Sie wusste, wozu ich mich entschlossen hatte.« Nate bemühte sich, sich auf ihre Worte zu konzentrieren, während er über das fast aufgeflogene Treffen mit MARBLE nachdachte. Sie hatten keine Ahnung gehabt, wie groß die Gefahr war. Höchstwahrscheinlich hatte ihm Dominikas Entscheidung, nichts davon in ihrem Bericht zu erwähnen, das Leben gerettet.

»Seit ich dir zufällig in dem Schwimmbad begegnet bin,

versuche ich, eine Freundschaft mit dir einzugehen«, sagte Dominika. »In vielerlei Hinsicht haben wir einander das Gleiche angetan. Ich weiß, du hast versucht, meine Schwächen zu identifizieren, meine *ujaswimoe mesto*, wie sagt man, meinen wunden Punkt?

Deine Charmeoffensive hat nur dafür gesorgt, dass wir mehr Zeit miteinander verbracht haben. Das war vermutlich Onkel Wanjas Plan von Anfang an. Ich wundere mich nur darüber, dass ich zugelassen habe, dass du mich weiter bearbeitest, weil ich – wie mir klargeworden ist – *wollte*, dass du mich weiter bearbeitest. Es hat mir gefallen, mir dir zusammen zu sein.«

Nate saß regungslos da und hielt noch immer ihre Hand. Meine Güte, sie hatte ihn tatsächlich bearbeitet, genauso wie Gable vermutet hatte. Der SWR war hinter MARBLE her. Zum Glück hatte sich Dominika so entschieden, wie sie es getan hatte. *Und*, dachte Nate, *Gott segne Marta, wo immer sie sein mag.*

Er wusste, dass Dominika das kritische Stadium bereits hinter sich hatte. Ihre flache Stimme war ein Destillat aus Wut, Angst und dem Wunsch, um sich zu schlagen. Sie hatte sich bereits um Kopf und Kragen geredet. Jetzt kam der ungeheuer heikle Augenblick, da sie sich zurückziehen und weggehen oder aber die Entscheidung fällen würde, der CIA Informationen zu liefern.

»Dominika, ich habe dir bereits gesagt, dass ich dir helfen möchte. Ich habe dich bereits gefragt, was du brauchst. Was willst du tun?«

Dominika entzog ihm ihre Hand, ihre Wangen waren gerötet. »Ich bereue nichts.«

»Das weiß ich.« Völlige Stille im Zimmer. »Was willst du tun?«, fragte er leise.

Es war, als könnte sie seine Gedanken lesen. »Du bist sehr schlau, Mr Nejt Nash, nicht wahr? Ich bin hergekommen, um mich an deiner Schulter auszuweinen, dir von meinem Auftrag gegen dich zu berichten, dir zu sagen, dass ich dir geholfen habe.«

»Für all das bin ich dir dankbar.« Nate wollte nicht zeigen, wie unglaublich erleichtert er war.

Dominika sah es ihm trotzdem an. »Aber du bittest mich weder, mit dir zusammenzuarbeiten, um Marta zu rächen, noch, es meinem Onkel oder Wolontow oder den Übrigen heimzuzahlen oder mein geliebtes Land zu reformieren.«

»Darüber muss ich dir nichts erzählen.«

»Natürlich nicht«, sagte sie. »Dafür bist du zu vorsichtig.« Nate sah sie an, ohne etwas zu sagen. »Du fragst mich nur, was *ich* vorhabe.«

»Das stimmt«, sagte Nate.

»Und wenn du mir nun stattdessen sagst, was *du* vorhast?«

»Ich denke, wir sollten anfangen zusammenzuarbeiten. Um Geheimnisse zu stehlen«, sagte Nate schnell, während ihm das Herz fast bis zum Hals schlug.

»Aus Rache, für Marta, für die *Rodina*, für …«

»Nein, nichts dergleichen«, unterbrach Nate. Gables Worte kamen ihm in den Sinn. Dominika sah ihn an. Sein violetter Halo breitete sich aus wie die Strahlen einer aufgehenden Sonne. »Sondern weil du es brauchst, Dominika Egorowa, weil es deinem Naturell, deinem Temperament entspricht, weil es etwas ist, das dir allein gehört, zum ersten Mal in deinem Leben.«

Dominika sah ihn an. Ihre Augen blickten stetig, offen. »Das ist eine sehr interessante Bemerkung.«

———

*Die besten Anwerbungen sind die, bei denen sich die Informanten selbst anwerben*, hatte sein Ausbilder auf der »Farm« gebrüllt. *Schreiben Sie sich das hinter die Ohren, das muss wie eine ganz natürliche Entwicklung wirken*, hatte er gesagt. Na ja, von einer ganz natürlichen Entwicklung konnte hier kaum die Rede sein. Nate hatte das Gefühl, soeben eine irrsinnige Stromschnelle in einer Badewanne heruntergefahren zu sein.

Es war eine Stunde später. Dominika hatte noch mit keinem Wort gesagt: *Ja, ich mache das*. Kein Agent trifft so eine Entscheidung per Handschlag und mit einer Unterschrift. Stattdessen hatte Nate sie nur dazu gebracht, darüber zu reden. Er hatte ihr gesagt: »Wie auch immer du dich entscheidest, ich verspreche dir, alles für deinen Schutz zu tun.« Der Standardsatz, wenn man einen Informanten anwirbt. Man meint es ernst, aber beide – Führungsoffizier und Agent gleichermaßen – wissen, dass kein Spion langfristig überlebt, vor allem in Russland. Dennoch bekam er eine Antwort auf seine nichtssagende Bemerkung.

»Wenn wir unsere Arbeit richtig machen wollen, lassen sich Risiken nicht vermeiden. Das wissen wir beide«, sagte Dominika neckisch. *Sie hat »wir« gesagt*, dachte Nate.

»Und wir werden langsam, vorsichtig anfangen … falls wir uns überhaupt dazu entschließen«, sagte er.

»Genau«, sagte Dominika. »*Falls* wir uns dazu entschließen.«

»Und du bestimmst das Tempo unserer Vorgehensweise«, sagte Nate.

»Deine Seite kann meine *motiwacija* nach Belieben untersuchen. Wenn sich unsere Zusammenarbeit als unbefriedigend herausstellt, werde ich dir das sagen, und wir werden die *okontschanie*, die Beendigung unserer Beziehung, beschließen.« Anscheinend verwendete man im SWR in Sachen Agentenführung den gleichen Jargon.

Es war spät geworden. Dominika stand auf und griff nach ihrem Mantel. Nate half ihr hinein und betrachtete ihre Augen, die Mundwinkel, die Hände. Würde die Beziehung halten? Sie standen da und sahen sich einen Moment lang an. An der Tür drehte sie sich zu ihm um, streckte ihm die Hand entgegen. Er ergriff sie und sagte: »*Spokoinoi notschi*«, gute Nacht. Und dann ging sie schnell, ohne ein Geräusch zu machen, die Treppe hinunter.

———

Nachdem Dominika seine Wohnung verlassen hatte, blieb Nate auf, rief sich in Erinnerung, was sie gesagt hatte, und machte sich Notizen. Er widerstand der idiotischen Anwandlung, zu Fuß zur Botschaft zu gehen, die Mitarbeiter dort aufzuscheuchen und eine Mitteilung ans Hauptquartier zu schreiben. *Anwerbung. SWR-Offizier, Spatzen-Kader, ihr Onkel schmeißt den ganzen Laden, Morde. Das ist ja wie im Spionagefilm, um Himmels willen*. Aber er konnte es kaum erwarten, morgen in der Station aufzukreuzen.

Seine Hochstimmung verflog. Er wälzte sich unruhig im Bett hin und her. Die Verheißung wurde zu Asche in seinem Mund. Er musste die Anwerbung absichern, sich Dominikas Engagements versichern; möglicherweise machte sie einen Rückzieher, das taten viele Agenten. Sowie er sie angeheuert hätte, würde ihm das Hauptquartier im Nacken sitzen. Was sind ihre Motive? Wie viel Gehalt soll man ihr zahlen? Wozu hat sie Zugang? Was soll das heißen: Sie hat keine Geheimhaltungsvereinbarung unterschrieben? Das Ganze kommt ziemlich plötzlich. Ist sie ein *agent provocateur*?

Was konnte sie liefern? Man würde Ergebnisse sehen wollen, und zwar schnell. Als Erstes würde das Hauptquartier die wichtigsten Informationen verlangen, die Dominika in die Finger bekommen konnte, aber das wäre gefährlich. Die kleinen Männer mit den kleinen Knopfaugen in den kleinen Büros würden überprüfen wollen, ob sie eine redliche Spionin war. Alles würde ein Test sein, sie würden sich erst zufriedengeben, wenn Dominikas Informationen bestätigt wären, sie einen Lügendetektortest bestanden hätte. Drängte man sie zu sehr, oder drängte man sie in die falsche Richtung, dann würde man sie verlieren, das wusste Nate. Und wenn er sie verlor, nachdem er sie angeworben hatte, würde man im Hauptquartier vielsagende Blicke wechseln. Die Anwerbung sei von Beginn an ein Schwindel gewesen, würde es heißen.

Und das war nur der Anfang. Würde Dominika erwischt, würde der SWR sie umbringen. Dabei spielte es keine Rolle, wie sie erwischt wurde: ein Maulwurf im Hauptquartier, ein Fehler in der Führung, feindliche Überwachung oder einfach nur Pech – das Licht geht an, während sie mit einer Kleinstbildkamera vor einem offenen Tresorschubfach steht.

Es würde Befragungen und Tests geben, aber die Fakten würden die Russen nicht interessieren. Onkel Wanja würde sie nicht retten. Man würde sie abführen, barfuß und im Gefängniskittel, in den Kellern von Lubjanka, Lefortowo oder Butyrka. Man würde sie den von Stahltüren gesäumten Flur entlangstoßen, hinein in den Raum mit einem Abfluss im geneigten Fußboden und Haken in den Deckenbalken, und die gestapelten Särge aus gewachster Pappe würden aufrecht in der Ecke stehen. Sie würde einen Genickschuss bekommen, bevor sie den Raum halb betreten hatte, ohne Vorwarnung, und man würde sie anschauen, wie sie mit dem Kopf nach unten auf dem Boden lag, und dann würde man sie an den

Hand- und Fußgelenken packen und in den Pappsarg fallen lassen. So einfach wäre das. Und so endgültig.

## ROGAN JOSH

In einem Mörser gehackte Zwiebeln, Ingwer, Chili, Kardamom, Nelken, Koriander, Paprika, Kreuzkümmel und Salz zu einer glatten Paste grob zermahlen. Lorbeer und Zimt sowie warme, geklärte Butter hinzugeben. Braten, bis die Zutaten duften. Lammfleischwürfel, Joghurt, warmes Wasser und Pfeffer hinzugeben. Im Ofen bei mittlerer Hitze zwei Stunden lang backen. Mit Koriander bestreuen.

# 17

Die Anwerbung Dominikas war in keinerlei Hinsicht normal. Sie war eine ausgebildete Geheimdienstoffizierin, jetzt aber musste sie lernen, eine Spionin zu werden. Das war keine natürliche Transformation. *Zementieren Sie die Beziehung*, hatte Forsyth gesagt.

Der erste Schritt der Station war daher, äußerst diskrete Nachforschungen über den Aufenthaltsort von Marta anzustellen, um Fürsorge zu demonstrieren. Gable organisierte ein Treffen mit einem kooperativen Verbindungsmann beim finnischen Geheimdienst. Keine Spur von der russischen Frau. Das Überwachungsvideo eines möglichen Grenzübertritts bei Haaparanta lieferte keine eindeutigen Belege. Eine tränenlose Dominika dankte Nate, dass sie es probiert hatten.

Sie hielten die TOP-SECRET-Liste sehr kurz – die Anzahl der sicherheitsüberprüften Offiziere, die Zugang zu der Fallakte bekamen –, auch wenn sie gegen das Hauptquartier nicht viel ausrichten konnten. Der Fall befand sich bereits in den Kanälen mit Zugangsbeschränkung, was Blödsinn war, sagte Gable, weil ohnehin nur etwa hundert Leute die Depeschen lasen. Trotzdem versuchten sie die Ausbreitung von Informationen zu begrenzen. Forsyth und Gable hatten so etwas schon einmal getan und wussten: Je vorsichtiger sie den Fall angingen, desto länger würde der Nachrichtenstrom fließen. Nate merkte, dass seine Entschlossenheit zunahm –

Dominika um jeden Preis zu schützen. Du darfst nicht scheitern, sie nicht im Stich lassen.

Nate fand eine Zweizimmerwohnung in Munkkiniemi in der Nähe des Jachthafens. Der Hausmeister der Station hatte sich als Däne ausgegeben und das Domizil für zwölf Monate angemietet, als Geschäftsapartment, das er in unregelmäßigen Zeitabständen bewohnen würde. Dem zufriedenen Vermieter war das piepegal.

Es war ein Abend mit Frühlingsregen, die Autoscheinwerfer spiegelten sich auf dem Asphalt. Dominika wurde von hinten erhellt, als sie an der Haltestelle Tiilimaki aus der grün-gelben Straßenbahn der Linie 4 stieg. Nate hatte sie nach zwei Häuserblocks eingeholt, hakte sich bei ihr unter. Nicht mal ein Hallo: Sie hatte auf strikten operativen Modus umgeschaltet – gerader Rücken, nervös. Ihr erstes Treffen als Informantin in einem sicheren Unterschlupf stand bevor, aber sie kämpfte nicht so sehr mit der Angst, sondern mit der Scham. Wortlos gingen sie durch schmale Seitenstraßen, hinter Mietskasernen, hinter allen Fenstern schien das silbrige Licht der Fernseh-Spielshows. Sie eilten durch die Eingangstür, Kochgerüche, gekochtes Rentier und Sahnesauce, zwei Stockwerke die Treppe hoch, mit leisen Schritten.

Die erste Nacht vom Rest ihres Lebens. Ein paar Lampen waren eingeschaltet, Gable wartete bereits und nahm ihr den Mantel ab. Dominika konnte nicht aufhören, Gables Drahthaarfrisur anzustarren. Sein Äußeres gefiel ihr, die Augen, das Purpur dahinter. *Noch ein echter* purpirnji, dachte sie. Forsyth kam aus der Küche, Brille in die Stirn hochgeschoben, eine Flasche entkorkend. Elegant, weise, ruhig, die Luft rings um ihn herum war azurblau. *Lasurnji*. Er war sicher sensibel und einfühlsam. Dominika setzte sich aufs Sofa und beobachtete die drei Männer, wie sie im Zimmer herumgingen. Sie verhielten sich natürlich, ungekünstelt, doch wenn die Männer sie ansahen, war ihr klar, sie wurde beurteilt.

Und sie wusste auch, dass es kein Spiel mehr war, nun, da sie mit ihnen in dem Zimmer saß und auspackte. Nate war ein junger Agent, sie kannte niemanden sonst von der CIA, aber diese anderen Männer waren ruhig, ernsthaft, man spürte ihre Erfahrung, so wie bei General Kortschnoi zu Hause. Dann hob Gable ein Glas und betonte *na sdorowje* derart falsch, dass Dominika ein Lächeln unterdrückte, aber sie blieb ernst und korrekt.

Heute Abend diskutierten sie keine »beruflichen« Dinge, so professionell waren sie, sondern wollten nur mit ihr reden, wobei sie Nate zwar das Wort überließen, aber allem genau zuhörten, alles verstanden. Am Ende verließ sie als Erste die Wohnung – auch für die Männer die übliche Spionagepraxis, wie sie feststellte – und ging am Ramsay-Strand spazieren; nach der Winterpause waren noch nicht alle Boote im Wasser, und sie schämte sich nicht mehr so wie vorher. So gut waren sie gewesen.

Beim zweiten Treffen hatte Dominika Zeit, sich umzuschauen. In der kleinen Küche standen ein Herd mit zwei Kochplatten und ein Kühlschrank mit Eisfach. So wie in allen möblierten »Safehouses« waren das Sofa und die Stühle und Tische klapprig, billig und bunt. Avocado und Goldgelb seien immer noch groß in Mode, sagte Gable. Die Motive der Drucke an den Wänden waren Brandungswellen und ein Elch im Mondlicht, die Teppiche auf dem Fußboden kamen geradewegs aus Lappland. In dem einen Schlafzimmer stand ein Doppelbett, das an beiden Seiten fast die Wand berührte, sodass man über das Fußende hineinkriechen musste. Das andere Schlafzimmer war leer bis auf eine Hängelampe aus hellrotem Glas. Das Bad verfügte über eine Badewanne und ein Bidet, das Gable eines Abends mit dem WC verwechselte. Dominika lachte Tränen und nannte Gable von da an *Bratok*, lieber Bruder.

Einen ausgebildeten Nachrichtendienstoffizier als Agenten zu führen ist schwieriger als einen verschwitzten Banker, der verzweifelt auf die Euros schielt, weil er King Kong zur Frau, einen zwei Jahre alten BMW und Godzilla zur Geliebten hat. Dominika war Absolventin der Akademie. Sie diskutierten ironisch über Spionagehandwerk (»Ich glaub's einfach nicht, dass Sie das hier für einen geeigneten Standort halten«) oder Sicherheit (»Nein, Domi, den Teppich aufs Geländer legen, sobald *die Luft rein* ist, hat man dir denn keine *positiven* Signale beigebracht?«). Nate wunderte sich, wie oft er sagen musste: »Machen wir's auf meine Art«, und zuckte jedes Mal zusammen, wenn Dominika theatralisch erwiderte, um ihm unter die Haut zu gehen: »Es geht um meinen Kopf, wenn du einen Fehler machst.«

Die CIA-Männer erkannten schnell, dass Dominika über eine außergewöhnliche Intuition verfügte. Sie beendete ihre Sätze, nickte schnell auf diskrete Andeutungen, hatte ein unglaublich gutes Gespür, wann sie zuhören musste. Eine intelligente Frau, ausgebildet als Geheimdienstoffizier, dachte Forsyth, aber da war noch etwas anderes, das er noch nie erlebt hatte. *Hellseherei* war das falsche Wort, kam der Sache aber nahe.

Dominika beobachtete die Geschehnisse aus einer gewissen Distanz. Sie merkte, dass die Männer sie respektierten, ihre Ausbildung wertschätzten, aber nicht als selbstverständlich hinnahmen. Sie ahnte, dass die Männer sie auf die Probe stellten. Manchmal fügten sie sich, dann wieder beharrten sie darauf, etwas auf ihre Weise zu erledigen. Diese Männer sind sehr gründlich, dachte sie.

Die wöchentlichen Treffen im Safehouse, ihre Zusammen-arbeit mit den Männern, das alles begann sie zu definieren. Die Qual der Entscheidung war vergessen, die Anwerbung durch die CIA wurde zu ihrem brennenden kleinen Geheim-nis. Sie trug es in sich, kostete das Gefühl aus. Besonders schön war das in den Gesprächen mit Wolontow. *Na, errätst du, was ich so treibe?*, dachte sie, wenn der schwitzige *Resident* über ihre Arbeit schwadronierte. Nate hatte recht gehabt. Das hier war etwas, das ihr gehörte, ihr allein.

Forsyth kam zurück, als es an der Zeit war zu besprechen, welche Geheimnisse Dominika aus der *Residentura* stehlen konnte. Als Erstes fragten sie, welche Papiere Dominika per-sönlich bearbeitete, dann, was sie problemlos stehlen konn-te, schließlich, welche Schätze es ihrer Kenntnis nach gab, auf die sie aber keinen Zugriff hatte. Dabei ermahnten die Männer sie, es ruhig angehen zu lassen. Ausgebildete Spione als Informanten gingen anfangs immer allzu forsch an die Sa-che heran. Dominika fragte, ob sie ihr einen Fotoapparat und Kommunikationsgeräte geben könnten. Sie wollte ihnen zei-gen, wie kaltblütig, draufgängerisch sie agieren konnte, was in den Köpfen der CIA-Männer allerdings die Alarmglocken schrillen ließ. Dominika sah, wie sich ihre Gesichter und ihre Halos veränderten, und begriff, dass sie sich einen Fehltritt geleistet hatte. Sprechen wir ein wenig später über die Aus-rüstung, antwortete Forsyth und schrieb tags darauf eine An-frage mit der Bitte um einen Verhörexperten; sie konnten es genauso gut hinter sich bringen.

Der Lügendetektortest. Nate saß im Schlafzimmer und lauschte den gedämpften Stimmen aus dem Wohnzimmer, die eine tief, die andere lieblich. Dominika saß auf einem mattweißen Stuhl und antwortete mit »Ja« oder »Nein« auf die Fragen eines Befragungsexperten mit dicken Fingern und einem Schnurrbart, den Gable aus anderen Polygrafsitzungen kannte und nicht mochte: »Der Typ ist vor zwanzig Jahren ganz unten angekommen und hat dann angefangen zu graben.« Dominika wusste, dass es sich um einen wichtigen Test handelte, deshalb zwang sie sich, den Mann nicht lesen zu wollen, nicht schnippisch zu werden, nicht mit ihm zu spielen. Sie konzentrierte sich auf seine Fragen, die, getönt, an ihrer Wange vorbeizogen.

Nate schwitzte eine Stunde lang, doch als er hörte, dass die Befragung sich dem Ende näherte, ging er ins Wohnzimmer hinüber. Dominika nickte ihm kurz zu, aber der Experte zuckte mit keiner Wimper. Das taten die nie, sie hielten das Ergebnis zurück, bis sie »die Diagramme überprüft« hatten, sie zierten sich wie Jungfrauen. Am Ende brachte Forsyth den Experten zurück in die Station, setzte sich mit ihm zusammen und erklärte ihm, es schere ihn einen feuchten Kehricht, er verlange ein vorläufiges »Ja« oder »Nein«, weil die Sache wichtig sei. Nervös antwortete der Experte, dass Dominika diejenige sei, für die sie sich ausgab, den Rang einer Korporalin im SWR bekleide und, am wichtigsten, keine Doppelagentin sei, die der SWR geschickt hatte, um die CIA zu desinformieren, geheime Offiziere des Dienstes zu identifizieren oder aktuelle nachrichtendienstliche Belange der USA auszukundschaften.

Jetzt, da er eingeweiht war, erklärte der Experte Forsyth unter vier Augen, dass die Diagramme einen leichten Ausschlag nach oben zeigten, wenn sie auf eine Frage antwortete, in der der Anwerbungsoffizier, Nash, erwähnt wurde. Dies erfordere weitere abgewandelte Fragen, sagte er ernst, erst dann könne er feststellen, ob es sich hier womöglich um klassische tschechische oder kubanische Lügendetektorgegentechniken handele – aber er habe keine kontrollierte

Atmung festgestellt, keine geballten Fäuste, keinen zusammengekniffenen Anus. Als Forsyth von den Kommentaren des Befragungsexperten berichtete, sagte Gable nur »Orgaspasmus« und verließ das Zimmer.

Mit dem Testergebnis »keine Täuschungsmanöver« in den Taschen konnte die Operation fortgesetzt werden, und sie mussten besprechen, wie sie Dominikas Sicherheit gewährleisten konnten, ihre Tarnung, ihre Verhaltensweisen, ihr Gebaren, das Tempo ihrer Aktionen.

»Sie müssen Ihre Verhaltensweisen beibehalten«, sagte Forsyth. »Ihre Kontakte mit Nathaniel weiter der Zentrale melden, weiterhin zeigen, dass sie kleine Fortschritte erzielen. Einmal im Monat ist nicht so gut. Alle zwei Wochen, einmal pro Woche ist besser. Das verschafft Ihnen Bewegungsfreiheit.«

»Das weiß ich«, sagte Dominika. »Ich habe die Texte für meine Berichte bereits im Kopf. Von jetzt an bis zum Winter.«

»Die müssen Sie ohne unsere Unterstützung schreiben«, sagte Forsyth. »Wir können Ihnen helfen, aber es müssen Ihre Berichte sein, in Ihren Worten, mit Ihren Details.« Dominika nickte. *Sie kennt das Spiel*, dachte Forsyth. *Sie ist vertraut damit*.

»Ich werde folgendes Bild von Nejt zeichnen: eitel, prahlerisch, aber vorsichtig. Leicht zu manipulieren, aber misstrauisch, nicht bei der Sache.« Sie drehte sich um, sah Nate an, hob eine Braue.

»Schwer zu glauben, dass Sie bis zum nächsten Winter brauchen, um das alles herauszufinden«, sagte Gable, der auf dem Sofa neben Nate saß, der ihm den Mittelfinger zeigte.

»Ich weiß nicht, wie lange wir das in die Länge ziehen können. Früher oder später wird Jassenewo die Geduld verlieren«, sagte Forsyth. Er dachte bereits an den Tag, an dem Dominika nach Moskau zurückbeordert werden würde. Würde sie bereit sein, im Inneren zu operieren? Könnten sie sie rechtzeitig vorbereiten? Die Zeit wird uns besiegen, dachte er, nicht Dominika.

»Es gibt eine Möglichkeit, den Kontakt zu verlängern, die Schlinge locker zu halten. Etwas, das Jassenewo davon überzeugen wird, mehr Zeit zu investieren«, sagte Dominika. »Onkel Wanja rechnet damit.«

»Und wie sieht die aus?«, fragte Forsyth.

»Wenn ich berichte, dass Nejt und ich ein Liebespaar sind, wird man in Moskau, nach einer gewissen Zeit, zufrieden sein; es dürfte ihrer Erwartung entsprechen. Es wird für sie einen Sinn ergeben – sie an die Staatsschule Vier erinnern.«

Mit leicht gequälter Miene erhob sich Gable vom Sofa. »Sie wollen mit Nash ein Liebespaar bilden? Um Himmels willen, das können wir wirklich nicht von Ihnen verlangen.«

——

Ein böiger Sonntag; die kleinen Ruderboote und Jollen zum Mieten stießen gegen die Pontonstege im Jachthafen. Im Safehouse sprach Dominika über Marta, hielt dann aber inne und erzählte Nate, was sie Neues erfahren hatte. Dem Kotzbrocken Wolontow sei kürzlich klar geworden, dass er keine Verwaltungschefin mehr habe, und da habe er sie beflissen gebeten, ein paar Verwaltungsaufgaben zu übernehmen. Sie habe ihm absagen, ihn in den Augen der Zentrale diskreditieren wollen, habe dann aber an Nate, Forsyth und *Bratok* gedacht und geantwortet, sie sei bereit auszuhelfen. Tief in ihrem Inneren brannte ihr Geheimnis. Sie war auf den Geschmack gekommen und hielt nach Gelegenheiten Ausschau, wie sie ihren zunehmenden Appetit stillen konnte.

Sie gab ihnen Stechkarten und Spesenabrechnungen von

geheimdienstlichen Operationen von *Residentura*-Offizieren. Letztere hatten noch einen zusätzlichen Nutzen, ob Nate wohl errate, welchen? Jede Ausgabe musste sich auf eine Fallakte oder einen operativen Bericht beziehen, in dem die Tätigkeit beschrieben wurde. »Eigentlich müssten Wolontow und seine Offiziere das selbst erledigen, aber sie werfen einfach alles auf meinen Schreibtisch«, sagte Dominika. »Niemand außer dem *Residenten* darf die Depeschen der anderen lesen, es besteht eine strikte *rasdelenie*, Abschottung.« Dominikas blaue Augen loderten. »Außer dass sie mich brauchen, um die Spesen einzutragen.« Dominika machte es spannend. »Also … hat Wolontow mir den Zugriff auf sämtliche Kommunikationen über laufende Operationen gestattet.«

Allmählich kamen die ersten geheimdienstlichen Informationen herein, und die Männer nahmen sie unter die Lupe. Forsyth aus erster Hand, die Leute in Langley aus der Ferne. Dabei suchten sie nach einem falschen Ton, etwas allzu Offensichtlichem, allzu Schlauem. Dominika war fantastisch, wenn es darum ging, sich Details in Erinnerung zu rufen. Sie machte sich verschlüsselte Notizen, die sie überprüften – aber Dominika war sauber.

So erinnerte sie sich fast an den vollständigen Text des monatlichen Tätigkeitsberichts des Referenten der Abteilung N, wodurch drei Illegale der Abteilung S in Helsinki aufflogen – Schläfer, die seit Jahrzehnten als Finnen in Finnland lebten. Einer hatte das Land bereits bei Haaparanta verlassen – als Ablenkungsmanöver nach Martas Verschwinden. Die anderen beiden lebten in der nahe gelegenen Stadt Espoo, aber die ließen sie in Ruhe, um Dominika zu schützen.

———

Beim nächsten Treffen jagte Dominika ihnen einen Mordsschreck ein, als sie ein Originaldokument entfaltete, das sie aus Wolontows Posteingangskorb gefischt hatte. Sie hatte es sich in die Tasche gestopft, statt es mit dem übrigen Krempel zum Schredder zu bringen. *Sowerschenno Sekretno*, streng geheim, aus der Abteilung PR, vier Seiten über das estländische und das litauische Parlament. Weil diese Staaten inzwischen NATO-Mitglieder waren, leitete Langley die Information an den Kongress, den Nationalen Sicherheitsrat und das Weiße Haus weiter. Gable schrie Dominika an, das nie wieder zu tun.

Das Hauptquartier teilte Gables Meinung. Kein Diebstahl von Dokumenten mehr, man solle ihr einen kleinen Fotoapparat geben. Nate gefiel das nicht, es war viel zu riskant, aber Forsyth sagte, man müsse sie daran gewöhnen, er glaube, sie werde damit zurechtkommen.

»Ich bin mir nicht sicher, ob sie schon so weit ist«, sagte Nate. Jede Spionageausrüstung verdreifachte das Risiko, und er wollte nicht, dass Dominika noch größeren Gefahren ausgesetzt wurde.

»Na ja, dann bring sie dazu, dass sie endlich so weit ist«, sagte Gable. »Wenn die sie morgen nach Hause beordern, ist der Fall gegessen.«

»Apropos: Es ist höchste Zeit, Dominika in verdeckten Operationen zu schulen«, sagte Forsyth zu Nate. »Ihre Spezialität.«

━━━

Dominikas Ausbildung in Geheimoperationen auf feindlichem Terrain begann. Der Sommer hatte sich auf die spitzgiebeligen Dächer und Kupferkuppeln Helsinkis gesenkt, die Abenddämmerung war einem schier endlosen Zwielicht gewichen, Scharen von eintönig gekleideten Finnen fuhren die Rolltreppen hinunter in die U-Bahn-Stationen. Dominika mit Schal, Dominika mit Baskenmütze, Dominika im Mantel, die Schritte zählend, sich in der Menschenmenge zur Drehsperre drängelnd. Sie ging durch das Drehkreuz – und streifte an einer Ecke Nate. Sie roch ihn durch die karmesinrote Luft, betastete den Ärmel seines Pullovers, während sie eine Zigarettenpackung fest zwischen zwei Fingern vor ihrer Taille hielt. Er steckte die Packung ein – ein perfekter sogenannter *brush pass* – und tauchte in der Menge unter.

Frischer, leichter Sommerregen, der Straßenverkehr floss langsam und träge, Lichter, die sich auf dem Bürgersteig spiegelten. Im Licht einer Schaufensterauslage schaute Dominika auf ihre Armbanduhr. Keine Beschatter hinter ihr, sie fühlte sich gut und wusste, sie konnte die vereinbarte Zeit einhalten. Als Nate geschildert hatte, was sie vorhatten, hatte sie gelacht. »Bei uns macht man nicht so ein Theater darum«, hatte sie geantwortet, und er hatte gesagt: »Das liegt daran, dass der SWR in Demokratien operiert.« Worauf sie zwar abfällig geschnaubt, aber trotzdem genau zugehört hatte.

Dominika ging neben einer granitenen Mauer, auf der nassen Straße zischten Autos vorbei. Sie bog um die Ecke und blieb im Schatten eines Baugerüsts stehen, auf dem Gehsteig. Nates Auto kam um die Ecke gebogen, achtunddreißig Minuten nach der verabredeten Zeit, plötzlich und schnell, der Wagen rollte weiter, mit offenem Beifahrerfenster. Sie ging von der Bordsteinkante, streckte die Hand durchs Fenster und ließ die Plastiktüte auf den Sitz fallen, dann nahm sie das Austauschpaket aus seiner Hand entgegen und trat zurück unter das Gerüst, während er weiterfuhr. Er hatte sie nicht angeschaut, aber sie hatte gesehen, wie er die Handbremse gezogen hatte, keine Bremslichter, die Übergabe aus dem fahrenden Wagen. *Was für ein Theater*, dachte sie.

Sie kamen richtig in Schwung, sie alle, und so kamen unvermeidlicherweise die Scharfmacher im Hauptquartier aus der Deckung. Dominika sei eine Informantin unter Kontrolle, gut positioniert in der SWR-*Residentura*, hatten sie geschrieben, weshalb man »weitere Möglichkeiten erkunden« wolle. Forsyth hielt diese Leute wochenlang auf Abstand, aber dann machten sie einen Befehl daraus, und Gable wollte schon ein Flugzeug besteigen und da hinfliegen, aber Forsyth sagte ihm, er solle mit dem Quatsch aufhören.

Der Wahnsinn begann. Die Computerleute in der Direktion für Wissenschaft und Technik wollten, dass DIVA das gesamte Computernetzwerk der *Residentura* herunterlud, die Verschlüsselungssysteme angriff, Audio- und Videosysteme innerhalb der *Residentura* installierte. Zwar gaben die Techniker unbekümmert zu, dass ein paar ihrer Geräte *das Licht im Süden Helsinkis verdunkeln könnten, wiederhole, könnten*, das hielt sie aber nicht davon ab, von DIVA einmal sogar zu verlangen, auf dem Dach der russischen Botschaft eine *radioaktive Strahlungsquelle* anzubringen. Dann warnte das Hauptquartier jedoch, dass die »Sechserregel«, die die Entwicklung aller neuen Technologien bestimmte, die Installierung jedweder Ausrüstung am Einsatzort verzögern würde: Forschung und Entwicklung bei dem Gerät würden *sechs weitere Jahre* in Anspruch nehmen, es würde zusätzliche *sechs Millionen Dollar* kosten, wobei ein Gerät, basierend auf dem Versuchsaufbau, *sechshundert Pfund* wiegen würde. Wahnsinn.

Während sich die verdeckte Seite der Operation ausweitete, setzten Nate und Dominika ihre öffentlichen Kontakte fort, um Wolontow und die Zentrale in Sicherheit zu wiegen. Gemeinsame Abendessen, Fahrten aufs Land, Konzerte. Nate gab persönliche Details über sich preis, etwas, was die Zentrale unabhängig überprüfen konnte, um zu illustrieren, wie gut Dominika die Auster aufhebelte. Wie Forsyth allerdings vorausgesagt hatte, wollte Wolontow mehr und schnellere Fortschritte sehen, deshalb entwarf Dominika mit Gables begeisterter Unterstützung die stark herbeigesehnte Kontaktdepesche, in der sie den Beginn einer intimen Beziehung mit Nate meldete, um mehr Zeit zu gewinnen. Gable wollte noch eine »erektile Dysfunktion« in den Text einfügen, mit der Begründung, dass sich damit noch mehr Verzögerungen begründen ließen, aber der peinlich berührte Forsyth überstimmte ihn. Nate zeigte Gable den Vogel.

Dominika schoss weiterhin Fotos von geheimen russischen Dokumenten aus dem Inneren der *Residentura*, wobei sie eine Vielzahl von geheimen Kameras nutzte, die in Handtaschen, Schlüsselanhängern, Lippenstiften installiert waren. Sie war wählerisch und fotografierte nur die besten Dokumente, flexibel genug, um zu wissen, wann sie warten musste. Gable lobte sie, aber Nate machte sich ständig Sorgen und war bedrückt, weil Dominika derart große Risiken einging.

Eines Sonntagnachmittags im Safehouse hatte Dominika genug gehört. »Machst du dir meinetwegen Sorgen oder wegen dieses Falls und deiner Reputation?«

Nate wandte sich langsam zu ihr um, verlegen und wütend. »Ich bin fest entschlossen, weiter an geheime Dokumente heranzukommen.« Dominikas Gesichtszüge verhärteten sich. »Ich glaube bloß, dass du es langsamer angehen lassen solltest.«

»Wenn es das ist, was du denkst«, sagte Gable, »dann wirst du die nächste Runde lieben.«

———

Die Depesche aus dem Hauptquartier war fünf Seiten lang. Dominika sollte einen speziell präparierten Speicherstick in einen *Residentura*-Computer stecken, vorzugsweise in den PC im Aktenraum, aber der unter Wolontows Schreibtisch würde auch reichen. Vierzehn Sekunden Herunterladen, und Langley würde zum Klartext hinter allen verschlüsselten »Punkt zu Punkt«- Nachrichten aus Jassenewo nach Helsinki Zugang haben, die über öffentliche Telefonleitungen übermittelt wurden. Nachrichten *en claire* zu lesen war sehr viel leichter, als zu versuchen, die sich ständig ändernden Verschlüsselungsalgorithmen zu knacken. Aber es war das bislang riskanteste Vorhaben. Forsyth sah Nates Gesicht und sagte, er solle das Treffen im Safehouse ausfallen lassen. Gable würde Dominika einweisen.

Zwei Tage später schob Dominika den Rollwagen voller Akten und später zu vernichtender Umschläge in den Aktenraum. Zum Glück konnte sie sich an dem Ding festhalten, denn ihre Beine zitterten. Der Archivar blickte erwartungsvoll auf, ein Mann im mittleren Alter namens Swets, der eine Riesenbrille und eine breite Wollkrawatte trug, die ihm nur bis zur Bauchmitte reichte. Er freute sich schon darauf, Egorowa wieder zuzuschauen, die jeden Tag gegen Feierabend die Akten zurückstellte, vor allem, wenn sie sich dabei streckte, um an die höheren Ablagefächer heranzukommen. Er folgte ihr mit Stielaugen, während sie den Rollwagen durch die Tür schob.

Sie hatte es mit Gable geübt; er hatte gesagt: Hören Sie nicht mitten in der Bewegung auf. Sie stieß gegen die Ecke des Schreibtischs, sodass der Rollwagen umstürzte und die Papiere zu Boden fielen. Swets stand auf, ganz beflissen. Sie hockte sich neben seinen Schreibtisch und sah den Schlitz mit dem blinkenden grünen Licht, vergewisserte sich, dass sie den Speicherstick richtig herum hielt, und schob ihn in den Schlitz. Swets richtete sich auf; Dominika zeigte auf eine Akte auf dem Boden in der gegenüberliegenden Ecke. Zwölf, dreizehn, *vierzehn*, dann zog sie den Speicherstick heraus, stand auf und strich sich die Haare hinters Ohr, während der Stick in ihrer Rocktasche pochte wie das *Verräterische Herz*. Sie wischte die Akten sauber und legte sie in die Schubfächer zurück, wobei sie Swets einen Blick gewährte, wie sie auf Zehenspitzen stand und zur Steigerung des Effekts den einen Fuß ein wenig anhob.

Noch zwei Stunden bis zum Ende des Tages. Alle Blicke schienen auf sie gerichtet, alle Leute schienen es zu wissen. Dann die Eingangshalle und die Schlange mit den ungeduldigen Botschaftsangehörigen vor der Doppeltür, neben der ein Tisch mit zwei Wolga-Schiffern stand: Sicherheitsleute der Botschaft mit braunen Wolken um die Köpfe, die Handtaschen und Taschen durchsuchten. *Lieber Gott, mach, dass sie nicht meine Tasche durchsuchen.* Schweiß rann ihr den Rücken herunter, bis ganz nach unten. Und dann stand sie in der Schlange – nach oben zurück konnte sie nicht, darauf achteten die –, hielt den Mantel eng an sich gedrückt und ließ den Speicherstick unter den Bund ihres Rocks und in die Unterhose gleiten. Der Sicherheitsmann stank nach Wodka. Die roten Augen wussten, mussten wissen, dass sie den Stick im Höschen hatte, aber er kramte in ihrer Handtasche, schob sie zum Ende des Tischs und winkte Dominika durch.

Am Abend, während nach dem riskanten Manöver das Adrenalin noch immer in ihr kreiste, erstattete sie Bericht. Nate stand etwas abseits, in der Tür zur kleinen Küche. Forsyth hörte ihr ruhig zu, die Brille auf die Stirn geschoben. Gable machte ein Bier auf und trank erst mal einen großen Schluck. »Schätze mal, wir wissen jetzt, was das Praktische an den Dingern ist.« Er drängelte sich an Nate vorbei und fing an, ein Käsefondue zuzubereiten. Dominika hatte so etwas noch nie gegessen. Als das Essen schließlich fertig war, setzten sie sich an den Tisch, tunkten Brot in den würzigen geschmolzenen Käse, redeten und lachten dabei.

Forsyth und Gable verließen nach dem Essen das Safehouse. Nate schenkte sich und Dominika ein Glas Wein ein, dann gingen sie ins Wohnzimmer. »Was du heute getan hast, war zu riskant, ich hätte es nicht zulassen dürfen«, sagte Nate.

»Ist ja noch mal gut gegangen«, sagte Dominika. »Wir beide wissen, dass dieser Job ein gewisses Risiko mit sich bringt.«

»Manche Risiken sind akzeptabel, einige sind unvermeidbar, die meisten sind einfach nur dumm.«

»Dumm? *Glupji?* Keine Sorge, Nejt«, sagte Dominika, »du wirst deine Starspionin schon nicht verlieren.« Beim Wort *dumm* waren ihr die Sicherungen durchgebrannt. Seine schmurgelten bereits.

»Ich finde nur, du solltest dir deine Kicks nicht mit Adrenalin besorgen.«

»Sondern mit Wein?« Sie schmiss das Weinglas an die Wand. »Nein, danke, Adrenalin ist mir lieber.« Nur das Tropfen des Weins war im Zimmer zu hören.

Nate trat auf Dominika zu und fasste sie oberhalb der Ellenbogen an den Armen. »Was ist denn los mit dir?«, zischte er. Sie sahen einander wütend an, ihre Gesichter nur Zentimeter voneinander entfernt.

»Was ist denn los mit *dir*?«, flüsterte sie. Sie sah das Zimmer leicht verschwommen. Nate war violett und dunstig. Sie betrachtete seinen Mund, forderte ihn heraus, näher zu kommen. Nach einer weiteren Sekunde war der Moment verstrichen. »Bitte lass mich los.« Nate ließ ihre Arme los. Dominika griff nach ihrem Mantel und öffnete, ohne Nate dabei anzusehen, die Tür – blickte kurz auf den Flur und ins Treppenhaus –, trat aus der Wohnung und schloss die Tür leise hinter sich.

Nate starrte auf die geschlossene Tür. Verdammt, er wollte doch nur, dass die Anwerbung reibungslos verlief. Wollte doch nur, dass ihr nichts passierte. Wollte doch nur …

### GABLES KÄSEFONDUE

Weißwein und zerdrückten Knoblauch reduzieren, geriebenen Gruyère und Emmentaler hinzugeben, bei mittlerer Hitze verquirlen, bis die Käse geschmolzen sind. Speisestärke, weiteren Wein nach Geschmack hineinrühren und erneut erwärmen (nicht kochen), bis das Fondue cremig und dickflüssig ist. Mit leicht getoasteten Landbrotwürfeln servieren.

# 18

Es war jetzt Wetter für kurzärmelige Hemden; die Finnen, die an der Fußgängerampel warteten, hielten das Gesicht in die Sonne, wie Sonnenblumen, und schlossen die Augen. Auf den weiten Rasenflächen und den Bänken im Park Kaivopuisto sonnten sich Sekretärinnen in der Mittagspause, im Büstenhalter, das Kinn gereckt.

Die Nachricht war mit Klebeband an seiner Tür befestigt; Nate begab sich in Forsyths Büro und nahm Platz. Gable saß auf dem Sofa. Forsyth reichte ihm die kurze Funknachricht vom Hauptquartier, die den neu ernannten Direktor der CIA ankündigte, der sich, von Kopenhagen kommend, sechs Stunden inkognito in Helsinki aufhalten wollte, um DIVA zu begrüßen und ihr den Dank der CIA für ihre bisherigen Dienste auszusprechen. Nate sah zu Forsyth hoch und dann zu Gable.

»Wie will der denn inkognito reisen?«, fragte Nate. »Seine Ernennung stand doch in allen Zeitungen.«

»Er hält sich in Kopenhagen auf, um an einem NATO-Treffen teilzunehmen«, fügte Forsyth hinzu. »Wie er den Dänen entwischen will, ist mir ein Rätsel. Allen Dulles hat mal etwas Ähnliches veranstaltet, auch Angleton: Flugzeug besteigen, niemanden einweihen, unangekündigt aufkreuzen.«

»Genau, aber das war 1951«, sagte Gable. »Und diese Männer reisten allein, und man ist die Treppe der Constellation runtergegangen, über das Rollfeld spaziert und hat in ein Hotel eingecheckt, indem man sich in das Hotelbuch eintrug. Aber diese Pillbox-Hüte der Stewardessen ...«

Forsyth ignorierte ihn. »Ich habe gestern Abend eine höfliche Nein-danke-Antwort geschickt. Der Europachef hat mich eine halbe Stunde später auf der grünen Leitung angerufen und mich runtergeputzt. Keine Anfrage. Der Direktor will sich einbringen.«

»Noch so ein aufgeblasener Kerl, dieser Europachef«, sagte Gable. »Der hält sich für Nelson bei Trafalgar. Habt ihr seine Weihnachtsbotschaft an die Truppen gelesen?«

Forsyth ignorierte ihn abermals. »Wir können den Ablauf erst ab dem Punkt kontrollieren, an dem er aus dem Flugzeug steigt. VIP-Gate, ihn in der Gegend herumfahren, seine Sicherheitsleute irgendwo unten zwischenlagern, ihn hier raufholen, dann kann er ihr die Hand schütteln, und wir schaffen ihn wieder raus. Beten wir, dass die russische Funkaufklärung seinen Flugplan nicht abgegriffen hat.« Forsyth warf erneut einen Blick auf die Funknachricht. »Er muss kürzlich über DIVA unterrichtet worden sein. Na ja, ist wenigstens gute PR für die Informantin.«

»PR? Er sorgt noch dafür, dass sie umkommt«, sagte Nate. »Es wäre sicherer, wenn wir sie in einen Kofferraum stecken und für ein langes Wochenende nach Schweden schleusen würden. Warum sagen wir nicht einfach, sie steht nicht zur Verfügung?«

»Nein«, sagte Forsyth.

»Dann schreiben Sie ihm, dass sie sich weigert.«

»Nein. Bereiten Sie sie vor, sagen Sie ihr, sie soll lächeln. Ihre blauen Augen werden den Rest erledigen. Und schaffen wir ein bisschen was zu essen und zu trinken in die Wohnung.«

»Wir brauchen einen Fluchtwagen, in der Nähe geparkt«, sagte Gable.

»Und was ist mit Dominika?«, fragte Nate. »Wer zieht die Arschkarte, wenn irgendwas schiefgeht?«

»Du«, sagten Gable und Forsyth.

——

Schritte auf dem Treppenabsatz. Die Tür öffnete sich, und Dominika stand auf. Der Direktor der Central Intelligence Agency legte seinen Mantel ab, schritt durch den Raum und schüttelte ihr ausgiebig und kräftig die Hand. Er sagte, wie sehr er sich freue, sie kennenzulernen, dann schüttelte er auch Nate die Hand, sagte, dass er seine Sache mit dieser jungen Dame sehr gut mache, während er sie anstrahlte, und dass sie beide stolz darauf sein könnten, was sie für die Vereinigten Staaten leisteten. Worauf Dominika den Kopf ein wenig schief legte. Dann setzten sich Dominika und der Direktor aufs Sofa, und er startete seine Charmeoffensive, wie zu Zeiten, als er noch Mitglied des Kongresses gewesen war. Um etwas zu unterstreichen, tätschelte er ihr das Knie, wobei seine Hand manchmal auch etwas länger darauf ruhte: eine Gewohnheit, die er in der Garderobe des Senats entwickelt hatte.

Er war groß gewachsen und schlank, hatte unstete Augen, eingefallene Wangen und glänzendes, gefärbtes Haar. Er sieht aus wie Koschei, dachte Dominika, der mythische Bösewicht, über den ihr Vater ihr Geschichten vorgelesen hatte, als sie klein gewesen war. Dominika musterte ihn, aber seine Aura war blass: ein blassgrauer Glanz um Kopf und Ohren. Grün, *selenji*, erbärmlich, nicht, was er zu sein scheint, ein Schauspieler. So anders als Onkel Wanja, aber doch so ähnlich, die gleiche *jaschjeritsa*, die gleiche Echse.

Er befragte Forsyth nach dem »operativen Umfeld« in Skandinavien, auch wenn alle wussten, dass man so etwas nicht in

Gegenwart eines Agenten besprach, also stand Dominika auf und holte einen Teller mit *Pelmeni*: dampfende Teigtaschen, frisch aus dem Topf, gefüllt mit gewürztem Hackfleisch, mit viel Schmand obendrauf. Dominika hatte darauf bestanden, etwas zu kochen, das sei die russische Art, einem Gast die Ehre zu erweisen. Man hätte trockene Näkkileipä-Cracker und warme Limonade servieren sollen, fand Nate.

»Ganz ausgezeichnet«, sagte der Direktor, Schmand im Mundwinkel.

Er wischte sich die Lippen und tätschelte das Kissen, damit Dominika sich neben ihn setzte. Nate, Gable und Forsyth saßen auf Stühlen in der Nähe, um Dominika zu beobachten, sie zu unterstützen. Der Direktor fragte sie, woher sie stamme, als wollte er überprüfen, ob sie ihn wählen würde. Gable dachte an längst vergangene späte Abende in stinkenden Hotelzimmern mit schwitzenden Agenten, die unglaubliche Risiken eingingen, all ihren Mut zusammennahmen, um wieder rauszugehen, daran, wie sie ihm konzentriert zuhörten, wenn er langsam und ohne Pause redete, und seine Miene beobachteten, wenn er den Wodka, Maotai oder Arrak ausschenkte. Das war lange her. Hier dagegen, in dieser lichtdurchfluteten Wohnung, waren sie zu einer Art gemütlichem Beisammensein alter Agentenfreunde zusammengekommen.

Nach Ansicht der Russen bringt ein Gespräch über künftige Erfolge Unglück. Besser ist es, den Mund zu halten. Der Direktor rückte näher an Dominika heran, die ihm aber nicht auswich. *Gut gemacht*, dachte Nate, *aber sie weiß ja auch, wie man mit so etwas umgeht, nicht wahr?* Der Direktor sagte, dass sie alle Dominikas Bemühungen *Beifall zollten*, dass er ein *persönliches Interesse* an ihren Aktivitäten habe und dass sie *nicht zögern* solle, sich jederzeit, *bei Tag oder Nacht*, direkt mit ihm in Verbindung zu setzen. Nate hätte ihn fast nach seiner privaten Telefonnummer in Bethesda gefragt. Forsyth las Nates Gedanken und kratzte mit den Stuhlbeinen, um ihm mitzuteilen, er solle verdammt noch mal die Klappe halten.

Flaschengrün und plappernd sagte Direktor Koschei irgendetwas über ein geheimes Bankkonto. Auf das Konto für Dominika sei eine Geldsumme eingezahlt worden, als Anwerbungsbonus, weiterhin würde Geld *jeden Monat* darauf eingezahlt werden. Über das Konto könne sie frei verfügen, aber Abhebungen und verschwenderische Ausgaben seien natürlich nicht ratsam. Zusätzliche Mittel würden deponiert, sobald sie *in Moskau* zu arbeiten beginne. Dominika blickte zu Nate auf und sah dann Forsyth an. Beider Gesichter wirkten ausdruckslos. Koschei redete gnadenlos weiter.

Nach Ablauf von zwei Jahren *internem* Dienst in Moskau, schwadronierte er, werde ein zusätzlicher Bonus von *einer Viertelmillion Dollar* auf das Konto eingezahlt werden. Schließlich, auf Grundlage des *gegenseitig vereinbarten* Datums ihrer Pensionierung, werde die CIA sie im Westen neu ansiedeln, an einem Ort, der ihre *Sicherheit* berücksichtige und ihr einen Alterssitz mit einer Wohnfläche von mindestens *eintausend Quadratmetern* biete.

Im Zimmer wurde es still. Dominikas Gesichtszüge hatten sich verändert. Sie blickte jeden Einzelnen an, dann drehte sie sich wieder zu dem Besucher um. Sie lächelte ihr strahlendes Lächeln. Nate dachte: *Ach du Scheiße.*

»Sir, vielen Dank, dass Sie einen so weiten Weg auf sich genommen haben, um mich kennenzulernen«, sagte Dominika. »Ich habe Mr Forsyth, Mr Gable und Mr Nash gesagt« – sie deutete auf jeden Einzelnen –, »dass ich mich verpflichtet fühle, Ihrem Geheimdienst auf jede mir mögliche Weise zu helfen. Ich fühle mich verpflichtet zu versuchen, meinem Land, Russland, zu helfen. Ich weiß alles zu schätzen, was Sie mir angeboten haben. Aber bitte verzeihen Sie: Ich mache dies nicht um des Geldes willen.« Sie sah diese *Nekulturni*-Vogelscheuche ganz ruhig an.

»Oh, natürlich nicht«, sagte Koschei und tätschelte ihr Knie. »Auch wenn uns allen klar ist, wie *nützlich* Geld sein kann.«

»Ja, Sir, da haben Sie recht«, sagte Dominika. Nate merkte, dass sie wütend war, die Haut über den Schlüsselbeinen war leicht gerötet. Forsyth hatte das auch bemerkt. Gable holte die Mäntel und ging im Zimmer umher.

»Herr Direktor, wir müssen Sie leider noch eine halbe Stunde herumfahren, bevor wir Sie zum Flugzeug bringen können«, sagte Forsyth und erhob sich.

»Gut, gut«, sagte Koschei. »Es war mir eine Freude, Sie kennengelernt zu haben, Dominique. Sie sind eine mutige Frau, die schrecklich große Risiken eingeht.« *Verdammt, sag ihr, wie lange sie zu leben hat*, dachte Nate.

»Und vergessen Sie nicht«, Koschei umarmte sie so, dass sein Arm über ihrer Brust lag: »Sie können mich im Notfall jederzeit anrufen.«

*Ja, damit er dich bei der Hand nehmen und über den Todes-streifen an der Grenze führen kann, zwischen den detonierenden Sprengfallen hindurch und mit zwei Minuten Vorsprung vor den Hunden*, dachte Nate.

Forsyth legte ihm Mantel und Hut an, während Gable nach unten ging, um die Sicherheitsleute zu benachrichtigen. Der Direktor folgte ihm. Forsyth blieb an der Tür stehen und sagte: »Wir sprechen uns bald.« Dann verschwand er. Dominika und Nate standen in der Tür der Wohnung, wie Frischvermählte, die sich von einem mürrischen Onkel verabschiedeten, der am Sonntag zum Essen gekommen war.

Nate schloss leise die Tür. Im Safehouse war es totenstill,

sie hörten, wie Autotüren zuschlugen, dann das Geräusch, wie sie davonfuhren. »Na«, sagte Nate, »hat dir der Direktor gefallen?«

—————

Es dämmerte. Wie Schemen glitten die Fahrtlichter der Boote die Bucht entlang. Vom Wasser her erklangen fröhliche Stimmen durch das offene Fenster. Zwei Gläser Wein standen unangerührt auf dem Tisch, während sie im Dunkeln saßen, Dominika auf dem Sofa, Nate auf einem Stuhl. Das Umgebungslicht schien auf ihre Haare und die Wimpern ihres rechten Auges. Zur Feier des Tages hatte sie ein sommerliches Kleid angezogen, eng in der Taille, dazu High Heels, wie zu einem Vorstellungsgespräch. Sie hatte keine Lust zu reden, und Nate wusste nicht, was er sagen sollte; er machte sich Sorgen, dass ihre Streitereien und jetzt dieser Besuch Dominika das Rückgrat gebrochen hätten, dass sie ihm sagen würde, sie würde hinschmeißen. Nate war ihr Führungsoffizier. Es lag in seiner Verantwortung, die Sache am Laufen zu halten.

*Mist*, dachte er, *jede Menge Anwerbungen gehen daneben, Agenten gehen in der Mühle der Spionageabwehr verloren, es gibt Pech oder schlechtes Timing, man verpasst einen Zug um dreißig Minuten, und nichts ist mehr wie vorher. Aber wer verliert schon eine Informantin, weil sie uns alle für Scheißkerle hält?* Er konnte sich gut vorstellen, wie sie die Köpfe im Hauptquartier zusammensteckten. Ja, das war Nash, in Helsinki. Was in der »Flur-Akte« stand, war eben doch richtig gewesen, so wie meistens. Langley würde telegrafieren: *Zeit für eine Verschnaufpause, ruhen Sie sich eine Weile aus, reden wir über Ihre Zukunft.* Sein Vater würde schreiben: *Willkommen daheim, mein Sohn, alles ist vergeben.* Ein stockdunkler

Minenschacht, steil und stickig. Er merkte, dass Dominika aufgestanden war und auf ihn zuging.

Wie ein Kokon, ohne dass sie ihn wahrnahm, hüllte das dunkle Zimmer Dominika ein, als sie sich vor Nate hinstellte und auf ihn hinabblickte. Da war das übliche tiefe Violett, aber merkwürdigerweise spürte sie, dass er eine Wärme verströmte, ruhig und stetig. Sie wusste, dass er litt, der allzu ernste Profi machte sich Sorgen wegen seiner Karriere, aber da war auch eine Verletzlichkeit unter seiner beruflichen Ernsthaftigkeit. Was immer er über sie persönlich dachte – sie war da nicht sicher –, seine Fürsorge und seine Besorgnis waren liebenswert. Auch sie spürte die Last, ständig mit dem eiskalten Geheimnis zu leben. Angetrieben von Wut zunächst, war sie in eine neue Rolle hineingeraten. Sie hatte sich angestrengt, für die Amerikaner, weil sie ihnen vertraute, sie kümmerten sich um sie, sie waren Profis.

Aber vor allem für Nate. Zum Teil tat sie es für ihn, wie ihr klarwurde. Hätte er sie gefragt, so hätte sie ihm geantwortet, dass sie nicht daran denke aufzuhören. Sie war entschlossen und fokussiert.

Doch nun brauchte sie etwas mehr als diesen Rausch der Täuschung, der Erkenntnis, dass ihr Wille stärker war als der aller anderen, dass sie dabei war, die grauen Eminenzen zu besiegen. Sie brauchte es, gebraucht zu werden. Sie spürte, wie ihr geheimes Selbst die Tür des Schutzraums öffnete und nach draußen trat. Dominika legte ihre Hände auf die Lehnen von Nates Stuhl, beugte sich vor und küsste ihn auf den Mund.

Das hatte sie nicht vorausgesehen. (*Er* sicherlich auch nicht.) Es war *sapreschtschennji*, streng verboten, sich auf eine körperliche Beziehung mit einem Führungsoffizier einzulassen, das wusste Dominika. Gefühlsmäßige Verwicklungen sind der Tod jeder nachrichtendienstlichen Operation. Der Lockvogel wird nicht ohne Grund nach der Venusfalle aus dem Zimmer gescheucht, woraufhin »Onkel Sascha« die Führung übernimmt. Denn Leidenschaften stünden einer Operation bloß im Weg, es führe zu nichts, wenn eine Agentin an seinen *khuj* denke, hatten die alten Ausbilder immer gesagt, wobei sie gelacht und versucht hatten, sie zum Erröten zu bringen.

Sie lag in Nates Armen und küsste ihn, nicht fieberhaft, sondern langsam, sanft; seine Lippen waren warm, und sie wollte sich nicht mehr von ihnen lösen. Sie spürte, wie sich in ihrem Körper ein Druck aufbaute, in ihrem Kopf, in ihren Brüsten, zwischen den Beinen. Seine Hände drückten auf ihren Rücken, und sie fühlte sich gut und war auch etwas nervös, als wären sie Kindheitsfreunde, die einander Jahre später als Erwachsene wiedergefunden hätten. Er atmete ihr eine tiefviolette Wärme ins Ohr, und sie spürte, wie sie ihr den Rücken hinunterglitt.

»Dominika.« Er wollte es langsamer angehen. Einige Tage zuvor hatten sie sich gestritten, es war eine Torheit, sich auf diese Weise aufeinander einzulassen, die Dauerhaftigkeit des Falls erforderte …

»*Sa moltschi*«, flüsterte sie, halt den Mund, du Trottel, strich mit den Lippen über seine Wange und hielt ihn fester umarmt.

In seinem Kopf drehte sich alles, aufgrund von Unschlüssigkeit, aufgrund von Angst, aufgrund einer unerbetenen Lust, die tief in ihm heranwuchs. Nate wusste, dass er sie haben wollte; es war verrückt, unbesonnen, verboten. Was als Nächstes geschah, daran konnte er sich nicht mehr erinnern.

Nackt, erregt gelangten sie in das kleine Schlafzimmer. Dominika strich mit den Fingernägeln sachte zwischen seinen

Beinen entlang, damit er ihr folgte – sie glaubte, soeben eine neue Anmachmethode erfunden zu haben. Dann stiegen sie lächerlicherweise über das Fußende ins Bett, das eingezwängt zwischen den Wänden stand. Sie ließ ihre Hand auf ihm, grub ihre Fingernägel ein wenig fester in sein Fleisch und lachte dabei. Ihr Mund war trocken vor Verlangen. Zum ersten Mal seine Haut zu spüren, mit den Lippen über seinen Bauch zu streichen war unwirklich und schwindelerregend. Erstaunt sah er sie an, als sie ihn nach hinten drückte, die Hand auf seine Brust legte. Lasziv und zärtlich, schüchtern und schlampenhaft schmeckte sie ihn und genoss das Gefühl, ihn im Mund zu haben. Es war, als wären sie seit Ewigkeiten ein Liebespaar. Da war kein Gedanke mehr an die Spatzenschule, kein Gedanke an nummerierte Sexualtechniken. Dominika wollte ihn einfach.

Es wurde drängender. Ihr geheimes Selbst weitete sich, füllte ihren Kopf aus, schnürte ihr den Hals zu, aber gerade noch rechtzeitig warf Nate sie auf den Rücken, und sie richtete ihre zitternden Zehen auf, während das Licht eines großen Mondes über den Inseln des Hafens aufstieg, durch das Fenster fiel und sie blendete. Sie war nachtblind und mondblind, zunächst war Nate nur eine Silhouette über ihr, dann ein erdrückendes Gewicht. Plötzlich spürte Dominika eine schöne, erregende Dehnung, und das Mondlicht schoss hinter ihren Augenlidern empor, wobei sie hoffte, verhindern zu können, dass ihr wogender Körper wie ein Blatt Papier davonwehte. Sie spürte, wie der hohle Rausch sich in ihr ausweitete, und dann stieg eine Riesenwelle aus der Tiefe empor, größer als die anderen, sie stieg, brach sich, und da sagte sie tief aus der Kehle »Bosche moj«, und der weißäugige Zustand der Gnade wogte durch sie hindurch, wie der Wind ein Weizenfeld beugt.

Seite an Seite lagen sie im hellen Mondlicht. Dominika wartete, bis ihre Schenkel nicht mehr zitterten, dann drehte sie den Kopf und betrachtete Nates verschwitzten, vom Mondlicht beschienenen Körper. »*Duschka*, du führst Agentinnen sehr gut«, flüsterte sie.

Die Nachtluft hatte ihre Körper noch nicht getrocknet, als sie hörten, wie sich in der Tür des Safehouse ein Schlüssel drehte. Sie sprangen aus dem Bett, Nate zog Hemd, Hose und Schuhe an, Dominika schnappte sich eine Handvoll Kleider und lief ins Bad. Nate betrat das Wohnzimmer und sah Gable in der Küche, der sich in den offenen Kühlschrank vorbeugte.

»Ich dachte, ich komme noch mal zurück, nach dieser Tour-de-Force-Darbietung des Direktors, zum Zweck der Schadensbegrenzung.« Er drehte sich um, um einen Blick in den Kühlschrank zu werfen. »Sind noch welche von den Teigtaschen übrig?«

»Auf dem untersten Regal. Ja, ich hab mit Dominika über den ganzen Scheiß geredet. Ich glaub, sie versteht den Unterschied zwischen uns und den Anzugträgern.«

»Ich hab mich totgelacht, als sie auf den alten Pfau genervt reagierte. Sie hat Mumm.« Er stellte ein Gefäß mit Teigtaschen auf den Küchentresen. »Konntest du sie einigermaßen beruhigen?«

»Ja, *Bratok*.« Dominika kam aus dem Bad. »Jetzt bin ich ruhig und entspannt.« Sie war komplett angezogen, die Haare gekämmt, die Gesichtszüge entspannt. Nate beobachtete Gables Gesicht. Dominika sagte: »Ich wärme euch die *Pelmeni* auf.« Sie schaltete die Herdplatte an. »Aufgewärmt schmecken sie am besten, besonders so.« Sie gab Butter in die Pfanne, gab die gekochten Teigtaschen hinein und briet sie, bis sie rundum leicht gebräunt waren. »Auf diese Weise schmecken sie am besten mit Essig.«

Sie flachsten weiter, während sie um den Küchentresen herumstanden und aus Schüsseln aßen. Gelegentlich blickte Gable von Dominika zu Nate und wieder zurück. Nate betrachtete geflissentlich sein Essen, aber Dominika erwiderte unbekümmert Gables Blicke und nahm die Blüte um seinen Kopf wahr. Als sie zu Ende gegessen hatten, ließ Gable Wasser in die Spüle laufen, während Dominika ihren Mantel anzog. Sie schaute nicht zurück zu Nate, als sie im Treppenhaus nach unten ging. Nate schloss die Tür und wandte sich angstvoll zu Gable um, der mit zwei Gläsern zwischen den Fingern und einer Flasche Scotch in der anderen Hand zum Sofa im Wohnzimmer ging.

»Tja, Priapus«, sagte Gable und stellte die Gläser auf den Tisch, »dann hol ich mal das Eis, du kannst ja solange Däumchen drehen.«

### PELMENI-TEIGTASCHEN

Fünf Zentimeter große hauchdünne Teigplättchen aus Mehl, Eiern, Milch und Salz herstellen. Rinder- und Schweinehackfleisch, klein geschnittenes Hühnerfleisch, geriebene Zwiebeln, pürierten Knoblauch und Wasser miteinander vermengen. Je einen Esslöffel der Füllung in die Mitte der Teigplättchen legen, am Rand befeuchten, zusammenfalten und zusammendrücken. In gesalzenem Wasser kochen, bis die Teigtaschen zur Oberfläche steigen. Mit Schmand servieren.

# 19

»Es ist über Sie gekommen?« Forsyth beugte sich über seinen Schreibtisch. »Sie führen, jedenfalls nach Einschätzung des Hauptquartiers, einen der vielversprechendsten russischen Informanten der vergangenen zehn Jahre, und Ihnen fehlt die Disziplin, sich von ihrem Bett fernzuhalten?«

»Chef, sicher, das war ein Fehler. Ich hab's nicht geplant, es ist einfach passiert. Sie war ausgeflippt, wegen des Direktors. Er hat sie Dominique genannt. Es hat sich in ihr aufgestaut, sie brauchte Anschluss, sie hat unter großem Druck gestanden.«

»Sie brauchte Anschluss?«, sagte Gable von seinem üblichen Platz auf dem Sofa hinter Nate. »Wird Bumsen in eurer Generation heute so genannt?«

Forsyths normalerweise freundliches patrizisches Gesicht verfinsterte sich; seine Augen waren auf Nate gerichtet, bis dieser den Blick senkte. »Dann gehen Sie auf ihre Bedürfnisse ein, unterstützen Sie sie. Aber treiben Sie es …«

»… nicht wie die Karnickel«, sagte Gable.

»Ja, genau«, sagte Forsyth. »Was passiert, wenn Ihre Beziehung kriselt? Was, wenn Sie in vier Monaten Streit bekommen und sie beschließt, sie kann Sie nicht ausstehen?«

»Dazu braucht man nicht allzu viel Fantasie«, sagte Gable.

»Wird sie weiter für die CIA arbeiten? Oder macht sie das alles nur, weil sie so vernarrt ist in Ihren …«

»Macho-Gazpacho«, sagte Gable.

»Was redest du denn da?«, sagte Forsyth und sah Gable an, der auf dem Sofa lümmelte. Er drehte sich wieder zu Nate um, der über Gables Bemerkung gelacht hatte.

»Also wirklich, Nate«, sagte er. »Trotz der Informationen, die sie bis zu diesem Zeitpunkt geliefert hat, und trotz ihres Lügendetektortests ist DIVA eine neue Quelle. Wir müssen sehen, ob sie produktiv operiert, bevor wir wissen, dass Ihre Anwerbung geklappt hat. Heißt das, wir vertrauen ihr nicht? Ja und nein; man vertraut einem Informanten nie völlig.

Russen werden verdrießlich, dramatisch, bekommen Heimweh. Sie drehen durch. Wissen Sie noch, wie Jurtschenko auf der Treppe der Aeroflot-Maschine zum Abschied gewunken hat? DIVA ist stark, aber sie ist auch temperamentvoll, impulsiv, wie wir alle wissen.« Er hob die Hand, um Gable davon abzuhalten, eine pubertäre Bemerkung zu machen.

»Ihre Aufgabe als Führungsoffizier besteht darin, die Informationen zu sammeln, für ihre Sicherheit zu sorgen, ihre persönlichen Gefühle zu sublimieren und aus DIVA eine möglichst gute Informantin zu machen.«

»Sublimieren«, sagte Gable. »Das heißt nicht: vögeln.«

»Seit Sie in die Station gekommen sind, jammern Sie darüber, Sie wollten eine große Anwerbungsaktion starten, dass Sie den Fall nicht verlieren wollen, dass Sie Angst haben, Ihre Reputation zu verlieren. Dann fangen Sie verdammt noch mal an, diese Russin wie ein Profi zu führen. Führen Sie sie mit kühlem Kopf ...«

»Dem, den du zwischen den Schultern hast.«

»Und bedenken Sie, was eine Liebesaffäre mit einer geheimdienstlichen Operation, mit *ihr* anstellen kann. Wir müssen langsam über ihre Rückkehr nach Moskau nachdenken. Wir kennen das Timing nicht. Sie könnte rundheraus ablehnen, im Inneren zu arbeiten. Bringen Sie sie dazu, über diese Plackerei nachzudenken, bereiten Sie sie darauf vor.«

»Ja, Sir«, sagte Nate und erwiderte Forsyths Blick.

»Haben wir uns verstanden?«, sagte Forsyth und sah ihn ein letztes Mal scharf an.

»Ich weiß, ich *weiß*«, sagte Nate. »Ich bin darüber hinweg. Danke für die Gardinenpredigt. Ich bring die Sache wieder ins Lot.«

»Das freut mich zu hören«, sagte Gable und erhob sich vom Sofa. »Dann kann ich ja die vier Baby-Monitore im Safehouse entfernen.« Nate blickte entgeistert zu ihm hinüber. Forsyth verzog keine Miene.

»War nur ein Witz, Kleiner«, sagte Gable. »Ich könnte es nicht ertragen, mir die Wiederholungen anzusehen.«

———

Was Forsyth und Gable davon abhielt, Nate wegen seiner Affäre weiter in den Hintern zu treten, war ein Signal von Dominika am nächsten Tag. Nate riss bewusst nicht die Hand weg, als er am Morgen die glitschige Vaselineschmiere an der Unterseite seines Wagentürgriffs berührte. Dominika hatte sie in der Nacht daraufgestrichen. *Notfallsignal*, dachte er, *plus zwölf Stunden*. Die Nacht war kühl, der skandinavische Herbst war angekommen, mit Raureif auf den Windschutzscheiben, Dampf trat aus den Belüftungsrohren. Sie warteten im Safehouse und besprachen die möglichen Notfallsituationen. War sie auf der Flucht, war man ihr dicht auf den Fersen? Nate hatte die Abfahrtszeiten von Flugzeugen und Fähren recherchiert. Gables Mann von der Supo hielt sich bereit. ARCHIE und VERONICA saßen am Telefon. Allen drei CIA-Offizieren machte das Warten, das Bauchgefühl zu schaffen. Niemand sah auf die Uhr – dafür waren sie zu gut.

Nate stand auf, als sich ihr Schlüssel im Schloss drehte. Da wussten sie, dass alles in Ordnung war, denn ihre eisblauen Augen funkelten, und ihre Wangen waren gerötet – nicht nur wegen der Überwachungserkennungsroute, sondern auch wegen etwas anderem.

Gable holte einen Becher heißen Tee, und sie pustete darauf, während sie die Geschichte erzählte, schnell und gut, Einzelheiten gleich vorneweg, denn darin waren sie alle geschult. Sie wollte die Männer erschüttern, beeindrucken. Tags zuvor war ein nicht identifizierter Mann in die russische Botschaft gekommen, er hatte gebeten, den »Sicherheitsmann« zu treffen, und ihm einen Briefumschlag mit Blockschrift darauf gegeben: UNGEÖFFNET M. WOLONTOW ZUSTELLEN. Der Mann schlüpfte aus der Botschaft, bevor der einfältige Sicherheitsbeamte ihn nach seinem Namen gefragt hatte, aber der Sicherheitsoffizier brachte den Brief sofort nach oben zum *Residenten* Wolontow, der einen zweiten Umschlag in dem ersten vorfand. Wolontow hatte nach Dominika gebrüllt, sie solle reinkommen, und in einer dunstigen, orangefarbenen Wolke geschwebt, während sie den englischen Text übersetzte. In Blockschrift geschrieben, hieß es in dem Brief, der Absender biete dem SWR ein geheimes US-Technikhandbuch für die Summe von 500 000 Dollar an, in fünf Tagen könne man sich im Hotel Kämp treffen.

Dominika sah von Nate zu Forsyth zu Gable, nippte am Tee, erzählte weiter. In dem Kuvert befand sich eine zweite Seite, die aussah, als sei sie aus einem Dreiringordner herausgerissen worden. TOP SECRET oben und unten auf der Seite, Titel in Fettschrift US NATIONAL COMMUNICATIONS GRID, eine obere Ecke schräg gekappt. Wolontow war nervös, ließ sie den Warnhinweis unter dem Titel zweimal vorlesen: »Nicht autorisierte Kopie.«

»Bei Auffinden an das Office of Coordination zurückgeben.«

»Jeglicher Missbrauch wird strafrechtlich verfolgt.«

Wolontows Gesicht war grau, er brüllte sie an, sie solle eine Kopie anfertigen. Seine sowjetischen Speichelleckerreflexe funktionierten tadellos. Aufgeblasen sagte er ihr, er werde die Titelseite des Originals direkt an den Ersten Stellvertretenden Direktor Egorow schicken, Diplomatenpost, oberste Priorität, sei sicherer so. Forsyth sah Gable an. Der stand auf und zog den Mantel an, als Dominika ihren Pullover anhob, hinter ihrem Rockbund ein gefaltetes Blatt Papier hervorholte und es Forsyth hinüberschob; Gable tippte auf die schräge Ecke und murmelte: »Der Mistkerl hat die Seriennummer rausgerissen«, dann blickte er zu Dominika und sagte: »Ich dachte, ich hätte Ihnen befohlen, so etwas nie mehr zu tun.« Dann beugte er sich vor, küsste sie auf den Kopf und verließ das Zimmer. Gable schickte liebend gern Nachtdepeschen, um die Doughnut-Fresser in Langley aufzuwecken.

Wolontow habe den restlichen Tag Qualen gelitten, sagte Dominika. Ein halbes Dutzend Mal habe er sie zu sich ins Büro zitiert, mit einem orangefarbenen Riesenrad der Vorahnung rings um den Kopf. Selbst er erkannte, dass es sich hier um einen kolossalen nachrichtendienstlichen Coup handeln könnte. Am Ende des Tages entschied er, Wanja Egorow direkt anzurufen, um ihn über die heikle und möglicherweise spektakuläre Entwicklung zu informieren und um ihn von der einkommenden Diplomatenpost zu unterrichten. Sollte der Vizedirektor doch sehen, wie kompetent er, Wolontow, die Operation persönlich leitete.

Weil er den Anruf über das Cheftelefon tätigen wollte, schloss Wolontow die Tür. Aber Dominika hatte das grundlose Lachen und die Untertänigkeit in dem wiederholten gebellten »Ja, Ja, Ja« gehört, ein echter *l'stets*, wie sagt man, fragte sie, Hinterbackenküsser? Genügend nah dran, sagte Forsyth. Wolontow hatte sie zum zehnten Mal an dem Tag hereinzitiert und schelmisch davon unterrichtet, dass der Stellvertretende Direktor selbstverständlich Wolontows Vorschlag gutheiße, dass Dominika, und nur Dominika, dem *Residenten* bei dieser Operation assistieren werde. Sie solle die Mittel bereitstellen – ihr wurde aufgetragen, nur 5000 Dollar abzuheben. Sie wurde angewiesen, das Zimmer im Kämp anzumieten. Sie sollte beim Treffen mit dem Amerikaner dolmetschen. Fangen Sie gleich an, sagte er und entließ sie mit knapper Geste.

Was Dominika nicht bekannt war: Wolontow rief auch seinen Referenten der Abteilung KR, das ehemalige Wachposten-Wunderkind, zu sich. »Ich möchte, dass Sie ein Treffen observieren, das ich Ende der Woche habe. Im Foyer des Hotels Kämp. Einfach nur dasitzen und beobachten.«

»Ein Treffen?«, sagte der Spionageabwehrmann. »Wie viele Männer werden wir brauchen? Natürlich werden wir bewaffnet sein.«

»Sie Idiot. Nur Sie. Keine Waffen. Einfach in der Lobby sitzen. Beobachten Sie mich, während ich einen Kontakt herstelle. Bleiben Sie da. Dann beobachten Sie mich, wie ich das Hotel verlasse. Ist das klar?« Der KR-Mann nickte, war aber enttäuscht.

Nach einer Stunde scheuchte Nate Dominika aus dem Safehouse. Von nun an galten die Moskauer Regeln: keine unnötigen Treffen. Keine Treffen bei Tage. Schau dich nach Überwachungsteams um, *geh davon aus*, dass man dich observiert. Reduziere auffällige soziale Kontakte. Bleib nahe an der Botschaft, bis das Treffen im Hotel Kämp durchgeführt ist. Wolontow dürfte ungeduldig sein, nervös, könnte womöglich die Strippen einziehen, alle observieren. Sie würden keinerlei Risiko eingehen. »Da lauert eine Kobra in der Kloschüssel«, sagte Gable, als sie wieder zurück in der Station waren. »Wir müssen sehr vorsichtig vorgehen. Wenn etwas passiert, was das Treffen sprengt, irgendetwas – dass dieser beknackte Amerikaner verhaftet wird, der SWR das Handbuch nicht bekommt –, dann ist Dominika die einzige andere Person im SWR, die über den Typen Bescheid weiß.«

Forsyth verschickte eine Depesche mit Zugangsbeschränkung, in der er das Hauptquartier an die Gefahren für DIVA erinnerte. Der Europachef war ausnahmsweise einmal schockiert, *entsetzt*, als er Forsyths Empfehlung las, dass die Station einfach nur den Verräter identifizierte und es dem FBI überließ, dieses Durcheinander zu regeln. Er wolle sich nicht einmal *vorstellen*, zu welch gravierender Gefährdung nationaler Sicherheitsinteressen der Plan führen würde – nicht solange er die Hand *am Ruder* der Europa-Abteilung habe.

Als der Rechtsattaché der amerikanischen Botschaft, ein zweiundfünfzigjähriger Special Agent des FBI namens Elwood Maratos, in Forsyths Büro stürmte, um den »Zugriff« zu koordinieren, wussten sie, dass das Hauptquartier das Treffen in ganz Washington hinausposaunt hatte. Maratos hatte sich während seiner fünfundzwanzigjährigen Laufbahn als Ermittler bei Banküberfällen im Mittelwesten ausgezeichnet und legte im Büro die Füße auf den Tisch, wobei er seine Schuhsohlen Forsyth und Gable zeigte und sagte, es handle sich um einen klaren Fall von Spionage, begangen von einem amerikanischen Staatsbürger, und unterstehe daher dem ausschließlichen Zuständigkeitsbereich des FBI.

»Dieser Blödmann«, sagte Gable, als Maratos gegangen war, »der denkt doch, *Espresso* ist das spanische Wort für ›Expresszug‹.«

Es stand fest: Wenn sie es zuließen, würde ein Dutzend Special Agents vom FBI in Helsinki in Cargo-Hosen, Kampfstiefeln und Baseballkappen mit dem Logo der New York Yankees darauf einfallen. Die Station konnte nur eines tun: die Special Agents des FBI im Griff behalten. Forsyth sagte Nate, er solle einen Ausschleusungsplan für DIVA erarbeiten. Möglicherweise müssten sie sie aus dem Land bringen, falls es einen diplomatischen Eklat gab und die Russen anfingen, nach Gründen dafür zu suchen.

Dann passierte irgendetwas im Hauptquartier. Es musste ein großes Meeting gegeben haben, und sie hatten angefangen, der Gefahr für DIVA Aufmerksamkeit zu schenken. Einige sagten später, Simon Benford, der Chef der Spionageabwehr, habe einen seiner wohlbekannten Wutanfälle bekommen und davor gewarnt, dass die mangelnde Beachtung der Gefahren für seine Agentin ein »Schweinefrühstück« nach sich ziehen würde. Das Ergebnis: zwei Depeschen, die drei Tage später eintrafen, zwei Tage vor dem Treffen im Kämp. Die erste war adressiert vom Chef Europa, zu Händen des Stationschefs. Die zweite hatte Benford geschrieben, mit der ihm eigenen Knappheit, die an Unhöflichkeit grenzte. Diese Depesche schlug einen operativen Schachzug vor, der sogar den alten Hasen Marty Gable erstaunte.

Die erste Depesche lautete:

1. Bitte künftigen Nachrichtenverkehr über zum Thema gehörende Informationen auf diesen Kanal beschränken. Das Hauptquartier räumt allen Bemühungen, den mutmaßlich illegalen Verkauf von geheimem US-Material an den SWR zu verhindern, höchste Priorität ein. Station wird angewiesen, mit dem FBI-Repräsentanten in der Botschaft zu kooperieren, der durch das FBI-Hauptquartier in Washington unter-

richtet ist. Das Hauptquartier bestätigt der Station, dass das FBI in allen Fragen hinsichtlich Ermittlung und Gesetzesvollzug Weisungsbefugnis hat, was Bedrohungen der nationalen Sicherheit sowie amerikanische Staatsbürger betrifft, die einer Straftat verdächtig sind gemäß Teil II des Gesetzes zur Reform der Nachrichtendienste aus dem Jahr 2004 sowie Durchführungsverordnung 12333 und 50 USC 401.

2. Station wird gebeten, die Ermittlungen des FBI auf Verlangen umfassend zu unterstützen. Das Hauptquartier ist natürlich besorgt, dass jede Festnahme die Sicherheit der Stations-Informantin GTDIVA beeinträchtigen könnte. Station sollte alle Maßnahmen verstärken, DIVAs Sicherheit während des operativen Einsatzes zu garantieren.

3. Bitte Entwicklungen vorab umgehend melden. Das Hauptquartier hält sich bereit, um auf Verlangen Hilfe zu leisten. Gute Fahrt und immer eine Handbreit Wasser unterm Kiel.

In der zweiten Nachricht hieß es:

1. Haben obengenannten GTDIVA-Bericht erhalten. DIVA entwickelt sich allmählich zu außergewöhnlicher Quelle.

2. Bitte dem Hauptquartier beste Grüße übermitteln.

3. Sind ebenfalls der Meinung, dass bereits ein kleiner Fehltritt im Umgang mit obengenanntem Anbieter DIVA zum Gegenstand genauer Untersuchung machen wird. Bei schlimmstmöglichem Ausgang bitte sicherstellen, dass der Ausschleusungs-Notfallplan ausgearbeitet ist. Das Hauptquartier ist vorbereitet, den Überläufer aufzunehmen und neu anzusiedeln.

4. Ungeachtet des Rechts zum Gesetzesvollzug seitens des FBI bestehen die Ziele des Hauptquartiers darin, den Anbieter zu identifizieren, seine Festnahme herbeizuführen, ohne

den SWR zu alarmieren, und diesem zu gestatten, wiederhole, zu gestatten, das Handbuch in Empfang zu nehmen, ohne Verdacht bei russischer Gegenspionage zu erregen. FBI wird unterrichtet über Undercover-Operation und wird Anweisungen der Station Folge leisten, um angestrebte Ziele zu erreichen.

5. Zur internen Verwendung: Separates, sicher abgeschottetes Team hat im vergangenen Jahr modifiziertes Handbuch (GTSOLAR) produziert, das identisch ist mit der Kopie, die in Helsinki zum Verkauf angeboten wurde. Die streng geheimen Modifikationen werden Desinformation und Irreführung zur Folge haben.

6. OSWR-Forscher mit SOLAR-Handbuch im Gepäck verlässt Washington am Abend des 17., erwartete Ankunft am Morgen des 18. Bitte abholen und unterbringen.

7. Baldmöglichst Vorschlag für Operation vorlegen, um Handbuch durch bearbeitete Version SOLAR ersetzen zu können. Anweisungen in vorhergehendem Schreiben ignorieren.

Sie arbeiteten den Plan aus, riefen die Techniker hinzu, beriefen ein weiteres Treffen mit DIVA am Abend vor dem Kontakt ein. Sie zeigten ihr die Zeichnungen, machten den Schlüssel zum Hotelzimmer nach, gingen mit ihr die einzelnen Schritte durch. Forderten sie auf, sich die Zeichnungen noch einmal anzuschauen. Ist schon gut, Nejt, sagte sie. In ihrer Stimme lag eine gewisse Schärfe, die Anspannung zeigte sich. Sie sprachen über das Risiko, ihre exponierte Situation, aber sie wollte nichts davon wissen. Ihre blauen Augen musterten sein Gesicht, als er die Karte ausrollte und die Ecke markierte, an der man sie abholen würde, falls sie fliehen müsse. Sie hörte die Besorgnis in seiner Stimme.

Geht es hier um mich, dachte sie, oder um die Operation? Nate, der Führungsoffizier, war zurück, seine Aura unverändert.

Die Angelegenheit war zu ernst, also brachen sie die Besprechung ab und machten sich ein spätes Abendessen; Forsyth war an der Reihe. Er war kein großer Koch, aber Dominika war überrascht, wie er in seiner Schürze dastand und, in Blau getaucht, Ofenhandschuhe an den Händen, eine Sauciere aus dem Backofen zog. Er konnte nur ein Gericht, eine *Soubise*: in Butter gebratener Reis mit karamellisierten Zwiebeln. Für den Fall einer Katastrophe, und damit sie nicht verhungerten, hatte Gable Lamm-Kebabs besorgt. Sie aßen, ohne zu sprechen. Dann ein Blick auf die Uhr an der Wand; Dominika ging jetzt besser nach Hause.

Sie zog die Tür nicht auf, wartete kurz, stellte den Kragen hoch. »Viel Glück morgen.« *Dabei ist sie es, die in Gefahr ist.*

»Dir auch«, sagte Nate. »Wird schon schiefgehen.«

»Also dann, bis in ein, zwei Tagen.« Sie zog ein Paar Handschuhe an, bereit, die Tür zu öffnen. Wartete. Das Geräusch von Geschirr in der Spüle. Sie sah ihn an, mit ihrem Mona-Lisa-Lächeln.

»Pass auf dich auf.« Sie blickte über seine Schulter in Richtung des vom Mond erhellten Schlafzimmers, aber er ließ sich nichts anmerken, was sie ein wenig enttäuschte.

»*Spokoinoi notschi, Nejt.*« Sie machte nie Geräusche, wenn sie die Treppe hinunterging.

Sie gingen herum, schalteten die Lampen aus, machten sich bereit, nach Hause zu gehen. Der neue Tag war bereits angebrochen. Forsyth redete, während sie die Wohnung aufräumten. »Keine Heldentaten, ist das klar?« Gable zog die Vorhänge zu, schaltete das Licht im Bad aus.

»Klar«, sagte Nate.

»Ich meine, wenn wir morgen auf dem Boden der Realität aufschlagen, schalten wir nicht gleich in Kriegsmodus um«, sagte Forsyth.

»Okay, ich hab schon verstanden«, sagte Nate, der wusste, was gleich kam, und bemüht war, seinen Chef nicht zu bevormunden.

»Wenn es Schwierigkeiten gibt, dann bewerten wir die. Erst dann treffen wir die Entscheidung über unser weiteres Vorgehen. Aber es wird ausschlaggebend sein, dass Dominika ihre Rolle erfüllt bei dem Austausch. Falls sie Fehler macht, egal, aus welchem Grund, ist die Operation gestorben.«

Gable kam ins Zimmer zurück. »Morgen um diese Zeit holen sich die SWR-Leute garantiert gegenseitig einen runter, weil sie die echt guten Sachen in die Hände bekommen haben. Kein Zweifel, in Moskau wird die reine Freude herrschen.« Sie zogen ihre Mäntel an. Was gesagt werden musste, musste jetzt gesagt werden, denn draußen auf der Straße würden sie in unterschiedliche Richtungen gehen, und es würde auch keine Umarmungen zum Abschied geben.

»Wenn ich das also alles richtig verstehe, lassen wir sie ins Verderben laufen, um diese betrügerische Kopie, dieses ›Falschgeld‹, zu verkaufen«, sagte Nate möglichst gleichmütig.

»Dieses ›Falschgeld‹ verkaufen?«, sagte Gable. »Wir sind hier nicht in Las Vegas. Wir werden sie beschützen, auf jede erdenkliche Weise. Aber du musst an Bord kommen, Kleiner. Kopf hoch, größer als das hier wird's nicht.«

Draußen war es frostig, die drei trennten sich. Nate ging zu Fuß zum Auto, denn so spät fuhren keine Straßenbahnen mehr. Noch immer spürte er etwas von der Vaseline unter seinem Türgriff, dann stieg er in den Wagen ein und starrte aufs Armaturenbrett. Eine Art Tunnelblick stellte sich ein.

Plötzlich parkte er vor ihrer Wohnung und donnerte an die Tür, dann lag sie in seinen Armen, ihr dünnes Nachthemd eng am Körper anliegend, überschüttete ihn mit Küssen, und plötzlich verschwanden die wolkigen Bilder, und er schüttelte den Kopf frei, startete den Motor und fuhr nach Hause, an den Rändern der Stadt entlang, seine Rückspiegel im Auge behaltend.

## FORSYTHS SOUBISE

Den Reis fünf Minuten lang in Salzwasser kochen. In separater Sauciere gewürzte Zwiebeln leicht karamellisieren. Reis hineinrühren, zudecken und bei mittlerer Hitze köcheln lassen, dabei gelegentlich umrühren, bis alles goldgelb ist. Vor dem Servieren Sahne und geriebenen Gruyère hineinrühren.

# 20

Forsyth, Nate und ein Techniker namens Ginsburg setzten sich behutsam auf die roten samtbezogenen Empirestühle in einem der eleganten Zimmer im Hotel Kämp. Skeptisch betrachteten sie die beflockte Seidentapete und den Satinbaldachin über dem Bett. Von der Norra Esplanaden drang gedämpfter Verkehrslärm durch die Vorhänge vor den hohen Glastüren. Die drei CIA-Beamten saßen um einen niedrigen, vergoldeten Beistelltisch, auf dem zwei Laptops, ein Mobiltelefon, ein Miniaturempfänger und ein verschlüsseltes Motorola SB5100 lagen – die wuchtigen Funkgeräte waren sicherer als Mobiltelefone, vor allem, weil die Russen während des Treffens im Hotelzimmer vermutlich alle Kanäle überwachen würden. Auf den Laptops waren zwei Ansichten zu sehen: Laptop Nummer eins zeigte Dominikas Zimmer im Kämp, das größtenteils identisch war mit dem, in dem sie jetzt saßen. Es handelte sich sogar um das Nachbarzimmer. Laptop Nummer zwei zeigte das große angrenzende Bad des Nachbarzimmers. Beide Bilder wurden aus einer oberen Ecke nahe der Decke gefilmt, Vogelperspektive, ein 270-Grad-Blick.

Dominika hatte Wolontows Anweisungen befolgt und das Zimmer einige Tage im Voraus gemietet, wodurch die Techniker Zeit gehabt hatten, sich Zutritt zu verschaffen. In Nachtarbeit hatte die Station zwei kabellose Kameras installiert: Die eine war im kunstvollen Deckenstuck des Schlafzimmers eingelassen, die andere in der mechanischen Lüftung im Badezimmer befestigt. Die Kameras übertrugen an den Empfänger ein verschlüsseltes Signal, das dann auf den Laptops dargestellt und aufgezeichnet wurde. Außerdem enthielt jede der Remote-Head-Kameras – die so groß waren wie ein Zippo-Feuerzeug – ein digitales Miniaturmikrofon, das den Ton übertrug.

In einem geparkten Lieferwagen vor dem Kämp saß Gable mit Maratos und drei weiteren Special Agents des FBI aus ihrem Washingtoner Büro für Spionageabwehr. Maratos konnte kaum seine Wut darüber verhehlen, dass Forsyth sein Veto gegen jegliche FBI-Präsenz eingelegt hatte, teils um die FBI-Agenten unter Kontrolle zu behalten, aber hauptsächlich, um Dominika nicht preiszugeben. Sie durfte dem FBI um keinen Preis in die Hände fallen.

Die FBI-Agenten hatten in Washington mit harten Bandagen gekämpft. Sie hatten ihre Zustimmung verweigert, dass der Anbieter – wer auch immer er war – Helsinki verließ und in die Vereinigten Staaten zurückkehrte, bevor sie ihn verhafteten. Zu viel könnte schiefgehen, argumentierten sie. In Wirklichkeit glaubten sie, den politischen Bumerangeffekt nicht überleben zu können, sollte ihnen die UNSUB, die unbekannte Person, entwischen. Leute aus der Führungsriege im Hauptquartier kamen deshalb überein, dass das FBI so lange warten sollte, bis die Russen das Areal verlassen hatten, und die Person erst dann kassierte. Die Special Agents antworteten: »Klar doch! Klar!«, als die CIA darauf bestand, dass Forsyth, und nur Forsyth, das Signal zur Festnahme geben würde.

»Jeder versteht, wie die Sache ablaufen soll?«, hatte Forsyth tags zuvor in seinem Büro gefragt und dabei demonstrativ Maratos angesehen.

»Ja, ja, alles klar. Wir nehmen nicht zum ersten Mal jemanden fest«, sagte Maratos. »Vergessen Sie bloß nicht, uns Bescheid zu geben, wenn Sie rausgefunden haben, wie der kleine Schwanzlutscher heißt.«

»Elwood, ich möchte ausdrücklich betonen, dass Sie auf mein Signal warten müssen. Sie bringen das Leben meiner Informantin in Gefahr, wenn Sie zu früh losschlagen.«

Maratos schaute Forsyth verärgert an. »Großer Gott, ich hab doch gesagt, ich hab's verstanden.«

Gable hatte Nate gesagt, dass seine Aufgabe bei dieser Operation in Klappehalten und Zuhören bestand, aber Nate machte den Mund trotzdem auf und sah dem FBI-Mann dabei mitten ins Gesicht.

»Wenn ihr Jungs das hier vergeigt, dann solltet ihr künftig lieber eure Frauen den Wagen morgens starten lassen.« Das war ein haarsträubender Verstoß gegen die guten Sitten.

»Sie kleiner Scheißer«, sagte Maratos. »Soll das eine Drohung gegen einen Bundesbeamten sein?«

Nate wollte gerade antworten, als Forsyth die beiden anblaffte: »Hört verdammt noch mal auf, alle beide.« Maratos hätte gern etwas darauf erwidert, schwieg dann aber doch.

Das Funkgerät auf dem Tisch klickte zweimal: Gables Signal aus dem Lieferwagen, dass Wolontow und Dominika die Hotellobby betreten hatten. Drei Minuten später zeigte Laptop eins, wie die Tür aufging und Wolontow, Dominika und ein kleinwüchsiger junger Mann das Zimmer betraten. Dominika trug einen Aktenkoffer. Der Anbieter war dunkelhäutig, hatte einen widerspenstigen schwarzen Haarschopf und dichte Augenbrauen. Er trug einen blauen Anorak, über der Schulter eine schwarze Reisetasche. Die Kamera zeichnete nicht auf, was Dominika sah. Die Luft um ihn herum war von einer schmutzig gelben Dunstglocke durchdrungen, wie bei heißem Wüstenwind oder beim Himmel vor einem Tornado. Dominika wusste, was Wolontow mit dem jungen Mann vorhatte – und dass er verloren war. Sie setzten sich an einen niedrigen Tisch. Das Mikro fing Wolontows Russisch und Dominikas Übersetzung auf. Es war unheimlich, ihre Stimme aus dem Laptop zu hören.

Auf Wolontows Drängen gab der junge Mann seine Identität mit John Paul Bullard an, Analyst aus dem Mittelbau des Nationalen Telekommunikationsdienstes. Er beschrieb seine Arbeit und sagte, dass er dringend Geld benötige. Die Reisetasche tätschelnd wiederholte er seine Forderung in Höhe von einer halben Million Dollar, die Wolontow für das Handbuch, dessen Deckblatt er bereits abgeliefert hatte, zahlen sollte. Jetzt redete wieder Wolontow, und Dominika fragte den jungen Mann, inwiefern sie sicher sein könnten, dass das Handbuch echt sei.

Bullard zog den Reißverschluss seiner Tasche auf und reichte Dominika ein gebundenes technisches Handbuch mit dem Umfang eines dünnen Telefonbuchs. Sie reichte es weiter an Wolontow, der drei Sekunden lang darin blätterte, ehe er es Dominika zurückgab. Er sagte etwas zu Bullard, das Dominika übersetzte. Sie müssten das Dokument erst unter vier Augen untersuchen, bevor sie dessen genauen Wert bestimmen könnten. Bullard sagte: »Es ist authentisch, ganz bestimmt, hundertprozentig echt.«

Auf Wolontows Nicken stand Dominika auf und ging mit Dokument und Aktenkoffer ins Badezimmer. Tags zuvor hatte der *Resident* klargestellt, dass er das Handbuch so schnell wie irgend möglich im Geheimfach des Aktenkoffers zu finden wünsche, und zwar vorsichtshalber, denn es könnte sich hier ja auch um eine Provokation des Westens handeln, eine Falle. Das fensterlose Bad sei der Ort der Sicherstellung.

Forsyth flüsterte ins Funkgerät: »Alles okay, warten.« Laptop zwei zeigte, wie die Tür zum Bad aufging und Dominikas Kopf den Monitor ausfüllte. Sie schloss die Tür, stellte den Aktenkoffer auf den Waschtisch. Mit einer raschen Bewegung bückte sie sich und drückte den Trittschutz des Waschtischs, der sich an drei Scharnieren lautlos nach innen öffnete. Sie zog ein identisch aussehendes Handbuch, das von zwanzig Technikern mikroskopisch verändert und sorgfältig präpariert worden war – bis hin zum fehlenden Deckblatt –, aus dem versteckten Hohlraum hervor und legte Bullards Originalhandbuch an dessen Platz. Der Trittschutz mit den Scharnieren schloss sich wieder. Als Dominika zwei Nieten im Klappdeckel des Aktenkoffers herunterdrückte, öffnete sich dessen Innenfutter, und ein doppelter Boden kam zum Vorschein. Sie legte das modifizierte Ersatzhandbuch in das Geheimfach, ließ den Versteckdeckel zuschnappen und schloss den Aktenkoffer mit einem Klick.

Dominika hielt kurz inne, um ihr Spiegelbild zu betrachten. Sie strich sich durch die Haare und blickte dann zum Lüftungsrohr und zu der unsichtbaren Überwachungskamera hoch. Am Abend zuvor hatte Nate ihr gesagt, sie würden den Austausch überwachen, um sicherzustellen, dass alles reibungslos ablief. Dominika streckte die Zunge in Richtung Kamera aus und ging nach einem letzten Blick in den Spiegel zurück ins Hotelzimmer.

»Großer Gott«, sagte Forsyth, »unglaublich. Was für eine Operation geht hier ab?« Er blickte Nate an.

»Kann ich ihre Telefonnummer haben?«, fragte Ginsburg, der Techniker.

»Mund halten, beide«, sagte Forsyth.

Als Dominika wieder am Tisch Platz nahm, griff Wolontow in seine Manteltasche und zog daraus einen dicken Briefumschlag hervor. Legte ihn auf den Tisch und schob ihn zu

Bullard rüber. Dominika sagte Bullard, sie könnten ihm nur 5000 Dollar zahlen, bis sie die Authentizität des Handbuchs bestätigt hätten. Bullards erstaunter Blick wurde von Wolontow mit eisigem Schweigen quittiert.

»Was soll er schon machen?«, fragte Ginsburg. »Sich an die Behörden wenden?« Nach einem scharfen Blick von Forsyth hielt er den Mund. Dominika sagte Bullard, dass sie zuerst das Hotel verlassen würden und er fünf Minuten warten solle, bevor er das Zimmer verließ. Der junge Amerikaner lehnte sich, wie vor den Kopf geschlagen, im Stuhl zurück. Wolontow erhob sich, knöpfte seinen Mantel zu und verließ das Zimmer, Dominika im Schlepptau. Als Bullard allein war, beugte er sich vor und legte die Hände vors Gesicht.

Forsyth flüsterte ins Funkgerät, wiederholte Bullards Namen. »Die Party ist vorbei. Gast noch oben. Keiner rührt sich. Keine Bewegung.« Zur Bestätigung kamen zwei Klicks zurück. Plötzlich stand Bullard auf. »Sitzen bleiben, verdammt«, sagte Forsyth zum Laptop-Monitor. »Bleib, wo du bist, du kleiner Dreckskerl.« Bullard ging zur Tür und verließ das Hotelzimmer. Forsyth griff nach dem Funkgerät. »Der Gast bricht auf. Blauer Anorak und schwarze Reisetasche. Alle bleiben auf ihren Posten. Keiner bewegt sich.«

Nachdem Wolontow und Dominika das Hotel verlassen hatten, stiegen sie in ein Botschaftsauto ein, das am Straßenrand wartete. Die FBI-Männer beobachteten ihre Abfahrt und wollten aus dem Lieferwagen steigen. »Sitzen bleiben, Jungs«, sagte Gable. »Noch keine Erlaubnis von oben.«

»Verdammt«, sagte einer der FBI-Agenten. »Die Russen sind weg. Wir schnappen uns den Scheißkerl.« Gable hielt ihn am Arm zurück.

»Keiner geht irgendwohin, erst brauchen wir das Okay«, sagte er.

»Stehen Sie verdammt noch mal nicht im Weg«, sagte Maratos, als er die Tür des Lieferwagens aufschob. Die FBI-Agenten drängten aus dem Wagen und rannten ins Hotel. Als sich die Fahrstuhltüren öffneten, trat Bullard in die Lobby und lief mitten in die Arme der drei FBI-Agenten. Sie warfen ihn zu Boden, rissen seine Arme auf den Rücken und legten ihm Handschellen an. Eine Gruppe von Hotelgästen und Touristen versammelte sich, während die FBI-Agenten Bullard auf die Füße zogen und aus der Lobby schleiften. In dem Tumult bemerkte niemand den KR-Mann von der russischen Botschaft, der hinten in der Menge stand, sich umdrehte und das Hotel durch einen Seiteneingang verließ.

Forsyth packte die Ausrüstung zusammen, während Nate Bullards Handbuch aus dem Badezimmer holte und der Techniker eiligst die Überwachungskameras abbaute. Sie trafen sich alle am Bahnhof.

»Verdammt noch mal!«, schäumte Forsyth. »Dafür reiß ich Maratos die Eier ab. Das war zu früh! Verdammt noch mal zu früh!«

»Damit wirst du warten müssen, bis er wieder in der Stadt ist«, sagte Gable. »Die sind sofort los zum Flughafen. Die hatten einen Flieger da warten, um den Kerl schnurstracks nach Washington zu befördern. Diese Arschlöcher hatten alle eine Latte vor lauter Erregung. Die dachten schon an ihre Beförderung.«

»Glaubst du, dass die Russen die Lobby observiert haben?«, fragte Nate. Er kämpfte gegen das zunehmende Angstgefühl in seiner Magengrube an.

»Schwer zu sagen«, sagte Gable. »Es gab jede Menge Zuschauer bei der Festnahme. Ich jedenfalls hätte dort jemanden postiert.«

»Großartig«, sagte Nate. »Ich geh jetzt ins Safehouse und

warte da auf Dominika. Sag mir Bescheid, wenn du etwas hörst.« Er stand auf und wandte sich zum Gehen.

»Einen Moment«, sagte Forsyth. »Setzen Sie sich noch mal kurz.«

Nate setzte sich.

»Ich möchte, dass Sie Ruhe bewahren, verstanden? Sie gehen nicht zu Dominika in die Wohnung. Keine Telefonate, kein einziges. Keine Signale. Wenn ich Sie näher als fünf Häuserblocks zur russischen Botschaft sehe, reiß ich Ihnen die Eier ab, sobald ich mit Maratos fertig bin.« Einen Taktschlag lang sah er Nate an. »Verstanden, Nate?«

»Ich geh ins Safehouse und warte. Das ist alles.«

»Das ist genau die Situation, die wir besprochen haben. Wir wissen nicht, was die Russen gesehen haben, wenn überhaupt. Ich schicke sofort eine Meldung mit allen Details nach Washington. Hoffentlich schicken sie Maratos nach Topeka, damit er da für den Rest seiner Karriere Unterschriftenkarten für Tresorfächer katalogisieren kann.«

Nate war aufgestanden, wollte gehen, seine Gesichtszüge zeigten Angst und Wut.

»Setzen Sie sich, ich bin noch nicht fertig«, sagte Forsyth. »Jetzt kommt der schwierige Teil – auf Nachricht warten, dass Ihre Informantin sicher ist. Wenn Sie zu früh handeln, bringen Sie sie womöglich in Gefahr, selbst wenn die Russen keinen Verdacht schöpfen. Die Sache muss sich totlaufen.«

»Wie wär's, wenn wir Dominikas Wohnung von ARCHIE und VERONICA observieren lassen?«, fragte Gable, ein Vorschlag, der Nate aufmuntern sollte, mehr als alles andere.

»Nein, das möchte ich nicht riskieren«, sagte Forsyth. »Aber Marty, ich möchte, dass sich dein Kontaktmann von der Supo auf der Tehtaankatu-Straße herumtreibt und die Russen im Auge behält. Sieht er irgendwelche Merkwürdigkeiten auf dem Weg in die oder aus der Botschaft, soll er anrufen. Stell ihm einen Bonus in Aussicht.«

Nate wollte gehen. »Bleiben Sie ruhig«, sagte Forsyth.

Als Nate den sicheren Unterschlupf betrat, roch es nach Dominika – ein Hauch von Seife und Puder, darunter etwas Elementares, hölzern und streng. Eine Minute lang glaubte er, sie wäre schon in der Wohnung angekommen, aber es war niemand da. Sie hatten ihr eingeschärft, einen Tag und eine Nacht fortzubleiben. Wolontow würde in Hochform sein, Telegramme senden und Anrufe tätigen. Er würde sie in seiner Nähe brauchen. Nate ging ins Schlafzimmer und legte sich aufs Bett. Er schlief angezogen ein, wachte mitten in der Nacht auf und zog sich die Tagesdecke über. Das ganze Bettzeug roch nach Dominika. Die Sonne weckte ihn.

Gable war in der Küche und kochte Kaffee. »Alles in Ordnung. Keine Merkwürdigkeiten, nichts, was außergewöhnlich wäre. Eine Sache nur, aber sag nichts zu Forsyth. Ich habe VERONICA losgeschickt, um spätnachts an Dominikas Tür zu klingeln. War aber niemand zu Hause. Sieht so aus, als hätte sie nicht dort geschlafen. Wahrscheinlich haben die Russkis die Nacht durchgemacht.«

Nate trat an die Spüle und spritzte sich Wasser ins Gesicht. Er spürte ein Engegefühl in der Brust. Im Kühlschrank stand noch immer der Behälter mit der letzten Teigtasche. Dominika hatte die gekräuselten Ränder mit ihren Fingern zusammengedrückt. Gable stand am Herd und briet sich ein Omelett, aber Nate war zu nervös, um zu essen.

»Keiner weiß mehr, wie man ein gutes Omelett macht«, sagte Gable. »Aber man haut nicht einfach nur die Eier in die Pfanne und klappt das Ganze übereinander. Das ist Quatsch. Man muss die Pfanne rütteln und umrühren, damit das Eiweiß gleichmäßig stockt – hörst du mir überhaupt zu? –, dann wird die Masse vorne in der Pfanne geformt. So, ich zeig's dir.« Er rührte die Eiermasse mit einer Gabel um, packte den Pfannenstiel von unten, schlug die Pfanne leicht gegen den Herd und drehte sie über einem Teller um. »Und die Mitte muss noch flüssig sein«, sagte Gable, während er das Omelett mit einer Gabel zerteilte. »Mal probieren?«

»Gott, Marty«, sagte Nate.

»Hör mal, uns bleibt nichts anderes übrig, als abzuwarten. Kein Piep von unserer Seite. Keine Bewegung.« Er aß eine Gabel voll Omelett. »Was ich dich fragen wollte: Was ist der wichtigste Aspekt dieser Geschichte?«

»Du meinst das Handbuch, den Austausch?«, fragte Nate. »Scheiß auf das Handbuch, was ist mit unserer Agentin? In diesem Moment könnte Dominika beim Verhör in einem Kellerloch sitzen, und du isst Omelett.«

»Ich möchte genau wie du, dass sie in Sicherheit ist«, sagte Gable, »aber wir warten jetzt erst mal ab, ob die Russen wirklich glauben, sie hätten das Handbuch eingesackt. Wir warten darauf, dass die sich selber auf die Schulter klopfen. Das Hauptquartier überprüft in Echtzeit den Datenverkehr der *Residentura*. Was Dominika auf den Stick runtergeladen hat, hat's gebracht; das gibt uns alle Infos, und die NSA liest alles mit. Völlige Stille im Funkverkehr, was aber bedeuten könnte, dass die extra vorsichtig sind.«

»Und wenn wir unsere Agentin verlieren? Ist es das wert?«

»Das beantworte dir selber. Wir sorgen dafür, dass die Bolschies sieben Jahre lang umsonst Cyber-Angriffe planen. Gegen unsere vermeintliche Infrastruktur, alles für die Katz. Was ist wichtiger?«

Nate sah Gable an, der seinen Blick erwiderte. »Lass dir dein beschissenes Omelett schmecken.«

Mittags blickte Forsyth von seinem Schreibtisch in der Station auf. Gable hatte soeben Nachricht erhalten von seinem Kumpel, der den Morgen damit zugebracht hatte, vom Observationspunkt aus Wache zu schieben. Der Ausdruck auf Gables Gesicht gefiel Nate gar nicht. »Heute Morgen um neun Uhr hat ein Lieferwagen die russische Botschaft verlassen. Mit DIVA und zwei anderen Personen. Sie trugen Diplomatengepäck und waren auf dem Weg zum Flughafen. Aeroflot fliegt jeden Tag um zwölf Uhr nach Moskau«, sagte Gable und sah auf die Uhr. »Das ist in anderthalb Stunden.«

»Na toll«, sagte Nate. »Und was machen wir jetzt?«

»Gar nichts«, sagte Forsyth. »Dass ein Lieferwagen zum Flughafen fährt, ist völlig normal. Das Erste, was die gemacht haben – und zwar noch letzte Nacht –, ist, das verdammte Ding zu kopieren und in die Tasche zu packen. Jetzt bringen sie mit dem Mittagsflug das Original in der Tasche nach Moskau. Dominika und zwei Begleiter. Es würde Wolontow ähnlich sehen, sie loszuschicken, um sich lieb Kind zu machen und selbst die Anerkennung einzuheimsen.«

»Das wissen wir nicht«, sagte Nate. »Was ist, wenn die Dominika nach Hause eskortieren? Was, wenn sie in Schwierigkeiten steckt?«

»Und was würden Sie in diesem Fall vorschlagen?«, fragte Forsyth. »Das Handbuch wird Moskau bald erreichen.«

»Lassen Sie mich zum Flughafen fahren«, sagte Nate. »Ich bau schon keinen Mist. Ich will mir nur alles gründlich ansehen. Vielleicht kriegen wir einen Eindruck von dem, was da abläuft. Wir sollten doch wissen, in welcher Situation wir stecken, finden Sie nicht? Wir wollen doch in der Lage sein, die Details weiterzugeben, oder?«

»Ausgeschlossen«, sagte Forsyth. »Sie wären wie Romeo, der nach Julia ruft, damit sie auf den Balkon tritt.«

Nate blickte Gable an.

»Ich halte das nicht mehr aus«, sagte Gable. »Dieser Trottel fängt uns hier gleich an zu weinen. Ich geh mit ihm, Tom. Ich werde ihn nicht über seinen Schwanz stolpern lassen. Vielleicht sehen wir, mit wem sie reist, kriegen einen Hinweis, was Sache ist.« Gable sah Forsyth an und nickte.

Als Forsyth schwieg, warfen Nate und Gable sich die Mäntel über und liefen die Treppe hinunter. Mit Nate am Steuer erreichten sie im Wahnsinnstempo den Flughafen. Sie gingen das verglaste Aussichtsgeschoss entlang, von dem man die Abflughalle überblickte. Gable entdeckte Dominika nahe am Gate von Aeroflot. Sie trug dasselbe dunkelblaue Kostüm mit der weißen Bluse. Ihre Haare waren mit einer Schleife zusammengebunden. Neben ihr saß auf jeder Seite ein Botschaftsangestellter. Das Diplomatengepäck stand auf dem Boden, zwischen den Knien des einen Beamten. Dominika wirkte schmal und ruhig, gekleidet wie eine brave kleine Funktionärin, auf dem Weg zurück nach Moskau und in die Zentrale.

Gable packte Nate am Kragen und schob ihn hinter eine breite Säule. »Du bleibst einfach hier stehen. Kein Winken. Keine Bewegung. Wir wissen nicht, wie sie reagiert, wenn sie dich sieht. Wenn du Mist baust, kann sie das ihr Leben kosten.«

Dominika saß zwischen einem Sicherheitsbeamten der *Residentura* und einem jungen Mitarbeiter der Botschaftsverwaltung, der bei der Nachricht von einer kostenlosen Reise in die Heimat seinen Koffer mit Dosenlachs und CDs gefüllt hatte, um sie an Nachbarn und Freunde in Moskau zu verkaufen. Er wusste nicht einmal, wer die vollbusige junge Süße da neben ihm war, es interessierte ihn auch nicht. Den Sicherheitsbeamten auf der anderen Seite hatte man über die

Reise gebrieft. Ihm war zugeflüstert worden, dass Korporalin Egorowa am Flughafen von Beamten empfangen werde, denen er auch die Tasche übergeben solle. Für die Tasche sollte er eine unterschriebene Quittung bekommen, außerdem durfte er zwei Tage Urlaub machen, bevor er nach Helsinki zurückkehrte. Punkt.

Dominika war doppelt eingenebelt, vom Kölnischwasser des Sicherheitsbeamten und vom penetranten Kohlgeruch des trägen Verwaltungsangestellten. Etwas erregte ihre Aufmerksamkeit, sodass sie zur Aussichtsplattform hinaufschaute. Nate stand neben einer Säule vor der Glasfassade. Er blickte auf sie hinunter, die Hände eng am Körper, das Glas war purpurn getönt. Ihr stockte der Atem, und sie zwang sich, ruhig zu bleiben. Ihre Blicke trafen sich, sie antwortete mit einem kaum wahrnehmbaren Kopfschütteln. *Nein*, duschka. *Lass mich gehen.* Nate nickte.

## GABLES ECHT FRANZÖSISCHES OMELETT

Eier mit Salz und Pfeffer aufschlagen. Wenn die Butter über starker Hitze nicht mehr in der Pfanne raucht, die Eimasse hineingeben. Die Pfanne in Bewegung halten und gleichzeitig kräftig rühren, bis die Eier stocken. Die Pfanne schräg halten, um die Eimasse im vorderen Teil anzuhäufen. Mit der Gabel am Pfannenrand entlangfahren und das Omelett über die noch flüssige Mitte klappen, wobei die Ränder übereinanderliegen sollten. Den Pfannenstiel von unten greifen und die Pfanne auf den Herd klopfen, um das Omelett an den Pfannenrand zu bringen. Die Pfanne über einem Teller umdrehen. Das Omelett sollte zartgelb und im Innern cremig sein.

# 21

Wolontow wich Dominikas Blick aus, als er von ihr eine Zusammenfassung von Bullards Handbuch auf Russisch verlangte, aber die Wolke um seinen Kopf war dunkelorange. Verrat, Misstrauen, Gefahr. Sie spürte es förmlich. Heute Nacht würde sie in der Botschaft bleiben müssen, sie konnte im Tagesraum neben dem Archiv auf der Couch schlafen. Der Schlägertyp aus der Abteilung KR behielt sie ständig im Auge. Sie ahnte nicht, dass er die Männer in der Lobby des Hotels Kämp beobachtet hatte, die inmitten der umherschlendernden Touristen den Anbieter Bullard auf den Marmorboden gezogen hatten, aber ihre Intuition sagte ihr, dass da irgendetwas faul war.

Als Wolontow zu ihr herübersah, spürte sie die Härte der alten Zeit, den Blick von Stalins Henkern Dserschinski, Jeschow, Beria, den blutleeren Blick, der die Männer und Frauen in die Keller schickte. Bestimmt war irgendetwas passiert. Eine anschwellende Woge der Panik erfasste sie. Sie hielten Abstand, immer ein schlechtes Zeichen. Die Maschinerie des Misstrauens war in Gang gesetzt. Dominika beschloss, so zu tun, als sei nichts passiert, und die Unschuldige zu spielen. Sie dachte an das Safehouse, an Nate und *Bratok*, dann ermahnte sie sich, nicht mehr an sie zu denken, sich auf das Kommende vorzubereiten. Sie mauerte ihr Gedächtnis zu, vergrub ihre Geheimnisse so tief wie möglich. Sie durften nicht an ihre Geheimnisse kommen.

Auf dem Flughafen Scheremetjewo nahmen sie zwei graue Männer in Empfang. Schulter an Schulter standen sie mitten in der Ankunftshalle. Sie nahmen die gelbe Segeltuchtasche vom Sicherheitsbeamten entgegen, der den Flughafen in einem separaten Wagen verließ. Sie sagten, man müsse ein Gespräch mit ihr führen, nahmen sie in die Mitte und gingen zum wartenden Auto. Im späten Nachmittagslicht fuhren sie vom Flughafen schweigend zu einem unauffälligen Gebäude am östlichen Stadtrand. Sie bogen vom Rjasanski Prospekt ab, mehr konnte sie nicht erkennen, dann ein quietschender Fahrstuhl, ein langer, grün gestrichener Flur, und dort saß sie dann, während das Tageslicht schwand und die Nacht anbrach. Sie hatte nichts gegessen und trug seit zwei Tagen dieselbe Kleidung. Ein Mann mit Brille öffnete eine Tür, wies sie mit einer Geste an, einen Raum zu betreten, der wie ein privates Büro aussehen sollte. Aber er war nicht in Gebrauch, eine Bühnenkulisse, bis hin zu der Schale mit den Rosen auf dem Sideboard.

Der Mann hatte schmale Hände, Pianistenhände. Er war kahl und hatte an einer Kopfhälfte eine Delle wie nach einer Trepanation. *Tscheltij*, das wohlvertraute Gelb von Verrat und Betrug. Er hieß Dominika in Moskau willkommen, es sei doch immer wieder schön, nach Moskau zurückzukehren, nicht wahr? Sie seien sehr zufrieden, sagte er, mit ihrer Arbeit in Skandinavien, insbesondere, wie sie mit dem Anbieter umgegangen sei. Nein, nicht *tscheltij*, sondern *tscheltisna*. Der Mann war das Gelbe selbst. Das bedeutete Verrat, Gefahr, tödliche Gefahr.

Sie musste das erwartete Verhalten an den Tag legen – neugierig, etwas verwirrt, müde von der Reise. Und um Gottes willen keinerlei Anzeichen von Angst oder Verzweiflung. Ob es ein Problem gebe, fragte sie. Würde er so freundlich sein und ihr seinen Namen, Rang und seine Abteilung verraten? Sie vermutete, dass er ein Kollege vom SWR war. Oberst Digtjar, Abteilung K, ja, natürlich von der Zentrale. Digtjar. *Ukrainer*, dachte sie. Die Deckenleuchten warfen einen Schatten auf die Delle in seinem Schädel.

Sie referierte, wie das Treffen im Hotel abgelaufen war, vom Betreten der Eingangshalle an. Nein, es sei ihr entgangen, dass es einen Zwischenfall gegeben habe. Sie wisse nichts von einer Festnahme, nachdem der *Resident* und sie das Kämp verlassen hatten. *Resident* Wolontow habe nicht erwähnt, dass etwas schiefgegangen sei. Digtjar machte sich keine Notizen, fragte nicht nach. Man nahm alles auf Video auf, prüfte ihre Miene, beobachtete ihre Hände. Sie widerstand dem Drang, sich nach den Kameras umzuschauen. *Nicht umsehen, nicht denken, niemand kann dir helfen, du bist auf dich allein gestellt.*

Sie zogen ihren Pass ein und ließen sie für diese Nacht nach Hause. Ihre Mutter kam im Morgenrock an die Tür, zunächst überrascht, aber dann erstarrten ihre Gesichtszüge, ihre Augen wurden ausdruckslos.

»Dominuschka, was für eine Überraschung, komm doch rein, lass dich anschauen. Ich wusste gar nicht, dass du nach Hause kommst«, sagte ihre Mutter mit erstickter Stimme. Vorsicht.

»Es war eine unerwartete Reise«, sagte Dominika so unbeteiligt wie möglich. »Es ist schön, zu Hause zu sein, Mama, schön, dich wiederzusehen.« Gefahr. Mutter und Tochter umarmten sich, küssten einander die obligaten drei Male auf die Wangen und umarmten sich noch einmal.

Dominika wagte es nicht, sich an ihre Mutter zu schmiegen, sie durfte nicht zusammenbrechen. Die könnten sie beobachten, belauschen. Mutter und Tochter saßen beisammen, Dominika erzählte von den Finnen, vom Leben im Ausland. Aber sie müsse schlafen, am nächsten Morgen gebe es viel zu tun. Noch ein Kuss, dann streichelte ihr ihre Mutter die Wange und ging zu Bett. Sie wusste Bescheid.

Am Morgen wurde Dominika abgeholt und zurück nach Rjasanski gebracht. Und wieder erzählte sie ihre Geschichte, diesmal drei Männern, die um einen Tisch saßen. Die Schale mit den Rosen vor sich. Vermutlich war ein Aufnahmegerät zwischen den Blumen versteckt. Niemand sprach, aber sie blätterten in einem nicht gekennzeichneten Ordner – hatte dieses Schwein Wolontow denen so rasch einen Bericht geschickt? Sie verließen hintereinander den Raum und ließen sie allein, dann kamen sie hintereinander wieder herein. Noch einmal erzählte sie die Geschichte, genau dieselbe. Sie achteten auf Abweichungen, Widersprüche. Dominika war noch nie im Leben so angestarrt worden, schlimmer als in der Ballettschule, schlimmer sogar als von den Männern, die sie in der Spatzenschule angegafft hatten. Sie fühlte, wie ihr die Wut hochkam, aber sie widerstand und begegnete unerschrocken ihren Blicken. An das eisige Geheimnis in ihrer Brust ließ sie die nicht herankommen.

Die Befragungen dauerten den ganzen Tag, dann durfte sie nach Hause. Ihre Mutter hatte *Schschi* im Ofen, ein reichhaltiges Fleischgericht. Der Geruch nach Datscha und Gemüse und Erinnerungen an verschneite Morgen erfüllte die Wohnung. Dominikas Hände zitterten beim Essen. Ihre Mutter aß nicht, sie saß ihr nur gegenüber, beobachtete sie. Sie wusste Bescheid.

In den vergangenen fünfzehn Jahren hatte ihre Mutter nicht professionell musiziert, doch jetzt stand sie auf und kehrte mit einem Geigenkasten in die Küche zurück. Es war eine normale Geige, kein Vergleich mit ihrer Guarneri, aber sie setzte sich dicht neben ihre Tochter an den Tisch, die Geige unterm Kinn. Sie spielte langsam, Schumann oder Schubert, Dominika wusste es nicht. Die Geige vibrierte, der Klang war voll und schön und rotviolett wie vor langer Zeit im Wohnzimmer mit Batuschka.

»Dein Vater war immer sehr stolz auf dich«, sagte ihre Mutter. Musizierte sie bewusst, um die irgendwo versteckten Mikrofone zu überlisten? Unmöglich. Ihre Mutter? »Er hoffte immer, dass deine Begeisterungsfähigkeit, dein Dienst fürs Vaterland dich stützen würden.« Sie hielt die Augen geschlossen. »Er wollte dir unbedingt erzählen, was er empfand, er, der in diesem System Erfolg hatte. Aber er wagte es nicht. Er hat geschwiegen, weil er dich beschützen wollte.« Sie öffnete die Augen, spielte aber weiter, ihre Finger lagerten fest, sicher auf dem Griffbrett. »Er hat sie verachtet. Jetzt, da du in Schwierigkeiten steckst, hätte er es dir gesagt.« Was hatte sie erraten, wieso wusste sie Bescheid? »Sein ganzes Leben lang. Er wollte es dir sagen. Jetzt werde ich das tun«, flüsterte ihre Mutter. »Widersteh ihnen. Bekämpfe sie. Überlebe.« Beim letzten Wort hörte sie auf zu spielen und legte die Geige auf den Tisch, erhob sich, küsste ihre Tochter auf den Kopf und verließ das Zimmer. Die Musik klang noch nach, die Geige war warm, dort, wo sie am Kinn ihrer Mutter gelegen hatte.

Am nächsten Tag betrat Dominika eine Reihe von Büros, mit einem Mann oder zweien, dreien oder auch einer Frau im Kostüm – sie hatte das Haar zu einem Knoten hochgesteckt, wirkte umwölkt, schwarz, böse. Sie gingen um den Tisch herum, um dicht bei ihr zu sitzen. Oberst Digtjar forderte sie auf, das Muster des Teppichs im Zimmer des Hotels Kämp zu beschreiben. Manchmal wurden die Türen leise hinter ihr geschlossen, manchmal dermaßen laut zugeknallt, dass der Türrahmen wackelte. *Wir glauben Ihnen nicht.* Dann

das Unglaubliche, das Monströse, das Unmögliche, das Un-
ausweichliche.

Eine unheilvolle, schaukelige Fahrt im fensterlosen Bus,
dann der Hall der Tiefgarage, schließlich befanden sie sich
im Gefängnis. Das musste das Lefortowo sein, nicht Butyrka,
denn ihr Fall war politisch. Sie wurde durch einen düsteren
Flur geführt und in einen Vorraum gestoßen. Ein Mann und
eine Frau schauten ihr dabei zu, wie sie ihren Rock auszog,
die Schuhe abstreifte und hinter den Rücken griff, um den
Büstenhalter aufzuhaken. Sie erwarteten, dass sie den Kopf
hängen ließ, sich von ihren Blicken abwendete, Brustwarzen und Venushügel bedeckte, aber sie war eine ausgebildete Agentin und hatte ihren Abschluss an der AWR gemacht.
Sollten sie sich doch zum Teufel scheren. Splitternackt stand
sie aufrecht da und erwiderte ihre Blicke, bis sie ihr einen fleckigen Gefängniskittel zuwarfen. Er kratzte auf dem Drillich
der Matratzen in der dunklen Zelle, keine Fenster, zwei Prit-
schen. Da dachte sie an ihre Mutter, die mit dem Essen auf
sie wartete, rief unhörbar nach ihrem Vater und dann, zur eigenen Verwunderung, nach Nate.

Sie führten sie die Flure entlang, ließen sie aber nie einen
anderen Gefangenen sehen, um sie zu entmutigen. Unter
den Schuhen der Wärter klickte gestanzter Stahl. Und wenn
zwei Wärter klickten, silbrig spitz, klick, klack, klick, klack
gleichzeitig, steckten sie sie in eine winzige Kammer, eine
am Ende jedes Flurs, dunkel und noch erfüllt vom Geruch
längst verstorbener Gefangener. Durch die Dachluke zeigte
sich ein tintenblauer oder blassgelber Himmel, die Nacht
folgte weiter auf den Tag, doch das Deckenneonlicht in ihrer
Zelle hörte nie auf zu summen, eine Industriehupe kreischte
regelmäßig.

Ihr Vater ging neben ihr, ein lächelnder Nate erwartete sie

in jedem der verschiedenen Räume, einige heiß, einige kalt, einige dunkel, einige hell. Sie schüttelte sich die Haare aus den Augen, wenn sie Wasser auf sie kippten und die Ventilatoren anstellten. Nate saß neben ihr und hielt ihre Hand, die an der Armlehne festgebunden war und zitterte. Die beiden sagten nichts zu ihr, aber es genügte, dass sie bei ihr waren, ihre Berührung spürte.

Die Ermittler kreischten oder lachten ganz nah an ihrem Gesicht. Sie fragten nach ausländischen Kontakten – nach dem Franzosen Delon und dem Amerikaner Nash. Ob sie für die Amerikaner arbeitete? Das sei kein Problem heutzutage, angesichts der politischen Entspannung und all dieser Sachen. Sie sagten, sie wollten ihre Version der Geschichte hören, dann schlugen sie sie, um sie zum Schweigen zu bringen, und teilten ihr mit, dass Marta Jelenowa tot sei, dass Dominika sie so gut wie getötet habe, man werde Männer losschicken, um ihrer Mutter das Gleiche anzutun. Sie schlugen derart hart zu, dass ihr Gesicht wund und voller blauer Flecken war, das mögen doch alle kleinen Informantinnen, nicht wahr?

Die Tage und die Nächte variierten sie, auch das Anschreien bei den Verhören, manchmal schnallten sie sie auch auf einem der Tische aus rostfreiem Stahl fest. Ob sie senkrecht stand oder ihr Kopf über die Tischkante hing, war dabei egal. Dominika widerstand mit aller Kraft, mit all ihrer Willensstärke. Es war kein Hass, der wäre zu zerbrechlich gewesen. Sie entwickelte *Verachtung*, sie wollte diesen Rohlingen nicht unterliegen, sie ließ es nicht zu, dass die ihr ihren Willen aufzwangen.

Sie sahen nicht intelligent genug aus, um alle Nervenstränge zu finden – am unteren Steißbein, über dem Ellenbogen, an den Fußsohlen –, aber die suchenden Finger gingen nie fehl, der schreiende Schmerz schoss ihr durch den Körper bis in den Kopf, und sie hörte ihren abgehackten Atem im Hals.

Der Nervenschmerz war anders als der Sehnenschmerz, der wiederum anders war als der Schmerz, den ein Kabelbinder verursachte, den sie fest um ihren Kopf schnallten, quer über den geöffneten Mund. Dominika stellte fest, dass die *Erwartung* des Schmerzes, das Warten auf das, was als Nächstes kam, schlimmer war als die Qualen, die sie hervorrufen konnten. Der Klacks leitfähiges Lanolin, der ihr zwischen die Hinterbacken geschmiert wurde, jagte ihr mehr Angst ein als der erste Stoß mit dem abgerundeten Aluminiumpflock, den sie in sie hineinstießen, jagte ihr mehr Angst ein als dieser pulsierende, durch Strom verursachte Schmerz, dieser den Rücken krümmende Schmerz, der sie kraftlos machte, nachdem der Strom abgestellt worden war.

Eine Gefängniswärterin gönnte sich ein ganz eigenes Vergnügen bei der Ausführung ihrer dienstlichen Aufgaben. Ihre kräftigen Hände und dicken Handgelenke waren von der Weißfleckenkrankheit überzogen, ihnen fehlte die Pigmentierung. Auf einen mit Segeltuch bespannten Stahlstuhl gebunden, beobachtete Dominika, wie die scheckigen blassrosa Hände ohne Ende über ihren Körper trippelten, pressten, quetschten, kniffen. Die Augen der Frau – oval wie die einer Katze – beobachteten Dominikas Gesicht. Die Appaloosa-Hand lag auf Dominikas Unterbauch, gleichzeitig öffneten sich die Lippen der Frau vor Erregung.

Die Matrone beugte sich nah zu ihr herunter – das Gesicht dicht an Dominikas, die Augen fragend, nach Abscheu, Angst oder Panik suchend. Dominika verzog keine Miene, starrte in die wild schauenden Augen und öffnete die Schenkel.

»Mach doch, *garpija*, Harpyie«, flüsterte Dominika ihr ins Gesicht. »Mach dir doch den Ärmel feucht.«

Die Matrone richtete sich auf und schlug ihr auf die Wange. *Tut mir leid, dass ich dir das feuchte kleine Spiel verdorben habe*, dachte Dominika.

Die Stahlspitzen klackten, und dann wurde sie gestoßen, krachte gegen die Rückwand einer der Zellen am Ende der Flure. In der Zelle blieben die Lichter an, bis ihr die Augenlider brannten. Ein blasses Mädchen mit Blutergüssen an den Beinen und einer verkrusteten Wunde im Mundwinkel wurde zu ihr in die Zelle geworfen, mit dem Gesicht nach unten. Sie wollte die ganze Nacht reden, eine verängstigte Zellengenossin, die schluchzend bekannte, wie sie diese Leute hasste, sie hätte nichts Unrechtes getan. Der kleine *kanarejka*, der Kanarienvogel mit den gelben Flügeln, wollte eine Freundin haben. Das Mädchen leckte die Wunde am Mundwinkel, blickte zu Dominika auf ihrer Pritsche, streckte die Hand aus und flüsterte, dass sie einsam sei. Dominika drehte das Gesicht zur Wand und ignorierte die Reibeisenstimme.

Sie wussten nichts. Sie suchten nach einer Schwachstelle, irgendeinem Faden, an dem sie zupfen konnten, aber sie hielt ihre Geheimnisse fest beisammen. Sie kamen auf die Amerikaner zurück, wollten etwas über ihren Einsatz gegen Nash herausbekommen. Hast du mit ihm gefickt? Hast du seinen *khuj* in deinen kleinen Spatzenschnabel genommen? Jeden Tag gab es zwei Stunden ohne Gurte, Geschrei oder die Schläge mitten ins Gesicht, die ihr den Kopf nach rechts oder links schleuderten und ihre Sehkraft trübten. Ein namenloser Oberst – in Uniform mit puderblauen Schulterstücken, die zu seinem Halo passten, empfindsam wie Forsyth, ein Künstler – saß ihr gegenüber am Tisch. Bei ihm musste sie aufpassen, auf der Hut sein.

Er sprach ruhig, gleichmäßig. Zu Beginn jeder Sitzung fragte er, warum sie ihr Land verraten habe. Sie antwortete, dass sie das nicht getan habe. Und dann redete er weiter, als hätte er sie nicht verstanden, fragte sanft, welche *Gründe* sie denn dazu bewogen hätten, an *genau welchem Zeitpunkt* sie sich dazu entschlossen hätte.

Der Oberst war so sanft, so sicher in seinem Benehmen. Seine Fragen gingen von einer Prämisse aus – ihrer Schuld –, die allmählich Wirklichkeit wurde. Lassen Sie uns über die Enttäuschungen des Lebens sprechen, sagte er, diese Enttäuschungen, die Sie veranlasst haben, so etwas zu tun. Unlogische Gedanken, Fantasievorstellungen überwältigten sie. Möchten Sie die Abschrift über den Prozess gegen Sinjawski lesen? Sie wisse nicht, wer das sei, ein Dissident, 1966. Lesen Sie, wie sich Verweigerung zu Annahme entwickelt, wie befreiend das sein kann, sagte der Oberst. Seine Stimme klang sanft, melodisch, die blaue Blase, die ihn umgab, schien auch sie zu umhüllen. *Wach bleiben.*

Die historischen, parteiischen, in ätzendem Ton verfassten Abschriften faszinierten sie; es war, als wäre sie physisch anwesend bei diesem Schauprozess. Ihr war, als verlöre sie allmählich die Beherrschung über sich. Es war ermüdend, die einzelnen Anschuldigungen abzustreiten. Sie war drauf und dran, dem Oberst, der ihre Schuld überhaupt nicht infrage stellte, zuzustimmen. Das sei ganz einfach, wirklich, sagte er, sie müsse nur sagen, *wie* sie sich geirrt habe, *wann* und *wie schlimm.*

Fast hätte er sie kleingekriegt, der bescheidene Oberst in der gebügelten Uniform, doch sie weigerte sich, sich in das schwarze Loch hinabziehen zu lassen. Ihr Name war Dominika Egorowa. Sie war eine Ballerina, eine Offizierin des SWR, ein Spatz, der geschult worden war, den Willen anderer zu beugen. Sie liebte, und ihre Liebe wurde erwidert. Sie schloss die Augen und flog hoch über Moskau, folgte dem Fluss, hoch über den Feldern und den Wäldern, und senkte die Flügel über Butowo und dem Splittergraben, der die Leiche von Marta Jelenowa enthielt, der Boden über ihr zugefroren.

Marta spendete ihr Kraft. Dominika zerrte ihre Gedanken vom Abgrund fort, zog sich in sich selbst zurück, nutzte alles, was sie ihr gaben, um ihnen zu widerstehen, auch die Halluzinationen waren ihr willkommen. Sie lag in ihrer Zelle, und die Zelle war das Bett in Helsinki, und das grelle Licht in ihren Augen war das finnische Mondlicht. Sie lag still und fühlte ihn auf sich liegen. Das Fieber und der Schüttelfrost waren seine Liebkosungen. Ihr entzündetes Auge vergoss Tränen der Liebe, die er fortküsste. Sie drehte sich um auf der Matratze, und ihre beiden Fäuste lagen beieinander auf dem Unterbauch, damit der Schmerz aufhörte.

Selbst als ihre Arme taub von den Gurten waren, spürte sie, dass sie stärker wurde. Sie berührte das Geheimnis in sich, es war tief verborgen gewesen, aber sie konnte es wieder fühlen. Das Geheimnis in ihrer Seele, das sie außer Reichweite gebracht hatte, flackerte wieder auf, begann erneut zu brennen. Sie konnte daran denken, wusste, dass sie es nicht in die Finger bekommen konnten. Ihre Mutter hatte ihr gesagt: Leiste Widerstand, kämpfe, überlebe. Die wurden schwächer, sie selbst wurde stärker. Die individuellen Farben ihrer Peiniger flackerten.

Immer wieder antwortete sie ihnen, dass sie nichts Unrechtes getan habe, mehr könne sie ihnen nicht sagen, da sei nichts. Je lauter sie schrien, desto glücklicher wurde sie. Ja, glücklich – sie liebte diese Männer und Frauen, die sie folterten, sie liebte den türkisfarbenen Oberst. Sie wussten, dass sie nicht endlos weitermachen konnten, ihnen lief die Zeit davon. Sie hatten gar nichts, außer sie würden ein Geständnis erzwingen.

———

Hoch über dem mit Zinnen bewehrten Dach des Lefortowo und auch über der Lubjanka und in Jassenewo war der Äther voller heimlicher Nachrichten, Anfragen und Antworten, Prioritäten und Fristen. Aus Washington kamen Nachrichten über den Fall Bullard. Die Washingtoner *Residentura* streckte ihre Fühler aus, man lud Kontaktleute zum Lunch ein, traf kooperative Amerikaner in Tiefgaragen oder auf dem Treidelpfad am C & O Canal oder auf dem dunklen Kopfsteinpflaster in den Straßen von Georgetown und Alexandria. Ein Gerücht aus dem US-Justizministerium besagte, dass Bullard bereits *seit einem Jahr* unter Verdacht gestanden habe, bevor er den russischen Geheimdienst in Helsinki kontaktierte. Seine Verhaftung in Washington sei geplant gewesen, aber seine unerwartete Reise ins Ausland hätte sie zum Handeln gezwungen.

Offizielle amerikanische Quellen verharmlosten den Verlust des Handbuchs – es gelangte zwar nicht viel ins öffentliche Bewusstsein, aber eine »hochrangige Regierungsquelle« bezeichnete den Zwischenfall als »gravierenden Verlust nationaler Sicherheitsinformationen«. Im Kongress wurden Forderungen nach einer Untersuchung laut. Die Verbreitung von Falschmeldungen und die gegenseitigen Schuldzuweisungen waren allesamt Teil eines vielfältigen Täuschungsmanövers, das von Scharen unwissender Quellen und allerlei Plappermäulern weiterverbreitet wurde, orchestriert vom Spionageabwehrchef Simon Benford. Einziges Ziel war es, die Russen zu beruhigen, sie in Sicherheit zu wiegen, dass das erworbene Handbuch echt war. Sollte ein zusätzlicher Nutzen darin bestehen, die Informantin DIVA zu schützen – falls sie denn noch lebte –, umso besser.

Die SWR-Abteilungen R (Analyse) und X (Wissenschaft) reichten ihre Berichte ein. Die vorläufige Analyse des Dokuments, das von Bullard weitergeleitet worden war, endete mit der Bewertung, dass das Dokument echt und einzigartig war. Beamte der Abteilung T, Kommunikationsexperten und Wissenschaftler der Sankt Petersburger Universität für Informationstechnologie untersuchten das Handbuch in Rücksprache mit dem Verteidigungsministerium, um verwertbare Schwachstellen im gewaltigen US-Netzwerk zu finden. Aus dem Verteidigungsetat wurden Mittel beantragt, um Software, Cyber-Anwendungen und andere Tools für einen möglichen Einsatz gegen die festgestellten Schwachstellen im amerikanischen System entwickeln zu können.

Weil alle daran glauben wollten, kamen die *knias'ki*, die Prinzlinge, im Kreml zu einer einhelligen Meinung. Das Material war echt, ein bedeutender Glücksfall, selbst wenn die Amerikaner von dem Verlust wussten. Sich Bullards Informationen unter der Nase der amerikanischen Geheimdienste zu verschaffen, das war ein taktischer Triumph, eine Demonstration russischer Meisterschaft in der Spionage. Dass der Anbieter Bullard festgenommen worden war, war sein Pech. Ganz offensichtlich die Folge seiner Dummheit, Nachlässigkeit und Gier. Dem Kreml konnte das egal sein. Das war jetzt die Angelegenheit der Amerikaner, und zwar für dreimal lebenslänglich.

Ein Lob aus der Duma brachte Anerkennung für den *Residenten* Wolontow und die Helsinkier *Residentura*. Während einer Feier im Kreml am späten Nachmittag im prunkvollen Andrejewski-Saal mit den Doppeladlern über den Türen, wo früher die roten Sterne gehangen hatten, erhielt Direktor Egorow den zweiten Stern. Jetzt war er Generalleutnant. Präsident Putin überreichte Egorow persönlich die längliche Filzschachtel mit dem Zwei-Sterne-Abzeichen, küsste ihn dreimal auf die Wangen und schenkte ihm ein Krokodilslächeln – für den Präsidenten eine erheiternde Geste der Anerkennung. Die Beförderungsfeierlichkeiten fielen mit dem Wochenende zusammen und verzögerten Dominikas Entlassung um zwei Tage.

Am Montag, nach dem Frühstück, führte Wanja Egorow endlich die Telefonate. Mit dem KR, mit der Abteilung für Interne Ermittlung und schließlich mit dem FSIN, den Fieslingen für den Strafvollzug, den dämonischen Nachkommen der Gulags. Er nutzte den neuen Stern sofort, indem er sich als *Generalleutnant Egorow* vorstellte. Zu ihnen allen sagte er, dass sie die Befragungen abschließen sollten. Es mache langsam einen schlechten Eindruck, sie sei die Tochter seines Bruders, um Himmels willen. Nein, er wünsche nicht, dass sie zu Stufe zwei übergingen. Nein, er autorisiere weder die Gabe von Medikamenten noch eine Anwendung sensorischer Deprivation oder noch stärkere Elektroschocks. *Was zum Teufel denkt ihr euch eigentlich? Diese Maßnahmen sind für Mistkerle von Verrätern, etwa den Maulwurf, der sich noch immer da draußen herumtreibt,* dachte er. *Wenn sie nicht gestanden hat, dann gibt es nichts zu gestehen,* obwohl, weiß der Teufel, was in Helsinki passiert ist, mit diesem *slisnjak,* diesem Ekelpaket Wolontow, der da den Laden schmeißt. Macht sie zurecht und schickt sie zurück zu mir. Ihre Mutter macht sich Sorgen, ich möchte, dass sie an ihren Arbeitsplatz zurückkehrt, sagte er mit väterlicher Besorgnis.

Oberst Digtjar brachte persönlich die Pappkiste mit ihrer Kleidung in die Zelle, blieb stehen, während sie sich auszog, den Kittel zurückgab – Staatseigentum – und sich vor ihm

anzog, ihre Schienbeine und Oberschenkel blau-schwarz gesprenkelt, die Fingernägel purpurn, die Rippen sichtbar. Das
alles hatten sie in derart kurzer Zeit angerichtet. Sie führten
Dominika die Treppe hoch zu der vergitterten Tür, und sie trat
auf die verschneiten Straßen hinaus, mit all dem Verkehrslärm
und den Auspuffgasen der Busse. Sie ging vorsichtig eine kleine Strecke auf dem Eis, nur um den Boden unter den Füßen zu
spüren. Ihr Atem stieg in kleinen Wölkchen über ihrem Kopf
auf. Das Humpeln aus ihrer Zeit beim Ballett war jetzt ausge-
prägter, und ihr Fuß pochte, aber sie konzentrierte sich darauf,
die Arme zu schwingen und mit geradem Rücken und deutli-
chem Abstand zur Mauer zu gehen. Unter den Ärmeln ihres
Mantels waren die Flecken auf ihren Handgelenken zu sehen.

—

Im Bett oder wenn sie auf einem Stuhl im Wohnzimmer
saß, träumte Dominika vom Gefängnis, während ihre Mutter die Bettwäsche wusch, die sauer nach dem Gift roch, das
ihren Körper verließ. Sie trat rückwärts in den Dielenschrank,
schloss die Tür von innen und stand eingeklemmt im Dunkeln, aber nur um die Zeit in den Gefängniszellen erneut zu
durchleben – den Geruch und die Geräusche, *klick, klack,
klick, klack* – und um die Freude zu erleben, dass sie wieder
hinaus ans Licht gehen konnte, wann immer sie wollte. Mit
einer Strumpfhose fesselte sie sich die Handgelenke und zog
mit den Zähnen den Knoten fest, um ihre Pulsadern zu spüren. Nachdem diese überspannten Begierden abgeklungen
waren, weinte sie leise. Ihre Mutter spielte jetzt jeden Tag
eine halbe Stunde lang Geige, während Dominika auf dem
Boden saß und sich streckte, die Beine hob, bis ihr Magen
protestierte, sich vom Boden hochschob, bis ihre Arme zitterten. Ihre Mutter hatte sie am ersten Abend gewaschen, als sie

in der Badewanne saß, doch jetzt stand Dominika allein im Bad, sah die Flecken verschwinden, beobachtete sich selbst bei der Heilung. Im Spiegel nickte sie sich zu. Ihr ging es besser, und mit dem Gefühl der Erlösung kochte mehrfach eine rote Wut in ihr hoch. Es war ein tiefreichender Zorn, einer, den sie gut beherrschen konnte, der andauern würde, von dem sie sich nähren konnte.

———

Dominika Egorowa saß auf einem Stuhl vor dem papierfreien Schreibtisch ihres Onkels in Jassenewo. Draußen erstreckte sich, so weit das Auge reichte, der mit Schnee beladene Kiefernwald, dahinter waren die kahlen Felder und der flache Horizont zu sehen. Das Sonnenlicht strömte durch die Panoramafenster, erleuchtete die eine Gesichtshälfte ihres Onkels, während die abgewandte Seite im Schatten lag. Die eine Hälfte seiner gewalttätigen Aura war fleckig, die andere funkelte im Sonnenschein. Wanja Egorow lehnte sich zurück, zündete eine Zigarette an und betrachtete seine Nichte. Sie trug eine schlichte weiße Bluse, bis zum Hals zugeknöpft, dazu einen blauen Rock. Ihre dunklen Haare waren sorgfältig frisiert. Sie sah dünner aus und blass.

»Dominika«, sagte Wanja, als wäre sie gerade von einer Kreuzfahrt auf der Wolga zurückgekehrt. »Es freut mich, dass diese unangenehme Sache vorbei ist. Die Untersuchung der Helsinki-Angelegenheit ist abgeschlossen.«

»Ja.« Sie starrte auf einen Punkt an der Wand hinter ihm.

Wanja beobachtete sie aufmerksam. »Mach dir keine Gedanken. Jeder Offizier, der aktive Aufgaben erfüllt, ist zu irgendeinem Zeitpunkt in seiner oder ihrer Karriere in eine Untersuchung verwickelt. Das ist nun mal so in unserem Geschäft.«

»Ist das so in unserem Geschäft, dass man täglich vier Stunden tropfnass vor ein Luftkühlgerät gebunden wird?« Das fragte sie ganz ruhig, ohne die Stimme zu heben.

Wanja sah sie mit säuerlicher Miene an. »Das sind Tiere. Ich werde eine Überprüfung anordnen.«

*Eine Überprüfung deiner eigenen Beförderungsaussichten*, dachte Dominika. Mit einem Nicken zeigte sie auf die neue Plakette an der Wand.

»Herzlichen Glückwunsch, Onkel, zu deiner Beförderung.« Wanja sah auf die Urkunde und die Bänder und fingerte an der Rosette auf seinem Revers herum.

»Ja, vielen Dank. Und was ist mit dir? Was soll ich mit dir machen?« Als hätte ich eine Wahl, dachte sie. Aber sie hatte eine Idee.

»Jetzt, wo ich zurück bin, bin ich bereit, von überall zu berichten, wo immer du mich hinschicken möchtest. Es ist natürlich deine Entscheidung, aber wenn du erlaubst, würde ich sehr gerne *nicht* zur Fünften zurückkehren. Wäre es möglich, die Stelle in der Amerika-Abteilung, die mir General Kortschnoi angeboten hat, zu übernehmen?«

»Ich werde ihn fragen«, sagte Wanja. »Ich bin sicher, dass er zusagen wird.«

»Da wäre noch etwas.« Dominika dachte an ihre Gefängniszelle, spürte, wie sich ihr die Kehle zusammenschnürte, und wusste, dass ihr Gesicht und ihr Hals gleich rote Flecken bekommen würden (*Nr. 47: »Hals und Gesicht durchbluten, um Echtheit der Gefühle oder das Näherkommen der Klimax zu beglaubigen«*). Wanja wartete.

»Ich möchte gern mit meiner Arbeit an Nash weitermachen«, sagte sie unvermittelt, wobei sie seinem Blick standhielt. Wanja lehnte sich zurück und sah sie nachdenklich an.

»Ganz schön viel verlangt«, sagte Wanja. »Du weißt ja, dass

Oberst Wolontow fand, dass du mit dem Amerikaner nicht rasch genug vorangekommen bist.«

»Bei allem Respekt, Oberst Wolontow ist ein Dummschwätzer«, sagte Dominika. »Er hat keine Ahnung von solch einem Auftrag. Er fördert in keiner Weise deine Interessen oder die des Dienstes. Jetzt, wo ich seine lüsternen Blicke nicht mehr ertragen muss, nehme ich auch keine Rücksicht mehr auf seine Meinung.«

Wanja drehte sich um und schaute aus dem Panoramafenster. »Und wie läuft die Sache mit Nash?«

»Ich habe mit dem Amerikaner eine enge Freundschaft entwickelt«, sagte Dominika. »Wir haben uns oft getroffen, genau so, wie du es dir vorgestellt hast. Bevor ich Helsinki verlassen habe, sind wir … intim geworden.«

»Und du glaubst, du hast seine Aktivitäten erkunden können?« Er sah weiter aus dem Fenster, dabei nahm das Gelb seiner Krone an Intensität zu. *Er wird zustimmen*, dachte Dominika. *Es ist zu wichtig für ihn.*

»Zweifellos«, sagte Dominika. »Trotz Oberst Wolontows ungesundem Interesse hat Nashs *pjlkji*, seine Leidenschaft, zugenommen.« Dominika wandte den Blick nicht von ihrem Onkel ab. »Unglücklicherweise haben mein Gefängnisaufenthalt und die Verhöre unsere Romanze ein wenig vom Kurs abgebracht.«

Wanja dachte nach. In der Sache mit dem Maulwurf musste dringend etwas getan werden. Und seine Nichte kannte Nash besser als jeder andere und wirkte höchst motiviert. Aber sie war irgendwie anders – das Lefortowo-Erlebnis hatte sichtlich Spuren hinterlassen –, sie wirkte jetzt besessen, getrieben. War sie verliebt in Nash? Wollte sie mehr Zeit außerhalb Moskaus verbringen, im Westen, wollte sie …?

»Onkel, alle Zweifel sind ausgeräumt«, half Dominika ihm

sanft auf die Sprünge. »Ich bin wieder eingestellt, meine Vorgeschichte ist sauber. Ich bin die beste Offizierin, mit mir bekommst du am leichtesten die Aufmerksamkeit der Amerikaner und kannst den russischen Verräter identifizieren. Der Auftrag ist nun eine Herausforderung für mich. *Ich möchte es wieder mit denen aufnehmen.*«

»Du scheinst völlig überzeugt zu sein«, sagte Wanja.

»Bin ich auch. Und du solltest es auch sein. Denn du hast mich ja geschaffen.« Sie sah, wie Wanja der Kamm schwoll, seine Eitelkeit war wie ein gelber Ballon über seinem Kopf.

»Und wie würdest du vorgehen?«, fragte Wanja. Dominika wusste, sie musste nur noch an einem Faden ziehen, behutsam.

»Ich würde mich auf deine Ratschläge und Führung verlassen und die von General Kortschnoi.«

»In dieser Angelegenheit ist General Kortschnoi nicht unterrichtet worden«, sagte Wanja.

»Ich bin davon ausgegangen, dass seine Abteilung der naheliegende Bereich für diesen Einsatz wäre«, sagte Dominika.

»Ich werde darüber nachdenken, Kortschnoi mit einzubeziehen.« *Der flotte Onkel muss über eine Entscheidung nachdenken, die er längst getroffen hat.*

»Was auch immer du beschließt, wir würden es strikt *rasdelenie* halten. Ich würde jeden Schritt des Auftrags mit dir absprechen oder mit einer Person, die du dafür auswählst.«

»Du weißt, dass Nash seinen Einsatz in Helsinki beendet?« Wanja suchte in ihrem Gesicht nach einer Reaktion, fand dort aber nichts.

»Das habe ich nicht gewusst«, sagte Dominika. »Aber das macht nichts. Er kann sich nirgendwo verstecken.«

———

Die Gerüchteküche in Jassenewo brodelte. Alle wussten, dass Egorows Nichte wieder im Gebäude war, zurück aus Finnland; gerade dort hatte der Dienst kürzlich einen großen Erfolg erzielt, streng geheim! Hatte Egorowa etwas damit zu tun? Stimmten die Gerüchte über eine Untersuchung? Ging es da um die üblichen Dienstvergehen oder etwas anderes? Sie sah so aus wie früher, aber doch anders, dünner. Irgendetwas in der Art, wie sie die Blicke der Leute erwiderte. Inzwischen arbeitete sie in einem Einzelbüro in Kortschnois Amerika-Abteilung. Spezialauftrag für die Nichte des Vizedirektors, das war erwartbar, aber nicht nur *semejstwennost'*, nicht nur Günstlingswirtschaft. Man schaue sich nur die Augen an, diese Nussknackeraugen – womit aber nicht das Ballett gemeint war.

Sie hatte eine Anfrage an General Kortschnoi gestellt, worin sie um die Erlaubnis bat, sich seiner Abteilung anzuschließen. Er hatte sie unter den buschigen weißen Augenbrauen angesehen, seine purpurne Hülle majestätisch. »Ich beglückwünsche Sie zu der inneren Kraft und Stärke, die Sie im Lefortowo gezeigt haben«, sagte er ruhig. Dominika errötete. »Aber wir wollen nicht mehr davon reden«, sagte Kortschnoi.

Am Nachmittag hatte Kortschnoi mit dem Vizedirektor zusammengesessen und Brandy getrunken. Dabei wurde er über Wanjas Vorhaben unterrichtet, die Beziehung zwischen Dominika und dem Amerikaner wieder aufzubauen, um den Maulwurf zu verfolgen. Kortschnoi war beeindruckt und bat Wanja zuzustimmen, dass Dominika in die Amerika-Abteilung eintrat. »Das ist der beste Ort, um das Problem anzupacken«, sagte er.

»Wolodja«, sagte Wanja – ihre tiefe, lange Freundschaft zeigte sich in der zärtlichen Verniedlichungsform –, »ich benötige deine Fantasie bei diesem Problem. Ich brauche etwas Neues.«

»Unter uns gesagt, es sollte mich wundern, wenn uns nicht etwas einfiele«, sagte Kortschnoi. Wieder schenkte Wanja ihre Gläser voll. »Und absolute Verschwiegenheit über diesen Fall«, sagte er und nippte am Brandy. »Wir wollen den Maulwurf doch nicht auf die sich zusammenziehende Schlinge um seinen Hals aufmerksam machen.«

## SCHSCHI – RUSSISCHE KOHLSUPPE

In Stücke geschnittenes Rindfleisch, gehackte Zwiebeln, Sellerie, klein geschnittene Karotten und eine ganze Knoblauchzehe zwei Stunden lang in Wasser kochen. In einem anderen Topf Sauerkraut und Schlagsahne mit kochendem Wasser bedecken und bei mittlerer Hitze im Ofen dreißig Minuten ziehen lassen. Gewürfelte Kartoffeln, Sellerieknolle und geschnittene Pilze weich kochen. Dann alle Zutaten vermengen; großzügig mit Salz, ganzen Pfefferkörnern, Lorbeerblättern und Majoran würzen und zwanzig Minuten kochen. Den Topf mit einem Tuch bedeckt bei niedriger Temperatur in den Ofen stellen und für dreißig Minuten ziehen lassen. Mit saurer Sahne und Dill servieren.

# 22

Nathaniel Nash ging einen hellgrünen Flur im CIA-Hauptquartier entlang. Der Gang war menschenleer. Der gewachste Boden erstreckte sich bis in den weit entfernten Korridor D, dahinter in die Korridore E und DI. Für einen Führungsoffizier glich ein Gang durch dieses Territorium dem Streifzug durch einen geheimnisumwitterten Dschungel. Köpfe schauten um die Ecken und schreckten zurück, Türen öffneten sich einige Zentimeter weit und schlugen wieder zu. Lautes Geschnatter, ein Brüllaffe unter dem Blätterdach, die dröhnenden Laute vom anderen Ufer des Flusses, wo mit Stöcken auf einen hohlen Teakholzstamm geklopft wird.

Die Erinnerung an Helsinki quälte Nate. Dominika war verschwunden, wie vom Erdboden verschluckt, ihre Situation unbekannt: »Kontakt mit Informantin unterbrochen.« Er musste auf ihr Wiederauftauchen warten, vielleicht irgendwo am anderen Ende der Welt auf einer Cocktailparty, wo ihr ein CIA-Beamter plötzlich begegnete, vielleicht in zehn Jahren, vielleicht nie. Oder warten darauf, dass ein anderer Offizier erfuhr, sie sei in die Lager geschickt worden, oder darauf, dass Moskauer Beobachter in der *Prawda* lasen, wie sie gestorben war. Gespräche und E-Mails der Helsinkier *Residentura* waren fortlaufend abgehört worden, hatten aber nichts über Dominikas Verbleib offenbart.

Einen Monat nach Dominikas Abberufung hatte Nate bei Forsyth angefragt, ob er unbezahlten Urlaub nehmen könne.

Er hatte Forsyth schlicht gesagt, dass er privat nach Moskau reisen wolle, um herauszufinden, was mit Dominika passiert sei. Der für gewöhnlich unerschütterliche Forsyth verlor die Beherrschung.

»Sie wollen nach Moskau fahren?« Forsyth war rasend. »Ein Offizier der CIA mit Kenntnis der Moskauer Operationen will als Privatmann nach Russland reisen, ohne diplomatische Immunität? Ein – CIA-Offizier, der dem SWR bekannt ist und in ihrer Hauptstadt als Spion tätig war? Ist das Ihr Ernst?« Nate antwortete nicht. Gable, der das Geschrei hörte, kam ins Büro. »Was haben Sie vor, Nate?«, fragte Forsyth. »Wollen Sie die Lubjanka stürmen, Dominikas Zellentür einschlagen, sich den Weg bis zum Dach freischießen und dann mit dem Hanggleiter in den Westen machen?«

»Zu weit von Moskau aus mit dem Hanggleiter«, mischte sich Gable ein. »Ansonsten ein verdammt guter Plan.«

»Jetzt hören Sie mal gut zu«, sagte Forsyth. »Sie haben weder meine Erlaubnis noch die der CIA, unbezahlten Urlaub zu nehmen, Ihren Posten hier zu verlassen oder auch nur im Entferntesten daran zu denken, in die Russische Föderation zu reisen. Wir wissen nicht, ob DIVA in Schwierigkeiten steckt, kennen auch nicht ihren jetzigen Aufenthaltsort oder Status. Wir warten auf Nachricht. Wir sammeln Informationen.« Nate sackte auf seinem Stuhl zusammen.

»Wenn sie in Schwierigkeiten steckt, erfahren wir letztlich davon«, sagte Forsyth. »Sie sind nicht dafür verantwortlich; Sie trifft keine Schuld. DIVA ist eine Agentin, wir schützen Informanten, wir gehen Risiken ein, in besonderen Fällen sogar dann, wenn die Erfolgsaussichten enorm schlecht sind. Und manchmal verlieren wir sie, trotz aller Spionagepraxis und Vorsichtsmaßnahmen. Verstehen Sie?« Nate nickte.

»Die Quintessenz, Nate«, sagte Gable später in seinem

Büro, »ist, halt verdammt noch mal die Klappe. Wir haben viel zu tun. Mach endlich deine Arbeit und hör auf zu flennen. Wir sind hier nicht in einem Jane-Austen-Roman.«

———

Es ergab Sinn, dass Nate im Hauptquartier wieder der CE/ ROD zugewiesen wurde. Die Abkürzung stand für Operative Abteilung für Zentraleurasien und Russland, die sogenannten »Hot RODs«, der Elefantenfriedhof für Offiziere, die aus Moskau zurückkehrten und nach der ständigen Überwachung noch nicht wieder auf dem Damm waren. Es gab auch Offiziere, die es mit einem russischen Kontaktmann in Malaysia, Pretoria oder Caracas versucht hatten und gescheitert waren. Und es gab die Einsteiger vor dem ersten Einsatz, in der Pipeline für Moskau, alle aufgeblasen und ernst, die noch nie diese Wahnsinnsangst verspürt hatten, wenn das Leben eines Agenten davon abhängt, wie oft er in den Rückspiegel schaut.

Der Leiter des ROD saß in seinem Büro in Langley, ein kleines Eckzimmer mit einem doppelt verglasten Fenster und Blick auf das dreifach gewölbte Dach der Cafeteria, die zwischen dem alten Gebäude des Hauptquartiers und dem neuen lag. Er war in den Fünfzigern, ein schmächtiger Mann mit Leberflecken auf den Wangen und schütterem weißen Haar, das über seinen beinahe kahlen Oberkopf gekämmt war. Der drahtige weiße Schnurrbart und die dickrandige Brille verliehen ihm das Aussehen eines Professors; der Ständer mit den Pfeifen auf seinem Schreibtisch trug zu diesem Missverständnis bei, denn der ROD-Chef war alles andere als ein gelehrter Akademiker.

Sondern vielmehr ein altes Schlachtross, das in einem Dutzend Länder gekämpft hatte. Während seiner Arbeit im Zielgebiet Kuba hatte er sich seine Sporen verdient und war dann mitten in seiner Karriere zur russischen Sektion gewechselt, als herauskam, dass der ganze Stall der kubanischen CIA-Agenten – fünfzig an der Zahl, die während drei Jahrzehnten rekrutiert und geführt worden waren und ihre Informationen geliefert hatten – mit zwei Ausnahmen Doppelagenten waren, die die ganze Zeit vom Geheimdienst in Havanna gesteuert worden waren. Dies demoralisierte ein Dutzend Veteranen, die den kubanischen Operationen ihr gesamtes Berufsleben gewidmet hatten, so sehr, dass der Geheimdienst in Havanna die kubanische Sektion der CIA auch mit einem Bombenanschlag nicht besser hätte zerstören können.

Jetzt war der ROD-Chef mit den russischen Fällen rund um den Globus beschäftigt. Er führte die bereits angeworbenen Agenten, zwanzig der besten lieferten solide Informationen. MARBLE war zwar immer noch unentbehrlich im ROD-Stall, aber es gab auch Neuzugänge mit Potenzial, die sich ziemlich gut entwickelten.

Jeden Morgen las er die »tägliche Anschlagtafel« – einst ein acht Zentimeter hoher Stapel ausgedruckter Fernschreiben, heute eine Kaskade von Geheimdienstnachrichten, die leuchtend über seinen Bildschirm flimmerten. Das waren die »Entwicklungsgeschichten« junger Offiziere in Stationen rund um die Welt. Eine globale Palette von Ereignissen aus Rio, Singapur oder Istanbul, Beschreibungen von Kontakten, sich anbahnenden Freundschaften, Saufabenden, die sie auf Knien laufend mit russischen Vizesekretären oder Attachés verbracht hatten oder, äußerst erheiternd, mit mutmaßlichen Offizieren des SWR oder des GRU, des militärischen Auslandsnachrichtendienstes. Eine kürzlich eingetroffene Depesche weckte Erinnerungen. Die junge, fröhliche Ehefrau eines CIA-Führungsoffiziers, der in eine staubige afrikanische Hauptstadt entsandt worden war, hatte ein Rezept ihrer Großmutter für gebratene Käsepfannkuchen mit der neuen Braut eines ziemlich steifen GRU-Majors geteilt. Die Frauen wurden Freundinnen, als die junge Russin über dem Teller mit goldenen Pfannkuchen in Tränen ausbrach. Sie hatte Heimweh und dachte an ihre eigene Großmutter. *Mach ihr Pfannkuchen, und er könnte kippen*, dachte der ROD-Chef.

Vor diesem Hintergrund kam es ein-, zwei- oder fünfmal pro Jahr irgendwo auf der Welt zu einer Anwerbung. Ein Mensch mit irgendwelchen Bedürfnissen sagte Ja zum Angebot, ob nun sanft vorgetragen, indirekt, brüderlich oder einfach geschäftlich. Und der Nachrichtenverkehr nahm zu, sobald das Hauptquartier und die betreffende Station sich auf die Informationen stürzten, die Überprüfung, die Spionagepraxis und, in einigen delikaten, außergewöhnlichen Fällen, die interne Führung, sobald der Informant nach Moskau zurückkehrte.

Wie immer gab es Probleme. Im Morgengrauen nahmen verkaterte Kandidaten für eine Rekrutierung ihren Entschluss zurück. Andere hatten nicht die Nerven – hätten sie nie gehabt –, dem Zorn ihres Systems standzuhalten. Einige entzogen sich einfach der Anwerbung, indem sie ihren Vorgesetzten vom Angebot der Amerikaner berichteten. Nur um mit dem nächsten Aeroflot-Flug nach Moskau zurückgeschickt zu werden, außer Reichweite.

Und dann gab es die dunkle Seite des Spiels, die Mahnung, dass die Gegenseite sich nicht immer im Abwehrmodus befand: die Depesche, die wie eine Bombe einschlug, einmal pro Jahr, manchmal viel öfter, die mitteilte, dass ein junger CIA-Offizier oder eine junge Offizierin irgendwo auf der Welt selbst das Objekt eines russischen Rekrutierungsversuchs geworden war, für gewöhnlich, weil die Zentrale ein

Prinzip daraus machte oder auch nur versuchte, eine vermeintliche Schwachstelle auszubeuten. Den letzten Wirbel hatte es im selben Jahr gegeben, als die CIA-Gehälter vom Kongress eingefroren worden waren und die Russen herumfragten: »Wer braucht Geld?« Oder: »Wer ist desillusioniert?«

Zusätzlich zum Auf und Ab auf dieser Welt hatte der ROD-Chef noch ein unmittelbares Problem. Wie zum Teufel, hatte er sich gefragt, konnte er die Tür zum Zookäfig öffnen und Nate Nash aus seinem Büro herausholen und zurück auf die Straße bringen? Die geheime Nachricht, die am letzten Abend hereinkam, lieferte ihm die Antwort.

Der ROD-Chef mochte Nate und war gründlich vertraut mit seiner Akte. Er erkannte Nates Begeisterungsfähigkeit, konnte sich die emotionale Komponente denken und hatte Verständnis für die persönlichen Zweifel des selbstkritischen Offiziers. Er kannte den Fall DIVA und wusste, dass er Nates Tage und Nächte bestimmt hatte. Der ROD-Chef ging zur Tür seines Büros und lehnte sich an den Pfosten. Marty Gable hätte nach Nate gebrüllt. Der ROD-Chef war da etwas ruhiger. Er wartete, bis Nate seinen Blick auffing, und machte dann eine Kopfbewegung, dass er zu ihm kommen solle.

»MARBLE hat ein Signal gesendet«, sagte der ROD-Chef und schob sich dabei eine kalte Pfeife in den Mund. »Er kommt nach New York, zur UN-Generalversammlung, für zwei Wochen.« Nate richtete sich auf seinem Stuhl auf, aufmerksam wie ein Vogelhund auf der Jagd. »Es ist eine Weile her, dass wir ihn zuletzt gesehen haben; es wird viel zu berichten geben. Haben Sie jetzt Zeit, sich vorzubereiten?« Der ROD-Chef amüsierte sich über Nates Miene. »Stellen Sie sich bei Simon Benford von der Spionageabwehr vor, bevor Sie gehen. Es wird ihm daran liegen, dass Sie die Spuren der Spionageabwehr sorgfältig vertuschen und MARBLEs aktuelle Sicherheitslage nicht erwähnen.« Nate nickte und verließ das Büro.

»Warten Sie«, sagte der ROD-Chef. »Wenn Sie Benford sehen … sagen oder machen Sie keine Dummheiten, okay? Geben Sie sich richtig Mühe. Ich habe mit ihm über die bevorstehende Sitzung mit MARBLE gesprochen. Ich zitiere Benford wörtlich: ›Sagen Sie dem Führungsoffizier, dass er mich *erschrecken* soll mit seiner brillanten Abwicklung der Treffen mit MARBLE.‹« Nate schaute ihn zweifelnd an.

»Sie haben verstanden?«

Nate nickte noch einmal und ging. Der ROD-Chef sah, dass Nates Miene sich zum ersten Mal seit Monaten aufhellte.

### KARTOFFELPFANNKUCHEN MIT KÄSE

Zwiebeln und Kartoffeln grob reiben, alle Feuchtigkeit abtropfen lassen oder ausquetschen. Gehobelten Gruyère, Mehl und pürierten Knoblauch zu den verquirlten Eiern geben, dann Kartoffeln und Zwiebeln unterrühren, um einen zähflüssigen Teig herzustellen. Zehn Zentimeter große Teigscheiben in Öl braten, bis sie goldbraun sind, dann eine Seite über die andere klappen. Mit einem Dip aus gewürztem Spinat servieren, der in Schlagsahne, verrührt mit Sauerrahm, pochiert wurde.

# 23

MARBLE war ein zu wichtiger Informant, als dass die Station in New York eingebunden wurde. ROD umging den örtlichen New Yorker Stationschef. Dieser war ein übellauniger, kurzbeiniger Kriecher, der ausschließlich für seine Fähigkeit bekannt war, auf Schultern zu klopfen und irgendwelche Sporttickets der Stadt zu schnorren. Er wurde ausgeschlossen, war ahnungslos. MARBLE wollte Nate nachts treffen, nach dem Ende der UN-Versammlungen.

Moskau, Helsinki, New York. Sie machten weiter, wo sie aufgehört hatten; waren Informanten im Inland, gab es nie Zeit, die Bekanntschaft zu erneuern, man fing einfach an zu reden. Nate saß mit MARBLE in einer kleinen Hotelsuite in Midtown East. Ein Schreibtisch, zwei Stühle, das Schlafzimmer nebenan, ihre Mäntel, die auf dem Bett lagen. Es war Nacht, durch das Fenster war das leise Rauschen des Verkehrs vom Franklin D. Roosevelt East River Drive her zu hören. Zwei Lampen brannten. Die Männer hatten zwei Stühle an den kleinen Tisch gezogen. MARBLE ergriff herzlich Nates Hand.

Mit der freien Hand goss Nate ein Glas Wasser aus einer Karaffe ein und bot es MARBLE an. »Sie sehen gut aus«, sagte er, um das Eis zu brechen. Auf dem Sideboard stand ein Tablett, darauf Teller mit Sandwiches, ein kleiner Salat, ein Behälter mit Vinaigrette. Sie hatten das Essen nicht angerührt.

MARBLE lächelte und zuckte die Schultern. »Die Arbeit

macht Fortschritte«, sagte er. »In der Zentrale behaupten wir immer, Erfolge zu haben, um uns gegenseitig zu beglücken. Wir spielen *mjschenije wosnja*, Katz-und-Maus-Spiele. Nur wenige sind wirklich der Mühe wert.« Er ließ Nates Hand los, lehnte sich zurück, nippte am Wasser und sah auf die Uhr. »Ich habe heute Abend höchstens eine halbe Stunde Zeit. Wahrscheinlich kann ich übermorgen Abend freimachen. Es gibt jedoch ein paar interessante Entwicklungen, von denen ich Ihnen berichten möchte. Ich glaube, die Hauptverwaltung S hat einen Illegalen in den Vereinigten Staaten platziert. Er wird von New York aus geführt, aber ich glaube, dass er in Neuengland operiert, weil die Treffen in Boston stattfinden. Ich sollte über den Fall gar nichts wissen, aber jetzt kommen sie zu mir, damit ich ihnen Hinweise zu den Treffpunkten liefere. Der Fall ist gut etabliert, der Illegale ist seit mehreren Jahren im Einsatz – fünf, schätze ich.«

»Gibt es weitere Details, die ihn identifizieren könnten?«, fragte Nate.

»Keine. Aber vielleicht etwas, was damit zu tun hat. Es ist nur eine Vermutung«, sagte MARBLE. »Vor Kurzem hat ein neuer Strom von Informationen eingesetzt. Der GRU zeigt sich sehr interessiert. Irgendwer spioniert in Ihrem ballistischen U-Boot-Programm.«

»Ein neuer Strom von Informationen? Um welche Art von Informationen geht es? Welche Vermutungen haben Sie hinsichtlich der Quelle?«

»Es scheint jemand zu sein, der mit der Wartung zu tun hat. Wir bekommen Informationen über den Wiederaufbau der älteren Boote. Der Poseidon-, nein, der Trident-Klasse. Einige Informationen sind sehr dicht.«

»Dicht. Sie meinen detailliert?«, fragte Nate.

»Ja. Ich habe die Zusammenfassung eines Berichts gelesen. Es sieht so aus, als ob die Quelle von innerhalb des Programms operiert.« MARBLE nippte noch einmal an seinem Wasser. »Aber es gibt da etwas Merkwürdiges. Als Chef der Amerika-Abteilung kenne ich keine aktive Quelle in meinem Gebiet, die militärische Informationen verrät. Nach deren Interesse zu urteilen führt auch der GRU den Informanten nicht. Die Informationen sind neu für die.«

»Was sagt Ihnen das?«, fragte Nate.

MARBLE hakte die Punkte an seinen Fingern ab. »Es gibt einen neuen Informationsstrom. Ich selbst weiß von keiner gemeldeten Quelle, durch die er sich erklären ließe. Aber es gibt einen Illegalen. Also vermute ich, dass es sich bei diesem Illegalen, der von der Hauptverwaltung S geführt wird, möglicherweise um die U-Boot-Quelle handelt«, sagte MARBLE.

»Die Berichte haben gerade erst angefangen, aber Sie sagten, dass der Illegale sich vermutlich schon seit fünf Jahren in diesem Land aufhält«, sagte Nate.

»Genau«, sagte MARBLE. »Fünf Jahre lang war er vorsichtig und bastelte an seiner Legende, und dann hat er sich schließlich Zugangsmöglichkeiten geschaffen und erstattet jetzt aktiv Bericht. Es wäre die ideale Kombination, ein unsichtbarer und gut platzierter Maulwurf, der in eine wichtige Position gerutscht ist«, sagte MARBLE. Nate nickte, während er in ein kleines Notizbuch schrieb.

»Was ist eigentlich aus dem Fall des Direktors geworden, den Sie in Helsinki erwähnten?«, fragte Nate. »Gibt es noch mehr darüber zu erfahren?«

»Nichts. Aber ich weiß, wie wichtig er sein könnte, deshalb halte ich jeden Tag Augen und Ohren offen. Es gibt da etwas, was vielleicht damit zu tun hat. Einmal habe ich ganz hinten an der Wand im Büro des Direktors gesessen. Egorow ist reingekommen und hat zum Direktor gesagt: ›Es gibt

Neuigkeiten von LEBED.‹ Er hat nicht mitbekommen, dass ich es gehört habe.«

»SWAN?«, fragte Nate.

»Ja, *lebed*, Schwan.«

»Das Kryptonym für den Maulwurf?«

»Genau«, sagte MARBLE.

»Noch etwas? Noch irgendwelche Hinweise?«

»Nur das, was ich Ihnen erzählt habe. Wenn es sich dabei um den Fall des Direktors handelt, dann muss SWAN oben im Regierungsapparat sitzen. Es gibt in meiner Abteilung nirgends Hinweise auf so einen Fall. Keine Führungsprotokolle, keine Depeschen über Operationen.«

»Was glauben Sie?«, fragte Nate. »Was schließen Sie daraus?«

MARBLE nippte noch einmal am Wasser. »Was ich daraus schließe, *dorogoj drug*, mein lieber Freund? Dass es keine Chefsache wäre, wenn sich das Ganze nicht in Washington, innerhalb Ihrer Regierung abspielte.«

»Sie glauben, dass SWAN hier in New York ist?« MARBLE nickte. »Wie finden wir ihn?«

MARBLE hob die Schultern. »Ich werde meine Anstrengungen verdoppeln, um ihn identifizieren zu können. Derweil können Sie ja den *Residenten* Golow in Washington genauer unter die Lupe nehmen. Er hätte das Format, eine ranghohe Person zu treffen. Und auf der Straße ist er ein *britwa*, ein alter Fuchs.«

Er stand auf, trat ans Fenster und schaute auf die Straße. »Diese ewigen Spielchen«, sagte er, »die vielen Gefahren. Ich bin froh, wenn das einmal alles zu Ende ist.«

»Apropos Gefahren«, sagte Nate. »Wie steht's um Ihre Sicherheitslage? Sind Sie geschützt? Was machen die, um *deren* Leck zu finden?« Nate vermied das Wort *krot*, Maulwurf, mit all seinen Nebenbedeutungen.

»Das ist etwas für unser nächstes Treffen«, sagte MARBLE, während er auf die Uhr sah. »Es gibt keinen dringenden Handlungsbedarf.«

MARBLE wandte sich um, ging zum Bett und zog seinen Mantel an. Nate glättete den verdrehten Kragen und klopfte dem alten Mann auf die Schulter. Sie mussten sich nicht länger Sorgen um *metka* machen. MARBLE blickte ihn liebevoll an. »Besprechen wir das faszinierendste Thema – mich – in zwei Tagen. Die Konferenz endet mittags. Wir könnten zu Abend essen und die ganze Nacht reden.« Wieder sah er aus dem Fenster. »Ich liebe diese Stadt. Hier möchte ich irgendwann leben.«

»Und irgendwann werden Sie das auch.« Dabei dachte Nate, dass es höchst unwahrscheinlich wäre, dass MARBLE die Erlaubnis bekommen würde, in die USA umzusiedeln. Es hing von der Art seiner Pensionierung ab, vor allem davon, ob er sie noch erleben würde. MARBLE ging zur Tür, Arm in Arm mit Nate. Nate wollte unbedingt fragen, ob MARBLE etwas – irgendetwas – von Dominika gehört hatte, aber das ging nicht. Sich an die strengen Regeln der Abschottung haltend, hatte er MARBLE weder von der Anwerbung Dominikas berichtet noch von ihrer Mission, den Maulwurf mithilfe von Nate zu enttarnen. Agenten kannten andere Agenten eben nicht.

Stattdessen sagte Nate: »Wie wir hören, ist Wanja Egorow kürzlich befördert worden.«

»Wanja ist ein Draufgänger«, sagte MARBLE. »Ich kenne ihn seit zwanzig Jahren. Er will die Organisation leiten, hat aber noch nicht genug Unterstützung aus gewissen Kreisen im Kreml. Er benötigt einen Erfolg bei seinen Einsätzen, um den *oboroten*, seinen Werwolfmeister, zu erfreuen. Wenn er mit SWAN alles richtig anpackt, könnte ihm das vielleicht helfen, aber er braucht etwas mehr, etwas Aufsehenerregendes.«

»Zum Beispiel?«, fragte Nate.

»Dass er mich fängt.« MARBLE lachte. »Ich wünsche ihm kein Glück.« Herzlich ergriff er Nates Hand. Ihm lag etwas auf der Seele, wie Nate spürte.

»Gibt es noch etwas?«

»Ich habe eine Bitte – dass Sie eine Nachricht weitergeben«, sagte MARBLE.

»Selbstverständlich«, sagte Nate.

»Ich möchte mit Benford reden, falls er Zeit hat, in zwei Tagen nach New York zu kommen. Ich muss etwas mit ihm besprechen.« MARBLE sah Nate in die Augen.

»Wollen Sie, dass ich ihm eine Nachricht übermittle?«, fragte Nate.

»Nate, ich möchte Sie nicht kränken, aber ich muss persönlich mit Benford sprechen. Verstehen Sie das?« MARBLE blickte Nate forschend ins Gesicht, sah darin aber nichts als Zuneigung und Achtung.

»Selbstverständlich, Onkel«, sagte Nate. »Er kommt bestimmt.«

MARBLE öffnete die Tür; Nate erkannte die intuitiven, kaum wahrnehmbaren Routinen, als der alte Mann den Flur inspizierte. »*Spokoinoi notschi*«, sagte MARBLE.

»*Wisipat'sja*«, sagte Nate. »Schlafen Sie gut.«

━━

Auf Benfords Drängen wurde ein anderes Hotel gebucht. Nate wartete im Bryant Park, um MARBLE die Zimmernummer zu geben, während die Basalt- und Goldzinnen der ehemaligen Firmenzentrale der American Radiator Company im milchigen Licht der Scheinwerfer erstrahlten und sich gegen das Leuchten der nächtlichen Stadt abhoben. Eine kräftige Umarmung an der Tür, es war vier oder fünf Jahre her, dann saßen sie da, während der Heizkörper ratterte und das Gehupe der Taxis von der West Fortieth heraufdrang. Eine Flasche Cognac, halb voll, und zwei Gläser, die immer wieder nachgefüllt wurden. Sie waren nicht ganz *alte Freunde*, aber Benford war seit vierzehn Jahren MARBLEs Kontaktmann. Einmal im Jahr las er die Akte, sah, wie sie voll wurde von Kontaktberichten, in denen die wertvollen Auslandstreffen jedes Jahres beschrieben wurden, zweimal pro Jahr, in Paris, Jakarta oder Neu-Delhi.

Bei der MARBLE-Akte handelte es sich um die immer wieder durchgeblätterte Chronik eines Agentenlebens in zwanzig Bänden. Der Tod einer Ehefrau, die Trauer eines Witwers, die unerwarteten Reisen in den Westen, die rasch vereinbarten Vorkehrungen für die Treffen. CIA-Medaillen wurden ihm verliehen, drei an der Zahl, und wieder eingesammelt und für schlechte Zeiten aufgespart. Dankesschreiben von Kontaktmännern, Chefs und Direktoren und die absurden Bescheinigungen, auf denen MARBLE für »die Bewahrung der Demokratie rund um die Welt« belobigt wurde. Probleme, die im Lauf der Jahre gelöst wurden, große und kleine, und die Einzahlungen auf das Ruhestandskonto, das gelbe Durchschlagpapier, das alle sechs Monate ein Kapitel der Odyssee markierte.

Außerdem umfasste die Akte eine Abfolge von CIA-Chefs der Russland-Abteilung, manche unter ihnen waren außerordentliche Männer, andere weniger. Sie gaben MARBLEs Erfolge als die eigenen aus. Ebenfalls dokumentierte sie eine Ahnentafel von CIA-Direktoren, einige ehemalige Admirale oder Generäle, die in dem von Allan Dulles gebauten Gebäude ungeniert ihre Uniformen und Bänder präsentierten und gelegentlich MARBLEs verblüffende geheimdienstliche Nachrichten ins Weiße Haus trugen, wo sie sie als die unverkennbare Frucht ihrer eigenen Gärten ausgaben. Schließlich listete die Akte die Namen der jungen Männer und Frauen auf: MARBLEs Kontaktleute, die Führungsoffiziere der schneereichen Straßen, der dreckigen Lobbys und der hallenden Treppenhäuser. Alle bewegten sich weiter, manche aufwärts, andere nicht.

So wie es seine Art war, hatte Benford die Akte jedes Jahr einmal auf Anzeichen einer Zerstörung des Spionagenetzes hin gelesen und auf das Klopfen des Totenkäfers im Holz gehorcht. Zynisch hatte Benford nach Anzeichen einer Wende gesucht, dem Nachlassen der Produktivität, nach häufig vorkommenden, unscharfen oder unachtsam geschossenen Fotos, dem zufälligen Verlust der Zugangsmöglichkeiten. Er fand keine Anzeichen für Schwierigkeiten. MARBLE war der beste russische Spion für die CIA, nicht nur, weil er so lange überlebt hatte, sondern auch, weil er immer besser wurde.

»Nathaniel hat Ihnen bereits von meinem Bericht erzählt?«, fragte MARBLE.

»Ja«, sagte Benford. »Wir werden eine Menge zu tun haben.«

»Der Illegale, die U-Boot-Geschichte, der Fall für den Direktor, dieser SWAN?«

»Ich habe heute Morgen seine Zusammenfassung gelesen«, sagte Benford.

»Obwohl der Kalte Krieg beendet ist, neigt unser Führungspersonal leider immer noch dazu, Unheil anzurichten. In vielerlei Hinsicht waren die Sowjets sogar leichter zu durchschauen.« MARBLE goss noch zwei Gläser Cognac ein, hob sein Glas und nippte.

Benford zuckte die Schultern. »Wir sind wahrscheinlich

genauso übel. Und außerdem – wenn wir aufhören würden, wären wir alle arbeitslos.«

»Darüber will ich gerade mit Ihnen sprechen«, sagte MARBLE.

»Wolodja, sagen Sie mir gerade, dass Sie aufhören wollen?«, fragte Benford. »Gibt es einen Grund für den Zeitpunkt?«

»Benford, missverstehen Sie mich nicht. Ich will nicht aufhören. Wenn die Zeit gekommen ist, würde ich mich gern in aller Ruhe pensionieren lassen, in die USA umsiedeln, mir von Ihnen eine Wohnung in dieser Stadt kaufen lassen.«

»Das werden Sie alles bekommen, und noch viel mehr. Erzählen Sie mal, was Sie vorhaben.«

»Wie lange ich weiter mit Ihnen arbeiten kann und die näheren Umstände meiner Pensionierung, ob freiwillig oder kinetisch, bleibt abzuwarten«, sagte MARBLE. Von einem Agenten, der die Möglichkeit seiner Verhaftung und Hinrichtung als »kinetische Pensionierung« bezeichnete, hatte Benford noch nie gehört. MARBLE fuhr fort: »Eines ist sicher: In Anbetracht von Wanja Egorows Ehrgeiz und der allgemeinen Ausrichtung des SWR bleiben mir noch höchstens zwei oder drei Jahre.«

»Sie könnten zum Vizedirektor aufsteigen«, sagte Benford mit Überzeugung. »Sie sind in Jassenewo geachtet, haben Freunde in der Duma.«

Wieder nippte MARBLE am Cognac. »Damit ich noch weitere zehn Jahre dabei wäre? Unter diesen Politikern? Benford, ich dachte, wir wären *sakaditschnji drug*, Kameraden. Nein, mein Freund, meine Zeit ist begrenzt. Und mit einer Portion Stolz sage ich, dass die Informationsströme versiegen werden und der Verlust spürbar sein wird, wenn ich nicht mehr im Einsatz bin.«

»Stimmt«, sagte Benford. »Falsche Bescheidenheit ist unangebracht. Es wird ein schwerwiegender Verlust sein. Niemand kann Sie ersetzen.«

»Und dann werden Ihre Herren Alarm schlagen und verzweifelt Nachschub an Nachrichten verlangen. Man wird die falschen Kandidaten für eine Anwerbung in Erwägung ziehen, überstürzt rekrutieren.«

»Ein altbewährtes Verfahren, es hält Leute wie mich jung«, sagte Benford. »Worauf wollen Sie hinaus, Wolodja? Ich kann kaum erwarten, von dem zu hören, was wir die ›Pointe‹ nennen.«

»Ich schlage vor, ich beschaffe Ihnen meinen Nachfolger, einen Ersatz, der die Arbeit fortsetzt.«

Benford hatte im Laufe der Jahre schon zu viel erlebt, um sich zu wundern, aber er beugte sich trotzdem vor. »Wolodja, mit Verlaub, wollen Sie andeuten, dass Sie einen Schützling haben? Jemanden, der die Arbeit kennt, die wir zusammen erledigen?« Er dachte kurz an das Vorwort eines internen Berichts der Spionageabwehr, der so einen Fall dokumentierte.

»Nein, sie hat keine Ahnung von unserer gemeinsamen Arbeit. Das kommt mit der Zeit, wenn ich sie ausbilde und vorbereite.«

»›Sie‹?«, fragte Benford. »Sie schlagen vor, sich selbst durch eine Frau zu ersetzen? Der General im SWR und Chef der Amerika-Abteilung mit dreißig Jahren Erfahrung soll durch eine Frau ersetzt werden? Ich habe keine Einwände gegen das Geschlecht, aber es gibt keine ranghohen Frauen in der Zentrale. Ich kenne nur eine Frau, die in den letzten dreißig Jahren Mitglied im Kollegium war. Es gibt Offiziersanwärter, Verwalter, Protokollführer, Hilfspersonal. Welche Art von Zugangsmöglichkeiten wird sie haben?«

»Beruhigen Sie sich, Benford, diese Person existiert.«

»Bitte, schießen Sie los«, sagte Benford.

»Dominika Egorowa, die Nichte von Wanja Egorow«, sagte MARBLE.

»Das ist nicht Ihr Ernst«, sagte Benford: Miene ausdruckslos, Augen starr, Hände ruhig; sie schenkten sich noch einen Cognac ein. Blitzgedanken, einer nach dem anderen, im Superhirn. *Mein Gott, sie lebt. Die beiden Agenten haben sich getroffen. Sie arbeiten zusammen. Gottlob hatten sie einander nicht ihre Geheimnisse anvertraut, bei Borschtsch in der Kantine. Der junge Nash dürfte bald wieder beschäftigt sein.* Doch schließlich überlief es ihn heiß. *Die Sache könnte, verdammt noch mal, funktionieren.*

»Wollen Sir mir die Gründe erklären?«, fragte Benford mit großer Skepsis. »Bitte, Wolodja, bevor uns der Cognac ausgeht und ich wieder nüchtern werde.«

MARBLE klopfte mit dem Zeigefinger auf den Tisch. »Benford, ich möchte, dass Sie jetzt die Ohren aufsperren. Das hier ist eine perfekte *konspiratsia*, eine so gute Gelegenheit, wie Sie sie in der Geschichte Ihres Dienstes noch nie erlebt haben.« Bei jedem Punkt, den er machte, klopfte er auf den Tisch. »Egorowa ist die ideale Lösung für unser Problem. Ich habe alles genau durchdacht. Ihr Name gibt ihr so etwas wie einen Stammbaum, wenigstens so lange, bis Wanja pensioniert ist oder in die Mangel genommen wird, aber bis dahin wird sie auf eigenen Füßen stehen. Sie ist Absolventin einer Akademie für Auslandsspionage, der AWR, hat einen Summa-Abschluss. Sie ist intelligent und geistreich.« Benford sah zu Boden und drehte den Stiel seines Glases in der Hand. MARBLE wusste genau, was er tat.

»Wir beide wissen, dass eine gute Bilanz nicht ausreicht«, fuhr MARBLE fort. »Egorowa hat die Motivation, eine immense Verachtung. Ihr Vater starb, sie wurde von der Ballettschule des Bolschoi verwiesen, ihr *swinja* Onkel hat sie benutzt, um einen Rivalen von Putin zu beseitigen. Für ihr Stillschweigen hat er ihr einen Platz an der Akademie versprochen, dann sein Wort gebrochen und sie auf die Spatzenschule geschickt. Sie wissen, was das ist, vermute ich.« Benford nickte.

»Und dann kam Helsinki, Sie wissen wahrscheinlich, dass sie dort war. Dann die Panne beim Einsatz, nicht ihre Schuld, aber es gab Schwierigkeiten, und die haben sie nach Hause geholt und zwei Monate lang durch die Mangel gedreht. Im Lefortowo, stellen Sie sich das mal vor, wie in den alten Zeiten. Ich versichere Ihnen, das wird sie nicht so schnell vergeben.

Aber das Beste kommt zuletzt«, sagte MARBLE und lehnte sich im Stuhl zurück. »Ich weiß, was Sie denken, nämlich dass Egorowas Berufsaussichten als Frau zweifelhaft sind, dass sie auf der niedrigsten Sprosse der Leiter steht, dass sie sich niemals Zugang verschaffen kann. Ich schlage vor, ihre Karriere zu beschleunigen, ihren Erfolg zu sichern, dann wird sie nie auf dem Schoß eines Generals sitzen müssen, meinen eingeschlossen.«

»Ah ja«, sagte Benford. »Und wie wollen Sie das schaffen – dass sie Ruhm erntet?«

»Wanja Egorow ist wie besessen von der fast sicheren Erkenntnis, dass es einen Spion im SWR gibt.« MARBLE zeigte auf sich selbst und lachte. »Eigentlich hatte er Egorowa nach Helsinki geschickt, um sich an Nathaniel heranzumachen und einen Anhaltspunkt oder den Namen des Spions herauszufinden. Haben Sie gewusst, dass man es in Helsinki auf Nathaniel abgesehen hatte?« Benfords Gesicht verriet gar nichts. MARBLE fuhr fort.

»Wanjas Pläne wurden durch ihre Sicherheitsuntersuchung verzögert, aber sie ist frei, alle Anschuldigungen sind widerlegt, und offen gesagt, diese Prüfung, diese Lefortowo-Episode, verleiht ihr mehr Reiz, mehr *losk*, mehr Glanz.«

*Nur Russen können so denken*, dachte Benford.

»Ich habe sie in meine Abteilung aufgenommen«, sagte MARBLE, »damit sie eine Grundlage bekommt. Wanja hat mich inoffiziell gebeten, Dominika erneut gegen Nate einzusetzen, dadurch wird sie zu meiner nahen Untergebenen. Benford, Sie und ich, wir werden den besten Moment wählen und die junge Egorowa zur Heldin machen, zum Star im SWR; ihre Karriere wird gesichert sein, keine Beförderung wird ihr verweigert werden.«

»Die Pointe, Wolodja«, sagte Benford. »Es ist schon spät. Wie wollen Sie sie zur Heldin machen?«

»Ganz einfach«, sagte MARBLE. »Dominika wird aufdecken, dass ich der Spion bin, und mich übergeben.«

———

Sie wollten Trubel, Menschen und Abstand von der UNO, weg von den anderen Russen, ins Greenwich Village, auf die West Fourth Street. Es war MARBLEs letzter Abend. In das Restaurant mit dem roten Baldachin führten Stufen von der Straße hinunter. Drinnen hingen Zeichnungen von Tänzern an den Wänden, in den hölzernen Nischen konnten sie gut abgeschirmt reden. Benford sorgte dafür, dass MARBLE Pasta con le Sarde bestellte, ein deftiges Gericht mit Fenchel, Safran, Rosinen und Pinienkernen. Sie saßen Schulter an Schulter am Tisch, damit sie einander bei dem Lärm hören konnten.

Benford war aufgeregt, er redete in einem fort, war sogar ein klein wenig ängstlich. Er hatte zwei Tage lang über die Sache nachgedacht, sie von allen Seiten betrachtet – und sie war monströs, unmöglich, maßlos. So verzweifelt standen die

Dinge nun auch wieder nicht; wenn sie eine Unterbrechung im Strom der Informationen hinnehmen mussten, dann war das eben so, das war der Lauf der Dinge. Aber sich selbst abzusägen, nur um einen Nachfolger zu installieren – so etwas geht nicht, sagte er. MARBLE sagte, natürlich geht das, es musste gehen.

»Wenn ich geschnappt werde – wer weiß schon, wie die Maulwurfsjagd ausgeht? –, wird alles verloren sein, nichts kann wiedergewonnen werden. Das können wir uns nicht leisten. Und sollten Sie daran zweifeln, dann denken Sie an den anonymen Illegalen, der in einem U-Boot herumkriecht, oder wer auch immer dieser SWAN ist, der Berichte aus Foggy Bottom, Capitol Hill oder dem Weißen Haus nach Jassenewo schickt. Wir können es uns nicht leisten abzuwarten.«

Benford lief aus dem Raum mit den Worten, es gebe keine Garantie, dass Dominika wirklich von seinem Schritt profitieren würde, und dann wäre MARBLEs Geste vergeudet. Woraufhin MARBLE antwortete: Seien Sie kein *schutnik*, Sie machen Witze, oder? Eine junge Offizierin, eine Frau im russischen SWR, die im neuen Jahrtausend etwas werden will, mit so einem Gegenspionagecoup, aus der werden sie über Nacht einen Oberst machen. Benford sah MARBLE an und bestellte noch zwei Grappa, und MARBLE sagte, sehen Sie, Benford, wenn ich Ihnen verraten würde, dass ich Krebs habe und man mir ein halbes Jahr gibt, wäre es dann logischer für Sie? Worauf Benford fragte: Sie haben Krebs? Und MARBLE sagte Nein, worauf Benford erwiderte, wer ist denn jetzt der *schutnik*? Dann spielte Benford seinen letzten Trumpf und fragte ziemlich herzergreifend: Und was halten Sie davon, in New York in Pension zu gehen? MARBLE lächelte, sagte, dass er das nie wirklich erwartet habe und er seine Karriere so nicht beenden könne. Er legte Benford die Hand auf den

Arm: Lassen Sie uns einen Schritt nach dem anderen machen und sehen, wie sich die ganze Sache entwickelt, worauf Benford nachgab und sagte, unter einer Bedingung: Wir erzählen niemandem etwas davon – nicht einmal Nash –, bevor wir nicht sicher sind, worauf MARBLE antwortete, unter noch einer Bedingung: Wir erzählen auch Egorowa nichts davon. Und dann tranken sie ihre Grappas, während die Stimmen der spätabendlichen Menschenmenge um sie herumschwirrten, und die Verschwörung war beschlossene Sache.

## *PASTA CON LE SARDE*

Gehackte Zwiebeln, in Scheiben geschnittenen Fenchel, Safran, helle Rosinen und Pinienkerne kurz in Olivenöl anbraten. In derselben Pfanne gewaschene Sardinen- und Sardellenfilets schmelzen. Einen Schuss Weißwein hinzugeben, würzen, Deckel auflegen und köcheln, bis die Aromen der Zutaten sich verbinden. Mit gehaltvollen Nudeln wie zum Beispiel Bucatini oder Perciatelli vermengen.

# 24

MARBLEs Berichte über Illegale und Maulwürfe standen nur wenigen ranghohen Offizieren im ROD zur Verfügung. Die wirklichen Herrscher über die Informationen waren die pingeligen Introvertierten von der Spionageabwehrabteilung der CIA, die Höhlenbewohner, die Vierzehn-Stunden-Tage im Dschungel der Server verbrachten, die spinnerten Männer und Frauen, die zu Hause Eisenbahnen im Keller hatten und Bonsai-Bäume stutzten. Sie lasen Nates Berichte, analysierten die Informationen, starteten die Nachforschungen.

Nach seiner Rückkehr aus New York wurde Nate wieder in Benfords Höhle gerufen. CID nahm ein ganzes Stockwerk des Hauptquartiers in Beschlag: eine Reihe von Räumen, die gleich einem Kaninchenbau in Flure und Zugänge unterteilt waren. Im Gegensatz zu den normalen Zimmern im Hauptquartier waren sie nicht mit den üblichen Arbeitsnischen ausgestattet, sondern es gab Einzelbüros. Alle Türen waren verschlossen, jede hatte ein Kombinationsschloss über dem Griff. Bei einigen Türen sah man eine übermalte Keilnut ohne Türgriff. Was waren das für Zimmer, und was befand sich darin? Eine verbindliche Sekretärin, deren linkes Auge in Abständen zuckte, saß an einem Schreibtisch vor Benfords Büro. Sie musterte Nate, blinzelte, stand auf, klopfte an Benfords Tür, öffnete sie aber nicht. Sie horchte, klopfte dann behutsam noch einmal. Eine Stimme aus dem Inneren; sie öffnete die Tür einen Spaltbreit, nannte Nates Namen, trat beiseite und winkte Nate herein.

Benfords Büro sah aus wie das Atelier eines verlotterten Kunstprofessors an einem vergessenen College im Mittleren Westen. Die zerrissene und verblichene Couch vor der hinteren Wand war vollständig von Aktenstapeln bedeckt. Einige waren zu Boden gefallen, wo sie wie aufgefächerte Pokerchips aussahen.

Am anderen Ende des Zimmers stand Benfords Schreibtisch: ein Durcheinander von überquellenden Posteingangskörben, drei übereinandergestapelt. Zeitungen stapelten sich gefährlich nahe der gegenüberliegenden Ecke. An den Wänden hingen kleine gerahmte Fotografien – körnig und schwarz-weiß –, aber nicht von der Ehefrau, Kindern oder Verwandten, sondern von Brücken, Baumstümpfen, bewaldeten Landstraßen und schneereichen Wegen zwischen verfallenen Lagerhäusern. Nate erkannte, dass diese Fotografien berüchtigte Orte zeigten: alte Signale, Absetz- und Abholstellen. Benfords Kinder.

Hinter Benfords Schreibtisch hing ein gerahmtes Foto des neobarocken Gebäudes der Allrussischen Versicherungsgesellschaft in Moskau, auch bekannt unter dem Namen Lubjanka.

»Setzen Sie sich«, sagte Benford mit rauer, leiser Stimme. Benford war klein und dickbäuchig, hatte eine hohe Stirn und ungekämmte, grau melierte Haare, die an einer Seite abstanden. Er blickte Nate mit großen tiefbraunen Augen durch lange Wimpern an. Seine Augen wirkten beinahe weiblich. »Ich habe Ihre Abschlussberichte aus New York gelesen«, sagte er. »Sieht man einmal von der Grammatik ab, waren sie zufriedenstellend.«

»Da sollte ich mich wohl bedanken«, sagte Nate. Er hatte

vorsichtig ein paar Aktenordner weggeschoben und hockte jetzt auf der Couchkante.

»Mögen Sie MARBLE?«, fragte Benford. »Vertrauen Sie ihm?«

»Ich nenne ihn *Onkel*, wenn Sie das meinen«, sagte Nate. »Wir stehen uns nah.«

»Ich habe nicht gefragt, ob Sie gemeinsame Hobbys haben«, sagte Benford. »Sondern ob Sie ihm vertrauen.«

»Ja, ich vertraue ihm«, sagte Nate. »Er hat vierzehn Jahre für uns spioniert.« Benfords Mundwinkel rutschten ungeduldig nach unten, da diese Aussage nichts Neues war.

»Und glauben Sie an seine neuen Informationen, diese Hinweise, Andeutungen und Spuren bezüglich Illegaler und Maulwürfen? Sind die authentisch?«

»Es scheint mir so zu sein«, sagte Nate und bedauerte es sofort.

Benford blies verärgert die Backen auf. »Scheint es Ihnen so, oder sind Sie überzeugt?«

»Ich denke, dass seine Informationen authentisch sind. Wenn man MARBLE eine Barium-Mahlzeit zuführen würde, wären die Hinweise klarer, eher erkennbar.« Nate erwartete, dass Benford wieder einen missmutigen Flunsch zog.

Benford hob langsam den Kopf. »Barium-Mahlzeit, ah ja. Wo haben Sie denn das her, haben Sie Geschichte studiert?« Sein Blick schweifte zur hinteren Wand. »Wissen Sie, wer das ist?«, fragte er und zeigte auf die kleine Schwarz-Weiß-Fotografie eines Mannes mit eckigem Kinn, Kassenbrille und angeklatschtem Haar.

»Das ist Angleton, oder?«, fragte Nate.

»James Jesus«, sagte Benford. »Zehn Jahre lang hat er geglaubt, dass jeder sowjetische Agent ein Doppelagent ist, dass jeder Freiwillige entsandt wird, dass jeder Fetzen Information eine Falschinformation ist. Er war charmant und gleichzeitig zickig, paranoid und völlig überzeugt davon, dass seine nächtlichen Schweißausbrüche Wirklichkeit sind. Er könnte recht gehabt haben. Ich behalte sein Foto, damit ich hier nicht genau so eine Irrenanstalt aufbaue. Jetzt zu MARBLE. Ich bin auch überzeugt.« Nate nickte. Sein Blick wanderte zur anderen Seite des Zimmers, zu einem Bücherregal, das von Papieren und Büchern überquoll. Auf dem obersten Bord waren fünf in Leder gebundene Bände unordentlich aufgereiht. Benford folgte seinem Blick. »*Der Wind in den Weiden:* voller Ratten und Maulwürfe.«

Benford schaute Nate sekundenlang an, offensichtlich arbeitete es in ihm – ob es dabei um seinen zunehmenden Abscheu oder um tiefe Gedanken ging, ließ sich nicht feststellen. Nate hielt die Zunge im Zaum, die einzig mögliche Überlebensstrategie. Dieser Menschenfeind. Zwanzig Jahre Jagd auf Maulwürfe, doppelte Fallen, Netzwerke unterbrochen, Dachbodenfunk zum Schweigen gebracht, Spione inhaftiert. Schwarz-Weiß-Wochenschauen von Männern mit eingefallenen Gesichtern, die mit Jacken über den Köpfen aus Gerichtsgebäuden geführt werden, die Hände vorm Bauch gefesselt. Benfords Schlachtfeld.

Er sei hellseherisch, hieß es, ein Inselbegabter, einer, der die byzantinische Welt der Täuschungen, des Doppelspiels und der falschen Fährten genoss. Nate bemerkte die unruhigen Hände, die langen Finger, mit denen er sich durchs Haar strich. Vielleicht liefen Benfords Gedanken ja auf höheren Touren, als gut für ihn war. MARBLEs letzter Bericht über Maulwürfe und Illegale musste für Benford wie ein Sack Ratten für einen Terrier gewesen sein.

»Ich vermute mal, dass er Sie als Mitarbeiter engagieren will«, hatte der ROD-Chef gesagt. »Viel Glück dabei.«

»Ich möchte, dass Sie mit mir MARBLEs Informationen bearbeiten«, sagte Benford. »Sie fangen noch heute damit an. Bringen Sie Ihre Sachen von der ROD hier nach oben. Erzählen Sie niemandem, was Sie machen. Wir werden den Illegalen schon finden.«

»Soll ich den Chef der ROD informieren?«, fragte Nate. »Soll ich ihm sagen, wie er mich erreichen kann?«

»Gar nichts. Ich werde ihm das mitteilen, wenn er danach fragt. Aber er wird schon nicht fragen. Wir werden keinem irgendetwas über diese Hinweise erzählen. Keiner Station in Boston oder New York, keinem Neidhammel beim FBI, keinen Krämerseelen im Verteidigungsnachrichtendienst, keinem Nationalen Sicherheitsrat, keinen Kongressausschüssen. Keinen verdammten Mistkerlen in Washington, die mit ihren verdammten undichten Stellen diese Fiesta gestartet haben. Nur Sie und ich. Ich gehe davon aus, dass ich Ihre Zustimmung erhalte?«

Nate nickte. *Benfords Altardiener zu werden ist entweder eine besondere Ehre oder eine Strafe*, dachte Nate, aber das war nebensächlich. Seine Karriere war nach Helsinki zum Stillstand gekommen.

Wohltäter wie Forsyth und Gable waren noch da draußen, hatten aber keine Möglichkeit, ihn zu unterstützen. Nate sah den brillanten, nervösen Benford an und entschied sich. Nate kannte sich in internen Operationen gut aus, er kannte Russland, und er konnte etwas beitragen. Benford ließe sich wohl kaum als Gönner bezeichnen – jemand, der so menschenfeindlich und sauertöpfisch war, wäre nie bereit, für irgendjemanden den Mentor zu spielen –, aber Nate hatte beschlossen, mit ihm gemeinsame Sache zu machen, sich in die Gegenspionage zu stürzen, um etwas über die vernebelte Welt zu lernen, in der Benford aufblühte.

Möglicherweise konnte er seinen Ruf ja damit retten. Auf jeden Fall sorgte sich Nate zum ersten Mal seit der Ausbildung auf der »Farm« nicht mehr um seine Zukunft.

━━━

Nate wurde ohne großes Aufheben in einem ungenutzten Büro der Gegenspionageabteilung untergebracht. Es war völlig still auf dem Flur. Arbeiteten hier überhaupt Menschen? Oder würde ihn gleich das Skelett von Norman Bates' Mutter grinsend im Schaukelstuhl begrüßen? »Da sind Sie ja«, sagte die Sekretärin und blinzelte ihm zu. Oder war das vielleicht ein nervöser Tick? Geheimnisse mit doppeltem Boden, hatte Benford gesagt, gewöhnen Sie sich daran.

Nates neues Büro war fensterlos, völlig schmucklos und uninteressant. Löcher von Reißzwecken an den Wänden … was hatten die früher mal dort angepinnt? Eine Schreibtischschublade, die quietschte, wenn man sie herauszog, war mit abgeschnittenen Fingernägeln gefüllt, Hunderte davon, die den Boden der Schublade bedeckten.

Das Büro nebenan gehörte Alice (Nachname unbekannt). In den Vierzigern oder Fünfzigern, vielleicht sogar sechzig. Sie war untersetzt, mit Apfelbäckchen und einer fleischigen Nase, das kurz geschnittene rostbraune Haar hatte sie auf der Stirn und an den Seiten wie Napoleon nach vorn gekämmt. Sie sprach mit Nate wie mit jedem anderen, neigte den Kopf und beugte sich nach vorn, als wollte sie mit ihm irgendetwas Vertrauliches oder ein Geheimnis teilen, was sie natürlich nie tat. Niemand bei der Gegenspionage käme je auf so eine Idee.

In den ersten Tagen schlenderten lauernde Kollegen vorbei und erzählten ihm, dass Alice in der Abteilung zum Inventar gehöre. Sie sei schon immer da gewesen, hieß es. Sie sei diejenige, die Trotzki wirklich getötet habe. Sie habe Allan Pinkerton *gefickt*, sagten sie und flüchteten dann eilig zurück in ihre Büros. CID, die Insel der kaputten Spielzeuge.

Benford hatte Alice aufgetragen, Nate zu helfen. Sie hatte an ihrem Schreibtisch gesessen – ihr Büro war tatsächlich sonnig, ein Farnkraut und Geranien gediehen auf einem Aktenschrank. »Sie wissen nicht viel«, hatte sie zu ihm gesagt. »Also noch einmal: Wir haben Illegale, wir haben U-Boote, wir haben Neuengland und wir haben Treffen in Boston und New York. MARBLE hat von U-Boot-Wartung und fünf Jahren gesprochen. Also gut«, sagte sie, »womit würden Sie anfangen?«

»Mit den Listen des Marinepersonals?«, sagte Nate.

»Nein«, sagte Alice und drehte sich auf ihrem Stuhl um. »Mittagessen.«

Sie saßen auf der oberen Etage der Cafeteria. Nate stocherte in seinem Salat, Alice löffelte Suppe. Alice' Freundin Sophie gesellte sich zu ihnen und schnaufte, weil sie auf ihren Stampfern die Treppe zum Zwischengeschoss hinaufgestiegen war. Sie arbeitete im OSR, wo noch immer die rostigen, verstrahlten Atom-U-Boote gezählt wurden: all die Oscars und Typhoons und Akulas in der Olenja-Bucht und in Poljarny. Das sei alles noch wichtig, sagte sie schmallippig, egal, was der siebte Stock sagt. Sie war fünfzig und hatte pechschwarzes Haar und schwarze Augenbrauen, ein Profil wie auf einem Knossosfries. Sie trug schwarze Strumpfhosen und ein schwarzes Ballonkleid sowie schwarze therapeutische Schuhe. Ein schwarzes Haargummi war für Notfälle über ihr Handgelenk gestreift.

Sie stellte eine *Sailor Moon*-Lunchbox auf den Tisch und packte Plastikdosen und Behälter aus, Essstäbchen und schließlich Probierlöffel und eine kleine Karaffe mit Salatdressing. Sophie sah sich den Salat von Nate an und goss ein wenig von ihrem Dressing darüber. »Probieren Sie mal, selbst gemacht.« Das Dressing hatte eine balsamische Süße, die mit Dijon-Senf und einer Andeutung von Schärfe unterlegt war, ganz anders als jede Vinaigrette, die er bisher probiert hatte. Er sagte ihr das, und Sophie strahlte.

Alice erklärte, dass sie mit dem Quatsch aufhören sollten, und erzählte Sophie, was sie wissen mussten, während sie ihr Curry aß. Sie leierte das mit geschlossenen Augen herunter, vielleicht, um sich besser zu erinnern oder weil ihr das Essen schmeckte oder beides. New London, Connecticut. Portsmouth, New Hampshire. Brunswick, Maine. Es gab nur drei Stützpunkte. U-Boote waren groß. Nur an einem Ort werden die repariert, sie werden langsam alt, werden andauernd umgerüstet, so wie die Akulas in den späten achtziger Jahren, Schukas hießen die, die waren echt *viel ruhiger*. Und schon hatte Alice Sophie wieder auf Kurs gebracht. Electric Boat Works, diese große Schiffswerft in Groton, Connecticut, auf der anderen Seite der Themse, von New London aus gesehen. Fangt da mal an, sagte Sophie.

Als sie zurück in Alice' Büro waren, stellte er fest, dass die Gegenspionage mit einer uralten Internetverbindung arbeitete, sodass sich die Namen nur langsam bewegten. Datenbanken für Sicherheitsfreigaben, Arbeitnehmerverzeichnisse, US-Marine-Angehörige im aktiven Dienst und Dienstpläne der Lieferanten. Alice' Männerfinger liefen den Bildschirm hinunter; nein, nein, länger als sieben Jahre, weniger als drei, nein. Die Leitungsetage von Electric Boat und General Dynamics selbstverständlich nicht. Alice war schnell, sie warf einen Blick auf den Namen, prüfte die Info und machte weiter. Seit drei Jahrzehnten hatte sie nun schon mit Namensverzeichnissen zu tun. Sie hatten zwei Papierhaufen. Aber Nate stritt sich nicht mehr um die »möglichen«, weil Alice so schnell war. Sie stellte ihre erste »Bande« zusammen, ihre Schöne Elf, wie sie sie nannte, und ging die Angaben durch: Anstellung, Gehalt, Steuernummer, Wohnsitz, Telefonnummer, Internetadresse, Fahrzeug, Bankverbindung, postalische Adresse, Familienstand, Bildungsweg, Kinder, Verhaftungen, Scheidungen, Reisen, Eltern, Ethernet oder Kabel, hetero- oder homosexuell. »Wie gut hast du unseren kleinen Illegalen vorbereitet? Wie weit bist du zurückgegangen? So weit wie ich selbst?«, flüsterte Alice zum Bildschirm.

Drei Tage darauf gingen Nate und Alice mit der Liste zu Benford. Er sah sich die Profile an und klopfte mit dem Ende seines Bleistifts auf jeden Namen, klopf, klopf, klopf, dann warf er den Bleistift hin und reichte Nate das Papier zurück. »Jennifer Santini ist es«, sagte Benford mit einem Gähnen. Alice stieß Nate an – *Siehst du, hab ich dir's doch gesagt* – und lachte.

»Wir können zwar noch mal tief einsteigen, aber ich bin mir sicher, sie ist unser Mann«, sagte Benford. Er sah Nate an. »Und jetzt fahren wir nach New London und sehen uns da mal um.«

## SOPHIES VINAIGRETTE

Pürierten Knoblauch, Dillkraut, getrockneten Oregano, getrocknete Pfefferflocken, Dijon-Senf, Zucker, Salz, Pfeffer und geriebenen Parmesan mit einem Teil Balsamico und drei Teilen kaltgepresstem Kalamata-Olivenöl vermengen und emulgieren.

## 25

Trotz des prächtigen Sommerwetters wirkte New London düster und trist. Als die Walfangflotten in den sechziger Jahren des 19. Jahrhunderts verschwanden, endete die wirtschaftliche und kulturelle Blütezeit der Stadt. Das ehemals quirlige Themse-Hafengebiet, in dem während des Zweiten Weltkriegs graue Schiffsrümpfe im Dreierpack zu sehen waren, ein Wald aus Masten, Antennen und Schornsteinen, die alle sanft im Rhythmus der Gezeiten schaukelten, war jetzt eine brackige Mondlandschaft aus verfallenden, ölverschmierten Landebrücken und durchgerosteten Lagerhäusern mit eingestürzten Dächern. In den hügeligen Wohngebieten über dem Fluss standen zwei- und dreigeschossige Schindelhäuser. Die schwarzen, mit Teerpappe gedeckten Dächer waren nur zwei Armlängen voneinander entfernt. Zwischen den Balkonen im zweiten Stock waren Wäscheleinen gespannt. Hüfthohe Maschendrahtzäune mit klappernden, von der Salzluft korrodierten Pforten umgaben winzige Vorgärten voller Unkraut.

In Groton, jenseits des Flusses, zog sich auf einige Meilen die Electric-Boat-Schiffswerft am Flussufer entlang, eine Stadt der Kräne, Dampfschwaden und gewölbten Fabrikdächer. Vom seeseitigen Ende eines mächtigen Schwimmtrockendocks von der Größe eines Kreuzfahrtschiffs aus war hin und wieder die erstaunlich große Zigarrenform eines mattschwarzen Atomunterseeboots hoch oben auf Werftblöcken zu sehen. Die siebenflügelige Schiffsschraube war in einer schweren Kunststoffhülle vor den russischen Spionagesatelliten verborgen.

Nate wusste nicht, was ihn erwartete. Sie hatten den Zug genommen – Benford fuhr nicht Auto –, deshalb standen sie auf dem Bahnsteig wie zwei bulgarische Schweinehirten, die für ein Wochenende in Sofia weilten, nicht wie Maulwurfjäger, die nach einem professionell ausgebildeten Illegalen suchten. Es war ihm nicht klar, ob Benford nun knauserig, verrückt oder einfach nur verblendet war von dem Einsatz, als er aus rätselhaften Gründen darauf bestand, dass sie ein Turmzimmer im Queen Elizabeth Inn teilten, einer Frühstückspension in einem knarrenden viktorianischen Gebäude auf halber Höhe eines grünen Hügels. Und dann das ständige Herumgerenne – Inspizieren nannte er das –, fünf, sechs, zwölf Stunden am Tag, während der schrullige, brillante Kakadu über die sowjetischen Staatssicherheitsbehörden OGPU und NKWD und die Cambridge Five sprach und Nate eine Einführung in die Geschichte des Kalten Kriegs gab.

Tag eins: Sie stiefelten bergauf und bergab, morgens hoch, am späten Nachmittag runter, schauten sich die Häuser an, die Autos, die der Länge nach am Kantstein geparkt waren, das vorwitzige Unkraut auf den Bürgersteigen und die Spitzengardinen hinter den Fenstern zur Straße. Sie suchten nach plausiblen Signalstellen, Verstecken, nahe gelegenen Parks, nach geografischen Gegebenheiten, die einen Illegalen unterstützen könnten. Sie fanden nichts.

Tag zwei: Zu verschiedenen Zeiten gingen sie an Santinis Haus vorbei, um die Positionen ihrer Jalousien zu registrieren, um festzustellen, ob der leere Geranientopf auf der Vordertreppe verrückt worden war, was ein Sicherheitssignal hätte sein können. Nachts waren sie vorsichtig, gingen nur einmal an dem verdunkelten Haus vorbei, sahen schummriges Lampenlicht hinter der Jalousie eines Zimmers im Obergeschoss. Saß sie im Dunkeln und schaute auf die Straße hinunter? Hatte sie unter einem Alias noch eine andere Wohnung für die Treffen mit ihrem Führungsoffizier gemietet? Sie hatten nichts in Händen.

Tag drei: Beiläufig fragten sie nach Santini im heruntergekommenen Tante-Emma-Laden an der Ecke. Niemand kannte sie, niemand hatte Interesse. *Verdammt, was müssen die nur von uns denken*, dachte Nate, *von diesem Gegenspionagemystiker und seinem jungen Gefährten*. Also wagte er einen Witz, aber Benford drohte an, ihn nach Hause zu schicken, wenn er nicht aufmerksam war, worauf Nate entgegnete: »Worauf soll ich bloß meine Aufmerksamkeit richten?«, während sie sich im verdammten New London, Connecticut, abrackerten.

Sie arbeiteten an den Rändern. Benford hatte sich fest vorgenommen, diesen Einsatz aus den Fängen des FBI herauszuhalten. »Wenn die eine von der Zentrale ausgebildete Illegale ist, dann riecht sie den Braten, lange bevor jemand vor ihrer Tür steht. Sowie die etwas sieht oder hört, was ihr nicht gefällt, nimmt die in eineinhalb Minuten Reißaus. So ist die Ausbildung bei denen.« Sie mussten das im Alleingang machen.

Tag vier: Alles noch einmal von vorn. In jener Nacht schüttelte ein Sommergewitter die Bäume und rüttelte an den Fensterläden des Turmzimmers. Der Strom war ausgefallen, im Erdgeschoss dudelte ein Radio mit Batteriebetrieb. Als Nate aufschreckte, sah er einen Blitz. Benford saß auf einem Stuhl am Fenster und schaute auf das unheimliche Gewitter. Benford sah die Gesichter der zwölf russischen Agenten vor sich, die die CIA in einem Jahr verloren hatte, 1985, im sogenannten *Jahr des Spions*. Alle waren Opfer von Ames und Hanssen, Opfer eines unerklärlichen Verrats, den sie mit dem Tod in den sowjetischen Lagern bezahlten.

Die gemeinsamen Mahlzeiten mit Benford waren schwere Prüfungen, eine echte Herausforderung. Das lag nicht nur an der holperigen Konversation, sondern auch an seinem Lätzchen für den Hummer, der heißen Sauce, den Austernknackern und der akribischen Bewertung der Muschelsuppen sowie an den Diskussionen über den Unterschied zwischen Dorsch und jungem Kabeljau, darüber, was zu einem Essen in New England gehöre und was nicht. »Keine Gewürznelken. Nie. Das wäre eine unverzeihliche Regelverletzung«, sagte Benford.

Nachdem sie kaum etwas Verwertbares gefunden hatten, verkündete Benford am Donnerstag beim Abendessen, dass am nächsten Morgen die Zeit für einen Zugriff auf Jennifer Santinis Haus gekommen sei. »Zugriff?«, fragte Nate. Sie aßen im Bulkeley-Haus auf der Bank Street in der Nähe des Hafens. »Benford, was meinen Sie mit ›Zugriff‹?«

Benford sägte an einem riesigen, blutigen Stück Roastbeef. Den Kopf hielt er seitwärts, um das Fleisch besser schneiden zu können. Nate legte Messer und Gabel ab.

»Fassen Sie sich«, sagte Benford kauend. »Mit ›Zugriff‹ meine ich das außerrechtliche Aufbrechen und Betreten des privaten Wohnsitzes eines als unschuldig geltenden amerikanischen Staatsbürgers, gegen den kein Beweis einer Straftat vorliegt, durch zwei unautorisierte Mitarbeiter der CIA, die momentan mit unkoordinierten und folglich illegalen Spionageabwehrermittlungen beschäftigt sind, die im Zuständigkeitsbereich des FBI liegen, wie in Verfügung 12333 des Präsidenten dargelegt.« Er blickte wieder auf seinen Teller und kippte noch mehr Sahnemeerrettichsauce auf sein Rindfleisch. »Das genau meine ich damit«, sagte er und fügte hinzu: »Diese Meerrettichsauce ist ausgezeichnet.«

Tag fünf: ein ruhiger Freitagmorgen. Sie warteten bis zehn Uhr und gingen ohne Kopfbedeckung und mit leeren Händen durch das kleine Gartentor zur Rückseite von Santinis zweigeschossigem Haus. Die Fenster der Häuser auf der anderen Straßenseite waren leer. Der Garten war ungepflegt. Eine rostige Wanne lag umgedreht auf der nackten Erde neben einem windschiefen Schuppen. Benford ging die hölzernen Stufen hinauf und zog an der Hintertür. Sie war verschlossen; er spähte durch die Chintzvorhänge. Niemand zu Hause.

»Können Sie das Schloss knacken?«, fragte Nate, der hinter Benford stand.

»Ist das Ihr Ernst?«, fragte Benford.

»Wollen wir das Fenster aufbrechen?«

»Nein. Wir klettern die Fassade rauf«, sagte Benford, der seinen Schnürsenkel aufzog und zu einer Elektrosteigleitung mit Gummiummantelung hinüberging, die an der Hausseite festgeschraubt war. Er knotete den Schnürsenkel um die Steigleitung, wodurch eine freihängende Schleife entstand.

»Prusikknoten.« Benford zeigte Nate, wie man mit einem Fuß in der Schleife stand und mit der Reibungszugkraft aufwärtsruckelte, immer einen Fuß nach dem anderen, um an der Elektroleitung hinaufzuklettern, bis er am unverschlossenen Fenster im zweiten Stock ankam. *Wo zum Teufel hat er das denn gelernt?*, dachte Nate und machte ihm ein Zeichen, dass er verstanden hatte.

Bei dem Raum handelte es sich um ein leeres, ungenutztes Schlafzimmer. Nate ging zur Tür und blickte ins Haus. Er pfiff nach dem Hund, aber nichts rührte sich. In seiner Vorstellung hatte ein russischer Illegaler einen Dobermann oder Rottweiler, der, ohne anzuschlagen, das Haus bewachte.

Leise stieg Nate die Holztreppe mit knarrendem Mahagonigeländer hinunter. Auf Zehenspitzen schlich er durch eine Küche aus den fünfziger Jahren, in der es nach Weizen, Körnern und Öl roch. Nate schloss die Hintertür auf und ließ Benford ins Haus. »Kommt mir leer vor«, sagte Nate. Schweigend gingen sie durch die Zimmer im Erdgeschoss. Im Haus roch es wie im Fitnesscenter. Franzbranntwein und staubige Heizkörper, die Luft stand, unpassend für einen hellen Sommertag.

Das Haus verfügte über zwei Vorderzimmer, das Esszimmer und das Wohnzimmer, deren Fenster auf die Straße hinausgingen. Die kitschigen Spitzengardinen waren zugezogen. Spinnenhaftes Sonnenlicht sprenkelte die abgewetzten Teppiche, die auf den dunkel gebeizten Dielen lagen. Die Möbel waren schwer, dunkel, dick gepolstert, plüschig. Zierdeckchen – richtige Zierdeckchen – lagen auf Arm- und Rücklehnen von Sofa und Sesseln. Auf dem Sims über einem verrußten Kamin stand eine Reihe von Bakelitbechern und -figürchen – ein Kapitänsbecher, ein spanisches Mädchen mit einer Mantille. Ein Lampenschirm besaß am unteren Rand eine Troddelkante. Neben der Feuerstelle stand ein Kaminfeuerbesteck aus Schmiedeeisen. Benford schnalzte mit der Zunge und nahm die Einrichtung in Augenschein. »Vermutlich hat sie die portugiesischen Antiquitätengeschäfte in Fall River halb leer gekauft, um ihr Haus zu dekorieren.«

Vom Wohnzimmer aus gelangte man in ein kleines Büro mit einem Schreibtisch und einem niedrigen Bücherregal, das mit Zeitschriften und Zeitungen vollgestopft war. Auf dem Schreibtisch sah man einen kleinen Haufen Rechnungen von Versorgungsunternehmen und einen weiß-blauen Porzellanschoner, auf dessen Bug »Ahoi« gemalt war.

»Untersuchen Sie den Schreibtisch«, sagte Benford. »Ich

schau mich mal oben um.« Nate registrierte bei sich das lächerliche Gefühl, sich nicht von Benford trennen zu wollen, aber er nickte und zog eine Schublade nach der anderen heraus. Leer. Als er das unterste Schubfach schloss, spürte er einen Widerstand und hörte das Rascheln von Papier. Als er die Schublade ganz aufzog, sah er an der Rückwand ein aufgerolltes Blatt Papier. Er nahm es heraus und rollte es auf dem Schreibtisch aus. Ein Konstruktionsplan, ein Einzelblatt mit Querschnitten von Bauteilen sowie Elektrikschaltplänen. Beschriftet war das Blatt mit: *Abschnitt 37, Verschlüsse und Klammern*. U-Boot-Teile? Santini arbeitete bei Electric Boat in der Abteilung Lieferung und Auftragsvergabe. Handelte es sich hier um ein vertrauliches Dokument? Aber wieso bewahrte sie es dann zu Hause auf, weshalb steckte es hinten in einer Schublade?

Benford war mittlerweile nach oben ins Schlafzimmer gegangen. Auf einem bezogenen Himmelbett lagen eine Steppdecke mit Blümchenmuster und am Kopfende drei große Kissen mit Spitzenbezügen. Im Wandschrank waren Blusen und Hosen untergebracht, die akkurat auf Bügeln hingen. Etliche Paar Schuhe, alles bequeme Laufschuhe, standen aufgereiht nebeneinander auf dem Boden. Keine Bilder, keine Andenken, keine persönlichen Dinge, ein Haus, das in neunzig Sekunden verlassen werden konnte. Das Badezimmer war schlicht, der Arzneischrank fast leer. Zahnbürste, Fläschchen mit Aspirin, eine Doppelpackung Klistiere der Firma Fleet. Der durchdringende Geruch von Franzbranntwein.

Benford zog die Schublade des Nachttisches heraus. Keine Bücher, Pornozeitschriften, Vibratoren oder Gleitcremes. Unter einem Stück Filz fand er ein Blatt Papier mit einer langen Liste handschriftlicher Daten und Zeiten. 5. Juni, 21:00; 10. Juni, 22:00; 30. Juni, 21:30. Der Zeitplan für Datenübertragungen. Wahrscheinlich trug sie den Laptop und die Verschlüsselungskarte bei sich. Der Terminplan für die Treffen mit einem Führungsoffizier vom russischen Konsulat in New York. Die Infiltration des U-Boot-Programms. Benford schloss die Schublade und ging nach unten, um Nate Bescheid zu geben.

Nate hatte soeben die hinteren Bereiche der anderen Schubladen noch einmal geprüft, aber nichts gefunden. Er rollte den Konstruktionsplan auf, um ihn mit nach oben zu nehmen und Benford zu zeigen. Als er durch die Tür trat, blieb er plötzlich stehen. Vor ihm im Wohnzimmer stand Jennifer Santini und blickte ihn an. Auf dem Boden neben ihren Füßen stand eine Sporttasche. Offenbar war sie gerade eben vom Fitnesscenter nach Hause gekommen. Warum war sie nicht bei der Arbeit?

Jennifer war Ende dreißig und durchschnittlich groß. Sie trug eine hautenge, kurze Elastanhose, die von ihren stämmigen Schenkeln gedehnt wurde. Waden und Quadrizepse traten prall hervor. An Armen, Schultern und Hals wölbten sich Muskelstränge, ihre Kieferpartie war stark ausgeprägt. Sie trug ein enges Trägerhemd, das keine femininen Brüste bedeckte, sondern esstellergroße Brustmuskeln mit Brustwarzen. Die Augen waren leuchtend grün, das Weiße strahlte Gesundheit und Lebenskraft aus. Ihr Mund und ihre spitze, gerade Nase stachen aus dem Gesicht hervor. Sie blickte finster drein, tiefe Falten furchten die Stirn. Das rote Haar lag straff am Kopf an, zu einem Pferdeschwanz gebunden. Sie glich einer Gestalt aus einem Actionfilm, einem Crossover-SUV, dessen Bauteile nicht ganz richtig zusammengefügt waren.

Im letzten Augenblick bemerkte Nate ihre schönen, femininen Hände mit gepflegten, in einem hellen Rosa lackierten Nägeln. Sie war barfüßig, auch ihre Füße waren hübsch und zart, mit lackierten Zehennägeln in der gleichen Farbe. Das Geräusch, als Benford die Treppe herunterpolterte, veranlasste Jennifer, irrsinnig schnell auf Nate zuzustürzen. Mit erschreckender Kraft schleuderte sie ihm von einem Beistelltisch eine Lampe entgegen, während sie die Entfernung zwischen ihnen in zwei langen Schritten überbrückte. Nate duckte sich unter der Lampe weg, die hinter ihm an der Wand zerschellte. Als er sich aufrichtete, stand er ihr von Angesicht zu Angesicht gegenüber. Ihr steinharter Unterarm schlang sich um seinen Hals und drückte ihn gegen die Wohnzimmerwand, während sie ihm mit ihrem freien Arm schallende Kopfnüsse verpasste. Nate setzte beide Hände auf ihren Unterarm und wollte ihn wegziehen. Nichts.

Nate hämmerte auf ihren Arm ein, aber sie blieb an ihm dran, presste gegen seine Kehle mit ihren Schwarzenegger-Armen und ihren Grace-Kelly-Händen. Nate versetzte ihr einen Rückhandschlag ins Gesicht, aber seine Faust prallte ohne offensichtliche Wirkung von ihrer Wange ab. Ihr Gesicht war nur Zentimeter von seinem entfernt, sie bleckte die Zähne vor Anstrengung. Er rechnete schon damit, dass sie ihm die Lippen abbiss. Als sie mit kreisenden Bewegungen immer weiter auf ihn einschlug, gingen Nate verrückte, konfuse Gedanken durch den Kopf: (1) Sein Glück, dass er gerade den einen russischen Illegalen auf der Welt in die Enge treiben musste, der keine ornithologischen Listen erstellte. (2) Was in Gottes Namen müssen die Männer in ihrem Büro über sie denken, wenn sie morgens am Schreibtisch sitzt? (3) Wie, wenn überhaupt, hat dieser Robotermensch Sex? Dann dachte Nate absurderweise an Dominika. Was machte sie in diesem Moment? Wo war sie? Eine tiefe Traurigkeit überkam ihn bei dem Gedanken, dass Dominika tot sein könnte. Sein

Kopf prallte von der Wand, und der Hals schnürte sich ihm zu bei der Vorstellung, dass diese Irre Teil des Apparats war, der Dominika getötet hatte.

Benford, der am Fuß der Treppe erschien, erschrak. Sekundenlang blickte Jennifer auf den rundlichen, zerknitterten Mann – sozusagen den Nachtisch nach dem Hauptgericht. Rasch trat Nate gegen ihr Schienbein und stampfte auf ihren hübschen rosa Lolita-Fuß, was Jennifer etwas nachlassen ließ. Dann schob er sich seitwärts aus ihrem Klammergriff und trat, so fest er konnte, in die Elastanausbuchtung zwischen ihren Beinen. Jennifer stöhnte wie ein Mann, legte sich beide Hände an den Schritt, prallte hart auf dem Boden auf, rollte sich auf die Seite und krümmte sich zusammen.

Benford blickte Nate an, dann wieder die Bestie am Boden. In den dreißig Jahren, die er mit dem Jagen von Maulwürfen, dem Fangen von Spionen und dem Ködern von Illegalen verbracht hatte, war ihm so etwas noch nie untergekommen. Was noch gesteigert wurde, als Jennifer plötzlich aufsprang wie ein nicht zu bremsender Serienmörder in einem Sommercamp am See. Sie griff nach dem Tisch mit der Glas- und Holzplatte, der vor der Couch stand, und schleuderte ihn Benford entgegen, der auf der untersten Treppenstufe stand. Plötzlich mobilisierte Benford unerwartet rasante Kräfte – vielleicht die Reserve aus seinen zwei Jahren als Ausrüstungsmanager für den Princeton-Achter Ende der Sechziger – und rannte die Treppe wieder hoch, gerade als der Couchtisch ebenjene Stelle traf, auf der er gestanden hatte. Dabei zersplitterten Holz und Glas, und zwei solide Geländerstreben wurden ausgeschlagen. Benford rannte weiter und verschwand im Treppenflur im zweiten Stock.

Jennifer drehte sich wieder zu Nate um, der inzwischen mitten im Wohnzimmer stand. In den letzten Sekunden hatte er ein paar Schritte zum Kamin gemacht, den eisernen Feuerhaken vom Gestell genommen und hielt ihn jetzt seitlich am Körper. Mit schwingendem Pferdeschwanz rannte Jennifer erneut auf Nate zu, ihre nackten Füße klatschten ein wenig auf den Holzdielen. Bizarrerweise fiel Nate der Name seines Nahkampfausbilders ein: Carl. Er trat einen halben Schritt nach vorn, drehte das Handgelenk und versetzte Jennifer mit dem Feuerhaken einen Schlag auf die seitliche Halspartie, auf den Plexus brachialis. Die Erschütterung schoss ihm den Arm hinauf. Es war, als schlüge man gegen den Stamm einer Steineiche.

Jennifer stieß einen erstaunlich weiblichen Schrei aus und wurde seitwärts auf die Couch geschleudert, die mit flatternden Zierdeckchen nach hinten kippte. Sie rollte einen Meter auf dem Boden entlang, bis sie an der hinteren Wand liegen blieb, mit dem Gesicht an der Fußleiste. Schwer atmend, der Arm kribbelnd und taub, hielt Nate weiter den Feuerhaken umklammert, umrundete die Ecke der umgestürzten Couch und kniete sich neben Jennifer: Das eine Bein zuckte leicht, die affenähnlichen Gesäßmuskeln zitterten. Nate zog sie hoch, wollte sie auf den Rücken werfen. Jennifer hatte das eine Auge geöffnet, es starrte wie blind; das andere, das nicht dazu passte, war verdreht. Ihr Mund stand offen, aber Nate konnte keine Atmung feststellen. Diese verdammten rosa Nägel auf dem dunklen Holzboden … Ihr pedikürter Fuß lag auf einem Zierdeckchen, als wäre er ein Éclair in einem Verkaufstresen.

Die Treppe knarrte. Benford eilte herbei und stellte sich neben Nate. Das Wohnzimmer war verwüstet, überall auf dem Boden lagen zerbrochene Möbel und Keramikscherben herum. Benford blickte auf Jennifers schiefes Gesicht hinunter. »O Gott.«

»Als wäre sie eine verdammte Bond-Schurkin«, sagte Nate. »Wo finden die nur diese Leute? Ich habe den Feuerhaken verbogen, glaube ich.« Er streckte die Hand aus, um den Puls an ihrem Hals zu fühlen, aber ihr Kopf fiel zur anderen Seite – zu schlaff, zu wackelig.

»Das ist nicht mehr nötig«, sagte Benford. »Der lange Halsmuskel ist hinüber. Der Schlag hat das Rückenmark durchtrennt. Avulsion.«

»Wovon reden Sie denn da?«, fragte Nate, dessen Hände zitterten.

»Abriss. Sie haben sie geköpft.«

Nate wischte sich übers Gesicht. »Schrecklich. Halten Sie mich zurück, bevor ich wieder töte.«

»Alles in Ordnung?«, fragte Benford.

»Ja, danke für die Unterstützung. Ihr Ablenkungsmanöver, als Sie die Treppe raufgerannt sind, hat mir die Chance gegeben, die ich gebraucht habe.« Nate stand auf und ließ den Feuerhaken auf den Boden fallen. »Und was machen wir jetzt?«

»Ich habe einen Zeitplan für Datenübertragungen gefunden«, sagte Benford. »Wir müssen ihren Laptop samt Verschlüsselungskarte finden. Durchsuchen Sie ihre Tasche. Die Kommunikation lief vermutlich über eine geschützte Internetverbindung. Darüber und über persönliche Treffen. Und was haben Sie gefunden?«

»Eine Art Konstruktionsplan in einer Schreibtischschublade. Wir sollten die Bude hier auf den Kopf stellen.«

»Können Sie vergessen«, sagte Benford. »Sammeln Sie alles zusammen, wir können jetzt das FBI hinzuziehen. Sollen die doch das Haus mit ihren Pinzetten und Frischhaltebeuteln durchsuchen. Die können sofort loslegen und erklären, wieso sie einen Illegalen nicht gefasst haben, der mitten in ihrem

Hinterhof operiert. Die können sich ihre Weisungsbefugnis in den Hintern schieben.«

## *BENFORDS SAHNEMEERRETTICHSAUCE*

Béchamelsauce zubereiten; Butter, Dijon-Senf und zerriebenen frischen Meerrettich nach Geschmack dazugeben. Mit schwarzem gemahlenen Pfeffer und Rotweinessig abschmecken. Gekühlt servieren.

# 26

Der Moskauer Sommer hatte Einzug gehalten, die Sonne fühlte sich richtig warm an auf dem Gesicht. Dominika hatte mit der Arbeit an dem »Sonderprojekt« in der Amerika-Abteilung unter General Kortschnoi begonnen. Bald nach ihrem Wechsel nahm der General sie beiseite und teilte ihr mit, dass sie beide eine Dienstreise antreten würden. Der General kündigte an, sie würden innerhalb der nächsten Stunde ins Büro des Ersten Stellvertretenden Direktors gebeten werden, um die Reise zu besprechen.

Dominika war sich bewusst, dass sie General Kortschnoi täuschte, wenn sie unter dem Deckmantel dieser Operation ins Ausland reiste und wieder Kontakt zu den Amerikanern aufnahm. Sie mochte und achtete den General – er war kompetent und hilfsbereit –, und ihr war auch bewusst, dass sie einen der Anständigen missbrauchte, genauso wie sie von anderen missbraucht worden war. Der Dreck der Kloake klebte ihr noch jetzt an den Fingern. Ihr blieb nichts anderes übrig, redete sie sich ein. Sie musste ihn hintergehen.

Noch einmal in die Führungsetage zu Onkel Wanja? Sie würde es genießen, ihm ins Gesicht zu schauen. Ihr Geheimnis war von den Vernehmungsbeamten im Lefortowo nicht entdeckt worden. Dominika Egorowa war von der CIA in den SWR eingeschleust worden, und keiner von denen wusste davon. Sie hatte Onkel Wanja manipuliert. Er hatte sie wieder auf den Fall Nate angesetzt. Und jetzt würde sie ihm Erfolge melden, mehr Kontakte arrangieren, mehr Auslandsreisen. Die heimliche Informantin, die wieder aktiv wird.

Warum war sie eigentlich so aufgeregt? Die Amerikaner verstanden sie. Die hatten sofort den *schaschdat* begriffen, das Verlangen, dieses Geheimnis zu besitzen, denn es gab ihr Kraft. Nates purpurne Wolke, *Bratoks* purpurne Wolke, Forsyths Azurschein, alle intensiv und kostbar – diese Männer verstanden sie besser als die eigenen Landsleute.

Welche Gefühle sie für Nate hegte, war ihr nicht ganz klar. Im Gefängnis an ihn zu denken hatte ihr geholfen, die Zellen am Ende der Gefängnisflure zu überleben. Sie bemühte sich, nicht an ihre einzige gemeinsame Nacht zu denken, und fragte sich, ob er wohl an sie dachte. Er hatte sie hauptsächlich als Spionin behandelt, als eine Art Handelsgut. Hatte er sie je als Frau betrachtet? Hatte er *sie*, Dominika, gern?

Sie musste sie sehen, alle, die Amerikaner, aber vor allem Nate. Ihnen eine Nachricht aus Moskau zu senden, das wäre schrecklich riskant gewesen. Die Hauptverwaltung K beobachtete sie sicherlich regelmäßig, kontrollierte sie. Das machten die immer so mit den Rehabilitierten. Jetzt, da ihre Reise ins Ausland bevorstand, konnte sie warten.

Es war an der Zeit, nach oben zu gehen. Schweigend standen sie nebeneinander im Aufzug. Sie mochte den weißhaarigen Spion neben ihr, die kleine Kabine war von seinem tiefen Purpur erfüllt, tröstlich und beständig. Sie wusste, dass hinter dem väterlichen Lächeln ein brillanter Geist steckte, ein scharfer Verstand, ein unbeugsamer Patriotismus. Wie hatte ein so anständiger, differenzierter Mann so lange im SWR überleben können? Woher nahm er nur seine Kraft? Dominika machte sich keine Illusionen, dass dem alten Profi irgendwelche falschen Schritte ihrerseits entgehen würden. Sie musste achtsam sein in seiner Nähe.

Nebeneinander gingen sie den mit Teppichboden ausgelegten Flur entlang, den Dominika so gut kannte, an der Galerie der retuschierten Porträts der Direktoren vorbei. Die grauen Eminenzen schienen ihr mit Blicken zu folgen. *Diesmal bist du noch davongekommen*, schienen sie ihr zu sagen. *Aber wir werden wachsam sein*, schienen sie ihr nachzurufen.

Kortschnoi betrachtete ihr Gesicht, als sie in der Führungsetage ankamen und die Tür öffneten. Er bemerkte ihre innere Bewegtheit, spürte, dass sie sich sträubte. *Wie kann ich mir das zunutze machen?*, dachte er. Sie betraten das Büro. Wanja erwartete sie bereits, schroff und kahlköpfig, mit dem Licht im Rücken wirkte er kanariengelb. Was für eine hässliche Farbe, Ehrgeiz verratend; dann ein deftiges Schulterklopfen für Kortschnoi, eine zuckersüße Begrüßung für seine Nichte. Dominika wusste, je mehr Zuckerbrot er verteilte, desto mehr Peitsche würde sie zu spüren bekommen.

Jetzt zum Geschäftlichen. Die Zielperson war noch immer der Amerikaner, der CIA-Offizier namens Nash, der den Namen des Verräters kannte. Dominika musste Erfolg haben, denn Zeit war essenziell. Der General und Dominika hätten sich gewundert, dass ihre stillen Gedanken während dieser übertriebenen Darbietung fast identisch waren. *Hwastun.* Angeber, Aufschneider, aufgeblasener Kerl.

General Kortschnoi sprach leise, zuvorkommend. Bei diesem Projekt wird es erforderlich sein, dass Korporalin Egorowa regelmäßig Reisen ins Ausland unternimmt. Wird es in Anbetracht der zurückliegenden – und sehr bedauernswerten – Untersuchung ein Problem damit geben? Onkel Wanja breitete die Arme aus, als wollte er sie segnen. Nein, selbstverständlich nicht. Alles liegt in deinem Ermessen. Es geht darum, wieder in die Nähe des Amerikaners zu kommen, erneut mit ihm in Kontakt zu treten. Kümmere dich darum und sorge dafür, dass es hervorragend ausgeführt wird. Wanja blinzelte ihr zu.

Sie gingen zurück, über den breiten Gang im Erdgeschoss. In lockerem Tonfall erstellte Kortschnoi Listen für sie, leitete sie an, Ordner mit Details, Zeitplänen, ersten Schritten zu füllen. Dominika sah, dass er glücklich war, überhaupt nicht misstrauisch oder besorgt. Warum auch? Sie war ja ein großartiger Schützling. Es fiel ihr schwer, ihn zu verraten, aber es war notwendig. Es musste sein.

Auf dem Gang kam ihnen der Vollstrecker Sergej Matorin aus der Abteilung F entgegen. Er schien sie nicht zu sehen. Dominika kniff die Augen zusammen. Sie empfand Angst, eine grenzenlose Wut, sodass sie die Entfernung zwischen ihren Fingern und seinen Augen maß. Ob der General wohl ihren Hass spürte? Sah er denn nicht die blutigen Fußabdrücke auf dem Weg, den schwarzen Schleier, der Matorin umfing? Hörte er denn nicht den Klang der Sense, die Matorin hinter sich herzog? Als er an ihnen vorüberging, glitt Matorins milchig weißes Auge über Dominika hinweg. Er drückte sich an die Wand, wie ein Rochen, der über einem sandigen Meeresboden schwimmt und eine dicke, dunkle Wolke hinter sich herzieht, wie Blut im Wasser. Als Dominika ihm hinterhersah, erschauderte sie beim Anblick des dünnen Haars auf seinem Hinterkopf und der leeren Hände, die sich öffneten, wieder schlossen und nur darauf warteten, einen Dolch zu halten.

———

Es war acht Uhr, an einem regnerischen Abend. Wanja Egorow wurde im Dienstwagen durch das Borowitskaja-Tor an der Westseite des Kremls gefahren. Die Räder polterten über das glatte Kopfsteinpflaster. Es ging am Großen Palast und an der Erzengel-Kathedrale vorbei, dann nach links hinter dem Gebäude vierzehn zum gähnend leeren Iwanowskaja-Platz. Vorsichtig steuerte Egorows Mercedes durch das enge Tor zum Innenhof des senfgelben Senatsgebäudes und hielt auf einer schlecht beleuchteten Wagenauffahrt. Als er das letzte Mal innerhalb dieser Mauern gewesen war, hatte man ihm seinen zweiten Stern verliehen. Heute Abend musste er zeigen, dass er ihn verdiente.

Ein Bediensteter klopfte an, öffnete die Tür und trat zur Seite. Das Büro des Präsidenten war vergleichsweise klein, beeindruckte aber durch eine prachtvolle Wandtäfelung. Der einzige Gegenstand auf seinem Schreibtisch war ein Schreibset aus grünem Marmor; das Licht in den Wandleuchten war gedimmt. Der Präsident trug einen dunklen Anzug und ein weißes Hemd ohne Krawatte. Egorow übersah geflissentlich, dass Putin in Socken war. Die Schuhe standen unter dem Stuhl. Der Präsident saß an einem kleinen Intarsientisch vor dem Schreibtisch, die Hände im Schoß gefaltet. Keine Papiere, kein Computer, kein Fernseher. Egorow setzte sich an den kleinen Tisch.

»Guten Abend, Herr Präsident«, sagte er. Wie gewöhnlich glich Putins Miene einer Maske, aber heute Abend wirkte er müde.

»General Egorow«, sagte Putin, der auf die Uhr sah, dann seine stechenden Augen auf Wanjas Gesicht heftete. *Fang an. Fass dich kurz.* Egorow modulierte seine Stimme.

»Das Kommunikationshandbuch, das wir von den Amerikanern erworben haben, stellt auch weiterhin eine wertvolle Quelle für sicherheitssensible Daten und künftige Cyber-Angriffe dar.« Putin nickte einmal, die blauen Augen blinzelten kein einziges Mal.

»Unser Informant in Washington, SWAN, versorgt uns mit

umfassenden technischen Berichten über militärische Raumfahrzeuge der Amerikaner. Die *Kosmicheskie Wojska*, die Weltraumstreitkräfte, bewerten die Informationen als ausgezeichnet. Mein *Resident* in Washington ...«

»Sie meinen *meinen Residenten*«, sagte Putin.

»Selbstverständlich; *Ihr Resident*, General Golow, behandelt SWAN mit besonderer Fürsorge.« Egorow ermahnte sich, auf der Hut zu sein, wenn der Präsident in dieser Stimmung war.

Ein Bediensteter klopfte an und servierte heißen Tee in filigranen Gläsern. Auf den Silberlöffeln, die auf den Rändern lagen, befand sich je ein Zuckerwürfel. Das Tablett wurde auf einem Konferenztisch in der Nähe, in der Zimmerecke, abgestellt, ebenso ein großer silberner Teller voller Madeleines. Beides war unerreichbar und blieb unberührt.

»Weiter«, sagte Putin, nachdem der Bedienstete gegangen war.

»Wir suchen immer noch nach einem von der CIA geführten Maulwurf, er gehört vermutlich dem SWR an. Es ist nur eine Frage der Zeit, bis wir ihn enttarnen.«

»Es ist wichtig, dass Sie ihn enttarnen«, sagte Putin. »Das wäre ein weiterer Beweis dafür, dass Ausländer, die Amerikaner, nichts unversucht lassen, unsere Regierung zu sabotieren.«

»Ja, Herr Präsident. Es ist doppelt wichtig. Der Maulwurf bedroht die Sicherheit unserer Informanten ...«

»Wie zum Beispiel SWANs«, sagte Putin. »Ihr darf nichts passieren, keine internationalen Verwicklungen, keine Misserfolge.« Egorow registrierte mit Interesse, dass der Präsident SWANs Geschlechtszugehörigkeit preisgegeben hatte. Er wusste genau, dass er sie selbst noch nie erwähnt hatte.

»Wir haben den CIA-Offizier identifiziert, der diesen

Maulwurf führt. Ich starte eine Operation gegen den Mann, damit ich den Namen seines Informanten erhalte.«

»Faszinierend«, sagte Putin, ein ehemaliger KGB-Offizier, »aber Sie müssen gar nicht meine Genehmigung einholen, um so eine Operation zu leiten.«

»Es handelt sich um eine komplizierte *konspiratsia*«, sagte Egorow und umkreiste das Thema. »Ich habe vor, einen unserer Offiziere abzustellen, um den Amerikaner zu kompromittieren. Ich will den Namen seines Informanten.«

Putins maskenhaftes Gesicht verzog sich ein wenig – ob nun aus Unbehagen oder klammheimlicher Freude, konnte Egorow nicht erkennen.

»Ich erwarte Diskretion und Mäßigung. Die Entführung dieses CIA-Offiziers wird von mir nicht gebilligt. Das ist zwischen rivalisierenden Diensten nicht üblich. Die Folgen wären nicht zu beherrschen.« Der Tonfall des Präsidenten klang seidenweich, die Kobra fuhr ihre Haube aus. Eine Fabergé-Uhr aus Porzellan schlug auf einem Seitentisch zur halben Stunde. Der Tee in der Zimmerecke war kalt geworden.

»Selbstverständlich. Ich werde alle Vorsichtsmaßnahmen beachten, Herr Präsident. Außer meiner Hauptverwaltung beaufsichtigt ein ranghoher Offizier die Aktion gegen den Amerikaner.«

»Und der jüngere Offizier – eine Frau, wenn ich Sie richtig verstehe? – wurde vor Kurzem im Rahmen von Gegenspionageermittlungen freigesprochen?«

»Ja, Herr Präsident.« Egorow schaute auf die Leberwurstlippen.

»Und wenn ich mich recht entsinne, ist diese junge Frau Ihre Nichte?« Er schaute Egorow in die Augen. »Die Tochter Ihres verstorbenen Bruders?«

»Familie ist die beste Versicherung«, sagte Egorow matt.

Das Ganze war eine Machtdemonstration, darauf zugeschnitten, zu schockieren und den Untergebenen Ehrfurcht einzuflößen. So wie Stalin das getan hatte. »Sie wird meinen Anweisungen Folge leisten.«

»Sie soll versuchen, an den Amerikaner heranzukommen, aber ich billige keine aktiven Maßnahmen. So etwas kommt nicht infrage.« Putin hatte offensichtlich Kenntnis davon, dass diese Option erörtert worden war.

»Wie Sie wünschen, Herr Präsident«, sagte Egorow.

Neun Minuten später erklangen Egorows Schritte im prachtvollen Treppenhaus, während er zu seinem wartenden Wagen eilte. Auf dem Rücksitz sackte er zusammen und stellte sich die Katastrophen vor, die in jeder ehrgeizigen Karriere lauerten. Als sein Mercedes unter dem Borowitskaja-Torbogen hindurchraste, entging Wanja der andere Dienstwagen, nicht ganz so groß, der auf das Senatsgebäude zufuhr, das er soeben verlassen hatte, und in dem der Chef der Abteilung KR für Gegenspionage saß, der kleinwüchsige Alexej Sjuganow.

## MADELEINES IM KREML

Einen Genueser Teig zubereiten, indem Eier und Salz vermischt werden, bis der Teig zähflüssig geworden ist. Dann nach und nach Zucker und Vanilleextrakt hinzugeben. Mehl und Nussbutter unterheben, um einen schweren Teig herzustellen. Den Teig in eingefettete und mit Mehl bestreute Madeleine-Förmchen füllen und bei mittlerer Hitze im Ofen backen, bis die Ränder goldbraun sind. Aus den Förmchen nehmen und auf einem Drahtgitter abkühlen lassen.

# 27

Stephanie Boucher, Senatorin der Vereinigten Staaten für Kalifornien, war es weder gewohnt, selbst ein Auto zu lenken, noch, es einzuparken. Auch nicht, einen Flur ohne Begleitung entlangzugehen oder selbst eine Tür zu öffnen. Als stellvertretender Vorsitzender des SSCI, des Senate Select Committee on Intelligence, stand ihr eine wahre Phalanx von Praktikanten und Mitarbeitern zur Verfügung, die sie quasi in einer Sänfte trugen, wann immer sie es wünschte. Jetzt aber hätte sie gut Hilfe brauchen können: Die vordere Stoßstange ihres Wagens hatte mit leichtem Knirschen Kontakt zur Stoßstange des Fahrzeugs vor ihr aufgenommen. Dieses verfluchte Parallel-zur-Straße-Parken. Senatorin Boucher schlug die Räder ein und trat leicht aufs Gas. Die Hinterreifen prallten gegen den Kantstein, aber der vordere Teil des Wagens stand noch auf der Straße. Boucher hämmerte mit dem Handballen aufs Lenkrad. Vorsichtig fuhr sie etwas vor, um einen neuen Winkel auszuprobieren. Hinter ihr hupte jemand.

Senatorin Boucher ließ das Beifahrerfenster hinunter und schrie »Verpiss dich!« zum anderen Auto hinüber, während es sich vorbeiquetschte. Sicher, sie sollte eigentlich diskreter sein; sie war bekannt auf dem Hügel, ja, eine Berühmtheit, aber dieser Idiot sollte nicht damit durchkommen, sie einfach anzuhupen. Beim vierten Versuch schaffte Boucher es schließlich, in die Parklücke zu manövrieren. Es war früher Abend auf einer dunklen, baumbestandenen Straße in Washington, D. C. Als sie den Wagen abschloss, sah sie, dass sie mit dem linken Hinterrad auf dem Kantstein stand, aber verflucht noch mal, das war jetzt auch egal. Sie drehte sich um und ging auf dem Bürgersteig an den eleganten Stadthäusern vorbei, deren Türeingänge aus dem 18. Jahrhundert von historischen Glaslaternen erleuchtet waren.

Boucher war vierzig Jahre alt, klein und zierlich, sie hatte eine knabenhafte Figur, ihre Beine waren straff und schlank. Die schulterlangen blonden Haare betonten die klaren grünen Augen und die Stupsnase. Ihr Mund war das einzige körperliche Merkmal, das nicht zu diesem Eindruck von vibrierender Kraft und unternehmungslustiger Energie passte. Er war klein und missmutig und verriet, dass sie eher die Zähne zusammenbeißen würde, als freundlich in die Welt zu blicken.

Boucher stand kurz davor, die Stufen zur Macht auf dem Kapitolshügel zu erklimmen. Für eine Senatorin war sie jung, aber sie hatte sich ihren Posten im Select Committee on Intelligence ja auch mit außergewöhnlich fleißigem Aktenstudium und harter Arbeit verdient. Sie saß auch noch in anderen Ausschüssen, aber keiner war so angesehen wie das SSCI. Vor zwölf Jahren war sie nach einem anstrengenden Wahlkampf in einem südkalifornischen Wahlkreis voller Rüstungs- und Raumfahrtunternehmen in den Kongress gewählt worden. Sie avancierte zur Expertin im Subventionsdschungel, wobei sie den Geldregen über jenen Leuten ausschüttete, von denen sie etwas wollte. Der Aufstieg zur Senatorin war der nächste logische Schritt gewesen. Jetzt, in ihrer zweiten Amtszeit als neu ernannte Vizevorsitzende, hatte sie bei mehreren Gremien ihre Finger im Spiel. Zu ihrem Aufgabenbereich gehörten die Gesetzgebung, die Zuweisung von Fördermitteln sowie die Aufsicht über das Verteidigungsministerium, die Abteilung für Innere Sicherheit und die Geheimdienste. Während der Anhörungen im Ausschuss agierte sie streitlustig, ungeduldig und beleidigend, vertrug sich jedoch mit den Leuten aus dem Verteidigungsministerium, weil diese ihrem Heimatstaat Einnahmen einbrachten. Sie erkannte die politische Unangreifbarkeit des Heimatschutzamtes an, betrachtete dieses aber insgeheim als Sammelbecken drittklassiger Mitarbeiter, die sich in einer Welt, die sie kaum verstanden, sozusagen mit Baseballhandschuhen an kniffligen Gehirnoperationen versuchten.

Doch für die Geheimdienste – dieses Konglomerat aus sechzehn Einzelbehörden – reservierte Boucher ihre grimmigste, schmallippigste Missbilligung. Die Verteidigungsnachrichtendienste – DIA und DH – gingen sie nichts an. Das waren Berufssoldaten, die im ausländischen Nachrichtenmilieu wild um sich schlugen, obwohl sie nur ein deutliches Foto der nächsten Brücke hinter dem nächsten Hügel schießen wollten. Der Nachrichtendienst des Außenministeriums hatte einige brillante Analytiker in seinen Reihen, aber das Ministerium sammelte kaum noch Geheimnisse. Dessen Analysten sollten sich mehr in der Sonne aufhalten, etwas Vitamin D tanken. Das FBI glich einer zögerlichen Braut, die eine Zwangsheirat mit inländischen Nachrichtendiensten eingehen musste, welche sie weder verstanden noch willkommen hießen. So war es unvermeidlich, dass das FBI zu seinen Wurzeln als Polizeidienst zurückkehrte und lieber verdeckte Operationen gegen arabische Jugendliche in Detroit durchführte, als Netzwerke mit langfristigen Informanten aufzubauen. Aber diese waren nur das gemeine Volk. Senatorin Boucher hatte nur auf ein Bundesamt einen wirklichen Brass: die CIA. Sie verabscheute die Geheimdienstbeamten, die vor ihr im Sitzungssaal des Ausschusses schlaff in ihren

Stühlen hingen und sich abwechselnd frech und ausweichend aufführten. Boucher wusste, dass die sie jedes Mal anlogen, wenn sie so selbstbewusst und aalglatt, lächelnd und wissend mit ihr redeten. Und sie wusste auch, dass die Drucksachen in ihren verschlossenen Sicherheitstaschen reichlich Makulatur enthielten und die Wahrheit kaschierten. »Die fleißigen Männer und Frauen der Nachrichtendienste«, »die nationale Nachrichtendienstgemeinde«, »der Goldstandard der geheimdienstlichen Informationsgewinnung« – das waren die vertrauten Phrasen, die Boucher auf die Palme brachten.

—

Während ihrer ersten Amtszeit als frisch gewählte Kongressabgeordnete hatte Boucher den fünfundsiebzigjährigen Malcolm Algernon Philips kennengelernt. Philips, ein Hobbylobbyist und verschwenderischer Partygeber, zog in Washington hinter den Kulissen die Strippen, was die Wirtschaft betraf. Er kannte praktisch alle wichtigen Leute in der Stadt und wusste – was noch wichtiger war –, wer wen versohlte, womit und warum. Seine vielen Bewunderer wären empört gewesen, hätten sie erfahren, dass der silberhaarige, tadellos gekleidete Philips seit Mitte der sechziger Jahre als Headhunter für den KGB arbeitete. Er selbst war als junger Salonlöwe angeworben worden, als Chruschtschow noch Ministerpräsident gewesen war. Obwohl die Russen ihn gut bezahlten, war Philips aus reiner Freude am Klatsch dabei. Ihm ging es um das Ausplaudern von Geheimnissen, um Vertrauensbrüche – und um die Macht, die damit einherging. Dabei interessierte ihn nicht im Geringsten, was die Russen mit seinen Informationen anstellten. Die Russen ihrerseits legten eine untypische Geduld mit Philips an den Tag. Weder drängten sie ihn dazu, geheime Informationsquellen anzuzapfen, noch dazu, Schmiergelder zu zahlen oder Dokumente zu stehlen. Sie waren zufrieden, wenn er innerhalb des amtlichen Washingtoner Mahlstroms Kandidaten für eine Anwerbung entdeckte. Das tat er seit fast vierzig Jahren – und beherrschte es ausgezeichnet.

Eines Winters während einer Dinnerparty in seinem Haus in Georgetown entdeckte Philips bei der jungen Abgeordneten für Kalifornien etwas mehr als den üblichen Capitol-Hill-Cocktail aus Ehrgeiz, Ego und Gier. Ein Mittagessen zu zweit mit Boucher bestätigte sechs Wochen darauf seinen Verdacht. Philips erzählte seinem KGB-Kontaktmann, dass er die ideale Person für ihre Bedürfnisse gefunden haben könnte. Nach Philips' Einschätzung war Stephanie Boucher völlig gewissenlos. Über die Kategorien Recht oder Unrecht machte sie sich keine Gedanken. Auch nicht über Patriotismus, Treue zu Gott, zur Familie oder zum Land. Ihr ging es allein um sich selbst. Wenn ihr das Angebot gelegen käme, berichtete Philips, würde Stephanie Boucher nicht zweimal über die Sittlichkeit des Spionierens für Russland nachdenken.

Sie wuchs in der South Bay auf, in Hermosa Beach, trug jeden Tag abgeschnittene Jeans, surfte und rauchte. Ihr Vater war erbärmlich. Er unternahm gar nichts gegen die ständigen Liebschaften ihrer Mutter; Stephanie wuchs mit Verachtung gegenüber ihren Eltern auf. Dann ertappte ihr Vater seine Frau in flagranti. Sie war achtzehn, als er ihre Mutter erschoss, die damals in den Armen eines FedEx-Boten lag. Stephanie erlitt einen Nervenzusammenbruch, aber sie erholte sich und absolvierte voller Schamgefühle das Studium an der Universität von Südkalifornien. Danach trieb es sie in die Lokalpolitik. Mehr und mehr wuchs ihre Überzeugung, dass Freundschaft überschätzt wird und Beziehungen nur einen Wert haben, wenn sie für persönliches Vorwärtskommen ausgebeutet werden können. Doch etwas von der DNA ihrer Mutter steckte auch in ihr, und trotz ihrer notorischen Menschenfeindlichkeit entdeckte Stephanie immer häufiger, dass ihr Sex sehr gut gefiel, und zwar die Art ohne Verpflichtungen. Sie musste sich selbst zur Räson bringen, als ihre politische Laufbahn erblühte, aber das Verlangen war immer da, direkt unter der Oberfläche.

Die *Residentura* in Washington holte Erkundigungen über ihre Rekrutierungsperson ein. Langsam entstand ein Bild, und alles, was der SWR sah und hörte, vertrug sich mit dem, was Malcolm Philips berichtet hatte. Eine Anwerbungsoperation wurde eingeleitet, bei der eine Reihe von SWR-Offizieren und inoffiziellen Mitarbeitern die Senatorin weiterhin überprüfte. Doch erst als der Washingtoner *Resident* Anatoli Golow – weltmännisch, mit sanfter Stimme und auf charmante Art ironisch – Kontakt aufnahm, bot sich Boucher ein erster Blick hinter die Tür zur Schatzkammer.

Die abgedroschenen Schmeicheleien, die mit der Anwerbung einhergingen, machten wenig Eindruck auf die junge Frau. Sie interessierte sich weder für Völkerfreundschaft noch für den Wunsch nach einem Gleichgewicht zwischen dem modernen Russland und den Vereinigten Staaten. Golow kam schnell dahinter und vergeudete keine Zeit. Er wusste, was sie wollte – eine Karriere, Einfluss, Macht.

Golow engagierte eine Reihe von geistreichen Insidern, die vom Dienst I angeworben wurden und die er anschließend mit der Senatorin zum »Meinungsaustausch« zusammenführte. Internationale Beziehungen, die globale Öl- und Erdgaspolitik, Entwicklungen in Südostasien, Iran und China. Diese speziell vorbereiteten Referate über das Geheimdienstwesen, über ökonomische und militärische Angelegenheiten machten die Senatorin rasch zu einer Fachfrau in ihrem Ausschuss.

Der Vorsitzende, dem ihre Gewandtheit und Gelehrsamkeit imponierte, bot ihr den Vizevorsitz des SSCI an. Wobei der Senatorin keinesfalls entging, dass noch bedeutendere Dinge möglich waren.

Während die Beziehung sich entwickelte, hatte Boucher zu keinem Zeitpunkt die geringsten Skrupel. Beim Abendessen mit Golow sprach sie über Anhörungen und Themen des SSCI; ein natürliches Geben und Nehmen für eine Washingtoner Politikerin. Golow zog ihr die Informationen aus der Nase. Die zunehmend häufigen Zahlungen »für Ausgaben« betrachtete sie als gerechten Lohn. Stephanie Boucher hatte längst den Punkt erreicht, an dem es kein Zurück mehr gab. Aber es war nicht notwendig, sie daran zu erinnern. Im Geiste baute sie ihren Vorteil aus, bereitete sie sich auf ihre Beförderung vor, arbeitete auf ihr Ziel hin. Der SWR hatte ein Kongressmitglied als aktive Informantin gewonnen. SWAN.

———

Im Gartenspeisezimmer im hinteren Teil des Tabard Inn in der N Street wartete Anatoli Golow auf Senatorin Boucher. Den kleinen Garten umgab eine große Backsteinmauer. Winzige Lichter waren durch die Zweige der Kübelbäume gezogen. Verkehrsgeräusche vom nahe gelegenen Scott Circle hätten das Rauschen einer sanften nächtlichen Brandung sein können. Golow war seit einem Jahr *Resident* in Washington, der Führungsoffizier von SWAN. Er hatte langjährige Erfahrung in nachrichtendienstlichen Operationen und erkannte daher, dass SWAN die wertvollste amerikanische Spionin sein könnte, die Russland je gehabt hatte.

Trotzdem: Er mochte weder die Informantin noch den Fall. Tatsächlich machte SWAN ihm ein wenig Angst. Er dachte zurück an die früheren Zeiten, als Agenten rekrutiert wurden wegen ihrer ideologischen Überzeugung, ihrem Glauben an den Weltkommunismus, ihrem Engagement für den Traum eines vollkommenen sozialistischen Staates. *Heute ist alles eine Scharade*, dachte Golow. SWAN war eine habgierige, unbeherrschte Soziopathin.

Er zupfte an den Manschetten seines Hemds. Golow hatte Gardemaß, sein spärliches graues Haar trug er glatt zurückgekämmt. Die lange, gerade Nase und das leicht fliehende Kinn erinnerten an die Romanows, aber das zählte nicht mehr, auch nicht im SWR. Er trug einen dunklen Brioni-Anzug, ein gestärktes weißes Hemd und eine blaue Seidenkrawatte von Marinella mit scharlachroten Pünktchen. Dazu schwarze Tod's-Gommino-Slipper über holzkohlegrauen Socken. Er hätte ein vornehmer europäischer Graf, vielleicht auf Urlaub in den Vereinigten Staaten, sein können. Das Einzige, was nicht dazu passte, war der schlichte goldene Siegelring, den er am kleinen Finger trug. An Golows Hand wirkte er irgendwie rätselhaft, deutete auf eine verborgene Lebensgeschichte hin.

Golow beendete sein Mahl, Lammragout mit Ei und Zitrone. Der Rotkohl war in Balsamico-Essig angebraten, und die *pommes de terre aligot* waren so gut, wie er sie das letzte Mal in Südfrankreich gegessen hatte. Obwohl er im Dienst normalerweise keinen Alkohol trank, musste er sich stärken – oder sich betäuben? –, um das Treffen mit der Senatorin durchzustehen. Er leerte sein zweites Glas Chardonnay und bestellte einen doppelten Espresso.

Während der Tisch abgeräumt wurde, rief sich Golow nochmals in Erinnerung, dass SWAN eine sehr wichtige Informantin war, weswegen er viel Zeit und Energie darauf verwenden sollte, sie zu besänftigen, zu disziplinieren und zu kontrollieren. Was immer Stephanie wünschte, der SWR würde es ihr schenken. Sie hatte Protokolle der geheimen Sitzungen des SSCI weitergegeben. Hatte Hunderte digitale Seiten mit den Aussagen der Beamten aus dem Verteidigungsministerium und den Nachrichtendiensten über Waffensysteme, Geheimdienstoperationen und US-Politik weitergegeben. So etwas hatte die Zentrale noch nie gesehen, noch nicht einmal gewusst, dass es existierte. Als Gegenleistung hatte der SWR Gehaltszahlungen beschlossen, die in den Annalen des chronisch geizigen russischen Geheimdiensts unerhört waren.

Die Beträge hoben sie über den Status eines Informanten hinaus – sie war ein Supermaulwurf, eine potenziell einflussreiche Kontaktperson, eine *Botschafterin der Angst*. Golow leitete sie an, er unterstützte, trainierte und bereitete sie vor auf weitere wichtige Schübe in ihrer Karriere. Das war nichts Neues, die Russen hatten im Laufe der Jahre dasselbe mittelbar auch für andere Mitglieder des US-Kongresses getan. Leider fuhren die meisten dieser sittlich verkommenen Abgeordneten schließlich gegen Laternenpfähle, ertranken in hell erleuchteten Swimmingpools oder starben beim Sturz von Brücken in Flussmündungen. Verglichen mit diesen Pfuschern zeigte SWAN keine solchen Anfälligkeiten. Besser noch, keiner von ihnen hatte das Potenzial von SWAN besessen. Die Zentrale sah Boucher bereits als Kabinettsmitglied, als Direktorin der CIA, vielleicht sogar als Vizepräsidentin der Vereinigten Staaten.

Ihre Produktion war erstaunlich, und das Beste sollte noch kommen. SWAN stand kurz davor, das geheimste, aktuellste Projekt im Pentagon anzuzapfen, das Special-Access-Programm für die Entwicklung eines zukunftsweisenden Globalen Orbitalfahrzeugs (GLOV).

Die ersten von SWAN gelieferten Informationen verblüfften die Russen. GLOV sollte eine hybride Plattform werden, die in der Lage wäre, Informationen aus Funk- und elektronischer Aufklärung zu sammeln, während sie GPS-Unterstützung bereitstellte. Das Fahrzeug würde sich in der Umlaufbahn selbst vor Killersatelliten schützen können. Noch alarmierender für Moskau war GLOVs voraussichtliche Fähigkeit, Waffen aus dem Weltraum auf irdische Ziele abzufeuern. Direkt. Keine Militärflugzeuge, kein Auftanken, kein Radar, keine Tarnkappentechnik, keine Flugabwehrraketen, keine verlorenen Piloten, keine Warnung. Punktgenaue Einschläge auf der Oberfläche des Planeten aus dreihundert Meilen Entfernung im All. Berichterstatter für das Projekt der US Air Force hatten es den »Finger Gottes« genannt.

Das Milliarden Dollar schwere Special-Access-Programm war ausschließlich an die Pathfinder Satellite Corporation in Los Angeles vergeben worden und wurde dort in einer streng geheimen Abteilung verwaltet. Sie lag im Hightech-Korridor an der Airport Road und der LAAFB, dem Luftwaffenstützpunkt von Los Angeles, in El Segundo, zufällig auch der ehemalige Wahlbezirk von Senatorin Boucher. *Ja, so ist das*, dachte Golow, *das Beste kommt zum Schluss.*

———

Senatorin Boucher ging flotten Schrittes durch die Eingangshalle des Tabard Inn, das an ein kleines englisches Landhaus erinnerte. Sie entdeckte Golow an einem Tisch im hinteren Bereich des Gartens und ging zu ihm hin. Golow erhob sich, reichte ihr die Hand und beugte sich nach europäischer Sitte vor, um einen Handkuss anzudeuten. Dabei verharrten Golows Lippen wenige Zentimeter über der Hand der Senatorin, berührten sie aber nicht. Ihm fielen die frühen Berichte über ihre Gepflogenheiten ein und das, was sie gern mit diesen Händen machte.

»Stephanie, guten Abend.« Golow achtete exakt auf seine Wortwahl. Er sprach sie mit Vornamen an, um eine ungezwungene Atmosphäre zu schaffen und ihren Titel zu vermeiden, wobei er genau den richtigen Ton zwischen Höflichkeit und Vertrautheit traf. Man wusste ja nie, in was für einer Stimmung sie gerade war. Golow wartete auf ihre Antwort, während sie Platz nahm.

»Hallo, Anatoli«, sagte Boucher. Sie legte die Ellenbogen auf den Tisch. »Es tut mir leid, dass ich gleich zum Geschäftlichen kommen muss, aber haben Sie eine Antwort von Ihren Leuten erhalten?« Die Senatorin fischte eine Zigarette aus ihrer Handtasche. Golow beugte sich vor, um ihr mit einem goldenen Bugatti-Feuerzeug Feuer zu geben.

»Ich habe Ihre Anfrage weitergegeben, Stephanie«, sagte Golow, »samt meiner Empfehlung, ihr ohne Zögern zuzustimmen. Ich erwarte innerhalb der nächsten Tage eine Antwort.« Seine Hände ruhten leicht auf dem Tischtuch. Sein Kaffee kam; Stephanie bestellte einen Whisky Soda.

»Wie schön, dass Sie sich für meine Bezahlung eingesetzt haben, Anatoli«, sagte Boucher in ihrem Ausschusstonfall. »Ich weiß gar nicht, was ich ohne Ihre Unterstützung tun sollte.«

*Was für eine unerträgliche Frau*, dachte Golow. Aber die Zentrale würde ja zahlen. Die würden ihr das Fünffache ihrer Forderung für die Informationen zahlen. Die ersten CDs, die Boucher bereits von den Besprechungen im SSCI beschafft hatte, waren eine Überraschung für die russischen Forscher gewesen. Die zusätzlichen CDs, Handbücher und die Software zu GLOV wären unbezahlbar. »Stephanie, Sie wissen, dass Sie stets meine Unterstützung haben. Machen Sie sich keine Sorgen, die Zentrale wird zustimmen, und das sogar gern.« Golow widerstand dem Impuls, über den Tisch hinweg Bouchers Hand zu tätscheln.

»Das freut mich zu hören, Anatoli, denn heute wurden wir darüber informiert, dass Pathfinder kurz vor dem Ende der ersten Phase des Prüfdurchlaufs für einige der Navigations- und Zielkreisläufe steht. Ich habe auf regelmäßigen Entwicklungsberichten bestanden. Ich besuche Pathfinder in Los Angeles vierteljährlich. Dieses Projekt wird für ein weiteres Jahrzehnt finanziert werden.« Boucher blies den Rauch ihrer Zigarette steil nach oben. »Also, wenn *Ihre Genossen in Moskau*« – das hat sie viel zu laut gesagt, dachte Golow, wie eine Drohung – »nicht zahlen wollen, dann ist das okay, dann sind wir geschiedene Leute, und das wäre es dann für mich.«

Aus diesem Satz las Golow wieder einmal Bouchers unsägliche Arroganz und ihr Leben in einer Welt ohne Konsequenzen ab. Offenbar konnte sie sich nicht vorstellen, dass die Zentrale ihre »Kündigung« nicht akzeptieren würde und sie keine freie Wahl mehr hatte. Golow versuchte sich das Treffen vorzustellen, auf dem Boucher erfuhr, dass sie entweder weiter für Moskau spionieren müsse oder enttarnt werden würde.

»Selbstverständlich werden wir unsere Zusammenarbeit fortsetzen«, sagte Golow beruhigend. »Etwas anderes kommt gar nicht infrage. Wir werden weitermachen, unverbrüchlich und geschützt, und Sie werden weiterhin unsere Leute verblüffen. Und wir werden Sie auch in Zukunft für Ihre Bemühungen entschädigen. Ihre Karriere wird gedeihen.« Golow verzichtete schon lange auf jede Versuchung, ideologische Schmeicheleien hinzuzufügen. Eine einfache Aufzählung der Tatsachen genügte. Sie liefern uns Geheimnisse, wir zahlen dafür.

»Ich würde gern unser Gespräch vom letzten Mal über Ihre Sicherheit fortsetzen«, sagte Golow. »Ich weiß, Sie halten es für unnötig, aber ich muss darauf bestehen, dass Sie mir zuhören. Ich tue dies für Sie, Stephanie, für niemanden sonst. Es ist ziemlich wichtig.« Golow nippte an seinem Espresso und blickte Boucher über den Tassenrand an. Boucher schnaubte gelangweilt und stieß erneut Zigarettenrauch aus.

»Sie sind eine bekannte Persönlichkeit in Washington«, sagte Golow leise. »In gewissen Kreisen bin ich als ranghoher russischer Diplomat bekannt. Unsere öffentlichen Treffen fortzusetzen ist äußerst unratsam. Moskau ist besorgt. Ich bin besorgt. Wir müssen es besser machen.« Golows Tonfall klang monoton, gleichgültig. Sie hatten sich zu oft getroffen. Er strapazierte sein Glück. Wieder blies Boucher Rauch in die Luft.

»Müssen wir dieses Gespräch noch mal führen?«, fragte Boucher und schnippte Zigarettenasche am Tisch ab. »Wir haben das doch alles schon einmal besprochen, und ich dachte, ich hätte mich deutlich ausgedrückt.«

»Selbstverständlich haben wir das, Stephanie, aber ich bestehe darauf, dass Sie noch einmal darüber nachdenken. Zunächst einmal sollten wir uns einen abgeschiedenen Ort für unsere Treffen suchen, weg aus dem Blickfeld der Öffentlichkeit. Zudem muss die Frequenz dieser Gespräche von Angesicht zu Angesicht verringert werden, zugunsten unpersönlicher Kommunikation.« Boucher kniff die Augen zusammen, während Golow sie ansah.

»Hören Sie mir gut zu, Anatoli, ich habe es Ihnen schon einmal gesagt: Ich werde nicht um Mitternacht unter einem von Ungeziefer befallenen Baumstumpf herumwühlen und ein Paket von Ihnen suchen. Ich werde auch keinen klobigen Sender von Ihnen annehmen, der anfängt, in meiner Handtasche zu qualmen, sodass im Dirksen-Gebäude die Feuermelder anspringen.« Sie hielt eine Hand hoch. »Erzählen Sie mir nichts über Ihre Technologie, ich weiß alles über Spionageausrüstung. Ihre russischen Apparate sind nicht halb so gut wie unsere.« Boucher zeigte ihre Zähne. »Und ich möchte betonen, dass ich keinen Ihrer Anfängeroffiziere aus Abchasien mit Dung auf den Schuhen zu treffen gedenke.« Vor der Lektüre der SWR-Berichte hatte die Senatorin nicht gewusst, dass Abchasien existierte, geschweige denn, wo es lag. »Warum müssen wir immer wieder darüber diskutieren?«

Golow wusste, wie er Agenten führen musste, aber dieser Fall war anders als alle anderen. Und er wusste auch, dass die Sicherheitslage Egorow in Moskau nervös machte. Auch Golow war nervös. Aber das Arbeitstempo zu verlangsamen, wenn die Informationen so spektakulär waren, das ging einfach nicht. »Stephanie, ich verstehe ja, wie schwierig alle diese Vorsichtsmaßnahmen sind. Einigen wir uns doch auf Folgendes: Wir beide werden uns auch weiterhin treffen. Mit Ihrer Zustimmung werde ich für unsere Treffen Hotelzimmer außerhalb von Washington buchen. Da wir viel Zeit haben werden, schlage ich vor, dass wir uns seltener treffen. Das wird viel sicherer sein.«

»Außerhalb von Washington?«, sagte Boucher. »Ist das Ihr Ernst? Es ist schwierig genug, einen freien Abend in der Stadt zu haben. Erwarten Sie denn, dass ich mich von meinem Personal entferne, meinen Terminplan ändere, nur um zu einem lächerlichen Sheraton in der Pampa zu fahren und mich mit Ihnen bei einer Tüte Chips zu vergnügen? Wo denn zum Beispiel, Baltimore, Philadelphia, Richmond? Das wird nicht passieren, Anatoli, schlagen Sie sich das aus dem Kopf.«

Golow sah SWAN sanftmütig an. Er würde nicht darauf bestehen. Dieser Fall war zu groß. Er lächelte sie an. »Stephanie, Sie denken zu logisch. Penibel. Praktisch. Ich bitte Sie, einem Element zuzustimmen. Lassen Sie uns weitermachen, aber nicht in der Öffentlichkeit. Jeden Monat werden wir uns in einem Washingtoner Hotel treffen. In einer Suite. So wie es für Sie am besten ist. Sogar dieses kleine Lokal hat Zimmer, aber sie sind klein. Wir werden Neuerungen einführen, uns anpassen, flexibel sein. Ihre Sicherheit ist meine einzige Sorge.«

Senatorin Boucher nickte zerstreut. »In Ordnung, aber fangen wir mit einem Zimmer hier an. Dieser Gasthof stellt irgendetwas mit mir an, ich weiß nur nicht, was.« Sie blickte Golow an und beugte sich vor, damit er ihr noch eine Zigarette anstecken konnte. Golow beschwor dreißig Jahre Disziplin herauf, um seine Abneigung zu überspielen. »Ach, noch etwas, Anatoli«, sagte sie, »ich benötige noch meine Kontonummer in Liechtenstein. Teilen Sie denen mit, dass sie die weitergeben sollen.«

»Stephanie, dieses Thema haben wir auch schon diskutiert, mehrere Male. Es widerspricht den Richtlinien der Zentrale, Zugriff auf dieses Konto zu gewähren. Und zwar allein im Hinblick auf Ihre Sicherheit. Glauben Sie mir, das Geld ist drauf, die Einzahlungen sind alle getätigt worden. Sie haben die Kontoauszüge doch gesehen.«

»Anatoli, Sie sind ein liebenswürdiger Mann«, sagte Boucher. »Aber würde es Ihnen etwas ausmachen, wenn ich die Primadonna spiele und darauf bestehe? Tun Sie mir den Gefallen.« Boucher stand auf und ließ die Zigarette in ihren Whisky fallen. Golow erhob sich von seinem Stuhl und wünschte ihr eine gute Nacht. Als sie sich zum Gehen wandte, griff sie in ihre Handtasche, holte eine CD in einem schwarzen Papierumschlag heraus und warf sie nonchalant auf den Tisch. »Das Protokoll einer Anhörung des Ausschusses aus der vergangenen Woche über Pathfinder«, sagte sie. »Ich wollte die CD zurückhalten, bis Ihre Freunde in Moskau gezahlt haben, aber ich kann Sie gut leiden, Anatoli. Gute Nacht.«

Golow schaute ihr hinterher, während sie durch das Hotel schritt. Lässig ließ er die CD in die Außentasche seines Anzugjacketts gleiten und setzte sich wieder an den Tisch. Der Garten war leer und ruhig. Er bestellte einen Cognac und formulierte im Kopf den Bericht an Egorow.

### *GOLOWS EIER-ZITRONEN-LAMMRAGOUT*

Lammfleischstücke mit gewürfeltem Speck und Zwiebeln kräftig anbräunen; mit Weißwein und Brühe auffüllen und mit Salz, Pfeffer und Muskatnuss würzen. Eine Stunde köcheln lassen, dann die Lammstücke herausnehmen. Zitronensaft, Eigelb und gehackten Knoblauch aufschlagen und mit der Brühe verquirlen, ohne sie aufkochen zu lassen. Die Ei-Zitronen-Sauce noch einmal mit Salz, Pfeffer und Muskatnuss würzen und über das Lamm gießen. Mit fein geschnittenen Zitronenzesten garnieren.

# 28

Wanja Egorow las die Depesche von Anatoli Golow aus Washington. Darin hieß es, SWAN weigere sich nach wie vor, sich an die Regeln der Spionagepraxis zu halten. Er fluchte leise und überlegte, ob er Golow anweisen sollte, den Fall langsamer angehen zu lassen, vielleicht sogar auf Eis zu legen. Als er den zweiten Abschnitt von Golows Bericht las, der den Inhalt der CD zusammenfasste, die SWAN beim letzten Treffen übergeben hatte, änderte er allerdings seine Meinung. Denn dieser enthielt die wörtliche Abschrift einer geheimen Unterrichtung des SSCI durch die Pathfinder Satellite Corporation und die Führungskräfte der US Air Force über das Projekt GLOV: Zeitplan, die Gantt-Diagramme, die Evaluierungskriterien, die Produktionsparameter und die Anforderungen an die Subunternehmen. Es war alles da; die Informationen waren spektakulär. Die Abteilung T arbeitete bereits an einer Zusammenfassung für die Führungskräfte im Kreml, die Leitungsgremien der Duma und der Landesverteidigung. Er würde die Erkenntnisse selbst präsentieren; das würde sich gut machen, sehr gut.

Doch mit diesem nachrichtendienstlichen Glücksfall gingen hohe Risiken einher. Die Sicherheitsvorkehrungen waren unzulänglich und gefährdeten den Fall. Wegen des unerschütterlichen und erfahrenen Golow gab es zwar auch große Chancen, und seine Führung der kleinen blonden Xanthippe war meisterhaft, aber sosehr sie sich auch bemühten, kein System der Spionagetechnik und keine technischen Geräte konnten SWANs Sicherheit garantieren. Egorow zündete sich mit leicht zitternden Fingern eine Zigarette an.

Es gab zwei Schwachstellen: Der *Resident* Golow konnte zwar zu jedem Zeitpunkt verfolgt und unter Kontrolle gehalten werden, auch elektronisch. Aber er war zu erfahren, zu achtsam, um seine Beschatter zu einem Treffen zu führen. Außerdem verfügte er über ein engagiertes Zeta-Team, seine Gegenspionageleute. Sie folgten ihrem Chef genau so, wie es ein feindliches Observationsteam tun würde: in derselben Entfernung, mit denselben Techniken, sowohl um die Beschattung des *Residenten* durch die Gegenseite aufzudecken als auch um diese zu behindern. SWAN selbst stellte das größere Problem dar. Es konnte durchaus sein, dass sie mit viel Getöse durch Washington zog, ohne an ihre Anonymität zu denken. Sie könnte auch zufällig zusammen mit Golow gesehen werden oder unnötigerweise auf sich aufmerksam machen. Keine Spionagepraktik konnte das verhindern.

Aber wenn jemand ein Leck bemerkte oder wenn es einen Hinweis gab, dann würden die amerikanischen Maulwurfjäger mit Sicherheit aus ihren Löchern kommen und mit dem Suchen gar nicht mehr aufhören. Und wie könnte so ein Leck entstehen? In erster Linie durch diesen Schweinehund, den SWR-Verräter, den der amerikanische CIA-Offizier Nathaniel Nash führte. Egorow schlug mit der Faust auf den Schreibtisch. Es musste jemand in diesem Gebäude sein. Jemand, den er wahrscheinlich kannte.

Es gab ein halbes Dutzend hochrangige Offiziere, die vermutlich mittelbar Kenntnis von SWAN hatten, weil sie den Fall bearbeiteten. Im Stillen listete Wanja sie auf: der eulenhafte Juri Nasarenko, Direktor der Abteilung T (Wissenschaft und Technik), sowie die Chefs der Abteilung R (Einsatzplanung und Analyse), OT (Technische Unterstützung) und I (IT). Diese Offiziere wussten, dass man an einem außerordentlichen Fall arbeitete, sie würden Rückschlüsse ziehen. SWANs Identität kannten sie nicht, aber sie hatten Zugang zu den unbearbeiteten Berichten, und man konnte viel zusammentragen. Obwohl sie Rang und Namen hatten, war für alle eine Sicherheitsüberprüfung notwendig. Für diese unangenehme Aufgabe hatte Wanja den Zwerg, Alexej Sjuganow, den Direktor vom Sonderdienst II, Gegenspionage, Abteilung KR.

Egorow wusste, dass die Aussicht auf interne Ermittlungen gegen seine Kollegen Sjuganow so nahe an einen Zustand der völligen Ekstase bringen würde, wie es besser in seinem Leben nicht mehr möglich wäre, vielleicht mit Ausnahme seiner Arbeit im Kellergeschoss der Lubjanka. Wanja hatte dem Zwerg uneingeschränkte Befugnis für seine interne Untersuchung erteilt. Und so zog der kleine Mann mit den großen Ohren und dem emotionslosen Grinsen glücklich von dannen, übersprudelnd vor Ideen.

Egorow sah aus dem Fenster seines Büros. Wer noch konnte SWAN in Gefahr bringen? Der Direktor natürlich. Wahrscheinlich ein halbes Dutzend oder mehr im leitenden Sekretariat, im Präsidentenbüro, im Büro des Verteidigungsministers. Aber es gab wenig, was Egorow gegen Leute außerhalb seiner Reichweite tun konnte. Wer noch? Der einzige andere Offizier, der noch in Erwägung gezogen werden könnte, war Wladimir Kortschnoi, Direktor der Ersten Abteilung (Amerika und Kanada). Obwohl er nicht für SWAN zuständig war, besaß er doch ein feines Gespür für alles, was sich in seinem Revier abspielte. Sie waren gute Freunde, redeten einander mit der herzlichen, dörflichen Verniedlichungsform an. Wolodja Kortschnoi war ein Mann der alten Schule. Die Offiziere des SWR vertrauten ihm und mochten ihn. Zudem besaß er Verbindungen innerhalb aller Geheimdienste, wodurch er jede Menge Klatsch und Tratsch hörte. Außerdem leitete er derzeit die Operation, um an Nathaniel Nash heranzukommen.

Egorow fand, dass er Kortschnoi seit geraumer Zeit viel zu selten sah und sprach. Sein Freund wurde allmählich alt. Ein paar Jahre vielleicht noch bis zur Pensionierung. Zu dem Zeitpunkt wäre er an der Spitze, er könnte dann einen loyalen Protegé für die Amerika-Abteilung aussuchen. Obwohl Wanja ahnte, dass es unwahrscheinlich – unmöglich – war, den Verräter in der Ersten Abteilung aufzuspüren, fügte er – pro forma – Kortschnoi seiner Liste hinzu. Als Erstes wollte er sich auf den Dienst konzentrieren. Dann auf den Amerikaner Nash. *Sa dwumja saitsami pogonisch'sja ne odnogo ne poimaesch*, dachte er. Wer zwei Hasen jagt, fängt gar keinen.

———

Der Leiter der Abteilung T, Juri Nasarenko, stand auf der Schwelle von Egorows Büro, als wäre er ein Leibeigener, der darauf wartet, zu einem Scheunenfest eingeladen zu werden. Er war groß und schlaksig, selbst noch mit seinen fünfzig Jahren. Nasarenko trug eine dicke Drahtgestellbrille, die er jahrelang geistesabwesend derart malträtiert hatte, dass sie völlig verbogen und eingedrückt war. Er hatte einen großen Kopf, eine vorstehende Stirn, abstehende Ohren und außerordentlich schlechte Zähne, selbst für einen Russen. Er war ein nervöser Mann, der sich hin und her wand, mit dem Kopf ruckte, die Daumen bog und in ständiger marionettenhafter Bewegung an den Ärmeln zupfte. Auf der linken Kinnspitze prangte ein großer Leberfleck, den Egorow anvisierte, wenn er mit Nasarenko sprach, damit er dieses Häufchen Elend nicht in seiner Gesamtheit ansehen musste. Ungeachtet seiner leichten körperlichen Defizite hatte Nasarenko einen brillanten technischen Verstand. Er war jemand, der Probleme auf wissenschaftliche Art anging und auch bei konkreten Maßnahmen, etwa dem Bedarf an geheimdienstlichen Operationen oder der Produktion geheimdienstlicher Informationen, Theorien anzuwenden vermochte.

»Kommen Sie rein, Juri. Danke, dass Sie sofort gekommen sind«, sagte Egorow, als hätte Nasarenko eine Wahl gehabt, was Zeit und Datum des Treffens betraf. »Setzen Sie sich doch. Möchten Sie eine Zigarette?« Nasarenko nahm Platz, zuckte mit den Schultern, verschränkte die Hände auf den Oberschenkeln und bog zweimal sehr schnell seine Daumen.

»Nein danke, Iwan Dimitrijewitsch«, sagte Nasarenko. Seine Augenbrauen hoben und senkten sich. Egorow richtete den Blick auf Nasarenkos Kinn.

»Ich möchte Ihnen sagen, Juri, dass Sie hinsichtlich der Informationen, die über das Weltraumfahrzeug der Amerikaner hereinkommen, außerordentlich gute Arbeit leisten. Der Dienst ist von höchster Ebene für die bisherige Arbeit belobigt worden«, sagte Egorow.

Genauer gesagt erhielt *er* bisher Komplimente für den Fall SWAN.

»Das hört man gern, Iwan Dimitrijewitsch«, sagte Nasarenko. »Die Informationen sind überwältigend. Meine Analysten und ich sind äußerst beeindruckt von dem brillanten Konzept.« Nasarenko sah über den Schreibtisch auf Egorows teilnahmsloses Ringkämpfergesicht. »Natürlich ist die russische Weltraumtechnologie mühelos auf gleicher Höhe mit diesem Projekt«, fügte er mit einem doppelten Wippen seines Adamsapfels hinzu, »aber die Arbeit der Amerikaner ist dennoch bemerkenswert.«

»Dem stimme ich zu«, sagte Egorow und zündete sich eine Zigarette an. »Ich möchte Ihnen sagen, dass Sie mit Ihren Analysen und Beurteilungen weitermachen sollen, aber ich muss Ihnen auch mitteilen, dass der Nachrichtenstrom vorübergehend unterbrochen werden wird. Die Informationsquelle, eine sensible Quelle, die ich aus nachvollziehbaren Gründen nicht näher beschreiben darf, ringt mit gesundheitlichen Problemen und muss ihre Arbeit für kurze Zeit niederlegen.« Egorow ließ den Satz in der Luft hängen.

»Hoffentlich ist es nicht so ernst, dass der Informationsstrom eingeschränkt wird«, sagte Nasarenko und lehnte sich nach vorn. Sein rechtes Bein und Knie vibrierten leicht.

»Ich hoffe von Herzen, dass das nicht zutrifft«, sagte Egorow, der plötzlich mitteilsam wurde. »Ein Anfall von Gürtelrose kann sehr kräftezehrend sein. Ich hoffe, unsere Quelle wird bald genesen.«

»Ja, natürlich«, sagte Nasarenko, »wir werden unsere Analyse der bereits existierenden Informationen fortsetzen. Es gibt mehr als genug Material, mit dem wir uns eine Zeit lang beschäftigen können.«

»Ausgezeichnet«, sagte Egorow. »Wusste ich doch, dass ich mich auf Sie verlassen kann.« Er erhob sich und begleitete Nasarenko zur Tür, legte diesem die Hand auf die zittrige Schulter. »Diese Informationen zu bekommen, das ist wichtig, Juri, *aber das Entscheidende ist, wie wir sie nutzen.* Und hier kommen Sie ins Spiel.« Egorow verabschiedete sich mit einem Handschlag und schaute Nasarenko hinterher, der den Flur entlang Richtung Fahrstühle ging, den Kopf zur Seite geneigt, mit Schlagseite nach steuerbord. Nasarenko sah aus wie eine Petruschka-Marionette mit einem durchtrennten Faden. »Wenn so ein Mann ein Spion ist«, flüsterte Egorow bei sich, »dann sind wir verloren.« Und damit ging er zurück in sein Büro.

Der Leiter der Abteilung R, Boris Aluschewski, war kein Juri Nasarenko. Er klopfte einmal an Egorows Türrahmen und ging ruhig durch das Zimmer: fließender Gang, ganz ohne Affektiertheit. Er erschien älter als seine vierzig Jahre und wirkte in seiner Nachdenklichkeit gefährlich. Er war dünn, die eingefallenen Wangen und vorstehenden Wangenknochen waren glatt rasiert. Er hatte schwarze mandelförmige Augen, eine kräftige Kinnpartie und eine große Nase. Der Schopf rabenschwarzer welliger Haare war dicht und glänzend und ließ Aluschewski wie ein kirgisisches Zentralkomiteemitglied aus Bischkek aussehen. Tatsächlich kam er aus Sankt Petersburg.

Der Chef der Abteilung R (Operative Planung und Analyse) war für die Auswertung aller SWR-Operationen im Ausland zuständig. Nach vielen Jahren in London sprach Aluschewski ein makelloses Englisch. Nach der Rückkehr aus Großbritannien hatte er die Richtung Planung und Analyse eingeschlagen, weil es zu ihm passte. Er hatte Verstand und einen neugierigen Geist. War aber auch, dachte Wanja, politisch naiv. Es erschien höchst unwahrscheinlich, dass Aluschewski der Maulwurf war. Trotzdem, er hatte das Vorgehen der Washingtoner *Residentura* bei der Führung der »sensiblen Quelle« ausgewertet, und Aluschewski selbst hatte den Einsatz des Zeta-Gegenspionageteams vorgeschlagen, um den *Residenten* Golow während der monatlichen Treffen zu schützen. Darum wollte Wanja ihn in seinen Kanarienvogelfallentest einbeziehen.

»Setzen Sie sich bitte, Boris«, sagte Egorow. Er mochte Aluschewski und respektierte sein Arbeitsethos und seine Intelligenz. »Ich habe Ihre Empfehlungen in Bezug auf die Sicherheitshochstufungen in Washington überprüft und bin ganz Ihrer Meinung.«

»Danke, Iwan Dimitrijewitsch«, sagte Aluschewski. »General Golow agiert äußerst professionell auf der Straße. Er hat selten FBI-Überwachung. Seiner Einschätzung nach glauben die Amerikaner, dass ein Offizier seines Ranges und Standes sich niemals selbst mit der Führung von Informanten befassen würde. Das ist ein Vorteil für uns. Das Zeta-Team ist gründlich, diskret. Es wird für zusätzlichen Schutz sorgen.« Aluschewski nahm sich eine Zigarette, die Egorow ihm aus einem Mahagonikästchen mit Schildpattdeckel anbot.

»Ausgezeichnet«, sagte Egorow.

»Die für Technik zuständigen Offiziere in der *Residentura* hören zudem sehr sorgfältig die FBI-Überwachungsfrequenzen ab. Dabei achten sie insbesondere auf Anomalien im Funkbetrieb. Eine Änderung der Strategie könnte ein erhöhtes Interesse bei der Gegenseite anzeigen.« Aluschewski erklärte das in einfachen Worten, denn er war sich nicht sicher, ob Egorow die Nuancen des Agentenspiels begriffen hatte.

»Ich möchte Sie bitten, Boris, die Sicherheitslage und unsere Gegenmaßnahmen weiterhin zu überwachen. So bekommen wir etwas zusätzliche Zeit, um die Situation zu beurteilen.«

»Inwiefern, Iwan Dimitrijewitsch?«, fragte Aluschewski.

»Bedaure, ich kann leider keine Details aus dem Fall General Golows erörtern, aber dafür haben Sie sicher Verständnis«, sagte Egorow. »Das heißt aber nicht, dass ich Ihnen nicht vertraue, das versichere ich Ihnen.«

»Selbstverständlich«, sagte Aluschewski. »Sicherheit geht vor.« In seiner Stimme lag nicht die geringste Spur einer Verstimmung.

»Was ich Ihnen mitteilen kann, ist, dass Golows Quelle ihre Aktivitäten für geraume Zeit unterbrechen muss. Eine Krankheit, ziemlich ernst sogar.« Egorow blickte sanft auf Aluschewski.

»Wie lange wird die Unterbrechung dauern?«, fragte Aluschewski. »Für General Golow wird es wichtig sein, nicht plötzlich inaktiv zu werden. Er muss den Grad seiner Betätigung exakt beibehalten. Jede Veränderung in seinem Profil könnte die Gegenseite alarmieren. Außerdem wäre es doppelt gefährlich, wenn der General seine Aktivitäten in dem Fall wieder aufnimmt.«

»Ich weiß nicht, wie lange die Quelle inaktiv sein wird. Die Genesung nach einer Bypass-Operation kann langwierig oder rasch verlaufen. Wir müssen abwarten.«

»Wenn es Ihnen recht ist, formuliere ich einige ergänzende Gedanken zu Ihren Erwägungen und schicke sie General Golow.«

»Unbedingt. Ich würde mir Ihre Ideen gern anschauen. Bitte reichen Sie sie ein, sobald sie fertig sind«, sagte Egorow und stand auf. »Ich möchte noch einmal wiederholen, dass ich mit Ihrer Arbeit sehr zufrieden bin. Ihre Führung der Abteilung ist wirklich vorbildlich.« Und damit dirigierte Egorow Aluschewski zur Tür und schüttelte ihm die Hand.

——

Der Chef der Amerika-Abteilung im SWR, General Wladimir Andrejewitsch Kortschnoi, betrat zwanzig Minuten zu spät den Vorraum von Egorows Büro. Egorows persönlicher Referent Dimitri kam aus seiner Arbeitsnische und schüttelte ihm die Hand. Kortschnoi nahm das Missfallen der beiden nervösen Sekretärinnen wahr, die an ihren Schreibtischen saßen. Er grüßte sie mit Namen, und seine dunkelbraunen Augen funkelten unter den buschigen weißen Brauen, als er sich auf die Ecke eines Schreibtisches setzte und einen Witz erzählte. *Es geht um die Bekanntgabe der Berufe mit der höchsten Ehebruchsquote: erster Platz, Filmstars; zweiter Platz, Theater-*

*schauspieler; dritter Platz, KGB. Jemand ruft: Ich bin seit drei-*
*ßig Jahren beim KGB und habe noch nie meine Frau betrogen!*
*Ein anderer ruft: Nur wegen Leuten wie Ihnen landen wir auf*
*dem dritten Platz!*

Die Sekretärinnen und Dimitri lachten. Dimitri schenkte
Kortschnoi aus einer Karaffe ein Glas Wasser ein. Eine der
Sekretärinnen wollte gerade selbst einen Witz erzählen, als
sich die ledergepolsterte Innentür von Egorows Büro öffnete
und der Vizedirektor erschien. Rasch beugten die Sekretärinnen den Kopf über die Schreibtische und machten sich
wieder an die Arbeit. Dimitri nickte Kortschnoi höflich zu,
dann seinem Chef und zog sich wieder in seine Arbeitsnische
zurück. Egorow blickte sich im Vorraum um.

»Hier herrscht ja ausgelassene Stimmung«, sagte Egorow
ernst. »Kein Wunder, dass wir nichts zustande bringen.«

»Es ist einzig und allein meine Schuld, Direktor«, sagte
Kortschnoi mit gespielter Demut. »Ich habe eine dumme
kleine Geschichte erzählt und die Arbeit unterbrochen, eine
lächerliche Zeitverschwendung.«

»Ja, und dazu noch zwanzig Minuten zu spät«, sagte Egorow. »Ich hoffe, du hast Zeit, mit mir zu sprechen?« Egorow
machte kehrt und ging in sein Büro. Kortschnoi folgte ihm
und nickte im Vorbeigehen den Sekretärinnen zu. Die Tür
schloss sich hinter ihm; die Sekretärinnen sahen einander lächelnd an, bevor sie wieder an die Arbeit gingen.

Egorow ging zu dem Ledersofa am Ende seines Büros
und setzte sich. Er tätschelte den Sitzplatz neben sich, damit Kortschnoi Platz nahm. »Na, Wolodja, amüsierst du
dich mit meinen Sekretärinnen? Ich glaube, ich weiß, auf
welche du scharf bist. Aber lass dir sagen, die sind beide gut
im Bett.«

»Ich bin zu alt, Wanja, und zu müde, um mit einer Frau

zu schlafen. Außerdem habe ich nicht vor, deinem pickligen Hintern zu folgen. Die jungen Frauen da draußen tun mir leid.« Kortschnoi lehnte sich zurück und knöpfte sich das Jackett auf.

»Es freut mich, dass du mit den Planungen gegen den Amerikaner Nash anfängst«, sagte Egorow. »Ich bin überzeugt, du wirst das gut machen. Es ist unsere beste Gelegenheit, den Verräter zu entdecken.« Er stand auf, ging zu einem verzierten Schrank und holte eine Flasche georgischen Brandy und zwei Gläser. Er schenkte ein und reichte Kortschnoi ein Glas.

»Das ist etwas früh am Tag, Wanja«, sagte Kortschnoi. Er stieß mit Egorow an. Beide Männer legten den Kopf in den Nacken und stellten die leeren Gläser wieder auf den Tisch. »Für mich nichts mehr«, sagte Kortschnoi, als Egorow Anstalten machte, die Gläser erneut zu füllen.

»Ich bestehe darauf«, sagte Egorow mit gespielter Ernsthaftigkeit. »Nur so erreiche ich, dass du bleibst und mit mir sprichst. Ich benötige jemanden, mit dem ich vertraulich reden kann.«

»Wir sind Freunde, seit unserer Zeit auf der Akademie«, sagte Kortschnoi. »Geht es um den Einsatz? Du hast doch nicht plötzlich Bedenken wegen deiner Nichte? Wenn es das ist, dann kann ich dir versichern, dass ich absolut …«

»Nein, mit dem Einsatz hat es nichts zu tun. In der Hinsicht hege ich große Hoffnungen. Aber es gibt da noch etwas anderes«, sagte Wanja. »Ich muss es mir von der Seele reden.«

»Hast du Probleme, Wanja?«, fragte Kortschnoi. Er würde nicht so weit gehen und nachfragen, wie Egorows Kampagne gegen den jetzigen Direktor lief, den er beerben wollte. Nicht einmal ihre jahrzehntelange Beziehung gestattete es, so direkt zu werden.

»Die üblichen Kopfschmerzen und Querelen. Zu jedem

Erfolg kommt auch ein Fehler in der Bilanz, der Verlust einer Quelle, ein Überläufer, eine Anwerbung.«

»Du weißt ja, wie unser Geschäft läuft, Wanja. Wir werden immer Niederlagen erleiden, aber einmal alle fünf Jahre, alle zehn, landen wir einen fabelhaften Erfolg. Es ist wieder einer fällig. Er wird kommen.« Kortschnoi nippte am zweiten Glas Brandy.

»Darüber wollte ich mit dir sprechen«, sagte Egorow. »Ich möchte mich bei dir entschuldigen. Ich habe etwas vor dir verheimlicht, was ich dir hätte sagen sollen. Ich muss es weiterhin vor dir verbergen, aber ich erzähle dir ein bisschen davon.«

»Ich respektiere dein Urteil, Wanja«, sagte Kortschnoi.

»Du bist ein wahrer Freund, Wolodja«, sagte Egorow und goss ihnen noch einen Brandy ein. »Ich habe eine Operation auf deinem Terrain durchgeführt, in den Vereinigten Staaten, ohne dein Wissen oder deine Billigung. Der Richtigkeit halber hätte deine Abteilung den Fall übernehmen müssen. Alles, was ich dir sagen kann, ist, dass der Kreml angeordnet hat, dass er so gehandhabt wird.«

MARBLE verzog keine Miene. Das war er, der Fall des Direktors, SWAN.

»Das machen wir nicht zum ersten Mal. Ich habe es selbst auch schon getan. Wenn es dem Auftrag dient, dann muss man es so machen«, sagte Kortschnoi.

»Ich wusste doch, dass du die Sache mit professionellem Blick betrachten würdest. Keine Respektlosigkeit dir oder deiner Abteilung gegenüber«, sagte Egorow.

»Schon gut«, sagte Kortschnoi. »Weiß Golow in Washington über den Fall Bescheid?« Es gab da ein kleines Fenster für ein behutsames Herantasten. *Sei auf der Hut*, dachte er.

»Diese Details müssen wir nicht erörtern«, sagte Egorow ausweichend. »Ich kann dir aber sagen, dass der Fall allmählich Informationen von einer Vertraulichkeit und Bedeutung für Russland zutage fördert, wie wir dies seit 1949 nicht mehr erlebt haben. Damals, als Feklisow für Fuchs Eiscreme spendierte im Austausch für seine Notizen zu einer einsatzfähigen Bombe.« *Wie passend*, dachte Kortschnoi. *Damals, in den Fünfzigern, waren wir als NKWD in Topform.* Egorow klopfte Kortschnoi lachend auf den Rücken.

»Dann darf man dir also gratulieren«, sagte Kortschnoi. »Das sind genau die Erfolge, die wir brauchen und die es nur alle zwanzig Jahre gibt.« Er nippte an seinem Brandy. »Wie kann ich dir helfen, Wanja?«

»Nein, nein, es gibt nichts für dich zu tun«, sagte Egorow. »Ich brauche dich, um gegen den Amerikaner vorzugehen, selbst wenn wir mit dem sensiblen Agenten, den wir führen, pausieren müssen. Wann könnt ihr anfangen?«

»So rasch wie nötig. Deine Nichte ist bereit«, sagte Kortschnoi lässig. »Wie schnell müssen wir anfangen?«

»Uns bleibt noch etwas Zeit. Wenn du jetzt aktiv werden kannst, während unser Informant sich von einer schweren Augenoperation erholt, wäre das ein guter Zeitpunkt.«

»Kein Problem, in ein paar Tagen sind wir reisefertig.«

»Ausgezeichnet«, sagte Egorow.

»Wir werden Erfolg haben«, sagte Kortschnoi. »Du kannst dich darauf verlassen.«

»Ich verlass mich auf dich«, sagte Egorow, »mein vertrauenswürdigster *uschastnik*, mein alter Partner.« *Du altes Krokodil*, dachte Kortschnoi. Er stand von der Couch auf und schaute durch das Panoramafenster hinab auf den Wald. »Wir waren erfolgreich, Wanja, besonders du. Wer hätte gedacht, dass diese beiden jungen Akademieabsolventen solch eine Karriere machen?«

»Jetzt werde bitte nicht rührselig; es gibt noch eine Menge zu tun«, sagte Egorow. »Vielen Dank für deine Loyalität, und lass bald von dir hören.« Arm in Arm gingen sie zur Tür.

»Wenn ich jetzt in mein Büro zurückgehe, rieche ich nach Brandy und deinem schrecklichen Kölnischwasser«, sagte Kortschnoi. »Deinetwegen habe ich meinen Ruf als Trinker und *pedik* weg.« Sie lachten; Egorow sah Kortschnoi den Flur entlanggehen und dachte: *Er ist einmal brillant und furchtlos gewesen, aber jetzt wird er müde.* Er drehte sich um, ging in sein Büro und schloss die Tür.

— —

MARBLEs Gedanken rasten. Er musste die Information sofort weitergeben. Eine Übertragung per Satellit heute Nacht. Er stellte sich vor, wie Benford die Notiz las. Aber es gab da noch den Hauch von etwas anderem. Wanjas Einladung in den vierten Stock war voller Ungereimtheiten. Sie passte nicht zu ihm. Die Entschuldigung für das Ausführen einer Operation auf seinem Gebiet war Augenwischerei. Wanja kannte nicht die geringsten Skrupel, in ein Gebiet vorzudringen, das nicht zu seinem Verantwortungsbereich gehörte. Wanja machte nur die Dinge, die ihm maximale Anerkennung und Vorteile verschafften. Er war schon immer so gewesen. Deshalb war er Bürokrat geworden, der die wahre nachrichtendienstliche Arbeit anderen überließ.

Er ging noch einmal die vier wichtigen Details durch, die Wanja ihm geliefert hatte. Der Mega-Informant – SWAN –, das war einer dieser raren Fälle, der die besten Informationen seit der Zeit der Atomspione lieferte. Der Agent wurde von der Washingtoner *Residentura* geführt. Vermutlich war Anatoli Golow beteiligt. SWAN hatte sich kürzlich einer Augenoperation unterzogen. *Mehr Anhaltspunkte für Benford*, dachte MARBLE.

MARBLE ging über den breiten Flur im Erdgeschoss und bog in die weitläufige Cafeteria ab. Es war erst halb zwölf, aber die Angestellten setzten sich bereits mit vollen Tabletts an die Tische. Etwas umnebelt im Kopf und mit einem verdorbenen Magen nach Wanjas verfluchtem Brandy ging MARBLE zum Ausgabetresen und bestellte einen Teller *gribnoj sup*, eine sämige Pilzsuppe, auf der ein großer Klacks saurer Sahne schwamm. Als er den Chef der Abteilung T, Nasarenko, allein an einem Tisch sitzen sah, wollte er sich aus dessen Blickfeld stehlen, aber Nasarenko hatte ihn bereits entdeckt und nickte ihm zu. Jetzt musste er sich zu ihm setzen, es wäre ein protokollarischer Bruch, einen Offizierskollegen zu schneiden. Kortschnoi wappnete sich, zwanzig Minuten gemeinsam mit einem Mann bei Tisch zu sitzen, den die jüngeren Wissenschaftler in der Technikabteilung »Zitteraal« getauft hatten.

»Juri, wie geht es Ihnen?«, sagte Kortschnoi, während er sich an den Tisch setzte. Er brach eine Kante vom Brot ab und tunkte sie in die dampfende Suppe.

»Zu viel zu tun, viel zu viel«, sagte Nasarenko. Er säbelte an einer Kohlroulade herum, mit katastrophalem Ergebnis. Kortschnoi konnte gar nicht wegsehen, als wäre er Zeuge eines schlimmen Verkehrsunfalls. »Die zwingen uns, Überstunden zu machen. Ständig kommen neue Daten herein, Übersetzung, Analyse, Zusammenfassungen für den vierten Stock. Eine Lawine von CDs. Die schicken alles an den Kreml.«

Interessant. CDs. Das musste derselbe Fall sein, mit umfangreicher Produktion. »Benötigen Sie Hilfe? Soll ich Ihnen ein, zwei Analytiker schicken?« Ein nie dagewesener Akt der Großzügigkeit. Keine Abteilung bot freiwillig eine derartige Unterstützung an. Nasarenko hob abrupt den Kopf, beeindruckt und überrascht.

»Wladimir Andrejewitsch, das ist sehr freundlich von Ihnen. Und ich weiß Ihr Angebot sehr zu schätzen«, sagte Nasarenko und kaute auf einer halben Kohlroulade. »Aber die Arbeiten müssen auf eine kleine Anzahl befugter Analysten beschränkt sein. So lautet die Vorschrift.«

»Gut, dann lassen Sie es mich wissen, wenn ich in irgendeiner Weise behilflich sein kann. Ich kenne das Gefühl, mit Arbeit überhäuft zu werden«, sagte Kortschnoi.

»Wir werden bald eine Pause haben. Egorow hat mir gesagt, dass es eine vorübergehende Einstellung der Informationen geben wird.« Nasarenko beugte sich über seinen Teller zu Kortschnoi hin. »Der Informant hatte einen Anfall von Gürtelrose, er ist arbeitsunfähig.« Nasarenko verstieß damit auf gravierende Weise gegen die Sicherheitsbestimmungen, aber Kortschnoi war schließlich ein Kollege, für Geheimoperationen zuständig und mit einem sehr achtbaren Lebenslauf.

MARBLE hatte das Gefühl, als berührte eine eiskalte Hand seinen Rücken. Die Wände der Cafeteria schlossen sich um ihn, die Stimmen im Raum wurden zu einem dumpfen Dröhnen. Er versuchte, den Löffel voll Suppe zum Mund zu führen. »Also, das ist sicherlich eine gute Nachricht für Sie. Eine Pause ist immer willkommen.« Kortschnoi senkte die Stimme. »Wir sollten lieber nicht über diese Dinge reden, Juri. Sie wissen besser als ich, dass es sich um eine heikle Angelegenheit handelt. Diese Unterhaltung werden wir niemandem gegenüber erwähnen, nicht wahr?«

Nasarenkos dunkelbraune Augen flackerten schuldbewusst, denn ihm wurde klar, worauf der General anspielte. »Ganz meine Meinung.« Er nahm seinen Teller und stand auf. Dabei murmelte er Entschuldigungen, weil sein Aufbruch so plötzlich kam. MARBLE saß allein da, zwang sich, die Suppe auszulöffeln, versuchte, natürlich und entspannt auszusehen.

War dies der Anfang vom Ende, war dies die Falle? Verdächtigten die ihn persönlich? Oder handelte es sich um eine allgemeine Prüfung seiner Loyalität? Schief lächelnd schüttelte er den Kopf über Wanjas Kanarienvogelfalle. Mit seinem kleinen Silberlöffel verfütterte der Versionen an weiß Gott wie viele ranghohe Offiziere. *Hierher, kleiner Kolibri, wie verteilst du deine Pollen?* Seine Nachricht an Langley erschien ihm plötzlich wichtiger denn je.

## GRIBNOJ SUP – PILZSUPPE

Getrocknete Pilze einweichen und abseihen. Die Einweichflüssigkeit zur Rinderbrühe hinzufügen und die Pilze darin vier Stunden kochen. Fein geschnittene Zwiebeln in Butter anbraten, bis sie goldbraun sind, und zur Suppe dazugeben. Die Maisstärke einrühren, umrühren und bei geringer Hitze köcheln lassen, bis die Suppe sämig ist. Würzen und mit einem großen Klacks saurer Sahne und Petersilie servieren.

# 29

Benford saß im Halbdunkel seines Büros, die verschlüsselte Nachricht mit der Alarmmeldung lag auf einem kleinen freien Quadrat des zugemüllten Schreibtischs. Er hatte MARBLEs verschlüsselte Nachricht zweimal gelesen, hörte seine Stimme, als er die Wörter las, sah ihn achtsam mit der begrenzten Buchstabenzahl einer Bitbündelübertragung umgehen. Er brüllte seiner Sekretärin zu, sofort Nate und Alice zu holen. Während er wartete, las er die Nachricht noch einmal:

Eins: SWAN definitiv in USA. W sagt, SWANs Material sei das Beste seit den Fünfzigern. Vielleicht operiert er in der Hauptstadt. Führer vermutlich Golow. Nasarenko spricht von Arbeitsüberlastung, CDs und technischen Daten.

Zwei: W setzt Kanarienvogelfalle ein. Nasarenko wurde erzählt, die Quelle leide an Gürtelrose. Mir wurde gesagt, er erhole sich von Augenoperation. Andere Versionen wahrscheinlich.

Drei: W erneuert Operation gegen NN. Mein Auftrag (!), Ws Nichte in meiner Abt., angesetzt auf NN.

Vier: Erwarte Rom-Reise, die gleichzeitig mit EBES-Konferenz stattfindet. Werde informieren, wenn unterwegs. niko.

Benfords Blick blieb am klein geschriebenen *n* in der niko-Unterschrift haften, die einfach nur hieß: »kein Zwang«. Noch spezieller bedeutete sie, dass MARBLE die Nachricht nicht inmitten einer Gruppe von Männern geschrieben hatte, von denen einer den kleinen Finger seiner linken Hand bis zur Grenze der Belastbarkeit nach oben drückte, damit er aufschrieb, was sie ihm diktierten.

SWAN war ein Maulwurf in der US-Regierung. Das Spiel war eröffnet. Dass die Russen diesen Fall als den besten seit Jahren betrachteten, sprach für die Qualität und Quantität von SWANs Informationen; für Benford bedeutete es, dass die Vereinigten Staaten fürchterlich bluten mussten. Als Alice den Kopf durch die Tür steckte, setzte Benford sie davon in Kenntnis, dass sie ein Projekt zugeteilt bekäme, das sofort beginnen würde.

»Aber ich habe mit der Doppelagentensache in Brasilien zu tun«, sagte Alice unverblümt. Sie hatte kein Problem damit, Benford zu widersprechen.

»Dieser Blödsinn kann warten«, sagte Benford, ohne von seinem Schreibtisch aufzusehen. »Ich möchte, dass Sie alle Arbeiten liegen lassen und eine Liste zusammenstellen. Es wird anders sein als alles, was Sie bisher getan haben.«

»Schießen Sie los«, sagte Alice und sah sich im Raum flüchtig nach einer Sitzgelegenheit um. Sie fand keine und blieb vor Benfords Schreibtisch stehen.

»Das Ganze wird etwas unkonventionell werden, aber so mögen Sie es ja, Alice«, sagte Benford. Er blickte auf. »Ich möchte, dass Sie mir eine Top-Ten-Liste erstellen. Dass Sie mir die zehn größten Geheimnisse in der Regierung der Vereinigten Staaten zusammenstellen. Militär, Politik, Inland, Internet, Banken, Weltraum, Energie, Islam oder das Tattoo auf Pat Benatars Arsch, alles steht zur Auswahl.«

»Auf wessen Arsch?«, fragte Alice.

»Pat Benatar, die Popsängerin«, sagte Benford abwehrend. »Fangen Sie mit dem Pentagon und seinen heißesten Militärgeheimnissen an, das finden die Russen am aufregendsten. Finden Sie heraus, welche Projekte das Verteidigungsministerium für ultrasensibel hält. Auf lange Sicht. Teuer. Strategisch. Lassen Sie, falls nötig, den Vizedirektor für militärische Angelegenheiten einen Anruf beim Verteidigungsminister tätigen. Bitten Sie die höflichst, endlich ihren Arsch zu bewegen und sich zu beeilen. Wenn wir dann sehen, was die für die Kronjuwelen halten, können wir mit der Überprüfung der Top-Secret-Listen anfangen.« Alice war auf dem Weg zur Tür, als Nate eintrat. Als sie sich aneinander vorbeidrängten, wandte sich Alice zu ihm um.

»Wissen Sie, wer Pat Benatar ist?«, fragte Alice.

»Nie von ihm gehört«, sagte Nate, während er ein paar Akten von einem kleinen Stuhl nahm und sich hinsetzte. »Ist das nicht der FBI-Typ in Boston, der die New-England-Sache gemanagt hat?«

»Schwamm drüber«, sagte Benford. »Danke, Alice, fangen Sie bitte sofort an.«

Benford wandte sich zu Nate um und reichte ihm die Kopie von MARBLEs Nachricht. Er sah, wie Farbe in Nates Wangen kam, als er die Informationen über Dominika las. Nate las die Nachricht noch einmal, als könnte er noch mehr Informationen zwischen den Zeilen herausholen. Er sah zu Benford hoch.

»Sie lebt.«

»DIVA lebt nicht nur, sondern wird offenbar auch nicht mehr durch die Mangel gedreht«, sagte Benford. »Und jetzt hat ihr Onkel den unglaublich gesunden Menschenverstand, sie MARBLE zuzuteilen.« Benford dachte wieder an MARBLEs Nachfolgestrategie.

»Glauben Sie, dass sie mit MARBLE nach Rom kommt?«, fragte Nate.

»Ich schlage vor, Sie gehen erst einmal kalt duschen«, sagte Benford sehr langsam und betont. »Es kann sein, dass man ihr nie wieder vollständig trauen wird, alternativ könnte sie auch wieder voll eingesetzt werden. Aktuell machen wir es uns zunutze, dass eine Informantin, von Ihnen rekrutiert – DIVA – und in einer kürzlich erfolgten Doppelspionageuntersuchung knapp rehabilitiert, von einer ahnungslosen Zentrale dazu eingeteilt wurde, Sie zu verführen, mit dem Ziel, Ihnen den Namen des hochrangigen SWR-Offiziers, den Sie führen – MARBLE –, zu entlocken, der zufällig DIVAs neuer Chef ist und der DIVA bei der Aufgabe dirigiert, Sie, ihren Führungsoffizier, zu entmannen.« Durch die Doppeltürme seiner Zeitungen und Aktenmappen hindurch blickte Benford Nate an, der mittelalterliche Alchemist, der den Stein der Weisen versteckt hatte.

»Sie finden diesen Mist toll, oder?«, sagte Nate.

»Ich erwarte, dass Sie mit Vieldeutigkeiten umgehen können. Wenn Sie dazu nicht fähig sind, sollten Sie sofort den Hut nehmen.« Benford schaute Nate finster an.

»Also, wie würden Sie vorgehen?«, fragte Benford.

Nate atmete tief durch und bemühte sich, Dominika aus seinen Gedanken zu verbannen. »Die Nachricht besagt, dass die immer noch keine Ahnung haben, wer MARBLE ist.«

»Und woraus schließen Sie das?«, fragte Benford.

»Egorow ködert die Chefs verschiedener Abteilungen mit unterschiedlichen Versionen einer Geschichte über SWAN. Das beweist, dass er zum Äußersten entschlossen ist.«

»Was noch?«

»Wenn Egorow seine Top-Offiziere mit Barium-Mahlzeiten versorgt, deutet das darauf hin, dass er auch Ergebnisse erwartet, dass ihm eine der Versionen wieder zu Ohren kommt.«

»Und?«, fragte Benford.

»Und das bedeutet, dass er jemanden in der US-Regierung hat, der *so positioniert ist, dass er davon erfährt* und berichten kann. Innerhalb der Nachrichtendienstgemeinde. SWAN?«

»Könnte sein«, sagte Benford. »Welches andere kleine Detail in der Nachricht könnte uns noch dabei helfen, etwas über SWAN herauszufinden?« Nate sah wieder zu Boden, dann hoch zu Benford.

»Geben Sie mir einen Hinweis«, sagte er.

»Nasarenko.«

Wieder warf Nate einen kurzen Blick auf die Nachricht. Plötzlich sah er auf.

»Wir kennen die Version, die Nasarenko erzählt wurde«, sagte Nate, »deshalb verbreiten wir sie, und zwar vorsichtig, vermerken, wem gegenüber wir sie erwähnt haben. Wenn Nasarenkos Stern plötzlich sinkt, wissen wir, wo wir anfangen können, eine begrenzte Liste von Leuten.«

»Und Wanja Egorows Barium-Mahlzeit verwandelt sich in einen Barium-Kontrasteinlauf«, sagte Benford. »Bei alldem vergessen Sie bitte nicht, dass er ungeduldig und verzweifelt ist. Sie stellen eine Abkürzung für Egorow dar, das eine Problem zu lösen, das ihn vor der Guillotine bewahrt. Er richtet sein Augenmerk auf Sie.« Wieder dachte Nate an Dominika; Benford las das in seiner Miene und stöhnte theatralisch auf.

»Das reicht von Ihnen, so enttäuschend das auch sein mag«, sagte Benford. »Gehen Sie in sich und teilen Sie mir mit, was Sie augenblicklich im Fall SWAN unternehmen würden. Wenn MARBLE recht hat, wird der Agent hier in Washington geführt, und zwar vom *Residenten* persönlich.«

»Wenn Golow persönlich SWAN führt, ist das ein Schwachpunkt für die Gegenseite«, sagte Nate. »Ich denke, wir sollten in Betracht ziehen, den *Residenten* zu beschatten.«

»Brillant. Aber wie gehen wir bei Golow vor? Was würden Sie tun?«, fragte Benford.

»Wir lassen ihn einen Monat am langen Arm verhungern. Wir überwachen ihn ziemlich engmaschig, schalten ihn aus. Ich finde – regen Sie sich jetzt bitte nicht auf –, wir sollten das FBI ins Spiel bringen. Wenn wir in Washington mit Golow Spaß haben wollen, muss das FBI mitmachen. Die Jungs von der Abteilung für Spionageabwehr sind die Besten. Die wissen genau, was sie auf der Straße machen. Fabelhafte Observationsteams.

Bei einer Totalüberwachung machen die so viel Lärm, dass Golow bei einem Dutzend Treffen ein Dutzend Mal die Sache wieder abbricht. Er wird SWAN nicht treffen können. Die Zentrale wird langsam nervös werden. Golow wird gehörig ins Schwitzen kommen. Die werden hektisch werden wegen des Kontaktverlusts zum Agenten. Und wie sich das auf SWAN auswirkt, können wir nur raten.«

»Also gut, jetzt haben Sie Golow nervös gemacht. Aber er ist immer noch zu gut, um einen Fehler auf der Straße zu machen«, sagte Benford, »und die Leute von der Spionageabwehr werden ihn auch überwachen.«

»Das macht nichts«, sagte Nate. »In einer dunklen, stürmischen Nacht könnten wir ihn ohne Überwachung gehen lassen. Er wird erkennen, dass er nicht verfolgt wird, sein Gegenspionageteam wird das bestätigen, und dann fällt er die Entscheidung, das Treffen stattfinden zu lassen. Und wir haben die Orions und TrapDoor parat und sind ihm voraus. Dabei könnten wir einen flüchtigen Blick auf einen nervösen SWAN erhaschen, der an einer Straßenecke auf und ab geht, oder wir erfassen das Nummernschild eines falsch geparkten Autos, das irgendwie fehl am Platz ist. Und das probieren wir so lange, bis wir einen Treffer erzielen.«

Benford nickte zustimmend. Der Junge war am anderen Ende der Welt gewesen, hatte auf den gefährlichen Straßen Moskaus in den Gewehrlauf des SWR gestarrt. Benford kannte die Schwachstellen von Agenten, wusste, was einen Führungsoffizier in Panik versetzte. Aber Nate machte sich gut, wie er zufrieden feststellte.

———

Benford gehörten die Orions. Er hielt sie fern vom Einfluss anderer Leute und verlieh sie auch nicht. Wer würde die schon wollen, dieses geriatrische Überwachungsteam pensionierter Offiziere? Schwerfällige Autos, schwarze Socken und Sandalen, Ferngläser für die Vogelbeobachtung. Die Größe des Teams war veränderlich. Es wuchs oder schrumpfte abhängig von persönlichen Terminplänen, Besuchen der Enkelkinder oder Arztterminen. Aber das war ja gerade das Gute an den Orions: Die waren langsam, geduldig, nachdenklich – und deshalb so effektiv. Es war unmöglich, sie mit provozierenden Gegenmanövern aus der Reserve zu locken. Sie beobachteten, warteten, blendeten sich ein, verblassten. Sie liebkosten ihre Zielpersonen geradezu. Aber sie hörten nie auf, an einen heranzukommen.

Und sie nutzten TrapDoor. Nur eine bestimmte Art von Überwachungsteams konnte damit arbeiten. Es handelte sich hierbei um eine besondere Art von Beschattung, vergleichbar dem Unterschied zwischen einem Hund, der ein Auto jagt, und einer Katze, die einen Vogel belauert. Die Orions hatten lange daran getüftelt und die Methode perfektioniert: Schmierstifte auf laminierten Landkarten, die allgemeine Richtung, die ein »Kaninchen« einschlägt, das auch nur ein Mensch ist. Egal, welche Haken, Rückwärtsgänge und Höhlen, man will nur wissen, wohin der feindliche Spion läuft.

Sie hatten Überwachungsexperten des FBI hinzugezogen, um die Orions zu beobachten, wollten andere Teams trainieren, um dieselben Resultate zu bekommen, wollten ihrer schwarzen Magie ein Etikett aufkleben. *Vorausschauende Überwachung auf Profilanalyse basierend. Situationsbezogene Vorhersagen unterstützen diskrete Überwachung. Antizipatorische Personaleinsätze, bestimmt von der »Marschroute« mit ausgewogener Minderung des vertretbaren Risikos.* Das waren die Worte der Leute vom FBI.

Das ist mehr oder weniger alles Unsinn, entgegneten darauf die Orions. Es ging darum, ein Gespür zu entwickeln, eine Vermutung zu haben, eine Gelegenheit zu nutzen. Die Feds, die Bundespolizisten, blinzelten sie an. Sehen Sie es mal so, sagte das achtundsechzigjährige Teammitglied, das zu Beginn seiner Laufbahn die Telefongespräche des GRU durch den Berliner Tunnel angezapft hatte. Wir sind eine *Amöbe.* Wissen Sie, Protoplasma, flexibel, weich, strecken uns auf beiden Seiten nach vorn aus, fließen an den Rändern entlang. Die Experten lächelten höflich. Wie sollte man so etwas in einem Handbuch formulieren?

Während der Demonstrationen ihrer Fähigkeiten auf der Straße rechneten die Experten damit, die Orions auf den üblichen Posten von Überwachungsteams vorzufinden. Aber sie waren verschwunden. Das ist doch keine Überwachung, die Zielperson wurde unbeobachtet gelassen, wo steckt denn das Team? Doch sobald das »Kaninchen« am Treffpunkt erschien, warteten die Orions bereits, aufgestellt in der Nachbarschaft, in einem Park, an den Kreuzungen, warteten so ruhig, dass keiner sie bemerkte. Verrückte Ideen, Alchemie, sagten die Feds, besten Dank. Sie überließen Benford die Orions.

Und so nahmen die Orions Golow unter die Lupe, die Lagebeurteilung begann. Ein recht distinguierter Gentleman, immer noch ein Protokommunist, aalglatt und unerschüttert. Lernt ihn kennen, sagte Benford, und passt auf das Gegenspionageteam auf, das ihn beschattet. Bleibt beweglich, beobachtet, bleibt unsichtbar.

»Also gut«, sagte Benford, »es ist an der Zeit, Mr Golow für eine Weile arbeitslos zu machen.« Am Morgen darauf waren die FBI-Männer vor der Botschaft der Russischen Föderation auf der Wisconsin Avenue. Lümmelten in ihren Crown-Vics herum, trugen Oakley-Sonnenbrillen und ein *Wir sind bereit* im Gesicht und gaben mächtig an mit ihren zweihundertfünfzig Pferdestärken unter der Motorhaube.

——

In Raum 216 des Hart-Senate-Bürogebäudes auf der Constitution Avenue wurden die Sitzungen des SSCI abgehalten, wenn es galt, »Geheimdienstangelegenheiten« zu erörtern. Bei dem Gebäude, in den Kongressverzeichnissen als HS, »Hart Senate«, geführt, handelte es sich um einen neunstöckigen Turm aus Glas und Marmor, der mit den eleganteren neoklassischen Dirksen- und Russell-Senatsgebäuden wenig gemein hatte. Benford, der allein eintraf, durchquerte die hohe Atrium-Lobby und stieg die Treppe in den zweiten Stock hoch. Vor Raum 216 war das Empfangsbüro, wo er sich bei der Aufsicht hinter dem Tresen einschrieb und sein Handy abgab. Durch die offene graue Tresortür betrat er den Sitzungsraum. Er war früh dran. Bis auf die Helfer, die auf jedem Platz des erhöhten Eichenpodiums Mappen verteilten, war der Saal leer. Natürlich, das Podium ist erhöht, dachte Benford. Die Senatoren schauten eben gern herunter auf die Berichterstatter.

Hinter den mit Marmor und Holz verkleideten Wänden, hinter der Decke und dem Fußboden des Sitzungssaals verbarg sich ein engmaschiges Netz aus Kupferfäden. Es sorgte dafür, dass, sobald das Schnappschloss die Tresortür an die Kupferdichtung am Türrahmen herangezogen hatte, Signale weder in den Raum eindringen noch ihn verlassen konnten.

In den achtziger Jahren hatten die Russen bei einem Versuch, sicherheitsrelevante Aussagen von den SSCI-Mitgliedern abzuhören, ein Aufnahmegerät im Raum deponiert, das später zurückgeholt werden sollte; eine einfache Technik, um den elektronischen Keuschheitsgürtel zu durchbrechen. Der wagemutige Plan war von einem Hausmeister vereitelt worden, der das Gerät fand (während einer der seltenen öffentlichen Sitzungen des Ausschusses war es unter einen Stuhl in der Zuhörergalerie geklebt worden) und der für den Kapitolshügel zuständigen Polizei übergab, die es sofort an das FBI weiterreichte. Die Feds hatten das Aufnahmegerät unter ihren Hacken zermalmt. Statt es auszutauschen und den Sowjets jahrelang Falschinformationen unterzujubeln, dachte Benford, als er sich in dem großen Raum umschaute. Was für eine verschenkte Gelegenheit.

Benford war die einzige Person am Gutachtertisch. Ein Bediensteter stellte ein kleines Schild mit seinem Namen vor ihm auf. Auf Beharren der Mitglieder unterrichtete Benford das SSCI alle drei Monate über Gegenspionagemaßnahmen. Bei diesen Sitzungen durften lediglich die fünfzehn Ausschussmitglieder anwesend sein. Senatoren, die es seit Langem gewohnt waren, persönliche Referenten um sich zu haben, willigten zähneknirschend in die Bedingung ein, dass keine persönlichen Mitarbeiter im Raum zugegen waren. Das bedeutete auch, dass – wenn überhaupt – nur wenige Notizen gemacht wurden.

Die Ausschussmitglieder verpassten kaum einmal Benfords vierteljährlichen Bericht, der allgemein als die prägnanteste und informativste Präsentation angesehen wurde, die es vonseiten der Geheimdienste gab. Alle Ausschussmitglieder des SSCI behandelten Benford mit Respekt. Nur Senatorin Stephanie Boucher aus Kalifornien hatte offenbar etwas gegen Referenten der Spionageabwehr, besonders diejenigen von der CIA. Als die Mitglieder nach und nach den Raum betraten, sah Boucher mit finsterem Blick auf Benford hinab. Benford ignorierte sie und machte eine Notiz auf dem Seitenrand seiner Gliederung. Die Ausschussmitglieder hatten sich alle gesetzt, die Bediensteten einer nach dem anderen den Raum verlassen, die Tresortür war ins Schloss gefallen. Kaum hatte sie sich geschlossen, erschien ein kleines grünes Licht über der Tür. Der Vorsitzende sagte schlicht: »Mr Benford«, um anzuzeigen, dass er das Wort habe.

Benford stellte kurz und knapp die Entwicklungen in einem chinesischen Fall von Internetspionage an der Westküste dar, verwies aber die Mitglieder an die COD, die Computer Operation Division der CIA, bei der man einen ausführlicheren Bericht zur Art der Bedrohung anfordern könne. Benford blätterte die Seite seines Berichtshefts um.

»Senatoren und Senatorinnen, die CIA, die US-Marine und das betreffende Vertragsunternehmen haben die vorläufige Schadensbeurteilung im Fall der russischen Illegalen in New London, Connecticut, beendet.« Benford blickte auf seine Notizen. »Während das Pentagon noch damit beschäftigt ist, einen Bericht über die Langzeitauswirkungen der Infiltration des Navy-Programms vorzubereiten, weisen erste Rückschlüsse darauf hin, dass die Russen keine ausreichenden technischen Informationen erhalten haben, um eine wesentliche Herabsetzung der operativen Funktionsfähigkeit der Plattform ...«

»Entschuldigen Sie, Mr Benford«, sagte Senatorin Boucher.

Ihre Mitsenatoren erkannten die Angriffsgebärde und gingen in Abwehrhaltung. »Warum sagen Sie *Plattform*, wenn Sie genauso gut *Unterseeboot* sagen könnten?«

»Dann eben Unterseeboot, vielen Dank, Senatorin«, sagte Benford. Er wartete auf den Nachtrag. Boucher lamentierte kurz über die veralteten US-U-Boote im Vergleich zur Dolgorukij-Klasse der ballistischen Unterseeboote, die zurzeit in der russischen Marine in Erscheinung träten. *Sie hat ihre Hausaufgaben gemacht*, dachte Benford. Die Senatorin war schon beim nächsten Thema angelangt.

»Aber ist es nicht so, dass die Lehre, die wir aus New London hinsichtlich der Gegenspionage ziehen sollten, lautet, dass weder der amerikanische Geheimdienst noch die Bundespolizei in der Lage waren, eine russische illegale Offizierin, die in den Vereinigten Staaten fast ein halbes Jahrzehnt operiert hat, zu entdecken, ausfindig zu machen und festzunehmen? Offenbar hat diese Spionin darüber hinaus das Programm mühelos unterwandert, und das trotz aller Hintergrund- und Sicherheitschecks.« Boucher klopfte mit einem Bleistift auf die Schreibunterlage vor ihr auf dem Tisch.

»Seit dem Ende des Kalten Krieges, Senatorin, ist der klassische Gebrauch von Spionen sehr selten. Selbst die Russen geben zu, dass es sich um einen teuren und ineffizienten Weg der Informationsbeschaffung handelt«, sagte Benford. Er wollte unter keinen Umständen erwähnen, auf welche Weise sie der Illegalen letztlich auf die Spur gekommen waren.

»Danach habe ich überhaupt nicht gefragt, Mr Benford. Hören Sie doch zu. Ich fragte, welche Behörde ist Ihrer Meinung nach die inkompetentere: die CIA oder das FBI?«

»Dazu habe ich keine Meinung, Senatorin«, sagte Benford. »Leider erfordern die Nachwirkungen der New-London-

Angelegenheit, dass wir uns um wichtigere Dinge kümmern müssen.«

»Welche Dinge?«, fragte Boucher.

»Wir haben Hinweise, dass die Russen sich einer gesonderten Nachrichtenquelle bedienen. Jemand mit guten Zugangsmöglichkeiten. Wir beginnen gerade erst zu ermitteln; es ist noch nichts bestätigt«, sagte Benford.

»Hören Sie auf mit diesem Herumlavieren«, blaffte Boucher. »Wovon reden Sie?«

Benford atmete hörbar ein. Er schloss sein Berichtsheft, faltete die Hände auf dem Umschlag und betrachtete das Senatorensiegel an der Wand über den Köpfen der Ausschussmitglieder. »Wir haben bruchstückhafte Informationen, denen zufolge auf hoher Ebene eine Unterwanderung der US-Regierung besteht, mit außergewöhnlichen Zugangsmöglichkeiten zu nationalen Sicherheitsgeheimnissen, und dass der Informant vom SWR geführt wird.«

»Wie nahe sind Sie an einer Identifizierung dieses Lecks?«, fragte der Senator aus Florida.

»Wir kennen weder das Wer noch das Was oder Wo«, sagte Benford. »Wir ermitteln in alle Richtungen.«

»Das klingt, als ob Sie nicht die geringste Ahnung hätten«, sagte Boucher.

»Senatorin, diese Ermittlungen brauchen ihre Zeit«, merkte der Senator aus New York an.

Boucher lachte. »Ja, ich kenne alle diese Ermittlungen. Hunderte von Leuten sind beschäftigt und beziehen Gehalt, aber keiner scheint irgendjemanden zu schnappen.«

Benford ließ die Ausschussmitglieder sich eine Minute lang miteinander unterhalten, bevor er sich erneut zu Wort meldete. »Während wir versuchen, mehr Informationen zu erhalten, haben wir einen unbestätigten Bericht erhalten, wonach die infrage kommende Person an einem Leiden erkrankt ist, das eine Handlungsunfähigkeit mit sich bringt – einer Gürtelrose. Diese Information könnte später nützlich werden, sobald wir unsere Suche einengen und mit der Überprüfung beginnen.«

»Das führt doch zu nichts«, sagte Boucher und wandte sich den anderen Ausschussmitgliedern zu. »Wenn meine Kollegen nichts dagegen haben, möchte ich mich jetzt entschuldigen, da ich zu einer wichtigen Versammlung in einem anderen Ausschuss aufbrechen muss.« Sie wandte sich an Benford. »Ich bin fertig für heute.« Boucher stand von ihrem Platz auf, nahm ihre Geheimakte und ging zur Tür. Die anderen Senatoren raschelten mit den Papieren und verstummten, während Boucher die schwere Sicherheitstür öffnete und den Raum verließ.

Benford hielt den Kopf gesenkt. Es war vollbracht. Fünfzehn Mitglieder hatten »Gürtelrose« gehört. Vor zwei Tagen hatten drei Unterstaatssekretäre des Verteidigungsministeriums in einem Pentagonbericht das Gleiche gehört. Und in drei Tagen würden der Sonderbeauftragte des Präsidenten und der Leitende Direktor im Verteidigungsministerium während eines kurzen Briefings vor ausgesuchten Angehörigen des Nationalen Sicherheitsrates ebenfalls dasselbe hören.

Als er seine Aktenmappe im leeren Anhörungssaal des SSCI zuklappte, stellte sich Benford die Hängebacken in den Gesichtern im Kreml vor und dachte: *Ihr wollt einen Kanarienvogel haben, Genossen. Dann gebe ich euch einen Kanarienvogel.*

———

General Kortschnoi war von Wanja Egorows persönlichem Referenten in das abhörsichere Konferenzzimmer des Direktors im vierten Stock in Jassenewo zitiert worden. Dimitri hatte Kortschnoi angerufen, gerade als der General sein Büro betrat, noch bevor er den Mantel in den Schrank gehängt und sich hingesetzt hatte, um die morgendlichen Daten durchzusehen. Es klang dringend. Der General schaute sehnsüchtig auf den zugedeckten Teller mit den *sirniki*, den heißen Käsepfannkuchen mit saurer Sahne, die sein Sekretär für ihn bereitgestellt hatte und die er sich beim Lesen gönnen wollte. Sie würden kalt und gummiartig sein, wenn er zurück war. Im Hinausgehen rollte er einen Pfannkuchen auf und stopfte ihn sich in den Mund.

Seit er entdeckt hatte, dass Wanja Spielchen trieb, Kanarienvogelfallen aufstellte, nach dem CIA-Maulwurf innerhalb des SWR grub, hatte Kortschnois Doppelleben sich verschlechtert – von einer inzwischen vertrauten unterschwelligen Gefährdung zu einem bevorstehenden schuldbewussten Schrecken. Vierzehn Jahre lang hatte er unter ständigem Druck gelebt; er hatte gelernt, damit umzugehen, aber es gab einen Unterschied zwischen unentdeckt spionieren und gejagt werden.

Wenn er sich morgens durch die Vordertür der Zentrale drängte, wusste er nicht, ob er von den versteinerten Gesichtern der Sicherheitsoffiziere begrüßt werden würde, die ihn aus der Eingangshalle in einen Seitenraum drängten. Wenn das Telefon auf seinem Schreibtisch klingelte, wusste er nicht, ob das eine Aufforderung darstellte, in einen fensterlosen Raum zu kommen, voll mit Gesichtern ohne jedes Lächeln. Jeder Wochenendausflug konnte mit einer Festnahme enden, auf einer waldgesäumten Landstraße oder in einer einsam gelegenen Datscha.

Kortschnoi stieg aus dem Fahrstuhl und ging an den Porträts vorbei. *Na, ihr alten Walrosse,* dachte er. *Habt ihr mich schon gefangen?* Er betrat das Konferenzzimmer für Führungskräfte, wo er Wanja Egorow über etwas lachen hörte, das der auf der Tischkante sitzende Alexej Sjuganow, Chef der Abteilung KR, soeben erzählt hatte. *Das ist der kleine* domowoi, *der kleine Kobold, der Lappen in die Münder der Gefangenen stopft, bevor er ihnen in die Stirn schießt, weil ihre Schreie um Gnade ihm lästig sind,* dachte Kortschnoi. Sjuganow beobachtete den General, während dieser durch das Zimmer auf sie zustrebte.

Egorows großer Marmorkopf glitzerte; sein Hemd war frisch gestärkt. Er umarmte seinen alten Freund und winkte ihm, er solle Platz nehmen. »Ich wollte, dass wir uns hier treffen, Wolodja, weil man hier einen Projektor aufstellen kann. Jetzt, da du für die Operation zuständig bist, wollte ich dir noch ein wenig zusätzliches Material zeigen.« Er griff nach einer Fernbedienung und drückte einen Knopf. Auf die Wand wurde ein körniges Foto von Nathaniel Nash projiziert, Hände in den Manteltaschen, hochgezogene Schultern gegen die Kälte, anscheinend eine Moskauer Straße entlanggehend. »Du kennst diesen Mann nicht, Wolodja, aber das ist der CIA-Offizier, der den Verräter führt. Er wurde für knapp zwei Jahre nach Moskau entsandt und hat die Stadt vor etwa achtzehn Monaten wieder verlassen.«

Als Erstes fragte sich Kortschnoi, ob das Überwachungsfoto von Nate gemacht worden war, als er sich auf dem Rückweg von einem ihrer Treffen befand. Dann überlegte er, ob es sich hier um eine sarkastische Inszenierung handelte, mit dem Ziel, ihn zu ködern. Würden die Türen des Konferenzsaals aufspringen und die Sicherheitskräfte hereinstürmen? War Egorow so hinterhältig, hatte er die Neigung, ihn auf diese Art und Weise zu quälen? *Nein*, dachte Kortschnoi, *es ist nichts. Das ist dein Leben, bleib ganz ruhig, umkreise den Abgrund, bleib gelassen.*

»Dieser Nash hat sich sehr geschickt verhalten. Bis auf einen verpfuschten Beinahe-Erfolg haben wir es nie geschafft, seinem Treiben auch nur nahezukommen.« Egorow machte eine Pause, um sich eine Zigarette anzustecken, und reichte das Päckchen um den Tisch. Kortschnoi hakte die Wörter im Stillen ab, sie schienen zu bestätigen, dass er noch geschützt war. Es sei denn, es handelte sich hierbei um ein von Egorow ausgeklügeltes Ablenkungsmanöver.

»Ich persönlich glaube, dass der Verräter dem SWR angehört«, sagte Egorow, während Sjuganow auf Nashs Foto an der Wand starrte. Spielten die mit ihm? Kortschnoi dachte nach. Sjuganow war etwas derart Diabolisches durchaus zuzutrauen.

»Das ist eine Mutmaßung, die Sie gegenüber dem SWR äußern«, sagte Sjuganow. »Aber eines steht fest: Die Amerikaner würden nicht ein derart hohes Risiko eingehen, nur um sich mit einem niedrigrangigen Informanten zu treffen.«

*Sag etwas. Sei locker.* »Wenn ihr beide recht habt und er ein großer Fisch *und* SWR-Angehöriger ist, dann stünden der Direktor, du, Wanja, und die Chefs der zwölf Abteilungen, einschließlich Aljoscha und mir, ganz oben auf der Liste der Verdächtigen.« Kortschnoi sah ihre sauertöpfischen Mienen. Was machte er da? Das war doch Wahnsinn. »Natürlich auch eure persönlichen Referenten, Sekretäre, Dechiffrierbeamte oder hundert andere Angestellte mit indirektem Zugang zu Nachrichten-Lesetischen, den Posteingängen ihrer Chefs und zu ungeschützten Gesprächen in Vorzimmern und der Cafeteria. Die Mitarbeiter in den Archiven sehen mehr vertrauliche Papiere an einem Tag als wir drei zusammen in einer Woche.« Kortschnoi sah an Sjuganows Gesichtsausdruck, dass er das alles bereits einkalkuliert hatte. Es mussten viele Leute verhört werden.

Kortschnoi beschloss, an dieser Stelle aufzuhören. *Zu viel Analyse, zu viele oberflächliche Phrasen.* Egorow drückte seine Zigarette aus. »Du triffst den Nagel auf den Kopf, Wolodja. Es gibt zu viele Möglichkeiten. Wir fangen diesen *swoloch* nur, wenn wir einen glaubwürdigen internen Hinweis bekommen oder wenn wir ihn oder seinen Führungsoffizier auf der Straße schnappen. Das kann in beiden Fällen Monate, ja Jahre dauern. Darum ist unsere dritte Option die einzig richtige.«

»*Ogoworeno*, einverstanden; deine Nichte bietet die größte Aussicht auf Erfolg«, sagte Kortschnoi. Was sich hier abspielte, war unglaublich, unwahrscheinlich, unmöglich. Fast hätte er laut losgelacht. Da diskutierte er gerade, wie man den Spion finden, aufscheuchen, enttarnen und fangen sollte.

Sjuganow drehte sich im Stuhl, ohne dass seine Füße den Teppich berührten. »Und wenn Ihre Nichte nicht in angemessenem Zeitraum Erfolg hat? Dann müssten wir uns vielleicht andere Mittel und Wege einfallen lassen.«

Egorow wandte sich rasch zu ihm um. »Auf keinen Fall. Ich habe Anweisungen von höchster Stelle. Keine ›aktiven Maßnahmen‹ bei dieser Operation. Ist das klar?« Sjuganow drehte sich noch etwas weiter um, lächelte leise.

»Du hast recht«, sagte Kortschnoi. »In der Geschichte des SWR, in der Geschichte der Nachkriegsnachrichtendienste hat kein Dienst je *mit Absicht* einem Offizier der Gegenseite Schaden zugefügt. So etwas tut man nicht. Es würde ein Chaos verursachen.« Sjuganow drehte sich weiter.

»Wolodja, entspann dich. Wenn wir es auf die harte Tour machen wollten, würde ich jetzt mit der Abteilung E sprechen, nicht mit dir«, sagte Egorow lachend. Kortschnoi sah, dass Sjuganows rechtes Augenlid zuckte. »Nein, was ich möchte, ist eine elegante Operation, nuancenreich, brillant, die schnell Ergebnisse bringt und den Erzfeind verblüfft zurücklässt, verwundert über den Verlust seines wichtigen Informanten und staunend über das Können und die Raffinesse des SWR.«

## MARBLES SIRNIKI-PFANNKUCHEN

Weichen Ziegenkäse, Eier, Zucker, Salz und Mehl zu einem klebrigen Teig vermengen. In den Kühlschrank stellen. Dann kleine Teigbälle in Mehl legen, gut bedecken und zu dünnen Scheiben ausrollen. In geschmolzener Butter über mittlerer Hitze braten, bis sie goldbraun sind. Mit saurer Sahne, Kaviar, Räucherfisch oder Marmelade servieren.

# 30

Kortschnoi und Dominika standen im Wohnzimmer in der Wohnung des Generals. Der alte Mann dachte über ihre betörende Schönheit nach und sah, wie geschmeidig sie sich bewegte, wie kerzengerade ihr Gang war. Ihre Blicke trafen sich. Je mehr Zeit er mit ihr verbrachte, desto überzeugter war er, die richtige Entscheidung getroffen zu haben. Jetzt musste er sie rekrutieren. Es würde eine schwierige Nacht werden.

Nach außen hin wirkte sie emotionslos, beherrscht, konzentriert. Doch in ihren Worten, ihren Gesten, ja im Respekt vor ihm erkannte Kortschnoi ihre Wut und ihre Entschlossenheit. Sie hatte nie über die Spatzenschule gesprochen, aber Kortschnoi hatte still und leise die meisten Fakten herausgefunden, genau so wie ihm das hinsichtlich der Verhöre von Dominika im Lefortowo gelungen war.

Bestimmt verbarg sie etwas. Täglich erklärte sie sich aufs Neue bereit, sich wieder mit dem Amerikaner zu beschäftigen. Aber wegen ihres Tonfalls, der Art, wie sie den Kopf neigte, hatte Kortschnoi Grund zu der Annahme, dass Dominikas Kontakt mit Nathaniel in Helsinki Konflikte heraufbeschworen, möglicherweise auch Sympathie oder gar Liebesgefühle hervorgerufen hatte. Er würde gleich dahinterkommen.

Sie hatten mit der Arbeit am »NASH-Projekt«, wie er es nannte, begonnen. In seinem abgedunkelten Büro mit den heruntergelassenen Rollläden hatte der General auf eine Fernbedienung gedrückt und Fotos von Nate an die weiße Wand des Büros projiziert. Aus den Augenwinkeln sah Kortschnoi, wie Dominika tief Luft holte und sich ihre Nasenflügel weiteten. Er machte unerbittlich weiter und beschrieb minutiös, was der SWR über Nash wusste, bewertete ihre Berichte aus Helsinki, beobachtete sie, schätzte ihre inneren Reserven ein.

Er hatte den Projektor ausgeschaltet und sah sie ernst an. Das hier ist komplizierter als die letzte Mission in Helsinki, sagte er zu ihr. Dominika werde außerhalb von Russland reisen müssen, und um ihre Auslandsreisen glaubhaft zu machen, würde sie wieder dem SWR-Kurierdienst in der Hauptverwaltung OT zugeteilt werden. Sie werde allein im Westen operieren müssen. Ihre Aufgabe werde darin bestehen, dem jungen Amerikaner nahezukommen und ihn zu verführen, um die *krisa*, die Ratte, zu identifizieren. Wäre sie dazu imstande? Ihre dunklen Augen blitzten auf, blickten unstet. Gefühle. Innere Konflikte.

Für Dominika war es ein echter Härtetest, sich Nates Foto an der Wand anzusehen. Hatte der General ihre innere Erregung wahrgenommen? Wie lange konnte sie ihn noch täuschen? Bemerkte er etwas?

An diesem Abend lud Kortschnoi Dominika zu sich in die Wohnung ein. Er wollte ein einfaches Abendessen zubereiten, ein zweifelsfrei unrussisches Nudelgericht zur Feier ihrer anstehenden Rom-Reise, danach wollten sie den Einsatz weiter besprechen. Es gab keinerlei Anzeichen für etwas Unangemessenes. General Kortschnoi war ein angesehener, ranghoher Offizier, kein *grubij tschelowek*, kein Schurke. Sie nahmen die U-Bahn, stiegen bei Strogino im vierten Bezirk aus und gingen durch einen breit angelegten Park an der Moskwa entlang. Kortschnois Apartmentgebäude war das dritte in einer Reihe von fünf identischen Häusern, röhrenartige

Hochbauten, die wegen der rostigen Fensterrahmen gestreift wie Zuckerstangen wirkten. Seine Wohnung lag im zwölften Stock. Laut knarrend beförderte der schmutzige Fahrstuhl sie nach oben.

Die kleine Wohnung war sparsam eingerichtet, aber sauber und komfortabel, das Domizil einer Person, die allein lebte, der das aber nichts ausmachte. Einige Schätze waren zu sehen. Ein erlesenes kleines italienisches Ölgemälde, auf dem Boden ein seidener Perserteppich. In einer Ecke standen ein abgenutzter Polstersessel, eine Leselampe und ein niedriges Bücherregal mit ein paar gebundenen Ausgaben. Von dem kleinen Zimmer aus hatte man einen weiten Blick über die Biegung der Moskwa.

Dominika sah das gerahmte Foto einer Frau und eines sehr jung aussehenden Kortschnoi, die an einem See standen. Es war Sommer, und er hatte den Arm um ihre Taille gelegt. »Das war 1973«, sagte Kortschnoi. »Einer der italienischen Seen, der Lago Maggiore, glaube ich.«

»Ist das Ihre Frau?«, fragte Dominika. »Sie ist wunderschön.«

»Sechsundzwanzig Jahre verheiratet.« Er nahm das Foto aus ihrer Hand und drehte es ins schwindende Tageslicht, um es anzuschauen. »Wir sind gemeinsam um die Welt gereist. Italien, Malaysia, Marokko, New York.« Er stellte das Foto zurück auf den Tisch. »Dann wurde sie krank. Über Monate hinweg falsche Diagnosen.« Sie gingen in die winzige Küche. »Werden Sie nie an einer russischen Botschaft im Ausland krank.« Er lächelte. Dominika sah, dass er den Kopf gesenkt hielt.

Nach dem Tod seiner Frau sei er in diese Wohnung gezogen, sagte der General. In die alte Wohnung habe er nicht zurückkehren können. Er hatte sie verkauft, für diese kleinere, die relativ modern und relativ leise war und nicht allzu weit vom Stadtzentrum entfernt lag. So konnte er den breiten Grünstreifen längs des Flusses genießen. Dabei verschwieg er Dominika, dass die Funksignale, die aus dem Wohnzimmerfenster im zwölften Stock gesendet wurden, eine besonders gute Ausrichtung auf den amerikanischen Satelliten hatten.

Er füllte zwei bernsteinfarbene Gläser mit lieblichem moldawischen Wein. Die Küche verfügte über eine Spüle, einen kleinen Kühlschrank, der ratterte, wenn die Tür offen stand, und einen Gasherd mit drei Flammen. Dominika lehnte sich gegen den Küchentresen und trank feierlich auf das erfolgreiche Gelingen ihrer Mission. Der General war entspannt, das merkte sie. Er verströmte ein warmes purpurfarbenes Leuchten, das aus seinem Innersten kam.

Während der kurzen Zeit in Kortschnois Abteilung hatte Dominika ihn sehr lieb gewonnen. Abgesehen von seiner offenkundigen Brillanz und den verblüffenden Instinkten, hatte er sie mit Respekt und sogar mit Güte behandelt, als ob es ihm leidtäte, was sie bislang alles hatte durchmachen müssen. Und er verhielt sich loyal ihr gegenüber. Bei einer Besprechung mit der Abteilung hatte Kortschnoi eine Bemerkung Dominikas über eine Mission verteidigt und sogar befürwortet. Er setzte sich tatsächlich für sie ein. *Wo warst du nur mein ganzes Leben?*, dachte sie und erinnerte sich wieder einmal an ihren Vater. Wenn das doppelte Spiel, das sie trieb, herauskäme, würde ihn das kränken. Möglicherweise würde es sogar das Ende seiner Karriere beschleunigen. Würde er ihre Motive verstehen?

Während er das Abendessen zubereitete, stellte Kortschnoi Dominika Fragen über sie selbst und über ihre Familie. Abseits der Zwänge, die im Büro herrschten, sprach sie frei und voller Wärme über ihre Eltern, davon, wie sie Ballett studiert hatte, und über ihre Freude, den Westen zu erkunden. Helsinki war ein Wunder für sie gewesen, sie wollte um die Welt reisen. Wenn sie so mit ihm sprach, vergaß sie beinahe, dass sie ihn belog. Sie kehrte den Gedanken unter den Teppich.

»Und doch ist Ihnen in Helsinki etwas passiert«, sagte Kortschnoi, während er am Küchentresen hantierte. »Können Sie mir darüber etwas erzählen?« Sie zögerte, sammelte ihre Gedanken, während sie ihm zusah, wie er Tomaten, Knoblauch und Zwiebeln würfelte und in einer Pfanne mit heißem Olivenöl leicht anbriet. Sogleich war die Küche von den Aromen erfüllt.

»Der amerikanische Anbieter, für dessen Führung ich zuständig war«, sagte sie, während sie ihr Glas leerte, »wurde wenige Minuten, nachdem er die Dokumente übergeben hatte, verhaftet. Der *Resident* war die einzige Person, die von dem Treffen wusste. Die konnten nicht verstehen, wie es passiert war. Natürlich haben die erst einmal das Schlimmste angenommen, nämlich dass ich die Informationen an die Amerikaner weitergegeben hatte.« Kortschnoi schenkte ihr noch ein Glas Wein ein.

»Aber am Ende sind sie zu dem Schluss gekommen, dass ich es nicht gewesen bin«, sagte sie kurz, unwillig, weiter darüber zu sprechen, ihn weiter anzulügen.

»Ja. Aber ich meinte etwas *anderes*, was Ihnen in Helsinki passiert ist«, sagte Kortschnoi langsam. »Ich habe Ihre Berichte gelesen. Obwohl es regelmäßige Kontakte mit Nash gab, hat es kaum wirkliche Fortschritte mit ihm gegeben.« Dominika hörte den Tonfall in seiner Stimme und dachte über seine Wortwahl nach. *Sei auf der Hut*, dachte sie, *er hat gerade erst mit seinem Verhör angefangen.*

»Ja, das stimmt«, sagte Dominika monoton. »Er war nicht interessiert und hat dauerhafte Kontakte gemieden. Es war furchtbar schwierig, ihn dazu zu bewegen, mit mir auszugehen.«

»Es ist schon seltsam. Eine Frau von Ihrer Schönheit. Und ein junger Mann, attraktiv, alleinstehend, ein Geheimdienstoffizier, der in einem anderen Land lebt …« Kortschnoi hielt inne. Die Tomatensauce blubberte.

Dominika schaute zu, wie er einen Schuss Balsamico-Essig in die Pfanne goss, umrührte, Basilikum zerrupfte und in die Pfanne warf.

Sein Halo leuchtete stärker. Sie schwieg, sah Kortschnois Händen zu, wie sie die Blätter von den Stängeln pflückten.

Er hob den Kopf. Weder Benford noch Nate hatte ihm gesagt, dass die CIA sie in Finnland angeworben hatte, aber er wusste, dass dies die Lösung war. *Lassen wir doch die Katze aus dem Sack.*

»Sie haben bis zu diesem Moment ziemlich viel Glück gehabt, meine Liebe«, sagte Kortschnoi leise. »Sogar jetzt, da die Sowjetunion der Vergangenheit angehört, lauert das *tschudowischije*, das Monster, unmittelbar unter der Oberfläche.«

Dominika war sofort beunruhigt, er zog sie da in irgendetwas hinein, sie spürte es förmlich. So geschickt hatte sie sich ihm gegenüber wohl doch nicht verhalten. Er vermutete etwas, nein, dieser alte *fokusnik*, dieser Zauberer, wusste Bescheid. Wenn sie log und ihm keinen Respekt zollte, könnte er sie von der Mission abziehen und aus der Abteilung befördern. Wenn sie ihr Leben in seine Hände legte und alles zugab, warum sollte er sie dann nicht sofort verraten? Lefortowo würde milde sein im Vergleich mit dem, was die dann für sie organisieren würden. *Verteidige dich*, dachte sie, *schütze dich.*

»Ich kenne das Monster«, sagte sie überheblich. »Ich habe im Keller des Lefortowo geschlafen. Die haben mich in die Staatsschule Vier gezwungen, die sogenannte Spatzenschule.

Ich habe gesehen, wie man einen Mann mit einer Garotte ermordet hat. Meine Freundin Marta ist in Helsinki spurlos verschwunden. Man hat behauptet, sie habe sich abgesetzt, aber ich weiß es besser.« Sie merkte selbst, wie laut ihre Stimme in der kleinen Küche klang.

*Sie wird sehr schnell ziemlich aufbrausend*, dachte Kortschnoi. *Ein bisschen mehr noch*, dachte er. »Der junge Amerikaner, Nash, mochten Sie ihn?«

»Ich glaube schon. Er war geistreich, zuvorkommend und liebenswürdig. Ich wusste gar nicht, dass Amerikaner so sind.« *Oh Gott, habe ich* zuvorkommend *gesagt?* Das klang idiotisch. Er sah sie immer noch an, ein leuchtendes Purpur, aber voller Gelassenheit. Sie kam sich vor wie ein Vögelchen, wie hypnotisiert, unfähig, sich zu bewegen, während es auf die smaragdgrüne Schlange herabblickte, die den Ast zum Nest hinaufglitt.

»Ich habe den Eindruck, dass Sie diesen jungen Mann um einiges besser kannten, als Sie während Ihres Einsatzes in Helsinki erzählt haben«, sagte Kortschnoi. Er hielt inne und rührte langsam in der Sauce; das einzige Geräusch in der Küche. Kortschnois Stimme klang sanft. Er würde es probieren. »Wie haben die Sie angeworben?«

Dominika sagte kein Wort. Sie blickte ihn an. Das war der Höhepunkt des Risikos, der Gefahr, die ihr geheimes Leben ausmachte; das war viel schlimmer, als gegen die Unmenschen im Lefortowo zu bestehen. Mit zitternden Händen stellte sie ihr Weinglas ab. Kortschnoi rührte weiter in der Sauce, die Küche war durchdrungen von seiner sich ausbreitenden purpurnen Blase; Dominika spürte seinen ungeheuer starken Willen. *Schütze dich, nur du kannst dich retten, verschwinde von hier.* Dann sagte Kortschnoi, der gerissene Meister, etwas Erstaunliches.

»Dominika, ich gebe Ihnen die *Möglichkeit*, mir alles zu erzählen, mir zu vertrauen. Ich werde Ihnen keinen Schaden zufügen.« *Mein Gott, er würde einen verdammt guten Verhörexperten abgeben*, aber ihre Intuition sagte ihr, dass er die Wahrheit sagte. Er würde sie beschützen, und sie wollte, dass er ihr half, dass er die Last mittrug. Sie brauchte das.

»Ich habe zunächst meine Anweisungen befolgt und gleichzeitig versucht, unser Verhältnis aufzubauen, so wie er das auch getan hat«, sagte sie, am ganzen Körper zitternd. »Es war wie ein Wettlauf, wer wen zuerst rekrutiert.« Sie wehrte sich immer noch, hing immer noch am Rand der Klippe. Das war ein Ausweichmanöver, kein Eingeständnis.

Er wollte sie nicht aus der Schlinge lassen. »Ja, natürlich«, sagte Kortschnoi. »Aber hören Sie mir jetzt ganz genau zu. Ich habe danach gefragt, wie die Sie rekrutiert haben.«

Dominikas Stimme klang fast unhörbar. Er hob eine Augenbraue, und da entschloss sie sich, ihr klopfendes Herz in seine Hand zu legen. »Die haben mich nicht rekrutiert. Ich habe mich entschlossen, mit ihnen zusammenzuarbeiten. Es war meine Entscheidung. Also habe ich es getan, zu *meinen* Bedingungen.«

Kortschnoi füllte einen Topf mit Wasser, stellte ihn auf eine andere Herdplatte und gab eine Handvoll Salz ins Wasser. Er winkte sie an den Herd und gab ihr seinen Kochlöffel. Dominika stellte sich an den Herd und rührte die Sauce. »Es ging überhaupt nicht um Liebe«, sagte sie mit kindlicher Stimme. »Es war mein Entschluss.«

Kortschnoi antwortete nicht, aber sie wusste, sie war in Sicherheit. Jetzt segelte sie hoch über der Klippe, der Wind rauschte um sie herum, die See darunter schäumte gegen die Felsen, und sie flog. *Bei ihm war sie sicher.*

Kortschnoi war zufrieden. Er betrachtete ihr Eingeständnis

nicht als Schwäche, Verrücktheit oder Dummheit. Er erkannte, wie sie kalkuliert, wie sie seine Absichten abgewogen hatte; aber am wichtigsten war ihm, wie sie, gestützt auf ihre außergewöhnliche Intuition, ein tödliches Risiko eingegangen war. Eine eindrucksvolle Kombination. Außerdem bewies ihr Eingeständnis, wie sehr sie ihm vertraute. Das war wichtig. Schon in naher Zukunft würde sie ihm vertrauen müssen.

Jetzt musste *er* sich etwas trauen. Vierzehn Jahre hatte er keinen Fehler begangen, aber sie mussten Partner sein, wenn es mit dieser Nachfolgestrategie klappen sollte. Ihr das zu erklären würde für ihn ebenso schwierig werden wie für sie, das Geständnis abzulegen.

Schulter an Schulter standen sie an dem kleinen Herd, das Gas zischte durch die Brenner, die Sauce köchelte in der Pfanne. Der hölzerne Löffel machte leise Geräusche, fast ein musikalischer Klang, gegen das dünne Aluminium. Dominika schob die Tomaten hin und her, wandte ihr Gesicht Kortschnoi zu. Aus der Nähe wirkte ihre Schönheit noch mehr, sie nutzte das aber nicht aus. »Und was machen wir jetzt?«, fragte sie leise. »Werden Sie mich melden?« Sie wollte, dass er es aussprach.

»Ich werde Sie melden, wenn Sie die Pasta zu lange kochen lassen«, sagte der General, während er eine Handvoll Bucatini umeinanderdrehte, sodass sie in Fächerform ins kochende Wasser fielen. »Und passen Sie auf, dass die Sauce nicht anbrennt. Ich lege meine Jacke und meinen Schlips ab.« Er ging durch den Flur zu seinem Schlafzimmer, blieb stehen und wandte sich zu ihr um. *Jetzt.*

»Vielleicht wundert es Sie«, sagte er. »Meine Trauer kann sie nicht zurückbringen, aber seit dem Tod meiner Frau glaube ich nicht mehr an die gute Sache. Mein Herz hat sich *ihnen* gegenüber für immer verhärtet. Ich habe meine Arbeit getan, aber ich wurde niemals wieder einer von *ihnen*. Die haben weder meine Loyalität verdient noch Ihre. Unsere Verachtung ist gerechtfertigt.« Es war vollbracht. Er sah sie an: Ihre Augen waren weit aufgerissen, ihr reger Verstand erfasste die Konsequenzen, noch ehe er den Knoten seiner Krawatte gelöst hatte. Sie flüsterte: »Sie sind das? Sie sind der, den *die* suchen? Sie sind der …« Kortschnoi legte einen Finger an die Lippen, damit sie schwieg.

»Geben Sie acht auf die Sauce und rühren Sie weiter.« Und dann ging er über den Flur, während Dominika seinem grauen Kopf und seiner purpurnen Hülle hinterherschaute.

——

»Wir schätzen das Erfolgspotenzial der Mission als gut ein, das Risiko ist minimal«, sagte General Kortschnoi. »Wir sind einsatzbereit für Rom. Ich kenne die Stadt.«

»Fahr fort«, sagte Wanja. Sie saßen auf der Couch in seinem Büro. Daneben saß Sjuganow auf einem Stuhl.

»Korporalin Egorowa wird sich an den amerikanischen CIA-Chef in Rom wenden. Wir kennen die Adresse seiner Wohnung im Centro Storico. Wir werden uns einen verschlafenen Sonntagnachmittag aussuchen, wenn alle vor dem Fernseher sitzen. Korporalin Egorowa wird erklären, dass sie eine SWR-Kurierin sei, die sich nur ein paar Tage in Rom aufhalte. Durch ihr Kommen sei sie ein großes Risiko eingegangen. Sie möchte Mr Nash kontaktieren, Nathaniel, den sie in Skandinavien kennengelernt hat. Der Stationschef wird wissen, was zu tun ist. Er wird anrufen, und Nash wird im nächsten Flieger nach Rom sitzen.«

»Und wenn Nash ankommt?«, fragte Egorow.

»Es ist wahrscheinlich, dass sich die beiden in Nashs Hotelzimmer treffen«, sagte Kortschnoi. »Standardprogramm. Sie wird ihm sagen, dass sie zum Kurierdienst versetzt wurde und regelmäßig nach Europa, Asien und Südamerika reisen wird. Die Amerikaner werden natürlich an ihren Zugangsmöglichkeiten interessiert sein. Die Möglichkeit, eine SWR-Tasche abzufangen, dürfte sie interessieren. Mit dieser Tarngeschichte können wir die Frequenz und Dauer künftiger Kontakte bestimmen. Korporalin Egorowa wird dann die Beziehung, die sie in Helsinki begonnen hat, wieder aufleben lassen.«

»Sehr gut«, sagte Egorow.

»Ich werde mich im Hintergrund halten«, sagte Kortschnoi, »und dort helfen, wo es nötig ist.«

»Ich erwarte positive Resultate«, sagte Wanja.

»Darf ich meinen Kollegen einen Vorschlag zu ihrem Einsatz machen?«, fragte Sjuganow. »Warum lassen wir Nash nicht zu Egorowa ins Hotelzimmer kommen? Mehr Kontrolle, mehr Sicherheit.« Kortschnoi fragte sich, warum der Zwerg so etwas vorschlug.

»Ein unwichtiges Detail«, sagte Wanja und winkte ab. »Konzentrieren Sie sich auf positive Resultate.«

»Selbstverständlich.« Sjuganow gab seinem Chef recht. Er wandte sich zu Kortschnoi um. »Sie müssen natürlich Jassenewo über Ihren Status, die Besprechungen und die Orte auf dem Laufenden halten.«

Kortschnoi nickte freundlich. »Gewiss, ich werde regelmäßig berichten, sofern Sicherheitslage und Spionagepraxis dies zulassen.«

»Danke«, sagte Sjuganow.

———

Kortschnoi und Dominika gingen gemeinsam über einen Flur im Hauptquartier. Nun kannte jeder die Geheimnisse des anderen. Es blieb unausgesprochen, doch jeder Blick gründete jetzt auf diesem Wissen, das Band zwischen ihnen war wie eine eiserne Fußfessel – unzerstörbar und möglicherweise auch etwas unbequem. Sie ging ruhig neben ihm her, zog das eine Bein etwas nach, aber im Grunde flog sie. Zum ersten Mal in ihrem Leben würde sie Rom sehen, sie würde Nate wiedersehen.

Dominika spürte die innere Erregung des Generals. Er war beunruhigt und nervös. Während sie am Fahrstuhl warteten, sah sie zu ihm hin. »Was haben Sie?« Jetzt war jede ihrer Interaktionen wichtig, jede Frage rührte an das kolossale Geheimnis, das sie miteinander teilten.

»Irgendetwas stimmt nicht. Wir müssen während unseres kleinen römischen Urlaubs sehr gut achtgeben. Von nun an müssen Sie genau tun, was ich Ihnen sage. *Lischa beda natschalo.*« Schwierigkeiten sind der Anfang allen Unheils. Die Fahrstuhltüren öffneten und schlossen sich, als wollten sie sie verschlucken.

———

Sjuganow war in seinem Büro und telefonierte. Die Wände des kleinen Raums waren mit Fotografien von Sjuganow und seinen SWR-Kollegen vollgepflastert: am Strand, vor einer Datscha, zusammenstehend in einer Delegation. Viele dieser Leute waren mittlerweile tot, eigenhändig gesäubert.

Er nickte und sagte »Ja, ja« in den Hörer, als empfinge er detaillierte Anweisungen.

»Ja, Chef, das ist klar. Ich weiß genau, was getan werden muss. Ja, Chef.« Er hielt das Telefon an sich und drückte einen Knopf auf der Gegensprechanlage.

»Schicken Sie mir Matorin. Er soll sofort kommen.«

*Pro serowo retsch a serwi, nawstretsch,* dachte Sjuganow und nahm hinter seinem Schreibtisch Platz. Wenn du vom Grauen sprichst, ist der Graue auf dem Weg zu dir.

## MARBLES RUSTIKALE TOMATENSAUCE

Gewürfelte Zwiebeln, geschnittenen Knoblauch und Anchovisfilets in Olivenöl anbraten, bis die Gemüse weich und die Anchovisfilets in der Pfanne zerfallen sind. Tomatenmark in die Mitte der Pfanne geben, rühren und braten, bis das Ganze eine rostfarbene Tönung bekommt. In Stücke geschnittene reife Tomaten, zerkleinerten getrockneten Oregano, Peperoncino und in Streifen geschnittenes Basilikum hinzugeben. Nach Geschmack würzen. Die Sauce weiter köcheln lassen, bis sie eindickt, und einen Schuss Balsamico hinzugießen. Mit frisch gezupften Basilikumblättern garnieren und mit Pasta oder Fleischbällchen servieren.

# 31

Die Offiziere in der Washingtoner *Residentura* kochten Tee, lasen Zeitung, schauten sich Sendungen auf CNN und RTR-Planeta an und spähten ab und zu durch Jalousien, die 1990 zum letzten Mal hochgezogen worden waren. Der geheime Nachrichtenverkehr war zum Erliegen gekommen. Verabredungen zum Mittagessen wurden getroffen und wieder verschoben, Termine wurden verpasst, neue Kontakte verliefen sich. Die wochenlange FBI-Überwachung war ohnegleichen und geradezu erdrückend. Nach dem ersten Monat hatte die Hauptverwaltung angeordnet, alle operativen Aktivitäten bis auf Weiteres einzustellen, und die *Residentura* aufgefordert, eine Sicherheitsbewertung vorzubereiten und die Situation zu erklären. Aber es *gab* keine Erklärungen.

Selbst der elegante *Resident* Golow hatte sich davon anstecken lassen. Er bestätigte, an zwanzig von dreißig Tagen *persönlich* von Fahrzeugen überwacht worden zu sein, obwohl er dringend untertauchen musste. Das Ersatztreffen mit SWAN stand bevor, er durfte sie kein zweites Mal versetzen. Und es ließ sich nicht absehen, wie sie reagieren würde.

Diese zehn Tage, an denen Golow und sein Zeta-Team nicht den geringsten Hinweis auf eine Überwachung feststellen konnten, waren auf absurde Weise die schlimmsten. Besaßen die Amerikaner neue Spionagetechniken, irgendwelche neuen Technologien? Zum Teufel mit ihrer Strategie, er musste aus dem Fokus ihrer Aufmerksamkeit verschwinden.

Und es musste alles getan werden, um SWAN zu schützen, aber sie war ein Sicherheitsalbtraum. Sie verweigerte weiterhin alle vernünftigen Vorschläge zur Verbesserung ihrer Sicherheit: Kommunikation auf elektronischem Wege, Gespräche über einen Telefonservice, diskrete Hoteltreffen, im Voraus organisierte Alternativen, um verpasste Treffen zu vertuschen – sie wollte nichts davon wissen. »Wenn ich meinen Hintern zu dem Treffen bewege«, sagte sie zu Golow, »dann kann Ihr Arsch gefälligst auch da sein.« Unmögliche Frau. Golow hätte SWAN am liebsten an einen drittrangigen Beamten weitergereicht, aber Moskau hatte das verboten, vor allem nach der Enttarnung der Illegalen in New London.

Damit war Golow mit einem klassischen Problem in der Welt der Spionage konfrontiert: Er musste eine sensible Informantin in einer vorherbestimmten Nacht an einem vorherbestimmten Ort treffen, ohne Rücksicht auf die Verhältnisse auf der Straße.

Ein Abbruch war inakzeptabel, unmöglich. Heute Nacht war das nächste Treffen mit SWAN geplant. Er *musste* es schaffen.

Am Nachmittag sah er sich noch einmal seine Überwachungserkennungsroute mit dem Zeta-Team an. Golow sagte, er werde alle Beschatter in ein *dimohod*, ein Ofenrohr, stecken, um die Überwachung aufzudecken und vor allem um auszubrechen, der Überwachung vollständig zu entkommen. Sie bestimmten einen Code auf den verschlüsselten Funkgeräten, der signalisieren würde, ob das Ofenrohr funktioniert hatte. Sie sprachen die Route noch einmal durch.

Die ganze Sache war verrückt. Nur für eine so wichtige Informantin wie SWAN war er bereit, so große Risiken einzugehen, aber die Hauptverwaltung bestand darauf. Golow musste es versuchen.

Er fuhr am Nachmittag los, im mittleren Wagen, während gleichzeitig acht seiner Offiziere in acht Autos die Tore der Botschaft auf der Wisconsin Avenue hinter sich ließen. Jedes fuhr in eine andere Richtung. Die FBI-Überwacher im Observationswagen sendeten *starburst, starburst* nach diesem massenhaften Verlassen der *Residentura*, das die Überwacher überfordern sollte. Der *Starburst*-Ruf wurde auch vom Orion-Team der CIA empfangen. Da sie nur am *Residenten* interessiert waren, warteten sie geduldig, bis die Überwacher Golow ausriefen, der im eigenen Wagen fuhr, einer schwarzen BMW-5er-Limousine. Golow fuhr die Wisconsin Avenue hinauf, sein Zeta-Team formierte sich schon im Westen der Straße. Golow überquerte die Western Avenue, drehte nach Süden ab und wechselte den Kurs in Richtung des schachbrettartig angelegten Wohngebiets im American University Park. Er nutzte die kleinen Straßen, um die Richtung zu wechseln, an den Straßenrand zu fahren und auf dem Bordstein zu warten. Nach fünfzehn Minuten kam die Entwarnung vom Zeta-Team: *Keine Überwachung zu entdecken.* Sie hatten zwei parkende Orion-Autos übersehen, die am Rand des American University Park positioniert waren.

Golow bewegte sich erneut stufenweise in westliche Richtung; sein Team fuhr weiterhin parallel zu seiner Route. Sie konnten nicht das geringste Anzeichen einer aktiven FBI-Überwachung erkennen, denn es gab keine. Das Zeta-Team gab Golow Deckung, während er weiter westlich bergab zur Canal Road vordrang und die Chain Bridge nach Virginia überquerte. Dies fiel einem parkenden Orion-Wagen auf, der an der Kreuzung von Arizona Road und Canal Road Stellung bezogen hatte, der einzigen Route, um zwischen Georgetown und dem Beltway den Potomac River nach Virginia überqueren zu können.

Die Orions wären am liebsten in die Außenbezirke von Virginia eingefallen, aber ihr Teamleiter, ein fünfundsechzigjähriger ehemaliger Überwachungsausbilder, der Kramer hieß, hielt sie davon ab. Stattdessen schickte er drei Wagen parallel zu Golows Richtungsachse auf der Maryland-Seite des Potomac. Sie kalkulierten seine Route voraus und fuhren am Fluss entlang nach Norden. TrapDoor kam zum Einsatz.

Ein Orion – eine Großmutter, wenn sie nicht gerade SWR-Offiziere verfolgte – hielt beim Parkplatz der Schleuse 10 im C & O Canal National Park. Eine andere Großmutter fuhr sechs Kilometer zum Old Angler's Inn auf dem MacArthur Boulevard, setzte sich an einen Gartentisch, bestellte einen Sherry und versuchte zu erraten, welche der Paare an den Nebentischen eine Affäre hatten.

Kramer dirigierte einen dritten Orion – diesmal eine Großtante – weitere sechs Kilometer nördlich zum Dorf Potomac, wo sie im Hunters Inn als frühes Abendessen einen Salat bestellte. Als die drei Frauen warteten, nahmen sie eine Reihe von Nummernschildern und ein Dutzend wartende Menschen wahr. Die Liste der Verdächtigen wurde länger. Wartete jemand auf den schwarzen BMW? Die zwei verbliebenen Orion-Wagen, das Team war heute klein, trennten sich. Ein Orion kümmerte sich um die oberen Bereiche der River Road südöstlich von Potomac, der andere parkte am Eingang zum C & O Canal National Park, wo amerikanische Verräter wie Walker, Ames, Pollard und Pelton über die Jahre hinweg dicke Müllsäcke voll russischem Geld aus verrottenden Baumstümpfen gezogen hatten. Die Orions warteten ab, ließen die Funkgeräte ausgeschaltet, ihre Augen suchend, überprüfend, programmiert auf das Profil, die Gestalt des schwarzen BMWs. Wenn Golow weiter nach Virginia fuhr, hatten sie verloren; wenn er nach Maryland zurück-, aber zugleich weg aus Potomac fuhr, hatten sie verloren. Es machte ihnen nichts aus, zu warten. So funktionierte TrapDoor eben. Es würde noch weitere Tage und Nächte geben. Sie mussten nur eines: ein einziges Mal richtigliegen.

———

Wie sich herausstellte, verloren sie. Golow fuhr auf der Interstate 495 zurück nach Maryland. Diese gehörte zu einem Schnellstraßenring, der es seinem Zeta-Team ermöglichte, den letzten Teil seiner Route vorzubereiten, den *dimohod*, das Ofenrohr, den langen, gewundenen Beach Drive, der dem Rock Creek Park den ganzen Weg bis nach Georgetown, in die Wälder hinein und hinaus und am Flussbett entlang in südlicher Richtung folgte. Als er das charakteristische Knistern, also die Unterbrechung der Rauschunterdrückung, hörte, die ihm die Entwarnung signalisierte, fuhr Golow vom Beach Drive am Ende des Rock Creek ab und parkte auf der 22. Straße, während das Zeta-Team weiter südlich fuhr. Wenn es dem FBI gelungen wäre, ein Ortungsgerät an Golows Wagen anzubringen – was unwahrscheinlich war, denn das Auto war nie unbeaufsichtigt und wurde wöchentlich gereinigt –, dann hätten die Bundesbeamten es einen Häuserblock entfernt vom Ritz-Carlton, vom Fairmont und von rund fünfzig Restaurants am K-Street-Korridor gefunden. Viel Spaß beim Durchsuchen wünschte er ihnen. Er schloss das Auto ab und ging die sechs Häuserblocks zum vertrauten Eingang des Tabard Inn. Inzwischen war es dunkel geworden, das Innere des Restaurants war freundlich erleuchtet.

Das war noch so eine Verrücktheit, den gleichen Treffpunkt zweimal nacheinander zu benutzen. Aber wenigstens hatte es eine Pause nach dem letzten Rendezvous gegeben, um die ganze Sache etwas abkühlen zu lassen. Golow betrat das Restaurant und ging am Empfang vorbei in Richtung des kleinen Gartens im ummauerten Hinterhof. Diesmal war SWAN vor Golow angekommen. Sie saß an einem Tisch direkt an der Gartenmauer und rauchte. Golow stellte sich innerlich auf Schwierigkeiten ein. SWAN hatte beim Kellner bereits den nächsten Drink bestellt. Ein leeres Highball-Glas stand vor ihr auf dem Tisch. Sie trug ein blaues Kostüm und eine rote Bluse. Die blaue Edelsteinkette an ihrem Hals war auf ihr Kostüm abgestimmt, die knallroten Fingernägel passten zur Bluse. Ihre blonden Locken hatte sie sich nach hinten aus dem Gesicht gekämmt, das in dem diffusen Zwielicht unter den Bäumen älter, faltiger wirkte.

»Stephanie, wie geht es Ihnen?«, sagte Golow zur Begrüßung. Er streckte die Hand aus, aber sie machte keine Anstalten, sie zu ergreifen. Er lächelte sie an und nahm Platz. Der Kellner kam mit einem doppelten Scotch für Senatorin Boucher. Golow, der müde und steif war nach fast fünf Stunden im Auto, bestellte einen Campari Soda.

»Anatoli«, sagte Boucher mit gespielter Freundlichkeit. »Ich warte schon seit fast einer Stunde in diesem dummen kleinen Gärtchen.« Mehrere Male versuchte sie vergeblich, ihr goldenes Feuerzeug anzubekommen, bis sie ihre Zigarette schließlich anzünden konnte.

»Das tut mir leid, Stephanie«, sagte Golow, »aber ich musste mich dringend darauf konzentrieren, nicht das gesamte FBI zu unserem Rendezvous mitzubringen.«

»Das ist ja äußerst professionell von Ihnen.«

»Wir könnten alles viel sicherer gestalten, wenn Sie bereit wären, ein paar kleine Änderungen vorzunehmen«, sagte Golow.

»Nicht das schon wieder. Es ist so beruhigend, Sie über meine Sicherheit reden zu hören, wo gerade eine groß angelegte Suche nach einem wichtigen russischen Agenten in Washington stattfindet.« Boucher blies Rauch in die Luft.

»Wirklich? Was haben Sie gehört? Wir haben keinen Grund anzunehmen, dass Ihr Status in Gefahr ist«, sagte Golow. »Wir sind ziemlich sicher, dass weder das FBI noch die CIA eine Ahnung von unserer Beziehung haben. Fünf Leute auf diesem Planeten wissen, wer Sie sind, und diese Liste beinhaltet bereits Sie selbst und mich. Was ist das für eine Geschichte über einen russischen Agenten? Details, Stephanie, bitte.« Das war wichtig. Golows Kopfhaut juckte, ein schlechtes Zeichen.

»Ich bin froh, dass Sie so zuversichtlich sind. Wie aber erklären Sie sich dann die Sitzung unter Ausschluss der Öffentlichkeit, bei der ich anwesend war und einem dieser CIA-Idioten zuhören musste? Es hörte sich so an, als hätten die Spuren. Die suchen nach jemandem, der Gürtelrose hat – Sie wissen ja, Anatoli, dieser schmerzhafte Hautausschlag. Wie die Schmerzen in meiner Muschi.« Sie legte den Kopf in den Nacken und trank ihr Getränk aus, die Eiswürfel klickten gegen ihre Zähne. Sie winkte nach dem nächsten Drink.

»Stephanie, Sie leiden doch nicht an Gürtelrose, oder?«, fragte Golow. Er würde diese Information sofort übermitteln müssen, noch heute Abend.

Sie sah ihn genervt an. »Darum geht es nicht. Sie wissen so gut wie ich, dass ich meine Position nicht gefährden kann. Ich habe zu lange und zu hart daran gearbeitet, dort zu sein, wo ich jetzt bin.«

Golow staunte, dass ihr kolossales Ego dieses todernste Spiel nur mit dem möglichen Entgleisen ihrer Karriere in Verbindung bringen konnte. Kannte sie die Gefahren? Kannte sie die Konsequenzen? »Das ist genau der Grund, warum ich auf zukünftigen Treffen in Hotelzimmern bestehe.«

»Ich werde darüber nachdenken«, sagte Boucher. Sie taxierte den Kellner, als er ihren dritten Drink abstellte, schaute ihm hinterher, als er zurückging. »Aber es gibt da noch etwas anderes«, sagte sie in jenem unbewegten Tonfall, den sie bei Aussagen im Kongress einsetzte. »Wenn *Sie und Ihre Leute* einen Fehler machen und die Polizei an *meine* Haustür klopft, dann gehe ich nicht ins Gefängnis. Ich werde das nicht tun. Deswegen möchte ich, dass Sie mir etwas geben, etwas … Endgültiges. Etwas, das ich einnehmen kann.«

Golow lehnte sich im Stuhl zurück und wunderte sich. *Das Gerede über die Jagd auf einen Spion hat sie erschreckt, und jetzt möchte die US-Senatorin eine tödliche Pille.* Wo hatte sie das nur gehört? Er beugte sich vor und umfasste ihre Hände. Ganz leise sagte er: »Stephanie, das ist das Erstaunlichste, was Sie mir je gesagt haben. Das können Sie nicht ernst meinen. Sie sprechen von längst vergangenen Zeiten, von Märchen aus dem Kalten Krieg. So etwas existiert nicht.«

»Ich glaube, dass Sie mich anlügen, Anatoli«, sagte sie mit einem schmallippigen Lächeln und befreite sich aus seinen Händen. »Entweder bekomme ich eine Pille, oder ich annulliere unsere ›Partnerschaft‹, wie Sie es nennen. Wenn wir uns nächsten Monat treffen – Sie werden nächsten Monat pünktlich hier sein? –, erwarte ich eine reizende kleine Pillenbox – wie wär's mit Elfenbein oder Perlmutt?«

»Ich kann das immer noch nicht glauben«, sagte Golow. »Ich werde mit Moskau sprechen, aber ich bezweifle, dass die dergleichen autorisieren.«

Wie jedes Mal wartete Senatorin Boucher bis zum Ende des Treffens, bis sie in ihre Handtasche griff und Golow eine schwarze CD zuschob. Bevor er die CD einsteckte, sah er auf der Seite das Pathfinder-Firmenlogo. Die Senatorin weiß wirklich, wie man sich einen dramatischen Abgang verschafft, dachte er, während er zuschaute, wie sie unsicheren Schrittes den Garten verließ. Gürtelrose.

―――

Anatoli Golow saß in einem Schaukelstuhl im Neuenglandstil in einem Zimmer des Tabard Inn. Den recht kleinen Raum zierten lila Blümchentapeten, eingerahmte Poster von französischen Zirkustieren und Perserteppiche. In einer Ecke stand ein überproportional großes Himmelbett.

Seit seinem letzten Treffen mit SWAN hatte die Überwachung von *Residentura*-Offizieren nicht nachgelassen. Statt eine weitere lange Überwachungserkennungsroute zu riskieren, hatte Golow von der Hauptverwaltung die Erlaubnis erhalten, es einmal mit einer »Kofferraumflucht« zu versuchen, um unterzutauchen. Am Morgen des Treffens hatte Golow im Kofferraum des Wagens des Wirtschaftsberaters gelegen, wo er durch eine Gesichtsmaske aus einem kleinen Tank puren Sauerstoff einatmete. Drei Frauen der Botschaft fuhren ohne Rücksicht auf irgendeine Überwachung nach Friendship Heights auf die obere Wisconsin Avenue. Die vollschlanken Frauen folgten den Anweisungen, parkten in der Tiefgarage, schlossen das Auto ab und tätigten ihre Einkäufe.

Eine andere russische Ehefrau, die in der Garage positioniert war, beobachtete das Auto eine Viertelstunde lang. Es hatte keine Überwachung gegeben, alles war okay. Mit ihren Einkaufstüten in der Hand ging die Ehefrau zum Auto, klopfte zweimal sachte auf den Kofferraumdeckel und schloss auf. Ein verkrampfter und genervter Golow stieg aus dem Kofferraum.

Er verfluchte die SWAN-Mission, verfluchte Moskau und den Dienst, aber er war untergetaucht, unentdeckt und frei von jeder Überwachung. Die Kofferraumflucht hatte geklappt. Er verließ die Garage, machte sich zu Fuß auf den Weg nach Süden in die Innenstadt, wobei er wahllos Busse nutzte und ab und zu ein Taxi nahm. Die U-Bahn mit ihren allgegenwärtigen Überwachungskameras mied er. Er kam am Dupont Circle an und schlug zwei Stunden tot, in Buchläden und einem kleinen Bistro. Bei Sonnenuntergang, auf dem Höhepunkt der Rushhour, spazierte er um den Circle herum, die Nineteenth nach Süden hinunter, auf die N Street und vier Häuserblocks weiter zum Tabard Inn. Keinerlei Anzeichen von Überwachung. Er hatte sich zur Abwechslung lässig angezogen, um auf der Straße nicht aufzufallen, mit einer gedeckten Wildlederjacke über einem braunen Pullover mit Rundkragenausschnitt, einer Cordhose und bequemen Wildlederschuhen. Gott sei gedankt für die guten Schuhe. Als er den Gasthof betrat, setzte er sich eine Brille mit schwerem Gestell und Fensterglas auf.

Golow saß in der Hotelsuite und beendete sein Tellergericht mit ägäischen Muscheln, die mit Oregano, Ziegenkäse, Zitrone und Olivenöl gegrillt worden waren, dazu trank er eine Flasche gekühlten toskanischen Vernaccia. Er war heilfroh, dass er das Zimmer mit gefälschtem amerikanischen Führerschein und gefälschten Reiseschecks problemlos mieten konnte. Es war einige Jahre her, dass er ein Hotelzimmer unter einem Alias gemietet hatte – so ein Spiel spielten junge Männer –, und er hatte noch einmal diese angespannte Übung mit trockenem Mund und mit eisiger Freude durchlebt. Trotz seines ausländischen Akzents und der Tatsache, dass er keine Reservierung und kein Gepäck hatte, zeigte sich der selbstvergessene Angestellte hinter dem Schreibtisch zufrieden. Das hier war ein angesehener Gentleman. Ihm wurde das kleine, aber feine Zimmer im zweiten Stock gezeigt, wo niemand sie sehen konnte. Privatsphäre war von herausragender Bedeutung: ganz besonders heute Abend, bei dem, was er ihr aushändigen musste.

Er beendete sein Mahl, ging ins Badezimmer, um sich etwas Wasser ins Gesicht zu spritzen und in den Spiegel zu schauen – aber nur, um abermals den Dienst zu verfluchen. Nachdem er die Tür abgeschlossen hatte, ging er hinunter in die Lobby und setzte sich auf das ein wenig muffige grüne Sofa gegenüber dem Eingang. Nervös und angespannt wartete er, eine ungelesene Zeitschrift auf dem Schoß. Senatorin Boucher betrat das Hotel, als würde es ihr gehören. Sie übersah ihn; die Fensterglasbrille verwischte seine patrizischen Gesichtszüge, in einem halben Meter Entfernung ging sie an ihm vorbei. Boucher betrat einen Raum, um gesehen zu werden, nicht um andere dort zu sehen. Nachdem Golow sie leise im Flur abgefangen hatte, ging er ihr voran die schmale Treppe in den zweiten Stock hoch. Niemand hatte sie gesehen. Er schloss die Tür auf, ließ Boucher zuerst eintreten. Die Senatorin sah sich im Zimmer um und grinste.

»Wie gemütlich, Anatoli, ich habe schon immer gewusst, dass Sie ein Romantiker sind.« Golow ignorierte die Bemerkung und bot SWAN ein Glas Wein an, welches sie anstelle eines Glases Scotch annahm. »Sich drinnen zu treffen erhöht unsere Sicherheit, Stephanie«, sagte Golow, »aber beim nächsten Mal müssen wir uns ein anderes Hotel aussuchen. Darauf bestehe ich, und Moskau auch.«

»Wie schön für Sie und Moskau«, sagte SWAN und hielt ihr Glas zum Nachfüllen hin. »Haben Sie mir meine … Vitamine mitgebracht? Sagen Sie Ja, Anatoli, dann werde ich sehr glücklich sein.«

Golow erinnerte sich an einen Informanten, den er einmal im östlichen Beirut geführt hatte, einen maronitischen

Christen, der sich so sehr daran gewöhnt hatte, Geld und Geschenke zu verlangen, bevor er seine Informationen preisgab, dass die Situation unerträglich geworden war. Golow hatte ein KGB-Team beauftragt, seinen Körper mit Gewichten zu beschweren und in der Nähe von Raouché und Pigeons' Rock zu versenken, und zwar tiefer als fünfundvierzig Faden. Er blickte SWAN an und gab sich einem Tagtraum hin.

»Ich habe gute Nachrichten«, sagte Golow. Er goss sich ein weiteres Glas Wein ein und setzte sich neben sie auf die kleine Samtcouch. Dann zog er aus der Innentasche seiner Jacke ein rechteckiges Etui und legte es auf den Tisch. Er klappte das Etui auf, darin lag ein eleganter Stift auf puderblauer Seide. Ein Montblanc Etoile mit einem schwarzen Korpus, einer glockenförmigen cremefarbenen Kappe und dem weißen Montblanc-Stern als Intarsie an der Spitze. Am Ende der Taschenklemme befand sich eine makellose Akoya-Perle. Boucher griff nach dem Stift und sagte: »Wie schön.«

Golow stoppte sie sanft, indem er ihr Handgelenk festhielt und ihre Hand zurückzog. »Das ist ein wunderschönes Schreibgerät«, sagte SWAN. »Aber ich habe um etwas zum Einnehmen gebeten, eine Pille.«

»Es gibt keine Pillen«, sagte Golow barsch. »Wir haben uns so auf Ihre etwas merkwürdige Anfrage geeinigt, und etwas anderes werden Sie nicht bekommen.« Er nahm den Stift in die Hand und hielt die Perle zwischen den Fingern. »Sie müssen die Perle gut festhalten. Und langsam und gleichmäßig ziehen ...« Die Perle löste sich plötzlich. Sie war am Ende einer zweieinhalb Zentimeter langen Nadel befestigt, die aus einer Vertiefung an der Unterseite der Taschenklemme hervorkam. Die Nadel hatte einen verbrannten kupferfarbenen Schimmer, als hätte jemand sie über eine Flamme gehalten. Golow schob die Nadel zurück in ihre Hülle in der

Klemme und drückte die Perle fest, bis sie hinter einer Arretierung einrastete.

»Was soll das sein?«, fragte Boucher. »Ich habe Sie um etwas Einfaches gebeten.«

»Seien Sie still, ich erkläre es Ihnen gleich«, blaffte Golow. Er hatte wilde Fantasien, wie er die Nadel wieder herausziehen und SWAN in den Hals stecken würde. Er riss sich zusammen. »Die Nadel ist von einem biologischen Präparat überzogen. Man muss sich nur eine kleine Verletzung zufügen, sich irgendwo kratzen, und es wirkt sofort. Zehn Sekunden.« Er hob die Hand, um sie am Reden zu hindern. »Das hier ist unendlich effizienter als eine Pille. Bitte vergessen Sie, was Sie in irgendwelchen Filmen gesehen haben. Eine Pille kann nach einer Weile ihre Wirksamkeit verlieren, hiermit gibt es kein Problem.« Er reichte Boucher den Kugelschreiber. »Jetzt ziehen *Sie* die Nadel heraus«, sagte er und legte noch einmal seine Hand auf ihr Handgelenk, *»ganz langsam und vorsichtig.«*

Bouchers Hände zitterten ein wenig, als sie den Kugelschreiber nahm, ihn in der Hand wog, dann langsam und gleichmäßig an der Perle zog und sie dabei aus der Klemme entfernte. Die Nadel leuchtete schwach, das Bedrohliche daran wurde auf irgendeine Weise noch durch ihre Kürze hervorgehoben. Boucher steckte die Nadel vorsichtig in den Schaft zurück und verschloss ihn, indem sie die Perle in ihre Position zurückdrückte. Ein wenig zur Einsicht gebracht, wandte sie sich zu Golow um. »Danke, Anatoli.« Sie klemmte den Montblanc innen an ihre Bluse, zwischen die Knöpfe, und stürzte ihren restlichen Wein hinunter.

Nachdem dieser bedeutende Moment vorüber war, wanderte ihr Blick durchs Zimmer und blieb am Himmelbett und an Golow hängen. »Hätten Sie Interesse?«, fragte sie zu seinem blanken Entsetzen.

Frischen Oregano, Zitronensaft, Paniermehl, Olivenöl und zerkrümelten Feta mit auf Zimmertemperatur
gebrachter Butter vermengen und zu einer weichen
Buttermasse kneten. Danach die Butter zu einer Rolle
formen und in den Kühlschrank stellen. Eine Butter-
scheibe in die Schale jeder geöffneten Muschel geben.
Die Muscheln liegen dabei auf einem Bett aus Meersalz.
Danach etwa ein, zwei Minuten grillen, bis die Butter
geschmolzen ist. Die Muscheln mit etwas Zitronensaft
beträufeln.

# 32

Rom – das waren ockerfarbene Dächer und funkelnder Marmor unter einer ewigen Sonne. Das hummelartige Gebrumm der *motorini*, die von Mädchen mit nach vorn gebeugten Hüften, rabenschwarzen Haaren und Keilsandaletten durch den Verkehr gelenkt wurden, erfüllte die Luft. General Kortschnoi sog sie ein. Das hier war sein altes Revier, Erinnerungen stellten sich ein. Er bestellte das Mittagessen in zwar nicht akzentfreiem, aber elegantem Italienisch. Dominika hatte noch nie von *Spaghetti alla bottarga* gehört, aber der Teller mit Pasta, glänzend vom Öl und mit einem Hauch goldener *bottarga di muggine*, des Rogens der Meeräsche, entzückte sie. Sie sah zu Kortschnoi hinüber, er nickte zufrieden. Ganz anders als russischer Kaviar, dachte sie.

Sie saßen in der Taverna dei Fori Imperiali, zwei winzigen Räumen mit eingedeckten Tischen und pastellfarbenen Wandgemälden auf weißen stuckverzierten Wänden; die Böden bestanden aus polierten schwarz-weißen Fliesen. Das Restaurant lag an der Via Madonna dei Monti, einer schmalen, uralten Straße im ewigen Schatten heruntergekommener Mietshäuser mit Bäckereien und Holzschnitzern im Erdgeschoss, die die Luft mit dem Geruch von gebackenem Brot und Sägespänen erfüllten.

Tags zuvor hatte Dominika den Stationschef angesprochen, ihre Nachricht überbracht und die Nummer ihres Prepaid-Handys hinterlassen. Kortschnoi beobachtete Dominika aufmerksam vor und nach dem Kontakt – ruhig und wie ein Fels in der Brandung – und war zufrieden. Die praktische Arbeit regte sie an, ihre Wangen waren gerötet, in den großen Augen spiegelte sich das Plätschern zahlloser Delfinfontänen.

Kaum hatten sie Moskau hinter sich gelassen, änderte Kortschnoi eigenmächtig den Einsatzplan. Ruhig hatte er darauf bestanden, dass sie zunächst auf diskrete Weise mit den Amerikanern auf der Straße Kontakt aufnahmen und anschließend einen von der CIA angemieteten Raum für ihre Besprechungen nutzten.

»Verzeihen Sie mir, aber ich traue weder Ihrem Onkel noch diesem Sjuganow«, sagte Kortschnoi jetzt zu Dominika, als sie nach dem Essen einen Spaziergang unternahmen. Sie gingen langsam am Forum vorbei über die *Sanpietrini*-Pflastersteine, dann einen schmalen Fußweg hinauf, wobei sie nach Überwachung Ausschau hielten. Sie warfen einen Euro in eine Blechdose und stiegen hinunter zum Mamertine-Gefängnis, stellten sich vor, wie Petrus durch ein Loch, das in den Fels des Kapitolshügels geschlagen worden war, in den Kerker hinabgelassen wurde. Das Gefängnis verstörte die Russen, sodass sie es schnell wieder verließen und zurück nach oben gingen ins Sonnenlicht.

Während sie umherspazierten und durch die Wohngebiete mit ihren zahlreichen Treppen flanierten, nahmen sie sich immer wieder Zeit, sich zu vergewissern, dass sie nicht verfolgt wurden. Kortschnoi unterhielt sich mit Dominika, blieb hin und wieder stehen, legte ihr die Hand auf die Schulter. Er schilderte, wie das Leben gewesen war, wenn man von Russland aus für die CIA arbeitete, unentdeckt inmitten des Dienstes. Sie saßen auf einer Bank in der Nähe eines Obelisken, während sie Granita, reichhaltiges Kaffee-Eis, löffelten, auf ihre Uhren, auf Passanten und auf Autos schielten und

Kortschnoi ihr erklärte, dass ein Informant den Unterschied zwischen Risikobereitschaft und Draufgängertum kennen müsse. Und dass er die Anweisungen seines CIA-Führungsoffiziers einschätzen, aber nicht unbedingt akzeptieren müsse. »Es ist Ihr eigenes Leben, Ihr Wohlergehen. Letztlich entscheiden Sie, was Sie tun wollen – und wie.«

Im Licht Roms fühlte sich Dominika wie befreit, und so erzählte sie Kortschnoi mehr über Helsinki, über ihre Aktivitäten, darüber, wie es ihr mit ihrem Geheimnis erging, dieser heißen Kälte, sagte sie, während sie auf die Waffel mit dem gefrorenen Espresso in ihrer Hand sah. Sie sprach nur wenig über Nate, weil sie nicht wusste, was er ihr gegenüber fühlte oder was sie selbst empfand. Betrachtete er sie in erster Linie als Agentin und dann erst als Geliebte? Die Antwort war zu schwierig, Kortschnoi erkannte das.

Der General sprach von Beherrschung, Berechnung und Geduld, dieser Trinität, die es ihm ermöglicht habe, vierzehn Jahre lang als Agent für die CIA zu überleben. Es wurde nicht ausgesprochen, dass sie »zusammenarbeiten« würden, aber sie versuchten auch nicht, ihre Partnerschaft genauer festzulegen. Sie wussten, dass Agenten sehr selten als Gespann spionierten. Kortschnoi sprach in keiner Weise offen über seine Vision der »Nachfolge« und auch nicht über Dominikas Rolle als seine Nachfolgerin. Worüber sie ebenfalls nicht sprachen oder vielleicht nicht sprechen konnten, das waren ihre Gefühle ihrem Land gegenüber. Das war ein schwieriges Thema, durchsetzt von Betrug und Verrat, sodass sie es ruhen ließen. Sie würden später darauf zu sprechen kommen. Jetzt hatten sie gerade noch genügend Zeit, ihre Route zu beenden und zum Ort für das Kurztreffen zu kommen, um dort den Erzfeind zu treffen.

MARBLE hatte Langley via Satellit darüber informiert, dass Dominikas Annäherungsversuch an den Stationschef in Rom ihre Ankunft in der Stadt signalisieren würde. Dies würde ein Treffen in vierundzwanzig Stunden auslösen, paradoxerweise an einer schon lange ungenutzten Stelle des KGB in der Parkanlage Villa Borghese, die MARBLE noch aus der Zeit vor fünfzehn Jahren kannte. Er hatte auch einen kurzen Satz geschickt – *sie hat bestanden, sie gehört jetzt zu uns –*, durch den er Benford andeutete, dass sie im Grunde durch ihn rekrutiert worden war. Eine höchst außergewöhnliche Situation. Zwei Informanten, jeder wusste vom anderen, ein gemeinsamer Führungsoffizier, die ganze Geschichte von einem Gegenspionagechef dirigiert, der ein verrückter Wissenschaftler war, zwei Spionjagden – und die zusätzliche Notwendigkeit zu entscheiden, wo sie zu Abend essen sollten. Aber wenigstens findet das alles in Rom statt, dachte MARBLE.

Dominikas billiges Handy klingelte, als sie eine Treppe zur Nordseite der Aurelianischen Mauer hinaufstiegen, dabei Blicke auf blaugrüne Bäume, keksfarbene Dachziegel und goldene Kuppeln erhaschten. Kortschnoi antwortete auf Italienisch, hörte zehn Sekunden lang zu und klappte das Telefon schließlich abrupt zusammen. »Die sind an Ort und Stelle. Möchten Sie einen Spaziergang durch den Park machen?«

In der römischen Nachmittagshitze schlenderten sie durch die Porta Pinciana zur Villa Borghese. Kortschnoi trug einen hellgrauen Anzug mit einem schwarzen Hemd, am Hals offen, Dominika einen marineblauen Rock und eine pink-blau gestreifte Hemdbluse. Wegen der Hitze trug sie die Haare hochgesteckt. Zusammen sahen sie aus wie Vater und Tochter, reiche Römer, die vielleicht auf dem Weg zum Museum in der Mitte des Parks waren. Kortschnoi merkte, dass sie aufgeregt und nervös war. Aber er sah auch, dass sie Blicke in alle Richtungen warf, nach Überwachung Ausschau hielt und Passanten katalogisierte.

Natürlich kannte Kortschnoi den Park. Als junger Offizier war er an die *Residentura* in Rom versetzt worden. Er hatte dort Informanten getroffen und Pakete für Spione in unterirdischen Geheimlagern deponiert, während seine junge Frau Wache hielt. Das lag eine Ewigkeit zurück. Jetzt gingen er und Dominika langsam die breiten Kieswege entlang, gesprenkelt vom Sonnenschein, der durch die Platanen fiel. Kortschnoi führte Dominika an spiegelnden Wasserbecken vorbei und machte eine Pause an der Fontana dei Cavalli Marini mit den wilden Seepferden und ihren gespaltenen Hufen. Sie gingen am Hippodrom auf der Piazza di Siena vorbei, die Viale del Lago hinunter. Kortschnoi waren trotz ihrer geschlängelten Route keinerlei wiederkehrende Personen, keinerlei Anzeichen für eine Überwachung aufgefallen. Noch zwei Minuten bis zum Treffpunkt. Er spürte mehr, als er es sah, dass Dominika immer nervöser wurde. Er hakte sie unter und erzählte einen Witz:

*Ein verängstigter Mann kommt zum KGB und sagt: »Mein sprechender Papagei ist verschwunden.« Darauf der KGB: »Um so was kümmern wir uns nicht, wenden Sie sich an die Kriminalpolizei.« Darauf der Mann: »Entschuldigen Sie, aber natürlich weiß ich, dass ich zur Kriminalpolizei gehen muss. Ich bin gekommen, um Ihnen zu melden, dass ich mit den Ansichten des Papageis nicht einverstanden bin.«*

Dominika prustete los. Kortschnoi sah sie an und wusste, dass seine Intuition ihn nicht getrogen hatte. Sie würde ihn ersetzen. Sie konnte es. Wenn Benford zehn Minuten mit ihr zusammen gewesen war, würde ihm das klar sein.

Sie näherten sich einem kleinen künstlichen See mit einem ionischen Äskulap-Tempel auf einer Insel in der Mitte. Dominika folgte Kortschnois Blick und sah einen kleinen, zerknitterten Mann auf einer Bank am Rande des Sees sitzen.

»Benford«, sagte Kortschnoi, »ich will ihn begrüßen.« Mit einem Nicken zeigte er in Richtung der Insel. »Gehen Sie weiter um den See herum. Es gibt da eine Brücke, die die Insel mit dem Ufer verbindet.« Er ging zur Bank. Dominika sah, wie der Mann aufstand und Kortschnoi die Hand schüttelte. Sie setzten sich. Dominika stakste auf Beinen, die sie kaum spürte, um den See. Das Herz schlug ihr bis zum Hals. Was würde sie ihm sagen? Dass er ihr gefehlt hatte. Glupji. *Dumm. Bleib professionell. Wir sind hier nicht nur zu zweit. Es sind auch andere anwesend, das hier ist der erste Tag vom Rest deines Lebens als Spionin. Bleib professionell.*

Unter einer Weide am Uferrand sah sie eine dunkle Gestalt, die auf der kleinen Stahlbrücke stand, am Scheitelpunkt ihres anmutigen Bogens. Sie erkannte seine Gestalt, seine Körperhaltung, wie er sich gegen das Geländer lehnte, eine Silhouette im Schatten. Sie sah den Halo um seinen Kopf, dunkler als in der Erinnerung, aber das konnte auch am Schatten liegen. Jetzt ging er los, seine Schritte hallten auf der Stahlbrücke.

Weidenblüten schwammen auf dem stillen Wasser. Sie ging zu ihm hin, reichte ihm die Hand.

»*Sdrawstwuj*«, sagte sie. Hallo. Sie stand reglos da und wartete darauf, dass die Blase platzte, dass er das Händeschütteln ignorierte und sie in die Arme nahm.

»Dominika«, sagte Nate, »wie geht es dir?« Er streckte die Hand aus, und als sie sie ergriff, kamen alle Erinnerungen zurück. »Wir haben uns Sorgen gemacht, es war eine lange Zeit, ohne dass wir etwas gehört haben.« Purpurn und leuchtend, wie sie es in Erinnerung hatte.

Sie ließ seine Hand los. »Mir geht's gut«, sagte sie. »Ich habe mit dem General zusammengearbeitet.« Wenigstens war das jetzt gesagt, das Geheimnis, das sie in sich getragen hatte.

Nate wollte mit ihr nicht über MARBLE reden, da die Regeln der Separierung dies schwierig machten. Er hatte sich ausgemalt, was er zu ihr sagen würde, wenn sie sich trafen: dass er jeden Tag an sie gedacht habe, wie viel sie ihm bedeute. Aber es kam falsch heraus.

»Ich bin froh, dass du draußen bist«, sagte er. »Wir haben viel zu besprechen.« Er hörte seine törichten Sätze, die Worte eines Führungsoffiziers mittleren Ranges. Schon bald würde er das Agententreffen bewerten müssen, das mit ihr vorgesehen war.

Dominika sah, wie er sich quälte. Sein Halo pulsierte, als wäre er der Sklave seines Herzschlags. Während sie einander wortlos ansahen, verkrampfte Dominika, denn sie wusste, dass sie ihm in drei Sekunden um den Hals fallen würde, falls er sich nicht vorher bewegte.

Sie hörten ein leises Fingerschnipsen. Nate hob den Kopf. Benford winkte; er und Kortschnoi waren aufgestanden. Benford gab ihnen ein Zeichen und ging los. Mit einer Geste gab Nate sein Einverständnis und schloss sich dann den beiden Männern an, Dominika an seiner Seite.

———

Alle vier saßen im eleganten Wohnzimmer von Benfords Suite im Hotel Aldrovandi am anderen Ende des Parks. Gedämpfte Erdtöne, eine Vase mit Blumen, strahlend heller Marmorboden. Ein türkis schimmernder Swimmingpool unten im Garten hinter Zypressen. Die Brise, die durch die offene Balkontür hereinwehte, bewegte die weißen durchsichtigen Gardinen in sanften Spiralen. Eine Flasche Wein stand ungeöffnet in einem kupfernen Kühler auf der Anrichte.

Sie saßen in Sesseln um den Kaffeetisch herum, die Gardinen hoben und senkten sich. Benford hatte die ziemlich einzigartige Situation zwischen MARBLE und Dominika diskutiert, diskutierte sie immer noch. »Das ist unzumutbar. Die schlechteste Sicherheitslage, die man sich vorstellen kann. Wir müssen sofort Änderungen vornehmen.«

»Eine hervorragende Idee«, sagte MARBLE. »Benford, ich würde gern mit Ihnen über genau dieses Thema sprechen, unter vier Augen. Ich fürchte, es ist das Beste, zumindest vorerst, wenn Dominika nicht mit im Zimmer ist. Und obwohl ich es schätze, dass Nathaniel als Führungsoffizier für mich zuständig ist, wird es ihm bestimmt nichts ausmachen, stattdessen Dominika Gesellschaft zu leisten.« Nachdem die beiden das Zimmer verlassen hatten, drehte sich MARBLE zu Benford um, der sich eine Zigarette ansteckte.

»Sie ist jung und voller Leidenschaft, aber schlau«, sagte MARBLE. »Seit ich sie in meiner Abteilung habe, schaut sie mich an, wortlos, beurteilt mich. Ich habe ihre Entschlossenheit gesehen. Ich habe sie genötigt, ihre Rekrutierung in Helsinki selbst zuzugeben. Ich hatte es mir gedacht. Hätten Sie es mir irgendwann gesagt?«

Benford zuckte mit den Achseln.

»Und ich habe ihr von mir selbst erzählt, indirekt zwar, aber sie hat es sofort verstanden. Wir haben uns unterhalten. Über Risiken, Gefahren, Arbeit – darüber, die Hauptverwaltung *zu unterwandern*. Sie hört zu, zuckt nicht, zittert nicht. Ziemlich zufriedenstellend«, sagte MARBLE.

»Das ist sehr beruhigend«, sagte Benford trocken. »Ich glaube dennoch, dass sie es als weibliche Nachwuchskraft in Ihrer Hauptverwaltung nicht leicht haben wird. Es wird Jahre dauern, wenn überhaupt, bis sie in eine verantwortungsvolle Position aufsteigt.«

»Sie kennen das Spiel so gut wie ich, Benford«, sagte MARBLE. »Diejenigen, die klein anfangen und in ihre Rolle hineinwachsen, sind die Besten, die Geschütztesten. Sie ist ideal.«

»Und wird sie in der Lage sein, Sie zu verraten? *Kann sie das?*«

»Das wird sie, wenn sie nicht bemerkt, was sie tut. Es wird ihre Arbeit noch überzeugender machen, ihr Schock wird echt sein. Auf jeden Fall wird sie Anweisungen Folge leisten. Ich bin sicher, dass sie das tun wird.«

»Das ist absurd«, sagte Benford. »Wir brauchen Sie jetzt mehr denn je. Sich vorzustellen, dass wir Sie vor Ihrer Zeit verlieren …« Er drückte seine Zigarette in einem Kristallaschenbecher aus.

MARBLE schüttelte den Kopf. »Wir können die Zeit nicht abschätzen. Ich habe keine Möglichkeit herauszufinden, wie nah die schon an mich herangekommen sind. Wanja ist aktiv. Außer der *kanareika sapadnja* …«

»Übersetzung bitte«, sagte Benford.

»… der Kanarienvogelfalle, die er aufgestellt hat, und weiß Gott, was er und Sjuganow sonst noch ausbrüten.«

»Das Argument?«, fragte Benford.

»Das Argument lautet, dass ich viel oder wenig Zeit haben könnte. Es ist entscheidend, dass Dominika so schnell wie möglich vorbereitet wird. Wenn die mich fassen, bevor sie mich ausliefert, ist der Vorteil verloren.«

»Verzeihen Sie meine Ausdrucksweise, aber das ist ›Scheiße‹«, sagte Benford.

»Hören Sie auf, sich zu beschweren, mein Freund. Wir machen etwas in unserem Spiel, was noch nie zuvor versucht wurde. Wir handeln mit ungefähr einem oder zwei Jahren meiner Informationen im Tausch gegen einen neuen

Spion, den wir positionieren, mit dem Potenzial, zwanzig, dreißig Jahre an Ort und Stelle zu operieren. Das ist inspirierend.«

Benford schüttelte den Kopf. »Dafür haben Sie nicht die ganzen Jahre gearbeitet, mit all den Gefahren, den Risiken. Sie verdienen die Pensionierung, Belohnungen.«

»Meine Belohnung wird sein, die Dinge an Ort und Stelle zu belassen, diese Arbeit durch sie weiterzuführen. Für uns, Sie und mich, bleibt nur, den richtigen Augenblick auszuwählen«, sagte MARBLE.

»Diese Reise nach Rom ist vielleicht nicht der richtige Moment«, sagte Benford und zündete sich eine neue Zigarette an. »Wir wollen nicht allzu lange warten, aber ich würde gern lang genug warten, um festzustellen, ob mein kleiner Testballon womöglich etwas abgeworfen hat.«

»Wollen Sie mir davon erzählen?«, fragte MARBLE.

»Ich habe in einem Briefing verlauten lassen, dass der amerikanische Maulwurf an Gürtelrose erkrankt sei; Sie haben mir erzählt, dass Egorow das zu Nasarenko gesagt habe.«

»Der arme Nasarenko. Darf ich fragen, an wen Sie das Vogelfutter verfüttert haben?«, fragte MARBLE.

»An fünfzehn Ausschussmitglieder des SSCI, Beamte im Pentagon, ein paar Mitarbeiter im Weißen Haus«, sagte Benford. »Die Gruppe ist klein genug, um festzustellen, ob wir mit unserem Echolot Signale über die Kanarienvogelfalle empfangen.«

»*Wsego dobrogo*, mein Freund«, sagte MARBLE. »Viel Glück. Ich werde die Augen offen halten und Sie informieren, sollte der arme Nasarenko aus dem Fenster springen.«

»Das wäre sehr hilfreich«, sagte Benford, »und wenn Sie die Augen bezüglich irgendwelcher weiterer Hinweise offen halten könnten …«

»Ich habe da schon eine Idee, aber dazu später mehr«, sagte MARBLE.

———

Nate und Dominika saßen in seinem Zimmer und unterhielten sich leise miteinander. Er schien locker drauf zu sein, aber sie wusste es besser, sie nahm die Intensität seiner Aura wahr. Er wiederholte, dass er sich um sie gesorgt hatte, sie hatten alle auf irgendeine Nachricht gewartet und waren erleichtert gewesen, als General Kortschnoi meldete, dass sie in Sicherheit war. Er gab sich selbst die Schuld für das, was geschehen war, ihren Rückruf nach Moskau. Doch jetzt könnten sie die Beziehung neu beginnen, sie würden erneut zusammenarbeiten. Dominika fand, dass er sich wie ein Führungsoffizier anhörte, der einen Informanten betreute, was er ja auch tat. Er hatte sich *Sorgen* gemacht und war dann *erleichtert* gewesen. *Tschto sa diwo!* Wunderbar.

Nate hörte sich selbst weiterplappern. Er war sich der Männer im angrenzenden Raum bewusst, wusste, wie unangenehm die Situation war und dass er die Selbstbeherrschung bewahren musste. Er stockte und hörte auf zu reden, als er ihr Gesicht sah. Sie war elegant, umwerfend, selbstsicher. Er erinnerte sich an diesen Ausdruck, die Art, wie sie den Mund verzog. Sie wurde böse. Die unendlich langen Monate, die sie getrennt gewesen waren und in denen er nicht gewusst hatte, ob sie tot war. Und dann nervte er sie, in ihrer ersten gemeinsamen Stunde.

*Und jetzt?*, dachte sie. Sie waren voneinander getrennt gewesen, Erwartungen hatten sich aufgebaut, aber die Dinge liefen offensichtlich anders. Sie würden nicht zu jener aufregenden Zeit in Helsinki zurückkehren können, als sie mit geklauten Dokumenten unterm Pullover aus Wolontows *Re-*

*sidentura* geschlichen war. Die langen Nachmittage in dem von der Sonne durchfluteten Safehouse, das Kochen auf dem kleinen Herd, das war vorbei. Wie auch die Zeit in dem vom Mond erhellten Schlafzimmer.

Sie war eine dumme *fantaserka*, eine wirrköpfige Träumerin. Na gut, dann würde sie sich eben ganz geschäftlich aufführen und es ihm schwer machen. Schonungslos berichtete sie Nate von den Details über ihren Rückruf nach Moskau, über die Keller im Lefortowo, die endlosen Verhöre, die Schläge, die blauen Lippen, wie die Türen zu den Kammern am Ende des Flurs geknarrt hatten, wenn sie hineingestoßen wurde.

Aschfahl wurde er, als sie ihm sagte, dass sie sein Bild in Gedanken aufbewahrt habe und dass er ihr geholfen habe zu überleben, wenn sie ihn an ihrer Seite mitnahm, den Flur hinunter in den nächsten Raum. Nate reagierte nicht, aber sie las es in seinen Augen, der purpurne Schein hinter ihm wies auf starke Gefühle hin. Fassungslos stand er auf.

An einer Anrichte auf der anderen Seite des Zimmers goss er Wein ein; Dominika ging zu ihm hinüber. Mit zittrigen Händen füllte er die Gläser. Er wollte sie nicht anschauen. Denn wenn sie sich in diesem Augenblick berührten, dann wäre er verloren. Er drehte sich um und sah sie an. Er betrachtete ihr Haar, die Lippen, das fünfzig Faden tiefe Blau ihrer Augen. Seine Augen sagten ihr: *Nein, wir sollten das nicht tun*, aber seine Kehle schnürte sich zusammen, und da nahm er ihr Gesicht in seine Hände und küsste sie. Erinnerte sich, wie sie schmeckte.

Sie küssten einander wie verrückt, als würde gleich jemand kommen und sie wieder trennen. Im schwindenden Licht umklammerte Dominika seinen Hals und schob Nate rücklings nach draußen auf den kleinen Marmorbalkon. Tauben sausten zwischen den Spitzen der Zypressen hin und her, die sich dunkel vor dem Himmel abzeichneten. Alles war still, kein Lufthauch regte sich. Sie drückte ihn gegen das Balkongeländer, dann tasteten sie wortlos an seiner Gürtelschnalle herum und zogen ihr Kleid hoch, und Dominika stand auf ihren Zehenspitzen, ihn ansehend, wie eine Fünf-Minuten-Schlampe in einer Gasse nahe der Kopewskij Pereulok. Sie umfasste das schmiedeeiserne Metall, winkelte ein Bein an und legte es auf die Brüstung. Sie drückte ihren Mund auf seinen und stöhnte Nate in den Hals. Sie erschauerte, ließ das Geländer los und legte die Arme um seinen Hals, um sich festzuhalten. Das ganze Gewackel und Geruckel und Geschüttel auf dem Balkon scheuchte die Tauben in den Bäumen auf. Sie tauchten ab, drehten ab und flogen um die Spitzen der Zypressen.

Sich aneinander festzuhalten, das war schön, natürlich und logisch, und so wurde der Balkon zu Dominikas ganzer Welt, Nate deren einziger Inhalt, als er mit seinem Mund über ihre Lippen strich. Und als er die Arme fest um ihre Taille schlang, begannen ihre Beine zu zittern. Sie flüsterte ihm »*Duschenka*« ins Ohr, und da stoben die Tauben in den Nachthimmel.

Zwei Minuten lang rührten sie sich nicht, dann begann Dominika unter Nates Kuss unregelmäßig zu atmen, entzog sich seiner Umarmung und glättete ihren Rock. Er steckte den heraushängenden Teil seines Hemds zurück in die Hose. Sie gingen zurück ins Zimmer. Nate knipste eine Lampe an und reichte Dominika ein Glas Wein. Sie setzten sich nebeneinander, schauten geradeaus, keiner sprach. Dominikas Beine zitterten, sie konnte ihren Herzschlag fast bis in den Kopf fühlen. Es kam ihr vor, als wollte Nate etwas sagen, aber da betrat Benford das Zimmer und holte sie zum Essen ab.

═══

Sergej Matorin, der Vollstrecker des SWR aus der Abteilung F, saß an einem kleinen Tisch draußen vor Harry's Bar an der Via Veneto. Er hatte uneingeschränkte Sicht auf den Vordereingang von Egorowas Hotel unten in der Via di Porta Pinciana und wartete darauf, einen Blick auf sie, auf Kortschnoi, aber ganz besonders auf den jungen Amerikaner zu werfen. Sein Gehirn, sprunghaft wie ein Eichhörnchen, hatte das Bild des Amerikaners im Gedächtnis abgespeichert, bevor er Moskau verlassen hatte. *Es sollte sich längst etwas getan haben*, dachte er. Seine Brust fühlte sich schwer an, der Mund trocken.

Er spielte mit dem Gedanken, in Egorowas Hotelzimmer einzubrechen, im Dunkeln zu warten, in einer Ecke, eingehüllt in den eigenen Essig-Ammoniak-Körpergeruch, aber er hatte strikte Anweisungen von seinem Chef Sjuganow bekommen – absolut geheime. Keine unnötigen Aktionen, warte auf eine Möglichkeit, mach keine Fehler. Matorin hatte nichts dagegen, einfach dazusitzen und zu warten.

Er fasste ein paar junge Mädchen ins Auge, die eine Rolltreppe heraufkamen. Er gab sie auf zugunsten eines anderen Tagtraums – mit einer Gruppe afghanischer Frauen und Kinder, die während der paschtunischen Offensive hinter den Lehm- und Steinmauern eines Schafstalles auf dem Gipfel eines Hügels kauerten. Als die Granaten der Mörser in trägen Bögen heranschwebten und sie einschlossen, vermischten sich die Schreie der Frauen mit dem sanften Donnern der Explosionen, bis sie still waren. Das laute Hupen eines vorbeifahrenden Autos auf der Via Veneto riss ihn aus seinen Träumereien. Matorin bedauerte das.

Knoblauch in Olivenöl anbraten, bis er goldbraun ist, dann aus der Pfanne herausnehmen. Butter und einen Löffel geriebenen Bottarga-di-Muggine-Rogen hineinrühren, diesen aber nicht zu lange braten, da er sonst bitter wird. Die al dente gekochte Pasta zum Öl hinzugeben und darin wenden. Von der Flamme entfernen, ein weiteres Mal Butter und einen Löffel Bottarga hinzufügen. Mit frisch gehackter Petersilie abrunden.

# 33

*Resident* Anatoli Golow wäre alarmiert gewesen, hätte er gewusst, welche Rückschlüsse die Mitglieder des Orion-Teams auf seine Person gezogen hatten, und zwar allein dadurch, dass sie seine Straßenpraxis studierten. Hier zeige sich ein Meister, sagten sie, ein Intellektueller, ein Künstler. Er wandte nicht das schwerfällige Regelwerk des SWR für Straßeneinsätze an, auch nicht die strapaziösen, superschnellen Überwachungserkennungsrouten, das arrogante Auftreten, die offensiven Provokationen am Ende einer Fahrt. In Golows Stil spiegelten sich die vielen Jahre, die er als Führungsoffizier in Europa und Amerika verbracht hatte. Seine Routen streichelten quasi die Überwachungsteams, schlossen Frieden mit ihnen, und nur nach vielen Stunden sanfter Manipulation ließ er sie auffliegen. Aber die Orions hatten Muster entdeckt, Vorlieben, Faibles in Golows Routen. Er ahnte nicht, dass er einen vorhersagbaren Stil an den Tag legte, dass er seine Lieblingsmanöver kommunizierte. Eines davon war der *rjbolownji krjutschok*, ein sogenannter Angelhaken-Rückzieher, nachdem er über rund drei Viertel seiner Überwachungserkennungsroute eine völlig normale und harmlose Strecke abgelaufen hatte. Es war ein teuflisch effektives Manöver – er verschwand einfach.

Golows Angelhaken verwirrte die FBI-Beschatter, die ihm monatelang an der rechten Hinterbacke geklebt hatten. Das frustrierte Team war bereit, ihm bald den Hintern zu versohlen, indem sie sein Auto einklemmten und ihn dreimal um den Beltway kutschieren ließen, bevor er die Ausfahrt nehmen konnte. Die Orions, die ihn aus einiger Entfernung beobachteten, waren geduldiger. Ruhig studierten sie Golows Manöver, sie wollten es verstehen, es vermessen, um zu bestätigen, was sie allmählich alle begriffen. Nachdem er verschwunden war, war der Schenkel des Angelhakens Golows wahrer Kompasskurs, er führte zu seinem wahren Ziel – und zu seinem Kontaktmann: so gerade, wie die Deichsel des Großen Wagens zum Polarstern zeigt.

Golow wäre sicher gewesen, hätte er nur die normalen fünf Routen pro Jahr ausgeführt. Aber die russischen Spione in der Washingtoner *Residentura* wurden ausgehungert. Sie hatten Arbeit zu tun, Kontakte zu pflegen, Informanten zu treffen, Golow besonders. Er hatte die enorme Aufgabe, SWAN zu hätscheln, und um sich mit ihr zu treffen, musste er untertauchen. Das erforderte zwei bis drei Überwachungserkennungsrouten in der Woche. Ähnlich einer alternden Filmdiva, die alle Rollen annimmt, die sie bekommen kann, waren auch Golows Tricks allzu präsent.

Um einen großen Tisch in einem vorstädtischen Steak-Restaurant in Maryland genossen einige Mitglieder des Orion-Teams ein spezielles Essensangebot zu früher Stunde. An diesem Abend waren sie ein kleines Team, nur fünf, aber das machte keinen Unterschied. Sie waren alle alte Rockstars.

Orest Jaworskij hatte Styropor-Baumstümpfe, die mit Elektronik ausgestattet waren, in der »Lücke von Fulda« im Schnee in Stellung gebracht, um auf das mitternächtliche Rumpeln sowjetischer Panzer zu horchen. Mel Filippo hatte ihren erblindeten Agenten an der Hand aus Kronstadt hinausgeführt. Clio Bavisotto hatte Chopin für Tito gespielt, während ihr Mann im ersten Stock den Safe knackte. Johnny

Parment rekrutierte einen Vietcong-General in Hanoi direkt vor der Nase eines zwanzigköpfigen Überwachungsteams. Und am Ende des Tisches saß »der Philosoph«, der spitzbärtige Socrates Burbank, fast achtzig, dreimal verheiratet und dreimal geschieden, der Buddha, der die TrapDoor-Überwachung erfunden hatte und der von der Rückbank aus den Ton angab und das Team dirigierte.

Burbank hatte mit dem Feind Walzer getanzt; er hatte alles gemacht. Mit Anfang zwanzig hatte er einen Informanten und seine Familie an den wartenden Panzern am Märtyrerplatz vorbei aus Budapest herausgeholt. Er hatte Landebaken in die verlorenen Strände der Schweinebucht geschlagen. Er hatte in einem überhitzten Safehouse in Berlin einen sinnlos betrunkenen sowjetischen General beschwatzt, Informationen preiszugeben, und dabei immer den Kotzeimer zwischen die Knie des Russen gehalten. Nicht einmal Benford mischte sich ein, wenn Burbank die Orions dirigierte, Fettstifte in den Fingern, laminierte Straßenkarten auf den Knien, ein Toulouse-Lautrec, der ein Funkgerät hielt und sanft zu den Amöben sprach.

Schon nachmittags hatten sich an diesem Tag im Westen Gewitterwolken aufgetürmt. Der Abend endete in gewaltigen Unwettern mit Blitzschlägen, die den gesamten Großraum Washington zum Stillstand brachten. Äste übersäten die überfluteten Straßen, auf dem Beltway ging nichts mehr, beide Flughäfen stellten den Betrieb ein. Es war die schlimmste Nacht für eine Überwachungserkennungsroute, zugleich war es die beste Nacht dafür.

Golow nutzte den Verkehr, um sich abzuschirmen, als er von der Botschaft südlich durch Georgetown kroch, auf der Key Bridge über den Fluss fuhr und dann südlich entlang des Potomac. Immer mal wieder hielt er in Old Town Alexandria und Crystal City Underground an. In dem rauschenden Sturzregen war das Anhalten mehr als unangenehm – und so war Golow, als er sein planloses Einkaufen in Alexandria beendet hatte, völlig durchnässt. Genau wie das FBI-Team, das ihm schlecht gelaunt auf Schritt und Tritt folgte.

Trotz des Wetters versuchte Golow, Mount Vernon als sein endgültiges Ziel anzupreisen, was er durch eine sanfte und lineare Route in diese Richtung unterstützte. Abendkonzerte und Abendessen auf koloniale Art in dem Herrenhaus waren beliebt, und kein Überwachungsteam, das etwas taugte, würde sich nicht auf die Gegend stürzen, wenn ein Kaninchen sich auch nur andeutungsweise in diese Richtung bewegte. Das FBI tat genau das. Es schickte zwei Wagen voraus und blieb mit vier Wagen ein ganzes Stück hinter dem *Residenten*. Jetzt war die Zeit für Golows Magie gekommen. Seine Bewegungen würden durch den Verkehr verdeckt werden; das FBI lag zu weit zurück. Sein Angelhaken, das war ein scharfes Abbiegen auf die Rampe zur Wilson-Brücke über den Potomac nach Maryland und Oxon Hill, durch Forest Heights und Richtung Anacostia.

Eine kleine Rauchwolke – und dann war er verschwunden. Dreißig Minuten später funkte das FBI-Team mürrisch, dass sie das Kaninchen irgendwie auf dem GW Parkway Richtung Süden verloren hätten, dass Mount Vernon negativ sei, dass sie die Route zurückverfolgten, durch Alexandria rasten und nördlich in die Vorstädte von Virginia. Golows Angelhaken steckte fest in ihren Mündern und zog sie weiter und weiter weg.

Der Regen hatte aufgehört, und die Verkehrsstaus lösten sich auf, als Golow durch Südwest-Washington nach Norden abbog, sich dabei seitwärts bewegte, hin- und zurückfuhr, auf dem Gehweg parkte, um die Lage einzuschätzen. Jetzt muss-

te er nur noch die National Mall überqueren, um in die Stadt-
mitte zu gelangen. Er wollte seinen Wagen in einer Tiefgarage
im K-Street-Korridor parken und das Dutzend Häuserblocks
zum Tabard Inn laufen. Bisher hatte er noch keinerlei Anzeichen für eine Verfolgungsüberwachung gesehen, und außerdem sagte ihm langjährige Erfahrung, dass er untergetaucht
war, allein und frei.

Soc Burbanks Fettstift quietschte auf der Karte. Die Wen-
de hatte auf der Wilson Bridge stattgefunden – das war die
einzige Erklärung –, jetzt zeigte der Pfeil ins Stadtzentrum.
Er legte das FBI-Funkgerät weg; inzwischen waren über die
Frequenzen der Special Agents nur noch Beschimpfungen
zu hören. Mit quietschendem Stift zeichnete er einen festen
Sicherheitskordon entlang der Südseite der Mall, drei Wagen
auf der Seventh, Fourteenth und Seventeenth Street. Die
Tunnel an der Ninth und Twelfth Street ließ er unbewacht.
In der Dämmerung beobachtete Clio, wie Golows schwarzer
BMW die Fourteenth Street hinauf verschwand. Leise mel-
dete sie ihn, nur seine Richtung und Geschwindigkeit. Sie
reihte sich ein in den Verkehr und folgte Golow, wie es nur
eine Großmutter konnte, zärtlich und sehr besorgt.

Die zwei anderen Orion-Wagen näherten sich Golow
auf parallelen Bahnen entlang der Eighteenth Street und
Pennsylvania Street. Mel und Soc gaben ihre Aufsicht an
Johnny in der Nähe des McPherson Square ab, dort sah
dieser Golow in eine Tiefgarage fahren. Das Team machte
sich bereit, den Russen zu Fuß zu verfolgen, gerade das beherrschten sie hervorragend. Sie hatten die ABC-Formation
schon seit Jahren nicht mehr genutzt. Stattdessen schwirrten
sie um das Kaninchen herum, tauchten es in Schokolade.
Sie rückten nach vorn, gingen wieder zurück, kreuzten vor
ihm, liefen eine Schleife vor ihm. Wenn es geschah, dass

Golow in Richtung der Orions blickte, zuckte keiner von ihnen zusammen, keiner drehte sich zum Schaufenster um. Blicke aus Triefaugen trafen einen Augenblick lang Golows Blick, dann gingen die alten Leutchen, geistesabwesend und niedlich anzusehen, weiter: die blauen Haare unter absurd wirkenden Baskenmützen, flotte Fischermützen, Pakete, Handtaschen, Bibliothekarsbrillen auf der Nase, eine Pfeife im Mundwinkel. Golow, groß gewachsen und patrizisch und auf den Straßen von London oder Paris zu Hause, merkte rein gar nichts.

Denn sie waren zu gut, zu natürlich, zu konturlos. Zwischen den Passanten auf der Straße waren sie so gut wie unsichtbar, ganz besonders für einen hochrangigen Offizier des SWR, der, erschöpft vom Problemdruck und genervt von den schonungslosen Belastungen der praktischen Spionagearbeit, mit jedem Schritt, der ihn näher an das Tabard Inn führte, immer stärker an einem schweren Fall von Tunnelblick litt. Der Russe wurde von fünf Pensionären mit Altersflecken und morschen Knien vorgeführt.

Als Golow die N Street entlangging, schloss sich die Trap-Door. Diese war das Tabard Inn, die einzige Möglichkeit in der Gegend – das Hotel Topaz konnte man vergessen. Mel und Clio warteten bereits in der Lobby, hatten die Schuhe ausgezogen, rieben sich die Füße. Sie sahen, wie Golow einen Zimmerschlüssel ausgehändigt bekam und die enge Treppe hinauf entschwand.

Ihre Disziplin – und eine festgelegte Vorgehensweise – verpflichtete sie, eine halbe Stunde lang vor Ort zu bleiben und alle Aktivitäten und potenziell interessanten Menschen zu beobachten. Sie hatten keine Befugnis, Verdächtige festzunehmen. Ein noch längeres Herumlungern hätte die Zielperson alarmiert. Deswegen rief Soc Benford an, erstattete knapp Bericht und legte auf. Dann drückte er auf eine Taste seines Funkgeräts und scheuchte seine Leute weg.

Sie hatten kein Treffen beobachten können, sie hielten nichts in Händen. Sie hatten den SWR-*Residenten* ausgetrickst, aber es gab keinen Informanten, keinen Verdächtigen. Ihre Geduld und ihre Weitsicht halfen ihnen dabei, mit dem uneindeutigen Abend fertigzuwerden – ebenso wie die spätabendlichen Hotdogs aus dem Shake Shack auf der Eighteenth Street.

Johnnys Hintergrund, Operationen in China, kam in seiner Wahl von Sesam-Krautsalat und Chili zum Ausdruck. Orest war ein Purist und akzeptierte nur Senf und Krautsalat. Mel bevorzugte Zwiebeln und Ketchup, Clio aß als klassische Pianistin ihren Hotdog mit Salat, Tomaten, Bacon und Blauschimmelkäse. Socrates hatte sie vor Jahren alle derart schockiert, dass es unangenehm still wurde, als er die sogenannte »Kalorienbombe« erfand. Deren Zutaten gab es nur im Shake Shack: ein widerlicher Schmierkram aus Bratkartoffeln, karamellisierten Zwiebeln, Anchovis und feuriger argentinischer *Chimichurri*-Sauce. Gemeinsam hatten sie beschlossen, dass sie niemals mit Soc in ihren Wagen essen würden.

━━━

Benford telefonierte mit dem FBI. Er schrie und fluchte abwechselnd. Schließlich bettelte er sie an, ein Team zu schicken, um das Tabard Inn sofort abzuriegeln. Mehrere Anrufe wurden weitergeleitet, ein Schichtleiter wurde unterrichtet, Mitglieder eines Überwachungsteams wurden aktiviert. In den zwei Stunden, die die FBI-Leute brauchten, um das Hotel zu umstellen, war Stephanie Boucher eingetroffen, hatte sich mit Golow getroffen und war wieder abgefahren. Es wäre nicht schwierig gewesen, die Senatorin zu verfolgen, sicherlich nicht so schwierig, wie Anatoli Golow zu folgen. Es wäre auch nicht so schwierig gewesen, wie eine Gruppe japanischer Touristen zu verfolgen, die am Tidal Basin entlanggingen und rosa Regenschirme trugen.

Senatorin Bouchers Arroganz und ihr soziopathisches Verhalten gingen so weit, dass sie nicht einmal ansatzweise nach Überwachung Ausschau hielt, obwohl sie sich gerade im riskantesten Stadium ihres Verrats befand. Sie hatte in einer Ladezone auf der N Street geparkt – der einzige freie Parkplatz weit und breit – und verließ sich auf die Unantastbarkeit, die ihr das rot-weiße Nummernschild als Parlamentsmitglied verlieh. Als sie das Treffen mit Golow verlassen hatte, eine weitere Pathfinder-CD weniger im Gepäck, war sie sofort nach Hause gefahren. Das FBI hatte alles verpennt.

———

Am nächsten Tag überprüfte Benford den Orion-Überwachungsbericht, während er die FBI-Agenten im Raum anschrie. Nate saß schweigend in der hinteren Reihe vor der Wand.

»Mit Verlaub«, sagte Benford mit seiner schrillen Professorenstimme, was Nate als die erste der roten Schwalbenschwanz-Warnflaggen eines heraufziehenden Sturms erkannte. »Aber ich möchte Ihnen noch einmal die Tatsache ins Gedächtnis rufen, dass der Washingtoner SWR-*Resident* nach einer mehrstündigen Route untergetaucht ist, zweifellos, um den amerikanischen Spion zu treffen, der von der Hauptverwaltung des SWR als Chefsache eingestuft wird. Ihre Organisation braucht mehr als einhundertundzwanzig Minuten vom Zeitpunkt meines Anrufs bis zur Umstellung des Tabard Inn, welches rund 2,4 Kilometer vom J.-Edgar-Hoover-

Gebäude entfernt liegt. Trotz der Beweise für den Kontakt zwischen dem Russen und einem amerikanischen Verräter haben Ihre Leute weder das Gästebuch eingesehen noch mit den Hotelmitarbeitern gesprochen, und sie sind auch nicht die Treppe hinaufgerannt und haben Golows Zimmer durchsucht. Hätten Sie dieses Zimmer betreten und nach dem ranghöchsten SWR-Offizier in der nördlichen Hemisphäre gesucht, hätten Sie zweifelsohne – auf die eine oder andere Weise – Geheiminformationen wiedererlangen können, die *genau an diesem Abend* von Golows amerikanischer Kontaktperson beschafft worden waren.« Die Special Agents des FBI rutschten unruhig auf ihren Stühlen herum.

»Trotzdem hat das FBI nichts unternommen. In diesem wohl größten Spionagefall seit 2001 haben Sie den Verräter aus dem Hotelzimmer spazieren lassen, unidentifiziert und auf freiem Fuß.«

»Den Verdächtigen«, sagte Chaz Montgomery. Auf seinem Schlips war ein Bild von Gauguin abgedruckt, das ein sich räkelndes polynesisches Mädchen darstellte. Benford verspürte geradezu körperliche Schmerzen, wenn er es ansah.

»Wie bitte?«, fragte Benford mit lauter werdender Stimme. Nate fragte sich, ob der Austausch wohl damit endete, dass einer der Special Agents Benford erschoss, damit er zu reden aufhörte.

»Ich sagte ›den Verdächtigen‹«, sagte Montgomery. »Wer immer sich mit Golow trifft, ist ein *Verdächtiger.*«

Benford blickte sich im Zimmer um. »Chaz, würden Sie mir bitte den aktuellen Lehrplan des Grundkurses Ihrer Akademie schicken? Ich erwarte, dort bunte Bilder von Ponys und Blumen vorzufinden.«

»Verdammt, Benford«, sagte Montgomery. »Sie kennen die Regeln, und die Gesetzeslage dürfte Ihnen auch einigermaßen bekannt sein. Wir benötigen Beweise, unumstößliche Beweise, bevor wir jemanden verhaften dürfen.«

»Sie lassen Golow laufen?«, fragte Benford.

»Haben Sie schon einmal etwas von diplomatischer Immunität gehört? Wir wissen nicht einmal, ob es ein Treffen gegeben hat oder nicht oder ob überhaupt irgendetwas übergeben wurde. Er könnte dort gewesen sein, um Einladungen für einen Empfang zur Feier des Russlandtages in der Botschaft zu verteilen.«

»Das meinen Sie doch nicht ernst«, sagte Benford.

»Sie wissen genauso gut wie ich, dass wir erst einmal eine solide Beweislage aufbauen müssen, bevor wir etwas unternehmen können. Diese Ermittlungen brauchen ihre Zeit. Wir könnten den Durchbruch morgen schaffen, nächste Woche, nächstes Jahr.«

»Ihre Männer sind Tataren, Mongolen, Westgoten, Karthager«, sagte Benford und schüttelte den Kopf.

»Was hat das Ganze mit Krebs zu tun?«, fragte ein junger Special Agent, dessen Bizeps sichtbar unter dem gestärkten weißen Hemd hervortrat.

»*Karthago*, mein schlauer junger Freund, nicht *karzinogen*«, sagte Benford. »Ich würde den Namen Hannibal erwähnen, um Ihrer Erinnerung auf die Sprünge zu helfen, was Ihren Unterricht auf der Baumschule betrifft, aber ich fürchte, Sie würden sich nur an die Romanfigur erinnern.«

»Hannibal, der Kannibale«, sagte der Special Agent. »Super Film.«

»Proctor, halten Sie die Klappe«, sagte Montgomery und wandte sich an Benford. »Ich muss Ihnen das nicht erklären. Wenn wir unsere Hausaufgaben machen, winken der unbekannten Person ein Hochsicherheitsgefängnis und eine lebenslängliche Freiheitsstrafe, hundertpro. Wenn wir einen

Fehler begehen, geht er als Berater mit einer siebenstelligen Summe in Pension. Meinen Sie, Sie können die Füße noch ein wenig still halten?«

»Unter einer Bedingung«, sagte Benford und tat, als hätte ihn die harsche Art und Weise, in der man mit ihm gesprochen hatte, beleidigt. »Ich möchte einen CIA-Offizier vor Ort, wenn die Festnahme stattfindet. Es ist auch ein Fall für die Geheimdienste, nicht allein ein strafrechtlicher.«

»Ich kann Ihnen da nicht zustimmen«, sagte Montgomery. »Der Direktor wird Ihnen auch nicht zustimmen. Außerdem ist jeder, der in die Untersuchung oder die Überwachung involviert war, verpflichtet, vor Gericht zu erscheinen. Außer Sie haben jemanden im Hinterkopf, der seine Identität nicht schützen muss – möchten Sie die Deckung eines Führungsoffiziers dafür auffliegen lassen?«

»Wenn Sie diese Person fassen, wird die CIA wahrscheinlich einen wichtigen Spion verlieren«, sagte Benford. »Ich möchte einen unserer eigenen Männer vor Ort.«

»Ich glaube zwar immer noch nicht, dass der Direktor das genehmigt, aber ich werde fragen«, sagte Montgomery. »Was soll ich sagen, an wen denken Sie da?«

»An ihn«, sagte Benford und deutete auf Nate. »Er hat persönlich viel in diesen Fall investiert.« Nate, der an der Wand saß, wusste nicht genau, ob er sich geehrt fühlen sollte oder nicht. Seine Deckung war inzwischen so ziemlich aufgeflogen. Außerdem wollte er Benford keine Frage stellen, vor allem nicht vor einem Dutzend FBI-Beamter.

Der Special Agent mit dem dicken Bizeps sah über die Stuhllehne nach hinten zu Nate und versuchte zu verstehen, was mit »persönlich viel investiert« gemeint war.

»Proctor, wagen Sie es nicht, ein verdammtes Wort zu sagen, bevor Sie jemand etwas fragt«, sagte Montgomery.

## CHIMICHURRI-SAUCE

Einen Bund Petersilie, eine ganze Knoblauchzehe und eine mittelgroße Karotte sehr fein hacken, entweder mit einem Messer oder mit einer Küchenmaschine. Olivenöl, Weißweinessig, Salz, getrockneten Oregano und scharfen Pfeffer hinzugeben und das Ganze zu einer dicken Sauce verrühren. Schmeckt am besten frisch.

# 34

Wanja Egorow saß in seinem Büro und schaute aus dem Panoramafenster. Er befürchtete, alle Fakten der Operation, die um ihn herumschwirrten, könnten im nächsten Moment kollidieren. SWAN lieferte nach wie vor ausgezeichnete Arbeit ab, aber ihre fehlende Disziplin machte es sehr wahrscheinlich, dass sie früher oder später auffliegen würde. Egorow wagte gar nicht, sich vorzustellen, wie es wäre, SWAN zu verlieren.

Die Neuigkeiten von Kortschnoi, der soeben aus Italien zurückgekommen war, waren kaum zu gebrauchen. Es hatte einen Kontakt mit Nash gegeben, ihre Beziehung war erneuert worden, er hatte die Erklärung hingenommen, dass Dominika inzwischen im Kurierdienst tätig war. Sie hatten einen umfassenden Kontaktplan aufgestellt. Zu langsam, immer zu verdammt langsam.

Der Maulwurf war noch immer dort draußen, eine Gefahr für SWAN, für andere Informanten, für Egorow selbst. Er ordnete an, dass Kortschnoi Dominika auf eine weitere Reise vorbereiten sollte, vordergründig als Kurierin. Er brauchte Resultate. Dann klingelte sein Telefon. Das Cheftelefon.

»Unbefriedigend«, sagte der Präsident. »Ich vertraue darauf, dass Sie alles daransetzen, einen Folgekontakt herzustellen. Keine Verzögerungen.« Aufgrund seiner Zeit beim KGB wusste Präsident Putin, wie wichtig das Momentum für eine Operation sein konnte.

»Ja, Herr Präsident«, sagte Egorow, »eine zweite Reise des Offiziers ist schon geplant. Die Ergebnisse werden bald eintreffen.« Jetzt schmierte er dem Präsidenten Honig ums Maul.

»Sehr gut«, sagte Putin. »Wohin?«

Egorow schluckte. »Wir untersuchen noch, welcher Ort im Ausland am vorteilhaftesten wäre. Ich werde Sie darüber informieren, sobald ich entschieden habe.«

»Athen«, sagte Putin.

»Herr Präsident?«, sagte Egorow.

»Schicken Sie den Offizier – Ihre Nichte – nach Athen. Dort droht weniger Überwachung, und wir haben Leute in der Polizei.« Warum bestand er auf Athen?

»Ja, Herr Präsident«, sagte Egorow, aber Putin hatte schon aufgelegt.

———

Ein Stockwerk tiefer schaute Sjuganow in ein milchiges Auge und auf einen Schädel wie der eines Toten. »Bereite alles für Athen vor«, sagte der Zwerg und sah zu, wie der Mann aufstand und sein Büro verließ. Sjuganow fiel kurz ein, dass Dominika in Schwierigkeiten geraten könnte, wenn sie zwischen die Fronten dieses SpezNas-Verrückten und seiner Zielperson geriet, aber dagegen konnte man nichts machen.

———

Benford ließ die voneinander abgeschotteten Projekte der Spionageabwehr zu Fragen der Landesverteidigung durchforsten und große Mengen an Namen verarbeiten. Er wartete auf ein Echo von Wanjas Kanarienvogelfalle. Auf den Straßen Washingtons versuchten die Orions, Golow noch einmal hinters Licht zu führen. Aber Benford brauchte sofort etwas.

Sie hatten es in Rom besprochen, und MARBLE wusste,

was er zu tun hatte, trotz des Risikos. Benford hatte widerwillig zugestimmt. Kortschnoi ging hinunter ins Labor der Hauptverwaltung T im ersten Stock. Nasarenko saß hinter seinem Schreibtisch vor einer wüsten Mondlandschaft aus Papieren, Schachteln und Aktenordnern. Ein langer Tisch an der Wand war das reine Chaos und auf ähnliche Weise zugemüllt. Etwas ängstlich blickte Nasarenko zu Kortschnoi auf.

»Juri, entschuldigen Sie bitte die Unterbrechung«, sagte Kortschnoi, ging zum Schreibtisch und schüttelte Nasarenkos Hand. »Kann ich mit Ihnen sprechen?« Nasarenko sah aus wie ein Seemann, der plötzlich auf einer schmelzenden Eisscholle gefangen war und über den wachsenden Spalt zwischen seinem Schiff und dem Eis nachdachte.

»Worum geht's?«, fragte Nasarenko. Sein Gesicht war grau, die Haare – niemals übermäßig gekämmt – wirkten strohig und stumpf. Die Brille war ungeputzt.

»Ich benötige Ihren Rat in einer Kommunikationssache«, sagte MARBLE und erklärte ihm in den nächsten fünfzehn Minuten ein Reservekommunikationssystem für ein kanadisches Rekrutierungsziel. Nasarenko, aufgeregt und mit zuckenden Daumen, diskutierte abwesend mit.

Kortschnoi lehnte sich über Nasarenkos Schreibtisch, rückte ihm auf die Pelle. »Was ist denn los, alter Freund?«

»Nichts«, sagte Nasarenko. »Es ist nur die Arbeit, die sich anhäuft.«

»Wenn ich irgendetwas tun kann, um Ihnen zu helfen …«

»Es geht schon«, sagte Nasarenko. »Ist nur viel Arbeit. Ich werde überschwemmt von Daten. Ich brauche Übersetzer, Analytiker.« Beim Reden drehte er hektisch die Daumen. »Wissen Sie, wie viele Informationen auf einer einzelnen CD sind?« Er drehte seinen Bürostuhl zu einem Tresor mit vier Schubladen herum, entnahm eine Stahlbox mit Deckel und schüttete den Inhalt auf den Tisch. Ein Dutzend Plastiktüten, am oberen Ende zusammengetackert, fielen auf seine Schreibunterlage. In jeder Tüte befand sich eine CD in einer grauen Hülle. Er nahm mehrere CDs in seine zitternden Hände. »Diese Dinger hier können Gigabytes an Daten speichern. Die müssen alle untersucht werden.« Er warf eine Plastiktüte über seinen Schreibtisch, wo sie unter einen Stapel von graubraunen Aktenordnern rutschte.

Kortschnoi beugte sich vor, um die kleine Tüte in die Hand zu nehmen. Er blickte auf das Stück Plastik, als könnte er sich nicht vorstellen, dass so viele Informationen auf einen solch kleinen Gegenstand passten. An der Seite der CD sah er das Pathfinder-Firmenlogo und fragte: »Warum gibt man Ihnen nicht mehr Personal?«

Nasarenko legte den Kopf in die Hände. Kortschnoi hatte Mitleid mit dieser *pugalo*, dieser Vogelscheuche mit den strohigen Haaren und den flatternden Armen.

»Juri, keine Panik«, sagte er. »Sie haben so viele Jahre ausgezeichnete Arbeit geleistet, Sie verdienen es nicht, so behandelt zu werden.« Während Kortschnoi sich über den Schreibtisch beugte, um Nasarenko auf die Schultern zu klopfen, ließ er die Plastiktüte mit der CD in die Innentasche seiner Anzugjacke gleiten. Folgten die CDs aufeinander? Waren sie registriert? Würde Nasarenko merken, dass eine von zwei Dutzend fehlte? »Ich könnte ein, zwei Analytiker aus meiner Abteilung schicken, die Ihnen für eine Zeit lang helfen würden, wenn Sie möchten. Wir haben, weiß Gott, gerade alle Personalprobleme, aber Ihre Arbeit ist wesentlich. Könnten Sie sie gebrauchen?«

Nasarenko sah ihn niedergeschlagen an. »Ihre Analytiker könnten nicht an dem Geheimprojekt arbeiten, es ist unter Verschluss.«

»Vielleicht könnten sie an anderen Projekten arbeiten, damit Sie mehr Zeit haben. Juri, sagen Sie nicht Nein, das Ganze ist bereits abgemacht«, sagte Kortschnoi. »Ich schicke Ihnen heute Nachmittag zwei meiner Analytiker, aber, Juri« – Kortschnoi hob den Zeigefinger –, »denken Sie nicht einmal im Traum daran, sie mir abzuwerben.« Nasarenko lächelte gequält.

———

Die Depesche vom Washingtoner *Residenten* Golow, die über die Barium-Version »Gürtelrose« Bericht erstattete, lag auf Wanja Egorows Schreibtisch. Eine einzige Seite mit einem blauen, diagonal gezogenen Strich über dem Text, zerknittert, weil sie mehrmals mit geballter Faust gelesen worden war. Der Chef der Abteilung KR, Sjuganow, saß auf einem Stuhl vor Egorow, unglaublich erfreut. Egorow schüttelte den Kopf. »Unfassbar, dass Nasarenko der Maulwurf ist«, sagte er. »Er schafft es kaum, ein Gespräch in der Cafeteria zu führen. Können Sie ihn sich vorstellen, wie er nachts mit den Amerikanern redet?«

Sjuganow leckte sich die Lippen. »Gürtelrose. Golow würde dabei keinen Fehler machen. Sie haben seine Depesche gelesen, ein direktes Zitat von SWAN. ›Der Maulwurf leidet an Gürtelrose.‹ Die Version, die für Nasarenko erfunden wurde.«

»Er ist ein verwirrter Trottel«, sagte Egorow und wusste nicht, warum er den Mann gerade verteidigte. »Er könnte mit anderen darüber gesprochen haben, die Geschichte könnte von einer anderen Quelle stammen.« Sjuganow machte das nichts aus. Es war einzig und allein wichtig, dass er in Nasarenkos Gehirnwindungen kroch. Jetzt hatte er einen Auftrag zu erledigen.

»Ach, verdammt, das ist alles, was wir im Moment haben«, sagte Egorow. »Leiten Sie sofort eine Untersuchung ein. Zu jedem Aspekt.«

Sjuganow nickte, hüpfte von seinem Stuhl und wandte sich der Tür zu. Er versuchte, sich daran zu erinnern, wo er seine Rote-Armee-Tunika hingelegt hatte, die mit den seitlichen Knöpfen, die er so gern bei Verhören trug. Das grünlichbraune Material – steif durch braunes getrocknetes Blut – sah besser aus als ein Laborkittel, auch wenn die Ärmel ein wenig ausgefranst waren.

»Noch etwas«, sagte Egorow hinter ihm. »Suchen Sie bei ihm nach *metka*, nach Stoffen zum Aufspüren von Zielpersonen. Wenn er in den letzten zwei Jahren einen Amerikaner berührt hat, zeigt sich eventuell etwas.« Sjuganow nickte, aber er hatte seine eigene Meinung, was Spionenstaub betraf.

Er bevorzugte *povinnaja* – Geständnisse, herrliche, befreiende Geständnisse, sie boten die beste Möglichkeit, Schuldgefühle zu wecken. Sjuganow besaß das angeborene Talent, die Verdächtigen dazu zu bringen – nach den Schreien, den durchtrennten Sehnen und der ausgelaufenen Augenflüssigkeit –, alles zu gestehen, was sie gestehen sollten. Aber er konnte sich immer noch nicht erinnern, wo er seine Armee-Tunika hingelegt hatte.

———

Sie zitierten Nasarenko zur Abteilung für Gegenspionage mit der Begründung, es handele sich um eine Routinesicherheitsvorkehrung. Man musste aber nicht lange beim SWR gearbeitet haben, um zu wissen, dass diese Art Gespräch erheblichen Ärger mit sich brachte, und Nasarenko geriet in Panik. Nach dem erforderlichen, ergebnislosen Gespräch mit dem verwirrten und weinenden Wissenschaftler schickte Sjuganow ihn direkt in die Keller, in diesem Fall nach Butyrka im Zentrum von Moskau. Er schlüpfte voll Vorfreude in seine Tunika.

*Menschen sind schon komisch*, dachte Sjuganow und hantierte mit seinem leichtgewichtigen Schlagstock. *Sie reagieren alle unterschiedlich.* Bei Nasarenko waren es die Fußsohlen und der hohle Aluminiumschlagstock – er reagierte weitaus stärker als andere Verdächtige. Sjuganow schaffte es, eine Sitzung mit dem froschäugigen Wissenschaftler zu Ende zu bringen, bevor eine Durchsuchung seiner Forschungsstätte zeigte, dass eine der SWAN-CDs fehlte. Daraufhin wurde die *pitka*, die Folter, beendet, weil es hier um etwas Wichtiges ging.

Sjuganow autorisierte die Vergabe von Amobarbital, das Nasarenkos Gedächtnis so weit auf die Sprünge half, dass es ihm möglich war, sie durch seine jüngste Vergangenheit zu führen, wobei er auch auf Kollegen und Besucher zurückblickte, den kurzen Besuch General Kortschnois in Nasarenkos Labor eingeschlossen. Kortschnoi? Unmöglich. Durchsucht das Labor noch einmal. Es musste eine Erklärung geben. Wo war diese CD?

Kortschnoi hörte die Gerüchte, dass die Jagd nach dem Maulwurf intensiviert worden sei, dass es Ärger in der Hauptverwaltung T gebe, dass geheimes Material verschwunden sei. Er sprach mit alten Freunden in anderen Abteilungen und hörte sich an, was sich die ranghohen Offiziere auf der Toilette so erzählten. Nasarenko war seit Tagen nicht gesehen worden. Kortschnoi wusste, dass die Fahnder und Gegenspionageermittler ihn bald einkreisen würden. Er musste Benford dringend eine Nachricht schicken und die CD, die er von Nasarenkos Arbeitsplatz gestohlen hatte, sofort an die CIA weiterleiten – über den toten Briefkasten, heute Abend noch, wenn sie ihn denn aus dem Hauptquartier herausließen. Er überlegte, ob er es übertrieben hatte, ob Dominika noch genug Zeit hatte, eine weitere Reise anzutreten – nach Athen – und ihn zu verraten.

Kortschnoi verließ das Hauptquartier auf eigenen Beinen – nicht mehr lange, dachte er – und verfasste, sobald er zurück in seiner Wohnung war, eine Nachricht.

Seine Blitzübertragung dauerte den Bruchteil einer Sekunde. Zwanzig Minuten später las Benford folgende Nachricht: *Nasarenko sitzt in der Falle. Ich bestücke TB DRAKON.*

*Toter Briefkasten*, dachte Benford. *Der alte Fuchs muss etwas Wichtiges haben. Und Nasarenko steckt in Schwierigkeiten. Das heißt, bei einem der dreiundzwanzig Namen in Washington handelt es sich um SWAN.* Er griff zum Telefon und rief das FBI an.

———

Der Nachtregen bedeckte die Straße, und die Windstöße wehten ihn fast in die Waagerechte. Der Bahnsteig und die Treppen der Metro-Station Molodeschnaja lagen verlassen, nur wenige Autos fuhren, die Läden waren geschlossen. MARBLE klappte den Kragen seiner Regenjacke hoch, schob die Hände in die Hosentaschen und ging langsam zur Leninskaja Ulitsa. Er hatte drei verschiedene Züge genommen und einen langen Spaziergang am Fluss entlang gemacht, bevor er zufrieden war. Nichts regte sich um ihn herum. Er fühlte keine Präsenz, auch keine Blicke, die ihn durchbohrten, von Männern auf der Straße.

*Geh weiter, halt das Tempo*, er war fast angelangt, nachdem er durch den strömenden Regen gelaufen war. *Nachtkreatur, halt dich eng an der Mauer, lausch auf das Quietschen von Schuhen hinter dir. Folge der Leninskaja durch den dunklen*

*Wald, dann der scharfen Biegung der Straße zwischen den Bäumen, ein Licht der Schule 81 für Geburtshilfe leuchtet durchs Geäst. Schnell jetzt, weg vom Bürgersteig und rein in den tropfenden Wald.* MARBLE zitterte. *Halt den Mund, beweg dich nicht, schau dich um und horch, vor allem horch, ob du ein Getriebe knacken hörst, quietschende Bremsen, aufgehende Türen.* Nur der Wind rauschte in den Bäumen.

Höchste Zeit, anzufangen. Das schwarze Wasser gurgelte in einem Metalldüker unter der Straße; MARBLE kniete sich hin und nahm den Plastikbeutel aus der Manteltasche. Er riss die Rückseite des Klebebands ab, steckte den Arm in den Düker und drückte das mattgraue Paket fest gegen dessen innere Rundung. *Bis zehn zählen und festhalten, das Epoxid härten lassen und auf das Platschen lauschen, das nicht kommt. Geschafft.*

Er überprüfte sich selbst noch einmal, verteidigte vor sich die Wahl des Verstecks auf dem Weg aus dem Wald und dem ganzen Weg bis zur Stallgeruchhitze der Krilatskoje-Metro. Er hatte seine Kleidung auf den Küchenboden geworfen, jetzt zitterte die Tastatur in seinen Händen. Die Schrift war kaum zu lesen, auch nicht mit Lesebrille. *Zum Teufel noch mal, wieso bauen die so was nicht für Leute mit schlechten Augen? Weil keiner so lange lebt, deshalb.* Der versenkte Knopf fühlte sich heiß an, als er die Taube in den Weltraum aufsteigen ließ: *Habe TB DRAKON beladen.*

MARBLE lehnte sich im Polstersessel zurück und schloss die Augen. *Komm und leere DRAKON, hol die kleine schwarze CD zurück, und Gott beschütze den jungen, wendigen CIA-Offizier, der sich den Anzug schmutzig machen wird, oder die Frau von der Botschaft mit dem Pferdeschwanz, Hörgerät im Ohr, die auf Pausen in der Rauschunterdrückung lauscht, die von den Funkwagen stammen.*

Die Station schweißte die Box zweimal ein, schlug sie in einen Leinenbeutel ein, tackerte und band diesen zusammen, steckte ihn in eine dieser orangefarbenen Kuriertaschen mit abschließbarem Reißverschluss und flog die Tasche nach Hause, per Direktlieferung, denn die Tasche stammte von MARBLE. Und die Taube flog zurück mit dem Zweig im Schnabel. DRAKON GEFUNDEN. Und der Düker im Wald spuckte weiter sein schwarzes Wasser aus und behielt sein Geheimnis fast auf ewig für sich.

———

Benford saß an einem Konferenztisch im Keller des FBI-Hauptquartiers an der Pennsylvania Avenue in Washington. Der Tisch war zugemüllt mit den Resten des Mittagessens, das bei verschiedenen Restaurants bestellt worden war. Das hier war für sie ein Arbeitssessen, kein Festmahl für Führungspersonal. Benford hatte einen Thai-Chicken-Salat bestellt, der *larb gai* hieß, saftiges Hühnerfleisch mit Zwiebeln und Chili, Basilikum und Limetten, so stark gewürzt, dass ihm innerlich ganz warm davon wurde, während die anderen am Tisch ihre konventionelle, frugale Mahlzeit, zum Beispiel Sandwiches oder kalte Suppe, zu sich nahmen.

Der Tisch war zu gleichen Teilen zwischen Angehörigen des FBI und der CIA aufgeteilt, überwiegend höherrangige Beamte von der technischen Abteilung und der Spionageabwehr. Als der Kurier aus Moskau mit MARBLEs Beutel eintraf, ließ Benford – sogar Benford – das FBI die Forensik übernehmen, was das Paket betraf, um sicherzugehen, dass der Inhalt ordentlich analysiert wurde.

»Diese Lahmärsche vom FBI«, hatte Benford vorher zu Nathaniel gesagt, »haben mit mir darüber gesprochen, sie müssten im Falle von MARBLEs Paket die ›Beweiskette‹ erhalten.

Wenn er wirklich eine CD gefunden hat, die streng geheime Informationen enthält und von SWAN per Hand an die Russen weitergegeben wurde, dann müssen wir, wenn es nach unseren FBI-Kollegen geht, langsam darüber nachdenken, zulässige Beweise zu berücksichtigen und Urteile abzusichern und dergleichen.« Benford hatte ihnen entgegen seiner Art den Vortritt gelassen.

Benford betrachtete eine Beweisschale aus Metall in der Mitte des Tisches. Die CD – sie war inzwischen aus der äußeren Plastikverpackung des SWR und aus der inneren Pathfinder-Papierhülle ausgepackt – lag auf dem Boden der Schale, auf einem sterilen Handtuch, die Oberfläche leicht mit einem grauen Staub bedeckt. Die FBI-Labortechniker hatten das Standardverfahren angewandt und die Tests gestaffelt – ein Ninhydrin-Abstrich, um latente Abdrücke auf der CD zu finden, dann ein Spritzer Kalziumoxid für den Kontrast. Während sie um den Tisch herumsaßen, konnten alle die drei auffälligen Einzelabdrücke auf der matten Oberfläche erkennen. Was würden sie sehen? Die Fingerabdrücke einer russischen Laborratte oder die Schwünge und Furchen eines amerikanischen Maulwurfs?

Benford wusste, dass MARBLE die Plastikverpackung nicht geöffnet hatte, dass er zu gut und zu vorsichtig gewesen war, um die eigentliche CD anzufassen. Die FBI-Leute hatten Fotos und Abdrücke zum Labor gebracht, um eine bessere Qualität zu erhalten. Eine automatisierte Suche im Fingerabdruckarchiv des FBI hatte bereits begonnen.

Benford saß in seinem Wagen und fuhr den GW Parkway entlang zurück zum Hauptquartier, als sein Autotelefon klingelte. Es war der Vizechef des FBI-Labordienstes. »Vielleicht möchten Sie wenden und hierher zurückkommen«, sagte der FBI-Beamte zu Benford. »Sie werden, verdammt noch mal, nicht glauben, was für einen Treffer wir hier gerade eben gelandet haben.«

»Wehe, das ist nicht gut«, sagte Benford und hielt Ausschau nach der Ausfahrt Spout Run, damit er zurückfahren konnte.

»Oh, das ist auf jeden Fall gut«, sagte der FBI-Wissenschaftler.

### BENFORDS THAI-HÜHNCHENSALAT (LARB GAI)

Hühnerbrust mit einem großen Messer in kleine Stücke schneiden. Mit Limettensaft und Reiswein würzen und leicht anbraten, bis sie krümelig und weiß ist. Das Fleisch abkühlen lassen und Zitronengras, gewürfelten Knoblauch, gewürfelte Chilis, Zitronensaft, Fischsauce, Salz und Pfeffer hinzugeben. Alles gut verrühren. Geschnittenen Koriander, Basilikum, Minze und Frühlingszwiebeln hinzugeben. Alles gut vermengen. In Salatschiffchen mit Reis servieren.

# 35

Das DNA-Fingerabdruckgesetz von 2005 wurde im selben Jahr entworfen, eingebracht und im Justizausschuss des Senats der Vereinigten Staaten debattiert, aber aus vielerlei politischen Gründen, die nicht mit der nationalen Sicherheit zusammenhingen, wurde die Beschlussfassung mehrmals vertagt und schließlich ganz gestrichen. Der Gesetzesentwurf sah vor, ein nationales Fingerabdruck- und DNA-Archiv zu gründen, für Identitätsüberprüfungen, die Registrierung von Einwanderern und die Identifizierung von Regierungsangestellten in sensiblen Positionen. Das Führungsgremium im Senat hatte zu diesem Zeitpunkt der neuen Senatorin Stephanie Boucher nahegelegt, sich im Interesse beider Parteien einer aus Demokraten und Republikanern bestehenden Gruppe anzuschließen, die den Gesetzesentwurf unterstützte.

Obwohl sie persönlich ein nationales Archiv mit Identitätsdaten für ein obszönes Eindringen in die Privatsphäre hielt, kam sie zu dem Schluss, dass ihre öffentliche Unterstützung dieses Gesetzes ihre Qualifikation im Bereich nationale Sicherheit immens steigern und den vielen Hightech-Luft- und -Raumfahrtunternehmen im Bundesstaat gefallen würde. Sie nahm sogar an einer im Fernsehen übertragenen ziemlich doofen Werbekampagne teil. Die Abgeordneten erklärten sich damit einverstanden, dass ihre Fingerabdrücke und DNA-Proben vor Journalisten entnommen wurden. Senatorin Boucher lächelte in die Kameras, als ein Labortechniker das Innere ihrer Wange abtupfte, und animierte einen Mitarbeiter hinter der Kamera dazu, doch einmal darüber nachzudenken, wie viele einzelne DNA-Nukleotide in diesem Mund wohl gefunden werden könnten.

Dieses Zwei-Parteien-Theater vor fast einem Jahrzehnt – von ihr bereits lange vergessen und ihrem SWR-Führungsoffizier gänzlich unbekannt – hatte zur Folge, dass die Fingerabdrücke von Senatorin Boucher in der IAFIS-Datenbank des FBI gespeichert waren.

Als ein halber rechter Daumen- und ein verschmierter Zeige- und Mittelfingerabdruck von der streng geheimen Pathfinder-Satellite-Corporation-CD aus den Moskauer SWR-Laboren abgenommen werden konnten, dauerte es ungefähr zehn Minuten, bis das automatisierte System Bouchers Fingerabdrücke unter jenen der fünfundzwanzigtausend Zivilisten fand, die in der Datenbank gespeichert waren.

Benford und mehrere FBI-Gegenspionage-Chefs drängten sich in den darauffolgenden Tagen in Konferenzräumen beiderseits des Potomac, allerdings weniger, um die Priorität des Falls zu besprechen oder die genauen Punkte für umfassende strafrechtliche Ermittlungen gegen die Senatorin zu erörtern, sondern mehr, um festzulegen, wie man das Weiße Haus, den Nationalen Sicherheitsrat, die Polizei von Capitol Hill, den amerikanischen Senat, das Parlament Kaliforniens, den Stadtrat von Los Angeles und den kalifornischen Verband von Rosinenproduzenten davon abhalten konnte, Informationen an die Presse weiterzugeben.

»Das Letzte, was wir brauchen, ist, dass Boucher in Panik verfällt und zu den Russen überläuft«, sagte Charles »Chaz« Montgomery, der Leiter der Abteilung für Nationale Sicherheit.

»Nichts da«, sagte Benford und packte nach einer langen Sitzung zum Thema Überwachung seine Mappen zusammen. »Boucher auf Dauer nach Moskau zu schicken wäre besser, als eine Neutronenbombe auf dem Roten Platz detonieren zu lassen.«

Die CIA formulierte ihren strategischen Plan für die flächendeckende Überwachung der Straße, des Telefons, der Post und des Mülls. Boucher wusste es nicht, aber sie war zum flachshaarigen Milchmädchen geworden, das allein durch das graue Moor wandert, während das erste Geheul der Hunde aus dem Nebel ertönt. Es war schon zu spät, um wegzulaufen.

━━

Senatorin Bouchers Haus in Kalifornien war ein flaches, mit Schiefer gedecktes Gebäude mit fünf Zimmern auf einem Hügel an der Mandeville Canyon Road in Brentwood, auf der einen Seite mit Blick auf den Pazifik, auf der anderen leuchteten die Waffeleisen-Lichter von Los Angeles. Der schwarzgrundige Pool und die großzügige gefliste Veranda in der Mitte des U-förmigen Hauses flirrten im dunstigen Sonnenlicht. Die Glasschiebetüren des Schlafzimmerflügels standen offen, Musik drang nach draußen, schläfrig, melodisch, verführerisch, k.d. lang sang *Miss Chatelaine*.

Stephanie Boucher lag auf dem Laken eines riesigen Betts mit einem imposanten Kopfende aus Schwarzesche, das eine gewisse skandinavische Ernsthaftigkeit ausstrahlte. Der schwarze Balken stand im Kontrast zur beige- und cremefarbenen Schlafzimmereinrichtung. Die Senatorin war nackt, ein Haarband hielt die Haare straff nach hinten. Neben ihr lag ein Mann, der halb so alt war wie sie. Er war Mitte zwanzig und spielte auf einer der äußeren Positionen entweder für die Dodgers oder die Angels, Stephanie konnte sich nicht mehr erinnern, welches von den beiden Teams. Er schlief, nackt, ein ebenholzfarbenes Riesenbaby, glitzernd vor Morgenschweiß, die zuckenden Muskeln auf seinem Rücken glichen den Kieseln in einem Flussbett. Er lag auf dem Bauch, die Füße über den Knöcheln gekreuzt.

Stephanie bewegte sich langsam zum Fußende des Betts und bemühte sich, Mr Wie-war-doch-gleich-der-Name nicht zu wecken. Es ging ihr weniger darum, rücksichtsvoll zu sein, sondern mehr darum, ihn nicht wieder unnötig anzuregen. Die letzte Nacht hatte ihr gereicht, viele Stunden, einige davon recht schmerzhaft. Beine waren nicht dafür gemacht, sich so zu verbiegen, bestimmte Körperteile sollten nur in eine Richtung benutzt werden. Aber es war der einzige Weg, zu fliegen, dachte sie, als sie auf ihrer Seite aus dem Bett glitt, während ihr Rücken, Oberschenkel und Bauch kribbelten.

Sie schaute in den Badezimmerspiegel, kämmte ihr Haar – und sah das Gesicht ihrer Mutter in dem kleinen Schlafzimmer des kleinen Hauses in Hermosa, verquollen und schlaff, wie sie im Bett saß und eine Zigarette mit einem Mann teilte, manche alt und dick, manche jung und dünn, Tattoos, Schnurrbärte, Stoppelfrisuren und Pferdeschwänze. Dann schloss Stephanie immer die Tür, schaute auf die Wanduhr in der Küche und wünschte, dass ihr schüchterner und ängstlicher Vater früher von der Arbeit nach Hause kam. Nach der Beerdigung und der Verhandlung hatte sie in einen anderen Spiegel gesehen und sich gesagt, dass niemand ihr half, wenn sie es nicht selbst tat, weswegen sie ihren Vater an diesem letzten Nachmittag angerufen hatte, er solle sofort nach Hause kommen.

—

Senatorin Boucher legte sich auf einen gepolsterten Liegestuhl am Pool und stocherte in einem Krabbensalat, verfeinert mit Kreuzkümmel und Dill. Sie hatte sich eine weiße Baumwolljacke angezogen, um ihrer persönlichen Assistentin die Unannehmlichkeit zu ersparen, sie bei der Arbeit ohne Oberteil zu sehen. Diese aktuellste Angestellte, eine nervöse Nagelkauerin mit Kleidergröße 44 und dem Namen Missy, war ihre dritte persönliche Assistentin in drei Monaten. Die ausgeblichenen Knochen ehemaliger Mitarbeiter des Teams Boucher lagen überall zwischen Washington und Los Angeles herum. Missy las in einem Aktenordner und sah den Terminkalender der Senatorin für Kalifornien durch. Es waren zwei Reden in San Diego und in Sacramento geplant, ein Besuch bei Pathfinder Satellite in Los Angeles zu einem geheimen Briefing und ein Abendessen im Rahmen einer Spendenaktion in San Francisco. Am kommenden Dienstag musste sie wieder zurück in Washington sein, rechtzeitig zur Entscheidung über die Zuteilung zusätzlicher Fördermittel für das Pentagon. Boucher trug Missy außerdem auf, sie daran zu erinnern, eine komplette Übersicht über den Geheimetat der CIA anzufordern. Sie hatte vor, der CIA in den kommenden Monaten ein paar unangenehme Dinge in den Hintern zu schieben.

Dieses geistige Bild veranlasste Boucher, einen Blick über den Pool hinweg zu den offenen Schlafzimmertüren zu werfen. Ihr Baseballspieler schlief glücklicherweise noch. Sie würde ihrem Chauffeur sagen, ihn zum Stadion oder nach Malibu oder …

Sie nahm Bewegungen wahr. Und zwar ziemlich viel davon. Die Haushälterin führte vier Männer auf die Terrasse. Drei trugen Anzüge und weiße Hemden, dazu farblich gedeckte Krawatten, geschnürte Schuhe und Pilotenbrillen, einer trug einen Koffer. Der vierte Mann war Nate, dunkelhaarig und schlank. Er trug einen Blazer über einem Baumwollhemd, Jeans und Loafers. Boucher sah sie über die Terrasse laufen. Ihre Gedanken, wirr und überhitzt, signalisierten Gefahr. Wer auch immer diese Bürokraten waren, sie würde hier ein paar Leuten gehörig die Meinung sagen und so tun, als wäre sie sauer wegen dieser Unterbrechung. Aber sie gaben ihr nicht die Gelegenheit, überhaupt in Fahrt zu kommen.

»Senatorin Stephanie Boucher«, sagte der älteste der drei Anzugträger, »ich bin Sonderermittler Charles Montgomery von der Abteilung für Nationale Sicherheit des FBI.« Er öffnete ein schwarzes Portemonnaie und zeigte seinen Dienstausweis. Seine beiden Kollegen taten dasselbe, nur der junge Schnösel hinter ihnen machte keine Anstalten. »Sie sind verhaftet wegen des Verdachts der Spionage als Agentin einer ausländischen Macht, ein Verstoß gegen das USC-Gesetz 18, die Paragraphen 794(a) und 794(c) des Gesetzes zur Bekämpfung von Spionage von 1917.«

Boucher blinzelte ins Sonnenlicht, als sie zu den Männern hochsah. Sie hatte ihre Jacke absichtlich nicht zu fest um sich geschlungen. Sie hing locker an ihr herunter und erlaubte einen Blick auf die Rundung ihrer kleinen Brüste. »Wovon reden Sie da?«, fragte sie. »Spinnen Sie? Glauben Sie, Sie können einfach in mein Haus hereinplatzen, ohne einen Termin vereinbart zu haben?« Missy saß still am Tisch und blickte hin und her zwischen den Männern und ihrer Chefin.

»Senatorin, ich muss Sie bitten aufzustehen«, sagte der FBI-Sonderermittler. »Bitte gehen Sie ins Haus und ziehen Sie sich an.« Er belehrte sie über ihre Rechte und fasste sie vorsichtig am Arm, um ihr aus dem Liegestuhl zu helfen. »Nehmen Sie die Hände weg«, sagte Boucher. »Ich bin Senatorin. Ihr Jungs habt euch gerade zu weit aus dem Fenster gelehnt.«

Sie drehte sich zu der plumpen Missy um, die noch immer regungslos am Tisch saß. Missy spulte in ihrem Kopf gerade ab, wie der Tag begonnen hatte (mit einer halben Stunde voller Gestöhne und Geschrei aus dem Schlafzimmer) und wie er weiter verlaufen war (damit, dass das FBI ihre Chefin verhaftete). Sie überlegte, wie er wohl zu Ende gehen würde. »Missy, geh ans Telefon. Ich möchte, dass du sofort drei Telefonate tätigst«, sagte Boucher. Montgomery half der Senatorin höflich auf.

»Ruf jetzt gleich den verdammten Generalstaatsanwalt an. Mir ist egal, wo er gerade ist und was er macht, ich möchte ihn am Telefon haben. Zweitens ruf den Vorsitzenden des SSCI an, genau dasselbe, ich möchte ihn in fünf Minuten an der Strippe haben. Dann ruf meinen Anwalt an und sag ihm, er soll sofort herkommen.« Boucher drehte sich zu den FBI-Männern um, die im Halbkreis um sie herumstanden.

»Euer Chef wird euch auf einen Bratspieß stecken, und mein Anwalt wird euch über dem offenen Feuer rösten.« Missy sammelte rasch die Papiere zusammen, aber einer der FBI-Agenten sagte: »Es tut mir leid, Miss, aber ich muss diese Unterlagen an mich nehmen.« Missy blickte einmal zu den FBI-Agenten und dann zu ihrer Chefin und ging dann schnell ins Haus.

Die FBI-Agenten führten Boucher über die Terrasse in den Hauptflügel des Hauses. Im Wohnzimmer entzog sich Boucher barsch der Hand auf ihrem Arm.

»Ich habe euch Schwachköpfen doch gesagt, dass ihr mich nicht anfassen sollt«, sagte sie. »Das hier ist ungeheuerlich, Sie haben kein Recht, mich anzuklagen. Wo sind Ihre Indizien, wo die Beweise?« Sie ging steifbeinig zur Couch hinüber und setzte sich. In ihrer unantastbaren Selbstzufriedenheit und Überheblichkeit war ein Haarriss entstanden. Sie wollte unbedingt Zeit gewinnen, ihrem Anwalt die Möglichkeit geben, herzukommen. Golow hatte ständig darüber gejammert, ihre und seine Sicherheit seien gefährdet – vielleicht hätte sie besser aufpassen sollen. Trotzdem, das FBI wusste gar nichts. Golow war ein Profi, die könnten ihr niemals auch nur irgendwas nachweisen. Sie selbst dachte nicht mal im Traum daran, dass sie, Boucher, es gewesen sein könnte, die alles gefährdet hatte. »Ich warte auf meinen Anwalt«, sagte sie und verschränkte die Arme vor der Brust.

»Senatorin, wir haben uns ordnungsgemäß als Regierungsbeamte ausgewiesen. Wir haben Ihnen Ihre Rechte vorgelesen. Verstehen Sie diese Rechte?« Boucher starrte ihn an und weigerte sich zu antworten. »Wenn Sie diese Rechtsmittelbelehrung nicht verstanden haben, dann wiederhole ich sie. Wenn Sie uns zeigen, dass Sie Ihre Rechte verstanden haben und Sie sich an sie erinnern, möchten Sie dann jetzt mit uns sprechen?«

Boucher begriff, dass alles, womit sie jetzt Zeit und Aufschub schinden konnte, in ihrem Interesse lag. Die Anrufe in Washington und bei ihrem Anwalt würden ziemlich schnell zu einem Durcheinander von Aktivitäten führen, das sich durchaus über Monate oder Jahre hinweg erstrecken konnte. Wenn die sie nicht in flagranti erwischten, sagte sich Boucher, dann konnten die ihr verdammt noch mal gar nichts beweisen. Beschuldigungen, falsche Schlussfolgerungen, Assoziationen ohne Substanz. Sie kannte diese Art von Grabenkrieg. Sie konnte sich mit den Besten von ihnen messen. Sie sah zu den FBI-Agenten hoch und sagte: »Ich beantworte keine Ihrer Fragen.«

Sonderermittler Montgomery schnippte mit den Fingern und griff nach dem Koffer. Er nahm eine Mappe heraus und legte sie vor Boucher auf den Kaffeetisch. Sie öffnete die

Mappe und erblickte die zeitliche Aufstellung geheimer Briefings, an denen sie in der Pathfinder Satellite Corporation teilgenommen hatte, sowie Auszüge persönlicher Bankkonten, die ein Dutzend unerklärliche Geldtransfers von unbekannten Quellen zeigten, jede für genau 9500 Dollar, was sich auf eine Gesamtsumme von über hunderttausend Dollar belief.

Sie erinnerte sich, Zahlungen angefordert zu haben, und daran, dass Golow versucht hatte, sie davon abzubringen. Ihre politischen Instinkte sagten ihr, dass dies immer noch nebensächlich sei, ein guter Anwalt könnte Zweifel säen, alles vernebeln und den Ball am Rollen halten. Boucher blickte trotzig zu Montgomery hoch. »Das ist bloß ein Haufen Papier, das heißt gar nichts.«

»Senatorin, würden Sie bitte einmal einen Blick auf das letzte Dokument in der Akte werfen?« Boucher blätterte über die vorletzte Seite zum Ende der Akte, zum gestochen scharfen Schwarz-Weiß-Foto einer CD mit dem Pathfinder-Firmenemblem darauf, weiß und mit Puder beschmiert. »Wir haben diese CD mit Ihren Fingerabdrücken aus Moskau erhalten«, sagte Montgomery. Boucher schwieg. Im Wohnzimmer wurde es still, leise Musik drang aus dem Schlafzimmerflügel, Yannis *Out of Silence*-Album mit John Tesh am Keyboard, Missys Lieblingsalbum. Montgomery räusperte sich und schob Boucher ein Dokument über den Tisch zu. Es hatte ein FBI-Emblem eingeprägt.

»Was ist das?«

»Wenn Sie die Rechte, wie ich sie Ihnen erklärt habe, verstanden haben, dann ist dies ein Schuldeingeständnis wegen der Anklage der Spionage. Werden Sie es unterschreiben?«

»Glauben Sie wirklich, ich werde ein Geständnis unterschreiben?« Boucher entging, dass ihre Baumwolljacke offen stand. Die FBI-Agenten bemühten sich, den Blick abzuwenden.

»Sie werden in keiner Weise gezwungen oder genötigt, das Dokument zu unterschreiben. Ich gebe Ihnen nur die Möglichkeit dazu«, sagte Montgomery.

Ungeachtet ihrer vielen Fehler litt sie nicht an Unschlüssigkeit. Sie glaubte an sich selbst und hatte immer gemeint, dass sie es verdiente – nein, dass man es ihr schuldig war –, diesen Erfolg, die Karriere, ihren Reichtum und diesen Lebensstil.

Stephanie Boucher würde niemals zurückweichen, vor nichts und niemandem. Das hieß, dass sie nicht zulassen würde, dass diese Krümelmonster sie festnahmen, das hieß, die Macht und den Respekt einer ins Amt gewählten Frau nicht zu verlieren. Es bedeutete, dass sie nicht für immer ins Gefängnis gehen würde. Das würde sie nicht zulassen. Sie blickte in die Gesichter.

»Gut, ich unterschreibe«, sagte sie abrupt. Die Beamten sahen einander an. Einer trat vor und zog einen Kugelschreiber aus der Tasche. Einen weißen Plastikstift mit der Aufschrift »US-Regierung« an der Seite. Boucher schaute den Stift an und wedelte ihn weg. »Missy, hol mir mal meinen Kuli vom Schreibtisch«, sagte sie. Missy hatte hektisch telefoniert und ging nun mit Bouchers Montblanc Etoile zum Sofa hinüber. Boucher schraubte die Kappe ab, beugte sich über das Papier und kritzelte etwas über die Linie am unteren Ende des Dokumentes. »Passt das so für Sie?«, fragte sie. Montgomery nahm das Dokument, warf einen Blick darauf und lächelte.

»Ich bin mir nicht sicher, ob ›Leck mich am Arsch‹ vor Gericht gilt. Aber wenn Sie es so wollen«, sagte er leise.

»Wer zum Teufel ist dieser Kerl?«, sagte sie und deutete auf Nate. Verlegene Stille, in der sich alle Köpfe zu Nate drehten.

Während die Beamten, die um das Sofa standen, abgelenkt

waren, setzte Boucher die Kappe zurück auf den Stift, griff die Perle am Ende des Taschenclips, zog die kupferfarbene Nadel heraus und rammte sie sich in eine Vene ihres rechten Arms. Nate war der Einzige, der mitbekam, was sie getan hatte. Er sprang in Richtung des Sofas und schlug ihr den Stift aus der Hand. Keiner der in Bouchers Wohnzimmer Anwesenden hatte jemals vom Schrecklichen Pfeilgiftfrosch gehört, noch wussten sie, dass der rund fünf Zentimeter lange knallgelbe Blattsteiger nur im Regenwald an der Pazifikküste von Kolumbien vorkam. Ein FBI-Toxikologe mit Forschungsmaterial zur Hand hätte ihnen sagen können, dass das Batrachotoxin, das von der Haut der Amphibie abgesondert wird, für Menschen tödlich ist – ein Nervengift, das die Muskulatur gewaltsam zu Kontraktionen zwingt und eine Lähmung der Atemmuskulatur und einen Herzstillstand bewirkt.

Es waren die KGB-Chemiker aus Labor 12, der *Kamera*, die 1970 erstmals Batrachotoxin sammelten, nachdem sie herausgefunden hatten, dass es kein Gegenmittel gegen das Gift gab und dass sich seine Toxizität, zum Beispiel auf der Spitze einer präparierten Nadel, durch Trocknen oder über einen längeren Zeitraum nicht abbaute.

Die zu beobachtenden Auswirkungen des Nadelstichs auf Stephanie Boucher waren weniger wissenschaftlicher, sondern eher spektakulärer Natur. Ihr Leib verkrampfte sich enorm, die Beine streckten sich plötzlich, sämtliche Gliedmaßen begannen, unkontrollierbar zu zittern.

Boucher stürzte aufs Sofa, ihr Kopf fiel nach hinten, ihre Halssehnen traten hervor, die Augen verdrehten sich in ihren Höhlen. Nate warf sich auf Boucher, hielt sie an ihren zuckenden Armen fest. Ihre Hände formten steife Klauen, Speichel trat aus den Mundwinkeln. Kein Ton entrang sich dem gelähmten Kehlkopf, während sie den Rücken spiralförmig verdrehte. Nate umfasste ihr Kinn und machte Anstalten, sie wiederzubeleben. »Lass mal, Alter«, sagte Proctor, der junge Special Agent, als er den Schaum sah, der sich um Bouchers Lippen gebildet hatte. Die Männer im Raum blickten auf sie hinab. Sie schlug noch zweimal um sich, dann blieb sie reglos liegen. Ihre Jacke war verrutscht, die Brüste waren sichtbar. Nate beugte sich über sie und bedeckte sie. »Meine Fresse«, sagte Proctor. »Glaubt ihr, das war ein Stift von der US-Regierung?« In der hinteren Ecke des Zimmers wimmerte Missy. Jetzt wusste sie, wie dieser verrückte Tag endete.

## KRABBENSALAT

Die Krabben vorsichtig kochen, bis sie bissfest sind. Frühlingszwiebeln, Sellerie und Kalamata-Oliven fein würfeln, Feta in Würfel schneiden und mit Mayonnaise, Olivenöl, Kreuzkümmel, frischem Dill und Zitronensaft vermengen. Die gekochten Krabben hinzufügen, umrühren und kalt stellen.

# 36

Wanja Egorow saß hinter dem Schreibtisch in seinem abgedunkelten Büro. Die Jalousien waren heruntergelassen und verdeckten die Panoramafenster. Seine Zigarette glühte im Aschenbecher vor sich hin.

Er blickte auf das tonlose Bild eines Flachbildfernsehers, der auf einer Anrichte neben seinem Schreibtisch stand – ein Bericht in einem amerikanischen Nachrichtensender. Ein Reporter aus Los Angeles, blond und mit schmalen Lippen, stand vor einem mit Efeu bewachsenen Tor auf einer von Bäumen gesäumten Straße. Hinter ihm war das Gesicht von Senatorin Stephanie Boucher eingeblendet, ein Archivfoto, das mehrere Jahre alt war. Auf dem laufenden Nachrichtenticker unten auf dem Bildschirm war zu lesen: »Kalifornische Abgeordnete verstirbt im Alter von fünfundvierzig Jahren mutmaßlich nach Herzinfarkt.«

SWAN. Die wichtigste Spionin für den russischen Geheimdienst seit fünf Jahrzehnten. Tot. Herzinfarkt. Schwachsinn. Höchstwahrscheinlich hatte sie den Selbstmordstift verwendet, den Egorow auf Golows Anfrage hin selbst autorisiert hatte. Was für ein Albtraum. Wer konnte schon ahnen, dass die Amerikaner sie derart schnell als Maulwurf enttarnten? Und wer hätte voraussagen können, nach Beendigung des Kalten Kriegs mit all der Agentenprominenz und den Politikerspionen, dass sich ein derart drastisches, derart brutales – derart sowjetisches – Ende der SWAN-Mission abspielen würde? Egorow war sich im Klaren darüber, dass sich ihm nur ein kleines Zeitfenster bot, um sich zu retten. Der von der CIA geführte Maulwurf war verantwortlich für seinen kostspieligen Verlust. Wenn Egorow ihn enttarnen könnte, würde er den eigenen Posten halten können.

Aktuell gab es nur zwei Optionen, denen man nachgehen konnte: den technischen Leiter, Nasarenko, der in die Kanarienvogelfalle involviert war, und den CIA-Führungsoffizier des Verräters, Nash.

Egorow zielte mit einer Fernbedienung auf den Fernseher, um umzuschalten. Ein gestochen scharfes Bild von Nasarenko tauchte auf dem Bildschirm auf. Jede Sekunde der vielen Stunden seiner Sicherheitsbefragungen war gefilmt worden, und Egorow kam zum selben Schluss wie Sjuganow, nämlich dass der nervöse Techniker nicht in der Lage war, als interner CIA-Spion zu fungieren. Die Bilder zeigten die Schläge, die drogeninduzierte Hysterie, Sjuganow, wie er sich über den Verdächtigen beugte und irgendeine Art von Militärjacke trug. *Bloß nicht fragen*, dachte Wanja.

Der relevante Teil der Aufnahmen war markiert worden. Egorow spulte bis zu dieser Stelle vor. Wie betäubt gestand Nasarenko, dass er über den gewaltigen Arbeitsrückstand mit dem Chef der Amerika-Abteilung, General Kortschnoi, gesprochen habe. Kortschnoi hatte angeboten, ihm zwei Analytiker zu schicken, um ihm ein wenig Arbeit abzunehmen. Nasarenko hatte Kortschnoi während des Gesprächs eine der CDs gezeigt. Nein, er hatte die CDs danach nicht inventarisiert. Trotzdem fehlte nach Aussage der Untersuchungsbeamten eine der CDs, war unauffindbar. Nein, es war lächerlich zu glauben, dass Kortschnoi eine der CDs gestohlen haben sollte. Unmöglich.

*Unmöglich?*, dachte Egorow.

Er kannte Wolodja Kortschnoi nun seit fast fünfundzwanzig Jahren, seit der Zeit auf der Akademie. Kortschnoi hatte sich als Stabsoffizier der Superlative erwiesen. Erfahren, mutig, schlau, die Sorte Mann, die theoretisch als geheimer CIA-Spion bestehen könnte und imstande wäre, alle Gefahren zu überleben. Seine Einsätze im Ausland hätten ihm viele Möglichkeiten gegeben, mit den Amerikanern in Kontakt zu kommen. *Unmöglich*, dachte er. Nasarenko würde über Monate weiterplappern, es würde weitere Namen, mehr Erklärungen, weitere zeitliche Verzögerungen geben. Egorow wollte seine Ideen hinsichtlich Kortschnoi mit Sjuganow besprechen, aber jetzt war nicht die Zeit dafür. Der Amerikaner Nash war der Schlüssel. Seine Nichte befand sich bereits auf dem Weg nach Griechenland. Mal sehen, wie sich alles entwickelte.

——

Dominika staunte über das grelle Licht in Athen. Die Sonne in Rom war golden, sanfter gewesen. Das ägäische Licht erdrückte einen fast. Die Gebäude spiegelten es, der flirrende schwarze Straßenbelag speicherte es. Der Verkehr in der Innenstadt – Taxis, Lieferwagen und Motorroller – ergoss sich gleich einer flüssigen Masse auf die Vasilissis Sofias, um sich dann am Syntagma-Platz und um die Regierungsgebäude herum zu teilen und um schließlich in kleineren Straßen in Richtung der Plaka abzuebben. Dominika verließ ihr Hotel, ging durch das Brausen auf der Ermou-Straße leicht bergab, an Läden mit zweistöckigen Schaufenstern vorbei, in denen Beleuchtungskörper, Sporttaschen und Felljacken auslagen. Schaufensterpuppen mit weißen Fuchsstolen starrten sie an, sandten Signale mit ihren schrägstehenden Köpfen und mehrgliedrigen Handgelenken aus. *Sei auf der Hut*, sagten sie.

Dominika prägte sich die Straße ein, überquerte sie auf Höhe eines Häuserblocks, betrat Einfahrten und blickte in die Spiegel der Sonnenbrillenläden und anderer Geschäfte, um Auffälligkeiten auf der Straße zu registrieren.

Klein, dunkel, ärmellos, Schnurrbart, staubige Plastiksandalen, flackernde, dunkle Augen. Sie roch geröstete, aufgeplatzte Esskastanien, hörte den näselnden Ton des rollenden Leierkastens an der Ecke. *Schau dich nach dem ausländischen Gesicht um, den blauen Augen, den slawischen Wangenknochen. Sieh dich nach dem braunen Flor um, dem Gelb, dem Grün, den Hinweisen auf Gefahr, Verrat oder Stress.*

Dominika trug ein blaues Baumwollkleid mit einem quadratischen Ausschnitt und schwarze Sandaletten. In der Hand hielt sie eine schwarze Clutch und eine runde Sonnenbrille mit schwarzem Gestell. Eine billige Armbanduhr mit schwarzem Ziffernblatt und schlichtem Armband am linken Handgelenk. Sie trug die Haare hochgesteckt, das war kühler in der Vormittagshitze, eine blauäugige Russin, die Gegenspionage betrieb, bevor sie sich mit einem Mitglied der Gegenseite traf.

Dominika bog von der Ermou in eine Nebenstraße ein, passierte die Schaufenster kleiner Läden, in denen klerikale Roben, goldene Priestergewänder, Stolen und Bischofsmützen auslagen. Silberne Brustkreuze hingen an schweren Ketten und drehten sich langsam in den Schaufenstern. Sie war allein in diesen Seitenstraßen, allein nach einer, zwei, drei Abbiegungen. Vor ihr lag die kleine byzantinische Kapelle von Kapnikarea, versunken in der Mitte der Ermou-Straße: großformatige Backsteine, Fensterschlitze und ein schräges Ziegeldach. Dominika überquerte die Straße, stieg fünf Stufen hinunter – das Straßenniveau des Jahres 1050 – und betrat die Kapelle.

Das dunkle Innere der Kirche war winzig. Die Fresken und Ikonen in den Deckenbögen hatten Risse und waren voller Wasserflecken, die spinnenartigen byzantinischen Buchstaben von einem ausgeblichenen Rot, verblasst wie durch eine Ewigkeit von Kerzenrauch und Weihrauch. In der Nähe der Tür stand ein Tisch mit einer Schale mit Sand darauf, in dem lange orangefarbene Kerzen steckten, einige davon gegeneinandergelehnt. Dominika nahm eine Kerze aus einem Stapel in der Nähe und zündete sie mit der Flamme einer bereits brennenden Kerze in der Sandschale an.

Bevor sie das Ende der Kerze in den Sand stecken konnte, erschien eine Hand und hielt einen Docht an die Flamme ihrer Kerze. Dominika drehte sich um und erkannte Nate, er stand dicht hinter ihr. Er hatte einen ironischen Ausdruck im Gesicht, und der purpurne Schein um ihn herum ließ ihn wie einen der byzantinischen Heiligen auf den abblätternden Fresken wirken. Er legte den Finger auf die Lippen, deutete mit dem Kopf zur Seite und schlüpfte aus der Tür. Einen Moment lang wartete Dominika, dann steckte sie ihre Kerze in den Sand, drehte sich um und trat hinaus ins helle Sonnenlicht und in den städtischen Lärm.

Nate stand auf der anderen Straßenseite; Dominika ging zu ihm hinüber. Er verhielt sich sehr korrekt, sachlich – der Führungsoffizier, der seinen Informanten trifft. Dominika erinnerte sich an die intime Nähe in Rom und, vor noch längerer Zeit, in Helsinki. Sie waren ein Liebespaar gewesen, wenn man einmal vom Spionieren absah; es war etwas Lebendiges, Gefährliches, Wahres gewesen.

Für Nate war die Erinnerung an ihr Zusammensein komplizierter. Er hatte mit seiner Informantin geschlafen, er riskierte seine Laufbahn, ihre Sicherheit, es war ein ungeheurer Fehltritt. Er war von Forsyth und Gable gewarnt worden,

Männern, die er respektierte, und trotzdem hatte er in Rom noch einmal mit ihr geschlafen, nicht in der Lage aufzuhören, und mit dem geradezu übersinnlich begabten Benford im angrenzenden Zimmer. Er war innerlich ein wenig gestorben, als Dominika nach Moskau zurückgerufen wurde, und fühlte sich verantwortlich für das, was sie hatte durchmachen müssen. Jetzt hatten sie eine Mission zu erfüllen, und da waren Tröpfchen auf ihrer Oberlippe, und er wollte die Hand ausstrecken und sie berühren.

Dominika wusste es ebenfalls. Die für eine Synästhetikerin typische Wahrnehmung half ihr dabei. Sie stand ein wenig entfernt, bot ihm nicht ihre Hand an, beobachtete seine Augen, das Purpur in der Luft um seinen Kopf. Sie wusste, dass er sie als seine Informantin wollte, seine Quelle, seine Agentin, aber sie beide waren mehr als das. Er würde sich nicht vom Fleck rühren, deshalb war sie fest entschlossen, sich weiter professionell zu verhalten. Sekundenlang standen sie in dem harten Sonnenlicht, dann sagte Dominika: »Wollen wir gehen?« Sie folgte ihm, als er sich umdrehte und die Straße entlangging.

Sie schlängelten sich durch enge Gassen ins Herz der Plaka, bogen nach links, dann rechts ab auf einem scheinbar ziellosen Kurs, einer Route, die jedes Überwachungsteam dazu zwingen würde, nah aufzuschließen in dem Labyrinth aus Gängen und Innenhöfen und den kleinen, offenen Plätzen, die von Läden gesäumt waren. Musik drang aus den Läden, gelbe Schwämme, die mit geknoteten Seilen zusammengebunden waren, drapierten die Eingänge, der Geruch nach Weihrauch und Sandelholz hing in der Luft. Spontan versuchte Nate, Blicke über Dominikas Schulter zu erhaschen – sie sah geschickt an seinem Ohr vorbei, um die andere Seite der Straße abzusichern. Als er sie anschaute, schüttelte sie ein wenig den Kopf. *Ich kann nichts sehen.* Er nickte zustimmend.

In der Abenddämmerung gingen sie langsam auf dem Plateia Filomouson herum, der bestückt war mit Stuhlkreisen, Sonnenschirmen und Regenschirmen, über ihnen kreuzten sich die Lichterketten. In den Küchen der Restaurants klapperte das Geschirr. Nate führte Dominika um eine Ecke herum zu einer verwitterten grünen Tür in der Mauer. Auf einem kleinen Schild stand TAVERNA XINOS. Sie saßen an einem Ecktisch im Kiesgarten und bestellten *taramo* und Rote-Bete-Blätter und *papoutsakia*, geröstete Auberginen, gefüllt mit Lammhackfleisch, Zimt und Tomaten in Béchamelsauce, braun überbacken.

Die Köpfe zusammengesteckt, besprachen sie leise das Drehbuch, das Dominika für Moskau in Szene setzen sollte. Als sie vereinbarten, dass sie der Zentrale melden würde, dass sie ihn verführt habe, wich er ihrem Blick eine Sekunde lang aus. Sie würde schreiben, dass er von seiner Arbeit sprach und sie den schlauen kleinen Lockvogel spielte, der sein Opfer um den Finger wickelte. Ihnen blieben zwei Tage Zeit, um sich diese Geschichte auszudenken, um ihrem Hotelzimmer fernzubleiben und nach Überwachung Ausschau zu halten. Mit der Station würde es überhaupt keinen Kontakt geben.

»Du kommst nie darauf, wer in Athen ist«, sagte Nate, als er Dominikas Glas mit Retsina aus einer zerbeulten Aluminiumflasche füllte. »Forsyth ist hier jetzt Chef, er ist vor zwei Monaten angekommen.«

Dominika lächelte. »Und *Bratok*, ist er ihm gefolgt?« Sie wollte wissen, ob die beiden von ihrer geheimen Affäre wussten.

»Gable? Ja. Sie sind unzertrennlich.« Das Gespräch stockte. Sie blickten vor sich hin. Es lag eine Art Schwere in der Luft. Als Nate Dominika anschaute, nahm er den Garten ringsum nur noch verschwommen wahr.

»Wir haben zwei Tage Zeit«, sagte Nate. »Es ist wichtig, dass wir das ganze Stück trotzdem genau durchspielen. Wir müssen die Tage füllen.«

»Wir müssen mit den eigentlichen Unterhaltungen weitermachen, wir müssen all das, was ich der Zentrale berichte, wirklich sagen. Alles muss, wie sagt man, *podlinnij* sein?«, sagte Dominika.

»Echt«, sagte Nate. »Wir müssen echt wirken.«

»Es ist wichtig für mich, die Details einmal durchzuspielen, damit ich Bericht erstatten kann«, sagte sie und dachte zurück an die Verhöre im Lefortowo.

Dann hatten sie nicht viel mehr zu sagen; sie taten sich beide schwer mit dem Lügen, dem Leugnen ihrer Passion. Seine purpurne Wolke änderte sich nie, ganz so, als würde er keinerlei inneren Konflikt verspüren. Dominika wollte nicht mehr über ihn nachdenken. Wieder waren sie unterwegs, gingen umher am Rand der Plaka, durch die engen, dunklen Seitenstraßen, die unmittelbar an die Mauern der Akropolis grenzten. Leise stiegen sie eine enge Treppe hinauf, mit Blumentöpfen auf jeder Stufe. Am oberen Ende angekommen, legte Dominika ihre Hand auf Nates Arm und gab ihm ein Zeichen, stehen zu bleiben. Sie standen im Schatten, schauten hinunter, horchten in die Nacht hinein, ob sie Schritte hören konnten. Völlige Stille. Dominika nahm ihre Hand von Nates Handgelenk.

»Jetzt müssen wir uns entscheiden«, flüsterte Nate. »Trennen wir uns, gehen wir zu unseren Hotels und treffen uns morgen früh?«

Sie wollte es ihm nicht zu leicht machen. »Was ist, wenn mein Zimmer überwacht wird? Die würden von dir erwarten, dass du mich zu dir ins Hotel mitnimmst, und von mir würden sie erwarten, dass ich die Einladung annehme.«

Nate kämpfte gegen das Gefühl, kopfüber in eisiges Wasser zu gleiten. »Im Interesse der Echtheit und unserer Tarngeschichte wäre das zu empfehlen.«

Sie sahen sich eine Minute lang an. »Wollen wir dann also gehen?«, fragte Nate.

»Wie du willst«, sagte sie.

———

Sergej Matorin stand nackt vor einem Ganzkörperspiegel in seinem Zimmer im Hotel King George am Syntagma-Platz. Er wusste, dass Dominika im Grande Bretagne nebenan untergebracht war, beides altehrwürdige Hotels mit dem Charme und der Eleganz der Alten Welt, inmitten der Gegensätze der Stadt. Matorin betrachtete jedoch nicht seinen Körper mit den lang gezogenen Narben aus dem Krieg in Afghanistan und der Grube in der rechten Schulter, dort, wo er auf dem Basar in Ghazni verwundet worden war, während er mit seinem Alpha-Team eine Razzia durchführte. Stattdessen konzentrierte er sich auf ein festes Repertoire an Bewegungen im Zeitlupentempo: Angriffe, Blockaden, Drehungen und Abrollmanöver, während draußen vor dem Fenster der Abendverkehr rauschte. Er beugte sich seitwärts in der Taille, richtete sich wieder auf und atmete tief ein, sein milchiges Auge erstarrt in seiner Höhle.

Dann drehte er sich um, griff nach seinem kleinen Rollkoffer und warf ihn mit der Vorderseite aufs Bett. Er schraubte vier eingesetzte Schrauben im Metallrahmen des Koffers auf, worauf eine schlauchförmige Vertiefung zum Vorschein kam, die sich das Technikteam ausgedacht hatte. Er nahm seinen fünfzig Zentimeter langen Khyber-Dolch mit dem leicht gebogenen Griff heraus. Trat erneut vor den Spiegel und ging eine Kampfübung mit kurzen und langen Hieben und Paraden durch. Der Dolch gab einen Pfeifton von sich, wenn er ihn mit einem Rückhandschlag durch die Luft schwang.

Matorins Körper glitzerte vor Anstrengung. Als er sich auf einen Louis-XIV.-Stuhl setzte, hinterließ sein Schweiß Flecken auf dem blauen Brokat. Er griff nach einem großen Keramikaschenbecher mit dem Siegel König Georgs darauf und drehte ihn um. Matorin schärfte die Klinge seines Dolchs an dem Aschenbecher. Das gleichbleibende Raspeln von Stahl auf Keramik erfüllte das Zimmer und übertönte den Lärm auf der Straße. Nach einer Weile, er war zufrieden mit der Schärfe der Klinge, legte er den Dolch beiseite und holte aus seinem Koffer eine kleine Tasche mit Reißverschluss hervor. Auf der Kunstlederhülle stand das Wort *Insulin*. Er schüttelte zwei dicke Autoinjektionsstifte aus der Tasche, der eine gelb, der andere rot, Feldspritzen, die dafür gemacht waren, in den Oberschenkel oder das Gesäß injiziert zu werden. Der gelbe Stift enthielt SP-117, ein Barbiturat, entwickelt von der Abteilung S. Das würde für die Fragen sein. Der rote Stift aus dem Labor 12 enthielt einhundert Milligramm Pancuronium, das das Atemzentrum innerhalb von anderthalb Minuten lähmte. Das wäre für danach. Zwei Stifte, das Gelb und Rot der SpezNas.

━━

Schweigend fuhren sie in einem Taxi zu Nates Hotel, das St. George Lycabettus, das eingebettet zwischen den Pinien des Likavittos-Hügels lag. Hoch oben vom Balkon konnten sie den angestrahlten Parthenon und die blinkenden Lichter der Stadt sehen, die sich bis zum Horizont erstreckten, und den schwarzen Streifen des Meeres, den Aussichtspunkt am Hafen, wo Ägeus auf ein Schiff mit weißen Segeln gewartet hatte. Dominika warf einen kurzen Blick ins Bad, schaltete das Licht an, dann wieder aus. Die übrigen Lampen ließen sie ausgeschaltet, das Licht von der Hotelfassade genügte. Nate lief im Zimmer auf und ab, während Dominika ihn mit verschränkten Armen anschaute.

»Wenn du unseren Plan noch einmal überdenken willst«, sagte sie, »kann ich ja berichten, dass mein Besuch auf deinem Zimmer vier Minuten gedauert hat, und schreiben, dass deine … Leidenschaftlichkeit … etwas, wie sagt man, *ukoratschiwat kratkij* war?«

»Vorzeitig.« Seine Farbe flammte bei dieser Stichelei auf.

»Ja.« Dominika ging zu den anderen beiden Balkontüren und sah hinaus. »Die Leser in Jassenewo wären begeistert über den Klatsch, dass es CIA-Beamten an Stehvermögen fehle. Deine Fähigkeiten wären dann in unserem Hauptquartier allseits bekannt.«

»Der russische Humor hat mir schon immer gefallen«, sagte Nate. »Jammerschade, dass es so wenig davon gibt. Aber im Interesse unserer Arbeitslegende solltest du, glaube ich, über Nacht bleiben.«

*Im Interesse unserer Arbeitslegende*, dachte Dominika. »Na gut, ich schlafe auf dem Sofa hier, und du gehst ins Schlafzimmer – aber halt die Tür geschlossen.«

Nate blieb sachlich. »Ich bringe dir eine Decke und ein Kissen. Wir haben morgen einen langen Tag vor uns.« Dominika schlüpfte erst aus dem Kleid, als Nate ins Schlafzimmer gegangen war und die Tür hinter sich geschlossen hatte. Wieder ein Mond, dachte sie verbittert, er schien durch die offene Balkontür. Sie stand auf, um die hauchdünnen Vorhänge zuzuziehen, hielt aber inne, legte sich wieder hin und ließ das silbrige Mondlicht über sich hinwegfließen.

Sie hatte keine Lust mehr, für alle nur der Lakai zu sein. Diese *wlasti*, die Erben der ehemaligen Sowjetunion, General Kortschnoi, die Amerikaner, Nate, die ihr sagten, was ratsam war, vorschrieben, was getan werden musste. Wie hatte Kortschnoi das nur so lange ertragen? Wie lange würde *sie* das noch aushalten? Sie lauschte an der Tür zum Schlafzimmer. Etwas mehr Anerkennung von ihnen allen würde ihr guttun. Sie hatte genug davon, ihre Gefühle zu unterdrücken.

Es war fast drei Uhr nachts, als Nate im Halbschlaf registrierte, dass sich die Tür zu seinem Zimmer öffnete. Das diffuse Licht der Straßenlaternen schien durch die hauchdünnen Vorhänge ins Zimmer. Er wandte leicht den Kopf und sah Dominikas Silhouette – das unverwechselbare Verharren in ihrem graziösen Schritt –, während sie durchs Zimmer zum Fenster ging. Sie beugte sich vor und öffnete die Vorhänge, zuerst die eine Seite, dann die andere, bis sie, von hinten angestrahlt, vor den Glasschiebetüren stand, die sie aufschob. Die Nachtluft wehte die Vorhänge nach draußen und zurück, sie umfingen sie von beiden Seiten, wehten um sie herum, um ihr Gesicht und ihren Körper. Sie ging auf Nate zu, die Vorhänge teilten sich, dann stand sie neben dem Bett. Nate stützte sich auf einen Ellenbogen auf.

»Ist alles in Ordnung, stimmt irgendetwas nicht?«, fragte er. Sie schwieg, blickte stumm auf ihn hinab. Der Führungsoffizier in ihm überlegte sofort, ob sie wohl etwas gehört hatte, irgendein Geräusch an der Tür. Mussten sie womöglich gleich aus dem Hotel fliehen? Er hatte die hintere Treppe vorhin inspiziert. Dominika antwortete immer noch nicht. Nate setzte sich auf und nahm ihre Hand sanft in seine.

»Domi, was ist denn? Was ist los?«

Ihre Stimme war ein Flüstern: »Nachdem wir uns geliebt haben – hast du das deinem Hauptquartier gemeldet?«

»Wovon redest du?«, fragte Nate.

»In Helsinki und in Rom, als wir eine Affäre hatten – hast du deinen Vorgesetzten davon erzählt?«

»Was wir getan haben, verstieß gegen die Regeln, war unprofessionell; es war meine Schuld, wir haben deine Sicherheit riskiert, den Auftrag.« Sie schwieg, sah auf ihn hinab. Wieder dauerte es eine Minute, bis sie etwas sagte.

»Der Auftrag«, sagte Dominika. »Du meinst, wir haben das fortlaufende Sammeln von *raswedka*, Überwachungsdaten, gefährdet?«

»Schau mal«, sagte Nate, »was wir getan haben, war verrückt, sowohl in beruflicher als auch in privater Hinsicht. Wir hätten dich fast verloren. Ich habe die ganze Zeit an dich gedacht, ich tue es immer noch.«

»Natürlich denkst du über den Fall nach, über Dominika, *die Bereicherung der Nation.*«

»Wovon redest du? Was soll ich denn sagen?«, entgegnete Nate.

»Ich möchte das Gefühl haben, dass wir hin und wieder unseren Auftrag hinter uns lassen, dass es nur dich und mich gibt.« Ihr Busen hob sich in ihrem BH. Er stand auf und nahm sie in den Arm. Seine Gedanken kämpften gegen seine aufwühlende Leidenschaft an. Er roch ihr Haar und spürte ihren Körper. *Unterläuft dir hier gerade ein dritter Fehltritt, Mr Führungsoffizier?*

»Dominika«, sagte er, gleichzeitig vernahm er erneut dieses Rauschen in den Ohren, das alte Warnsignal.

»Wirst du deine Regeln noch einmal brechen?« Sie nahm seine purpurne Lust wahr, sie erhellte den dunklen Raum.

»Dominika …«, er sah ihr in die Augen. Ihre Wimpern fingen ein wenig von dem Licht ein, das durch das Fenster ins Zimmer fiel. Er sah Forsyths Gesicht über seinem Kopf schweben, unheimlich, ungerührt. Er begehrte sie mehr, drängender, als er sich je hatte vorstellen können.

»Ich möchte, dass du deine Regeln verletzt … mit mir …

nicht mit deiner Agentin, sondern mit mir«, sagte sie. »Ich möchte, dass du *meine* Regeln brichst.«

Sie öffnete ihren BH, der Spitzenstoff raschelte. Sie fielen aufs Bett, sie lag auf dem Bauch und zog Nate auf sich, er fühlte sich schwer und warm an, seine Lippen waren auf ihrem Hals, seine Finger mit ihren verflochten. Sie hielt seine Hände fest. Er tastete, sie neckte ihn, er klemmte ihre Hüften zwischen seine Beine, worauf sie aufstöhnte, *»Trahni menja«*, und nach hinten griff, um ihn anzufassen, während er ihr zuflüsterte: »Wie viele Regeln zwingst du mich zu brechen?«

Sie sah ihn wortlos an.

»Soll ich fünf Regeln brechen, zehn?« Er hielt den Mund nah an ihr Ohr und zählte langsam bis zehn, wobei er die Zahlen an den Rhythmus seiner Hüften anpasste.

*»Odin … dwa … tri …«* Sie zitterte, aber in einem anderen Takt als zuvor.

*»Tschjetije … pjat … schest …«* Sie streckte die Arme aus und griff mit der Faust ins Bettlaken.

*»Sjem … wosjem … djewjat …«* Finger wie Klauen, sie wickelte das Laken um ihre Handgelenke.

*»Djesjat*, zehn.« Nate richtete sich auf, er war noch in ihr, aber weit über ihrem glänzenden Rücken. Und plötzlich krümmte sich die schöne Linie ihres Rückens und ihres Pos, und sie barg das Gesicht im Laken und keuchte.

Der Streifen des Mondlichts bewegte sich zentimeterweise, und sie betrachteten ihn, während sie nebeneinanderlagen. Nate beugte sich vor und hielt ihr Kinn in seinen Händen, küsste sie auf die Lippen. Behutsam schob sie seine Hand weg. »Wenn du etwas Falsches sagst«, drohte sie, »dann drücke ich dir den Daumen ins rechte Auge und werfe dich über die Brüstung vom Balkon.«

»Ich bezweifle nicht, dass du dazu imstande wärst«, sagte Nate, als er sich gegen das Kissen zurücklehnte.

»Ja, Nejt«, sagte Dominika, »und wenn ich noch irgendetwas brauche, lockt dein kleiner Spatz dich wieder zurück ins Bett.«

»Okay, okay, das ist nicht das, was ich gemeint habe. Können wir ein paar Stunden schlafen? Wirst du für eine Weile Ruhe geben?«

»*Konetschno*, natürlich, gute Agenten befolgen ja immer die Anweisungen«, sagte Dominika.

### TAVERNA-XINOS-PAPOUTSAKIA (GEFÜLLTE AUBERGINE)

Lammhackfleisch mit gewürfelten Zwiebeln und geschälten Tomaten in Olivenöl anrösten. Das Ganze gut würzen, abkühlen lassen und geriebenen Käse, Petersilie, eingeweichte Semmelbrösel sowie ein aufgeschlagenes Ei hinzugeben. Die Auberginen aushöhlen (das Fleisch aufheben) und die Öffnung mit der Fleischmischung füllen. Mit Mornay-Sauce auffüllen, mit Olivenöl beträufeln und in einer feuerfesten Schüssel zusammen mit dem Auberginenfleisch und ganz wenig Wasser in den Herd schieben, bis sich die Oberseite golden färbt. Lauwarm servieren.

# 37

Mit festem Griff packte Sjuganow den Hörer des verschlüsselten Telefons. Das Ding war so groß wie sein Kopf.

»Natürlich halten die Ausschau, ob sie überwacht werden«, sagte Sjuganow. »Es wird dir unmöglich sein, ihnen zu folgen. Bleib bei deinem ursprünglichen Plan. Hast du die Materialien vorbereitet? Fünfzehn Minuten, länger brauchst du nicht. Ein Name, bestätige ihn, dann der Todesstoß.« Sjuganow drehte sich auf seinem Schreibtischstuhl um.

»Hör zu, ich sage ja nicht, dass du sie *nicht* verschonen sollst, aber der Name ist wichtiger als alles andere, als jeder andere. *Panimat?* Verstanden? Ich erwarte Ergebnisse – und halt den Schnabel. Ende.«

━━

Es war ihr letzter Tag in Athen, bereits um neun Uhr morgens war es heiß in der Sonne, beide waren müde, kraftlos und unruhig. Vom Hotel gingen sie über die Pindarou-Straße, tranken auf dem Kolonaki-Platz einen frisch gepressten Orangensaft, saßen unter einem Baldachin, die Ellenbogen nebeneinander, während der Kellner ihnen Gebäck brachte. Sie wollten den ganzen Tag lang umherlaufen, immer wieder proben, wie Dominika vor der Zentrale den Kontakt schildern sollte. Sie biss in die Blätterteigrolle und leckte sich die Finger ab. Sie fühlte sich besser und gab sich Mühe.

»Soll ich denen erzählen, dass du mich gezwungen hast

oder dass ich dich nackt und mit verbundenen Augen in einen Kleiderschrank gesperrt habe?« Sie riss ein Stück Brioche ab und wollte es ihm in den Mund stecken. Er drehte den Kopf weg.

»Die Zentrale hätte wahrscheinlich Verständnis, dass man jemanden in einen Schrank sperrt.« Nate fühlte sich aufgekratzt, gereizt und schuldig, hatte keine Geduld für Liebesbeteuerungen am Morgen danach. Dominika zog ein langes Gesicht bei seinen Worten. Sie legte die Brioche auf den Teller.

»Also, das ist *besduschnji*.« Sie sah ihn an, herzlos, seelenlos, aber in Nate rumorten bereits die Dämonen des Widerspruchs. Er wusste, was er für Dominika empfand, aber er kannte auch seine Pflicht; und ihm war auch klar, was sie wollte und was er geben konnte, was die CIA ihn geben ließ und dass er seiner Leidenschaft – oh, es war echte Leidenschaft, kein Zweifel – erneut gestattet hatte, die Oberhand zu gewinnen, *wieder*, verdammt noch mal. Und das einen Tag, bevor sie nach Moskau zurückkehren und vor ihren Befragern sitzen sollte, und wenn sie nicht alles absolut richtig machte, ja, dann wäre es seine Schuld, weil er gestern Nacht nicht Nein zu ihr hatte sagen können. Diese hoffnungslos romantischen Russen. Sie wünschte sich ein Liebesverhältnis, aber sie waren beide Nachrichtendienstoffiziere und durften sich von nichts ablenken lassen. Er sah sie an – sein letzter Gedanke war gewesen, dass er sie wahrscheinlich liebte –, aber sie erkannte die Dämonen, las den purpurnen Flor um seine Schultern und wusste, dass das Band der letzten Nacht zerrissen war.

Sie nahm seine schuldbewusste Reue wahr und die ausgewaschene Farbe. *Ihre* Dämonen flogen aus der Höhle gleich Fledermäusen bei Sonnenuntergang, und da wurde sie zur

Egorowa, spürte, wie sich der Zorn aufbaute, die *gorjatschnost*, die Veranlagung, vor der Kortschnoi sie gewarnt hatte. Sie stand auf.

»Ich gehe zurück ins Hotel, um zu duschen und mich umzuziehen.«

»Das geht nicht.« Nate fiel in seinen Agentenführungsmodus zurück. »Das ist der einzige Ort, wo sie dich finden können – und uns. Benford hat mir sehr deutlich gesagt …«

»*Gospodin* Benford kommt vielleicht ohne Waschen und Umziehen aus. Ich aber nicht. Es dauert nur zehn Minuten.« Nate stellte einige schnelle Berechnungen an. Bei ihr bleiben? Sie gehen lassen und später wieder treffen? Er hatte ihre Miene bemerkt, kannte die Anzeichen. Sie war wütend auf ihn; es wäre am besten, sie nicht allein zu lassen, sie könnte sonst einfach verschwinden, nur um ihn zu ärgern. Ein Bericht, der bis nach Langley dringen würde.

»Gut, zehn Minuten, aber nicht länger.« Nate fasste sie am Arm. Sie schob ihn ruhig von sich.

Am Syntagma-Platz strahlte das Hotel Grande Bretagne in der Sonne, das goldfarben angestrichene Zaungitter und das schmiedeeiserne Tor zur Wagenauffahrt glitzerten im Sonnenschein. Oben stand Nate unbeholfen im großen Wohnzimmer mit den elegant gruppierten Tischen, Stühlen und Lampen und dem dicken Wiltonteppich auf dem Boden. Er warf einen Blick ins Schlafzimmer. Dominika stieg gerade aus dem Kleid – ihm fielen der BH und der Slip aus schwarzer Spitze ein. Als sie sich bückte, um ihre Sandalen auszuziehen, wandte sie ihm das Gesicht zu: ein herausforderndes Dessousmodel, vor dem Hintergrund des wuchtigen, mit Seide bezogenen Kopfteils des Betts. Ihre Halbnacktheit erregte ihn, das wusste sie genau, sie durchschaute ihn. Aufreizend machte sie einen Schritt ins Wohnzimmer.

»Bring ich dich aus dem Konzept?«, fragte sie und hob die Arme. Es brodelte in ihr.

»Dominika, hör auf«, sagte Nate.

»Bitte, sag's mir.« Sie zog die Schalen ihres BHs zurecht. »*Verwirre* ich dich? Funktioniert mein Plan?«

»Bewundernswert. Sie könnten Ihre Pflichten nicht besser erfüllen, Korporalin Egorowa«, sagte Sergej Matorin und trat aus dem begehbaren Kleiderschrank zwischen Schlafzimmer und Bad. Er sprach ein Russisch, das wie eine Lautsprecherübertragung von einem mit Kies gefüllten Lastwagen klang. Er trug einen dunklen Sportmantel, schwarzes Hemd und schwarze Hose, an den Füßen Mokassins. Lässig warf er einen Beutel mit Reißverschluss und ein schwarzes Stofffutteral aufs Bett und ließ den Sportmantel von den Schultern gleiten, wobei er Nate ständig im Auge behielt. Der Schwarze, Black.

Stille. Dann eine blitzartige Bewegung, aber kein Zögern, keine Sekunde lang: Die Fetzchen schwarzer Spitze schossen auf Black zu, ihre Arme um seinen Hals, ein Knie stieß ihm in die Weichteile. Nate sah die Ballettmuskeln ihrer Beine und die straffen Hinterbacken. Gleichzeitig stöhnte Black auf, schob ihr Kinn zurück und versetzte ihr einen Schlag an den Hals. Ein potenziell tödlicher Hieb, sie stürzte, in der Spitzenunterwäsche, nach hinten, schnappte nach Luft.

Nate brauchte mehr Zeit, um dorthin zu gelangen, gleichzeitig dachte er: *Jemand muss sterben*, denn Black hatte sie gehört; sie waren einen Handyanruf entfernt vom Super-GAU. Er lockerte die Schultern, roch Ammoniak und drückte Matorin gegen einen kleinen Hepplewhite-Stuhl in der Ecke, der knackend zersplitterte. Sie machten beide einen Satz, drei Schläge trafen Nates eine Gesichtshälfte, *oh, verdammt*, die SpezNas-Nahkampfmethode, da packte er den muskulösen Arm, wandte den Polizeigriff an und trat Black in die Kniekehle, der stürzte, sich abrollte und wieder aufstand, die Hände mit gespreizten Fingern hob und grinste. Nate tastete nach einem Möbelstück und warf es Black auf die Füße, dann roch er wieder den Schweiß und riss die Hand bis zum Kinn hoch. Gleichzeitig versuchte er, sich an andere Nahkampftechniken zu erinnern, aber Black rollte wieder über den Boden, erreichte das Bett und zog das Futteral vom Dolch. Die Klinge war aufgerichtet, die Spitze beschrieb kleine Kreise, also war es höchste Zeit, sich zurückzuziehen, denn das hier war nicht gut, aber im Augenblick waren keine Waffen zur Hand, nichts, was lang und hart genug wäre, um mit diesem Scheißkerl und der silbernen Schneide des ansonsten blau melierten Dolchs fertigzuwerden.

Der Schlag auf die Luftröhre hatte Dominika nicht umgebracht. Denn da sah er den schwarzen Spitzenslip und die schwarzen Spitzen-Cups: Dominika hielt eine große, blauweiße Vase in der Hand, Ming, Limoges, Wedgwood, was auch immer, und zerschmetterte sie auf Blacks Schulterblättern. Es regnete Scherben, und Black sackte aufs Knie, aber da war ein Pfeifen, ein Schlitzen zu hören und Blut zu sehen: ein schmaler Strich auf ihrem Oberschenkel und schräg über dem Bauch, und dann war sie blutverschmiert und taumelte rückwärts, stürzte mit lautem Bums zu Boden, setzte sich auf und blickte auf ihre Beine, das eine feucht, das andere trocken.

Die Messinglampe fühlte sich gut an, fand Nate, und schwer genug zum Werfen. Blacks Parade mit der Rückhand ließ alles verschwimmen, aber wenigstens ließ er von ihr ab, wobei er beeindruckend schnell näher kam; es war eher eine Art Gleiten; Nate trat auf die Dolchspitze zu … und spürte einen kalten Luftzug an Arm und Bauch, dort, wo das Hemd aufplatzte, dann warmes Blut, das unter dem Gürtel an den Beinen runterlief, als hätte er sich angepinkelt, aber der verdammte Dolch war das größte Problem, deshalb hielt er den Brokatstuhl, als wäre er im Zirkus, wobei sich der andere Ärmel öffnete und sich das warme Blut in seiner Hand sammelte. Plötzlich verfing sich die Dolchspitze im Brokatbezug des Stuhls, aber Nate war bereit, viel mehr Zeit blieb ihm vermutlich nicht, und versuchte, Blacks Knie zu verdrehen, mit den eigenen Beinen, aus denen fast alle Kraft gewichen war, was ein schlechtes, ein sehr schlechtes Zeichen war, wie auch seine roten Fußabdrücke auf dem Teppich und der Kupfergeruch in der Luft.

Mitten durchs Zimmer blickte Dominika zu ihnen hin. Matorin bewegte sich mit großer Leichtigkeit, er schwang den Khyber-Dolch, und Nate taumelte seitwärts, in seiner blutdurchtränkten Kleidung, rot von der Brust abwärts. *Mein Fehler, hierher zurückzukommen*, idiotka, *er wird kämpfen, bis er tot ist*, dachte sie. *Er kämpft für mich*, wie ihr plötzlich bewusst wurde, *er liebt mich wirklich, er verschafft mir Zeit*, und da half ihr ihre *gorjatschnost*, die Wut, vom Boden aufzustehen, und sie ging humpelnd und taumelnd zum Bett und hob den schwarzen Beutel auf. Sie suchte nach einer Waffe, irgendeiner Waffe.

Black atmete leicht durch die Nase. Gleichzeitig spürte Nate, wie sich irgendetwas lockerte, als die Klinge über seinen Bizeps fuhr, während er die Klinge packte und spürte, wie sie ihm über die Handfläche und durch die Finger glitt wie ein nasses Messer durch einen Geburtstagskuchen. Black stand da und sah ihn an. Nate konzentrierte sich darauf, seine weichen Knie zu schließen, damit er nicht umfiel. Dieser SpezNas-Typ genießt mit Sicherheit bereits den nächsten Hieb, dachte Nate, ein Aufreißen von unten, um sein Gedärm auf dem Wilton zu verteilen, oder den Handkantenschlag an den Hals.

Dann aber stieg Liberté auf die Barrikaden wie in dem Gemälde von Delacroix. Die eine Brust vom Büstenhalter befreit, stieß sie Black die roten und gelben Stifte ins Gesäß. Sein instinktiver Faustrückenschlag warf sie zu Boden, ihr Kopf prallte hart auf. Doch Black stöhnte und krächzte, große, wogende Atemzüge, auf Händen und Knien kauernd, mit roten und gelben Schwänzen, die dem Esel aufgesteckt waren, und kroch auf allen vieren auf den Dolch zu, wurde aber langsamer, kroch im Zeitlupentempo und schüttelte den Kopf dabei hin und her, mit einem betäubten Zwerchfell und einem Schädel voller Barbiturate, und das gute Auge verdrehte sich, die Fersen trommelten auf den rosa-blauen Teppich, dann das Todesröcheln und *Lass uns ernsthaft überlegen, ihm den Kopf abzusägen, nur zur Sicherheit*, aber Nate legte die Hand unter Dominikas Brust und war heilfroh, den flatternden Herzschlag zu hören. Ihre Augen öffneten sich, und er legte den Kopf auf den Teppich, aber da fiel ihm etwas Wichtiges ein. Jetzt durfte er nicht einschlafen, er musste jemanden anrufen.

---

Dominika hatte das Telefon Nate aus den kraftlosen Fingern gezogen und *Bratok* mitgeteilt, wo sie waren. Er hörte genau zu und brachte einen Botschaftssanitäter und einen Notfallkoffer mit; der Sanitäter wartete auf der Straße im Wagen. Wie Marty Gable sie beide heil aus dem Hotel bekam, war ein Wunder, so wie während der Zeit in Saigon und Phnom Penh. Bettlaken wurden zu Verbänden, Matorins nach Essig riechende Jacke wurde von oben bis unten zugeknöpft, Dominikas Haar glatt zurückgekämmt. Gable gab ihr ein Zeichen, die Stifte aus Matorins Hintern zu ziehen, den Khyber-

Dolch ins Futteral zu stecken, seine Taschen zu durchsuchen. Er legte sich Nates Arm um den Nacken und schleppte ihn durch den Lieferanteneingang nach draußen. Der humpelnden Dominika sagte er, sie solle die Tür zur Suite abschließen und die Zimmerschlüssel in einen Blumentopf in der Diele werfen.

Auf dem Rücksitz von Gables Wagen klappten sie zusammen, als wären sie Bonnie und Clyde. Der Sanitäter wickelte mit bestürzter Miene Druckverbände um Nates Brust, Arme und Hand, noch einen um Dominikas Oberschenkel und verpflasterte den diagonalen Schnitt über ihrem Bauch. Wegen des Blutverlusts war Nates Puls schwach, und der Sanitäter legte ihm eine intravenöse Infusion. Dominika wiegte Nates Kopf in ihrem Schoß und hielt den Plasmabeutel hoch, während Gable fluchend und aufs Lenkrad schlagend durch den Verkehr raste.

Sie brausten die hügeligen Straßen nach Zografos hinauf, unter dem in der Ferne auftauchenden Berg Ymittos, und Gable half ihnen hoch zu einer Rentnerwohnung im obersten Stock, wo die Station einen sicheren Unterschlupf für den Notfall bereithielt. Sie brachten Nate in das kleine Schlafzimmer; der Sanitäter blieb bei ihm, bis der Botschaftsarzt eintraf; sie waren beide befugt, aber Gable wollte sie raushaben, sobald sie fertig waren. Dominikas Bein musste mit zwanzig Stichen genäht werden, dreimal so viele gab's für Nate. Gable hielt Dominika an den Schultern, blickte sie über den Rand seiner Brille an, aber sie schüttelte ihn ab und ging ins andere Schlafzimmer, um sich das Blut abzuwaschen, wobei ihr irrsinnigerweise Ustinow einfiel – wie lange lag das jetzt zurück?

Gable dankte dem Arzt und dem Sanitäter – die fragten sich, was die Spione vorhatten, wussten aber, dass sie nichts sagen durften – und schloss leise die Tür hinter ihnen. Dominika war in Nates Zimmer und lauschte, wie er atmete, aber Gable scheuchte sie weg. Sie wollte keine Suppe, wollte kein Brot, sie schloss die Tür zu ihrem Schlafzimmer, aber fünf Minuten später hörte Gable, wie sie zurück in Nates Zimmer ging, doch er ließ sie in Ruhe. Später in der Nacht öffnete Gable seine Schlafzimmertür einen Spaltbreit und hörte, wie sie mit ihm redete. Wegen des Beruhigungsmittels war er immer noch nicht aufgewacht, die Gesichtsfarbe war schon etwas besser, und DIVA saß auf seinem Bett und sprach Russisch mit ihm. Ziemlich abstoßendes Schlamassel, aber Gott sei Dank hatten sie überlebt.

Am nächsten Tag kam Forsyth, er trug einen angeklebten Spitzbart und eine Drahtbrille – die griechischen Polizisten kannten sein Gesicht, außerdem lief eine Fahndung nach dieser jungen Russin im Hotel Grande Bretagne, die verschwunden war und in ihrem Zimmer einen Toten zurückgelassen hatte. Dominikas Passfoto war in allen Nachrichtensendungen und allen Zeitungen. Es sei ein weiterer Mann anwesend gewesen, ein dunkelhaariger Westler, vielleicht ein Amerikaner. Gable sagte Forsyth, dass er mit diesem Spitzbart wie ein Wiener Sexualtherapeut aussehe, dann unterrichtete er ihn über die Szene im Hotel, wobei er mit einem Nicken zu den beiden hinteren Schlafzimmern zeigte. Forsyth setzte sich hin und warf einen Stapel Spätausgaben auf den Tisch. Das Blutbad im Grande Bretagne hatte zu einem Aufschrei in den Medien geführt, der selbst für griechische Maßstäbe übertrieben war. Übersetzer der Station hatten eine Liste mit den Schlagzeilen geliefert:

**»Blutbad-Anschlag des KGB zerstört Ruhe in Athen«**
– *Kathimerini* (Mitte-rechts)

**»Massaker wie im Kalten Krieg im Hotel Grande Bretagne«**
– *To Bhma* (Mitte)

**»Russische Schönheit nach Sexmord-Rendezvous gesucht«**
– *Eleftherotypia* (Mitte-links)

**»US-Verachtung für griechisches Erbe der Antike«**
– *Rizospastis* (Kommunisten)

**»Attentäter wählt Nebensaison für Fünf-Sterne-Blutbad«**
– *Tribuna Shqiptare* (albanische Sprache)

Sie machten Geräusche in der Küche und warteten darauf, dass Dominika aus ihrem Schlafzimmer kam. Eine halbe Stunde später stand Forsyth auf und klopfte leise an ihre Tür. Durch die Tür sagte sie zu ihm, dass sie sich nicht wohlfühle, nein, sie benötige keinen Arzt, aber sie wolle schlafen. Forsyth kehrte ins Wohnzimmer zurück. »Ich bin mir nicht sicher, aber irgendwas stimmt da nicht, das ist mehr als nur ihr Schock«, sagte er zu Gable.

Dann rührte sich irgendwo etwas, und Nate schlurfte herein. Er war endlich aufgewacht, hielt sich aber an der Wand fest. An den Rändern seiner Verbände und Druckpflaster war orangefarbenes Betadine zu sehen. Die eine Gesichtshälfte war purpurn verfärbt. Er ließ sich in einen Sessel gleiten, das Gesicht feucht vor Anstrengung und Schmerz.

»Was macht ihr denn hier?«, krächzte er. »Irgendein Notfall?«

Gable ignorierte die Frage. »Wie geht es dir? Ist dir

schwindlig? Hast du Appetit?« Nate schüttelte den Kopf. Leise sagte Forsyth: »Ich habe telefonisch einiges aus dem siebten Stock erfahren. Wurde ein halbes Dutzend Mal vom Botschafter einberufen, der selbst zweimal zum griechischen Außenminister zitiert worden war. Die griechische Polizei sucht nach einer Russin, versucht, den Toten zu identifizieren, aber die russische Botschaft behauptet, keine Ahnung zu haben. Das griechische Außenministerium liegt ganz in der Nähe des Grande Bretagne. Die TV-Teams am Syntagma-Platz sind schon seit vierundzwanzig Stunden auf Sendung.«

»Das ist das Beste an einer geheimen Operation, die TV-Kameras, das Scheinwerferlicht«, sagte Gable mit einem Blick auf Nate.

»Alle im Hauptquartier sind auf ihre Weise genervt, schwer genervt und verflucht abscheulich genervt«, sagte Forsyth. »Die Schuldzuweisungen fliegen nur so hin und her: Weshalb haben wir diese SWR-Aktion nicht kommen sehen? Wieso haben wir dich nicht von dem Fall abgezogen? Warum konnte MARBLE uns nicht vor dem Überfall warnen? Das meiste davon ist Schwachsinn.

Heute Morgen habe ich eine E-Mail vom Europachef erhalten. Admiral Nelson meint, dass es an der Zeit sei, ›die Segel umzusetzen‹ im Fall DIVA. Offenbar hat der Leiter des ROD dem Europachef gesagt, dass er wohl seinen Kopf im Hintern habe. Vor dem Direktor. Mit all diesem Zeug können wir umgehen.

Dann hat Benford letzte Nacht angerufen und gefragt, ob seine Anweisung, *nicht* auf Dominikas Zimmer zu gehen, unklar gewesen sei. Er lässt schön grüßen. Ihm Ihren Auftritt zu erklären, im Einzelnen, ist etwas, das wir – Sie – nicht so schnell auf die Reihe bekommen. Alles wird davon abhängen, ob Benford Ihnen den Arsch aufreißen will.«

»Ich habe ihm meine persönliche Empfehlung ausgesprochen, genau das zu tun«, sagte Gable.

»Trotzdem: Es gibt Hoffnung. Benford meint, dass der Zwischenfall ein schmales Fenster für eine Gelegenheit geöffnet hat; er war ziemlich aufgeregt. Er wird morgen am späten Abend eintreffen. Aber bis dahin sollten Sie sich nirgendwo blicken lassen.« Forsyth trat an die Glasschiebetüren vor dem Balkon und blickte durch einen Spalt in den vorgezogenen Gardinen. »Es ist wichtig, dass Dominika sich weiter versteckt hält, damit die Zentrale das Schlimmste befürchtet: dass sie zur CIA übergewechselt ist, dass ihr Anschlagsversuch auf Nate bekannt ist. Uns bleiben höchstens noch ein paar Tage.«

Gable stand auf, ging durch den Flur und klopfte bei Dominika an. Nachdem er leise durch die Tür gesprochen hatte, bat sie ihn herein. Sie hörten seinen gedämpften Bariton durch den Flur, zehn Minuten später kam Gable zurück und setzte sich. »Es gibt Probleme«, flüsterte er. »Sie ist aufgewühlt. Zwar nicht hysterisch, aber stocksauer. Unwirsch. Diese Wut, aber diesmal ist es ernst. Sie weiß nicht mehr, wem sie noch vertrauen kann. Uns, MARBLE, bestimmt nicht den eigenen Leuten.« Nate versuchte, aus dem Sessel aufzustehen. »Bleib verdammt noch mal sitzen«, sagte Gable. »Zum Teil ist sie auch aus dem Häuschen, weil sie fast für deinen Tod verantwortlich gewesen wäre. Als Erstes hat sie danach gefragt, wie es dir geht.«

»Sie hat mir das Leben gerettet«, sagte Nate. »Dieser Killer hätte mich kaltgemacht.«

»Habt ihr das Zimmer inspiziert, als ihr hochgegangen seid?« Nate wich seinem Blick aus. »Ich glaube nicht«, sagte Gable.

»Sie redet davon, nicht zurückzugehen, wegzulaufen, abtrünnig zu werden. Sie ist geschockt, fühlt sich verraten, das Bein tut ihr weh.« Nate wollte die Lage nicht noch verschlimmern, indem er ihnen von ihren Liebesspielen erzählte.

Forsyth stand auf. »Marty, bleib so lange bei DIVA, bis Benford eintrifft. Und Sie, Nate, schmuggeln wir morgen in die Station. Ich möchte, dass Sie aufschreiben, was passiert ist. Benford wird einen ausführlichen Bericht haben wollen.« Nate nickte.

»Im Moment braucht sie erst einmal etwas Abstand«, sagte Forsyth. »Könnte sein, dass wir sie als Informantin verloren haben. Was wir vermutlich erfahren, wenn sie ein wenig nachgedacht hat.«

Forsyth ging. Gable stand auf, schepperte in der Küche, kam ins Wohnzimmer zurück und sagte, dass er um die Ecke eine Flasche Wein, Brot und Käse holen wolle. »Geh nicht auf den Balkon«, sagte er, als er zur Tür ging. Er zog eine Pistole aus der Manteltasche, warf sie Nate hin. »PPK/S«, sagte Gable. »Eine Pistole für Frauen. Hab ich für dich mitgebracht.«

———

Dominika verbrachte die erste Nacht größtenteils auf dem Bett und starrte an die Decke.

Dann war sie zu Nate ins Zimmer gegangen, um neben dem Bett zu sitzen und zuzuschauen, wie er schlief. Sie wusste genau, was passiert war. Onkel Wanja war es leid, darauf zu warten, dass sie Informationen über den amerikanischen Maulwurf ausgrub, und hatte Matorin losgeschickt, um das Problem zu lösen und seine politische Flanke zu verteidigen. Offenbar scherte es ihn nicht, dass jeder im selben Raum mit Matorin ein tödliches Risiko einging. Hatte er geplant, dass Matorin auch sie auslöschte? Sie war sich da nicht sicher, aber im Moment lautete die Antwort: Ja. Noch ein Verrat von Wanja und dem *nawosnaja kutscha*, dem Misthaufen von SWR.

Sie hatte *Bratok* gesagt, sie wisse nicht, ob sie weiter spionieren wolle. Sie befand sich außerhalb von Russland, im Westen, vielleicht würde sie überlaufen. Gable hatte ihr zugehört und sanft geantwortet, dass sie tun solle, was sie für das Beste hielt. Seine Aura war tiefpurpurn, er hatte keinen Grund, so deutlich zu werden, aber sie freute sich darüber.

Mittlerweile war es der zweite Abend und schon spät. Die Leuchten auf den Funktürmen am Hang des Ymittos waren die einzigen Lichtpünktchen auf der dunklen Masse des Berges, bis die orangefarbenen Straßenlampen in Zografos und Papagou angingen. Forsyth und Benford hatten es sich in Sesseln bequem gemacht, Dominika lag im Bademantel auf dem Sofa und hatte das Bein hochgelegt. Sie hatte gehört, wie Nate vorhin die Wohnung verlassen hatte, hatte aber nicht das Zimmer verlassen, um ihn zu verabschieden. Nate war weg.

Benford traf spät ein, bestand darauf, sofort zum Safehouse zu kommen. Er fragte nach dem Bericht über den Angriff, sagte, dass das Büro für medizinische Dienste die SWR-Injektionsstifte sofort haben wollte. Im Wagen hatte er Forsyth zugehört und gemurmelt, dass es das A und O sei, schnell zu handeln.

»Wie geht es Ihnen?«, fragte er Dominika. »Können Sie gehen?« Sie stand auf und ging um das Sofa. Strich mit den Fingern über die Nähte, es war dieselbe Seite wie ihr gebrochener Fuß; das Bein wurde schon ziemlich stark beansprucht.

»Mit Verlaub«, sagte Benford. »Ich muss wissen, ob Sie sich bewegen können, weil wir auf die Straße müssen. Sie müssen in Moskau anrufen.« Dominika zuckte zusammen, als sie sich setzte. Benford legte ihr seine Hand auf die Schulter. »Lassen Sie sich Zeit. Ich möchte erst mit Ihnen sprechen.

Dominika, ich muss wissen, ob Sie die Beziehung, die wir in Helsinki begonnen haben, fortsetzen wollen. Wir müssen wissen, ob Sie bereit sind, nach Moskau zurückzukehren und von dort zu operieren.«

»Und wenn nicht?«, fragte sie. »Was wird aus mir?« Sie kannte diese Männer, aber ihr Vertrauen in sie – in jeden von ihnen – hatte nachgelassen. Sie waren Profis, sie brauchten Ergebnisse, gehörten einer Organisation der Gegenseite an. Benford und Forsyth waren in Blau getaucht, ihre Worte waren davon getönt. Empfindsam, künstlerisch veranlagt, undurchsichtig, sie würden sie schichtweise bearbeiten. *Sei auf der Hut.*

»Was aus Ihnen wird, ist, dass ich Sie in die Vereinigten Staaten ausfliegen lasse und Sie dort den Direktor treffen, der Ihnen eine Medaille und einen Bankscheck überreichen wird, mit dem Sie sich an einem Ort Ihrer Wahl ein Haus kaufen können – vorbehaltlich eines Sicherheitsgutachtens. Und dann können Sie sich in aller Ruhe über die aktuellen Entwicklungen in Russland und der Welt informieren. Ihr Leben wird frei sein von Geheimnissen, Intrigen, Täuschungsmanövern und Gefahren.« Oben aus seinem Kopf pulsierte es blau.

*Benford ist so clever; ich bin ihm erst einmal begegnet, und trotzdem kennt er mich schon ziemlich gut*, dachte sie. »Und wenn ich beschließe, mit Ihnen zu arbeiten, was soll ich dann tun?«

»Wenn Sie mitmachen, würde ich Sie bitten, jemanden anzurufen«, sagte Benford, »Ihren Onkel.« Forsyth saß stumm und aufmerksam auf dem anderen Stuhl: Konstantes Blau, sie konnte ihm vertrauen – jedenfalls ein wenig.

»Und die Art des Anrufs?«, fragte Dominika, die genau wusste, dass diese Leute sie hinter ein Licht nach dem anderen führten. »Was wollen Sie erreichen?«

»Forsyth hat mir ein klein wenig über den Kampf im Hotel erzählt«, sagte Benford. »Und wie Sie Nates Leben gerettet haben. Ich möchte Ihnen dafür danken.« Ihre Frage hatte er immer noch nicht beantwortet.

»Und der Anruf in Moskau?«, fragte sie.

»Nach diesem ganzen Theater müssen wir Ihre Rückkehr nach Hause vorbereiten. Und die Chancen auf einen guten Posten in der Zentrale – vorausgesetzt, Sie sind einverstanden – weiter erhöhen.« Benford pulsierte blau zu ihr herüber.

»Wenn ich zurückkehre, sorgt General Kortschnoi schon dafür, dass ich einen guten Posten bekomme. Er und ich werden ein starkes Doppel bilden.«

»Natürlich, davon gehen wir aus«, sagte Benford. »Aber Sie müssen Ihre Aufträge separat erledigen, in verschiedenen Machtbereichen bleiben.« Dominika nickte. »Irgendwann wird dann der Tag kommen, an dem Sie auf seinem Posten weitermachen müssen.« Dominika nickte wieder.

»Aber um das alles zu ermöglichen, müssen Sie Kontakt mit Jassenewo aufnehmen. Es muss wie ein dringender Anruf klingen. Sie sind besorgt, erschöpft, Sie haben jemanden bestochen, einen Veterinär, einen Apotheker, um Ihr Bein zusammenzuflicken. In Ihrer Müdigkeit und Ihrer Wut geben Sie die Grundregeln des öffentlichen Sprechens am Telefon auf. Der SpezNas-Attentäter der Zentrale hätte Sie fast umgebracht. Zum Glück hat der junge Nash gesiegt. Es ist wichtig, dass die glauben, Nash hätte ihn getötet. Sie rufen an, während Sie auf der Flucht sind, die Polizei ist Ihnen auf den Fersen, die Amerikaner sind kurz davor, Sie zu fassen. Und Sie müssen den lieben alten Onkel Wanja darum bitten, Ihnen zu helfen.«

»Verstehe«, sagte Dominika. »*Gospodin* Benford, könnte es sein, dass Sie etwas russisches Blut in sich haben?«

»Kann ich mir nicht vorstellen«, sagte Benford.

»Es würde mich aber nicht wundern«, sagte sie.

»Es gibt da noch etwas, das Sie tun müssen«, sagte Benford. »Während des Anrufs müssen wir Desinformationen in Umlauf bringen. Verstehen Sie das Wort?«

»*Desinformacija*, ja«, sagte Dominika.

»Genau. Die Operation gegen Nash ist zwar nach hinten losgegangen, aber es ist Ihnen trotzdem gelungen, etwas aus ihm herauszubekommen.«

»Was soll ich sagen … bei dieser *obman*, diesem Täuschungsmanöver?«, fragte Dominika.

»Sie hatten einen Streit, darüber, dass ihr immer noch im Kalten Krieg gegeneinander kämpft, immer noch einander ausspioniert. Nate hat in Rage von einem bedeutenden russischen Spion gesprochen, der gerade in den USA gefangen genommen wurde, einer wichtigen Person, die von der Zentrale geführt wurde.«

»Ist das wahr?«, fragte Dominika. *Das muss die Krise für Wanja gewesen sein*, dachte sie. *Wahrscheinlich steckt er jetzt in großen politischen Schwierigkeiten.*

»Vollkommen wahr und richtig«, sagte Benford. »Sie müssen erzählen, dass Sie von Nate erfahren haben, dass die Zentrale versucht hat, die Maulwurfsjagd in die falsche Richtung zu lenken, und zwar mit dem Hinweis, dass der Spion eine Augenoperation hatte. Eine falsche Fährte.« Benford machte eine Pause.

»Entschuldigen Sie, aber was ist der Grund für diese Nachricht?«, fragte Dominika. Sie fand das alles merkwürdig, konnte aber Benfords Miene nicht entziffern; seine Farbe verblasste.

»Diese Details sind wichtig, Dominika. Wir wollen, dass die Zentrale weiß, dass wir das Täuschungsmanöver durchschaut haben. Deshalb ist es entscheidend, dass die falsche Fährte, die Augenoperation, erwähnt wird. Und außerdem wollen wir, dass die Zentrale annimmt, dass Sie gute Arbeit geleistet haben, wir wollen, dass die Sie retten. Ist das alles deutlich genug?«

»Ja, aber ich werde denen erzählen, dass *ich* den Attentäter getötet habe«, sagte Dominika. »*Ich*. Weil er uns beide umbringen wollte. Jetzt ist Nash geflohen, und es ist die *grubaja oschibka* meines Onkels, sein Fehler, nicht meiner.«

»Ausgezeichnet«, sagte Benford, »das ist raffiniert.« *MARBLE hatte recht. Sie hat es drauf.*

»Ich habe ein paar Details aufgeschrieben, wo Sie sich verstecken«, sagte Forsyth. »Dann können wir losgehen und das Telefonat tätigen.« Sie schauten sich seine Notizen an, dann ging Dominika ins Schlafzimmer, um sich umzuziehen. Forsyth und Benford blieben allein zurück.

»Ihr zu verschweigen, dass sie den General ans Messer liefert, wird sie bestürzen«, sagte Forsyth.

»Es ist die einzige Möglichkeit«, blaffte Benford. »Mir gefällt das auch nicht. Aber sie wird weder zögern noch über die Kanarienvogelfalle Bescheid wissen.«

»Sie wird dahinterkommen. Und was ist, wenn sie so wütend ist, dass sie hinwirft?«, fragte Forsyth.

»Dann entwickelt sich die ganze Sache zu einem Weltklassedebakel. Ich hoffe, dass sie das genauso sieht wie wir«, sagte Benford. »Sind die griechischen Polizisten vor Ort?«

»Ist alles organisiert. Sie wird am Morgen nach dem Anruf festgenommen.«

Zwiebeln und Knoblauch in Olivenöl anbraten.
Geschälte, zerkleinerte Tomaten, Rinderbrühe und
Petersilie hinzufügen und kochen, bis alles angedickt ist.
Gekochte Gigantes-Bohnen hinzugeben, gut umrühren
und bei mittlerer Hitze im Ofen backen, bis die Bohnen
weich sind und die Oberseite knusprig, ja leicht verbrannt ist. Bei Zimmertemperatur servieren.

# 38

Wanja Egorow war noch in seinem Büro und arbeitete. Es war spät geworden, aber Egorow war entgangen, dass der Himmel sich erst rosa, dann violett und schließlich schwarz verfärbt hatte. Er hatte nur Augen für den Flachbildschirm und verfolgte die laufende Berichterstattung im griechischen Fernsehen, bei EuroNews, der BBC, Sky und dem amerikanischen Nachrichtensender CNN über den Zwischenfall in Athen.

Die Athener *Residentura* hatte bestätigt, dass es sich bei dem Toten um Sergej Matorin handelte. Wanja wurde fast übel, als der *Resident* ihm mitteilte, dass die Griechen – unbegreiflicherweise – die Leiche bereits eingeäschert und damit eine gerichtsmedizinische Untersuchung unmöglich gemacht hätten. *Unbegreiflicherweise, so ein Quatsch*, dachte Wanja. Die CIA hatte die Griechen schon seit Jahren in der Tasche.

Aber das spielte jetzt auch keine Rolle mehr, denn Wanja wusste, dass ein anderer den glubschäugigen Psychopathen mit dem Mordanschlag in Athen beauftragt hatte. Es war nicht der Direktor, auch nicht sein Gegenspieler beim FSB. Selbst der zwergenhafte Sjuganow konnte es nicht gewesen sein. Es kam nur einer in Frage. Wie auf Kommando klingelte das Cheftelefon; Egorow zuckte auf seinem Stuhl zusammen. Die vertraute Stimme klang irgendwie scheppernd und abgehackt, aber zugleich bedrohlich ruhig.

»Die Operation in Athen war eine Schande«, sagte Putin. *Läuft er auf Socken?*, dachte Egorow. *Vielleicht ohne Hemd?*

»Ja, Herr Präsident«, sagte Egorow ergeben. Er konnte es sich sparen zu erklären, dass er die Sache nicht autorisiert hatte. Putin wusste es.

»Ich hatte ausdrücklich befohlen, keine Spezialeinheiten einzusetzen.«

»Ja, Herr Präsident, ich werde eine Untersuchung …«

»Lassen Sie das«, sagte die Stimme. »Von Ihnen hätte ich mehr erwartet. Der Verlust der Senatorin ist kolossal. Der Maulwurf in Ihrer Organisation ist weiterhin aktiv. Wie wollen Sie den Verräter dingfest machen?« *Hätten Sie Ihren monströsen Neigungen widerstanden*, dachte Egorow, *dann wäre der Kerl schon längst gefasst.*

»Herr Präsident, ich habe, wie Sie wissen, eine erfahrene Offizierin auf den amerikanischen Kontaktmann angesetzt. Ich habe mir wichtige Informationen erhofft …«

»Ja, Ihre Nichte. Und wo ist sie jetzt?« *Jetzt kommt das Schlimmste.*

»Sie wird vermisst. In Griechenland.« Schweigen am anderen Ende.

»Wie groß ist die Wahrscheinlichkeit, dass sie tot ist?«, fragte Putin. *Das hättest du wohl gern*, dachte Wanja.

»Wir warten auf Nachricht«, sagte Egorow. Wieder langes Schweigen. Dominika stellte eine größere Bedrohung für den Präsidenten dar als die Spionagesache in Washington, größer als ein Maulwurf im SWR.

»Sie muss nach Hause kommen«, sagte Putin. »Sorgen Sie dafür, dass ihr nichts passiert.« Das bedeutete: *Sorg dafür, dass sie nie – niemals – über die Ustinow-Intrige redet, die Aktion, was es auch kostet – was auch immer …* Die Leitung war unterbrochen.

Dominika war verschwunden; falls sie noch lebte, war sie vermutlich untergetaucht. Es war ihm schleierhaft, wie sie ganz auf sich gestellt in der griechischen Hauptstadt untertauchen konnte. Aber sein kleiner Spatz war einfallsreich. In den Nachrichten hatte er gesehen, dass die russische Botschaft in Psychiko von einem Kordon grau-weißer griechischer Polizeiwagen umringt war. Offenbar nahmen die Griechen an, dass eine russische Flüchtige hier Zuflucht suchen würde.

In den Nachrichten war von einem weiteren Mann die Rede, aber der Name Nash fiel nicht. Hatte Dominika etwas aus ihm herausbekommen? Hatte die CIA Dominika getötet? Sie festgenommen? Wenn sie am Leben war, dann musste er sie zurückbekommen. *Spasenie*, Rettung, war möglich.

Das Telefon auf seinem Schreibtisch surrte – die Leitung nach draußen. Das konnte nicht wichtig sein. »Was ist denn los?«, blaffte er. Sein persönlicher Referent Dimitri war am Apparat.

»Anruf von draußen, der Diensthabende hat ihn durchgestellt«, sagte er.

»Was soll der Unsinn?«, tobte Egorow.

»Ein Anruf aus dem Ausland«, sagte Dimitri. »Die haben ihn bis nach Griechenland zurückverfolgt.«

Egorow spürte, wie sich ihm die Kopfhaut zusammenzog. »Stellen Sie durch.«

Er hörte Dominikas Stimme in der Leitung. »Onkel? Onkel? Kannst du mich hören?«

»Ja, hallo, mein Kind. Wo steckst du?«

»Ich kann nicht lange reden. Es ist sehr schwierig hier.« Sie klang müde, aber nicht panisch.

»Kannst du mir sagen, wo du bist? Ich werde dir jemanden schicken.«

»Ich könnte Hilfe gut gebrauchen. Ich bin ein wenig erschöpft.«

»Ich werde dir jemanden schicken. Wo können wir dich treffen?«

»Onkel, hör mir gut zu: Mein Freund, der junge Mann, hat angefangen zu reden. Ich bin, wie du es dir erhofft hast, gut vorangekommen. Aber dein Mann, dieser *d'jawol*, hätte uns beide fast umgebracht.«

»Was ist denn passiert?«, fragte Egorow.

»Es ist zum Kampf zwischen ihnen gekommen. Mein junger Freund ist abgehauen, ich habe keine Ahnung, wo er ist.«

»Der junge Amerikaner hat einen ausgebildeten SpezNas-Kämpfer ausgeschaltet?«

»Nein, Onkel. *Ich habe ihn erledigt.* Er hätte mich sonst umgebracht.« Am anderen Ende der Leitung herrschte Schweigen.

*Was für ein Satansbraten*, dachte Egorow. Wie hatte sie es nur geschafft, Matorin zu liquidieren? Seine Hand am Telefonhörer wurde feucht.

»Verstehe. Was hat dein junger Freund dir denn erzählt?«

»Etwas Merkwürdiges. Dass die Amerikaner gerade einen großen Fisch gefangen hätten, eine Spionin von euch, hat er stolz verkündet. Ich habe gesagt, dass ich ihm nicht glaube.« *Das stimmt schon. Du kannst es ruhig glauben*, dachte Egorow.

»Er hat mir erzählt, dass du versucht hättest, die Amerikaner auszutricksen, indem du erzählt hast, dass die Spionin nicht arbeiten könne, weil sie krank sei.«

Egorow platzte fast vor Spannung. Die kleine Idiotin sollte weiterreden. Fast hätte er sie angeschrien. Er spürte seinen Puls förmlich durch den Hörer.

»Das ist sehr interessant. Hat er noch etwas gesagt?«

»Nur, dass die Amerikaner dir nicht auf den Leim gegangen

sind und durchschaut haben, dass die Spionin keine Augenoperation hatte. Mein Freund schien ziemlich stolz darauf zu
sein, dass sie die Spionin erwischt haben«, sagte Dominika.

*Und jetzt werden sie weniger erfreut sein, wenn sie ihren ei-
genen Spion verlieren*, dachte Egorow. *Kortschnoi.*

»Noch etwas?« *Kortschnoi.*

»Nichts, Onkel. Wir sind mitten im Gespräch unterbrochen worden.«

»Ja, natürlich. Wir müssen jetzt auflegen. Wo bist du? Ich
werde jemanden zu dir schicken. Halte dich versteckt.«

»Ich bin bei einem Mann untergekrochen, der mir über
den Weg gelaufen ist und mir versprochen hat, mich nicht
anzuzeigen, wenn ich nett zu ihm bin. So etwas habt ihr mir
doch beigebracht, oder?«

Egorow entging die Ironie in Dominikas Ton. »Kannst du
noch einen Tag dableiben? Rufst du von seinem Telefonanschluss an?«

»Ich glaube, ich kann hierbleiben. Aber zum Telefonieren
muss ich rausgehen. Mein Telefon ist in diesem Hotel geblieben. Der Mann hat kein Festnetz, nur ein Handy. Damit
würde ich dich nicht so gern anrufen. Aber auf der anderen
Straßenseite ist ein Kiosk. Da kann ich mit einer Telefonkar-
te telefonieren.« Sie gab ihm die Adresse durch, im Arbeiter-
viertel Patissia, nördlich des Omonia-Platzes.

»Sei morgen um Punkt zwölf Uhr am Kiosk«, sagte Egorow. »Wir schicken dir einen Wagen. Der Fahrer wird meinen
Namen erwähnen. Wir werden dich schon nach Hause bekommen. Bis dahin halt dich von der Straße fern.« Er unterbrach die Verbindung.

Wenn sie sie zurückholen könnten, wäre er sicher. Und
wenn sie Kortschnoi schnappten, würde er sie mit Medaillen
überhäufen. Als Nächstes musste er diesem *durak* in Athen

eine Nachricht schicken, um zu klären, ob dieser Trottel eine allerorten gesuchte Agentin einsammeln konnte. Außerdem sollte er Kortschnoi rund um die Uhr beschatten lassen. Er durfte niemanden alarmieren, niemanden warnen, damit die Amerikaner ihn nicht doch noch herausschleusten. Egorow dachte an seinen alten Kollegen, der ihn verraten und den Amerikanern dabei geholfen hatte, SWAN zu enttarnen. »Hol mir Sjuganow«, rief er Dimitri zu.

━━

Kurz vor Feierabend erhielt er eine Depesche des Athener *Residenten*. Zwei SWR-Offiziere hätten sich zwar bemüht, den Kiosk im Stadtteil Patissia zu erreichen, um Dominika abzuholen, aber die griechische Polizei sei mit mindestens sechs Wagen und zwanzig Polizisten in weißen Helmen und kugelsicheren Westen vor dem Kiosk aufmarschiert. Es herrsche Chaos. Die Männer vom SWR hätten nicht nahe herankommen können, hätten aber gesehen, wie zwei Polizistinnen eine Frau in Handschellen in einen Polizeiwagen schoben. Die Festgenommene sei »dunkelhaarig und schlank« gewesen. Die Beschreibung war zwar nicht eindeutig, aber es handelte sich vermutlich um Dominika. Sie war in deren Gewalt. Keine zwei Minuten, nachdem Egorow die Depesche erhalten hatte, trillerte mit einem unnatürlichen Laut das Cheftelefon auf der Anrichte hinter seinem Schreibtisch.

━━

Es war nach Mitternacht. Die Moskwa, auf die man von General Kortschnois Wohnzimmer sehen konnte, lag wie ein schwarzes gebogenes Band zwischen den erleuchteten Hochhäusern von Strogino. Die Mietshäuser jenseits des Flusses waren neuer als die Gebäude auf dieser Seite, wobei sich etliche noch im Rohbau befanden, wie sich an den aufragenden Baukränen erkennen ließ. MARBLE kochte sein Lieblingsessen, *Pasta alla Mollica*, die mit Anchovis, Semmelbröseln und Zitrone zubereitet wurde. Nach dem Abwasch schenkte er sich ein Glas Brandy ein, ging ins Wohnzimmer und machte sich nach einem Blick auf die Uhr am Bücherregal an der Wand zu schaffen. Er schob ein kleines Gemüsemesser in den Schlitz zwischen dem oberen Deckbrett und dem Regal und ruckelte mit der Klinge, bis er zwei arretierte Holzzapfen gelöst hatte und sich das Regalbrett wie ein Sargdeckel auf verdeckten Scharnieren öffnete und ein schmales Fach zum Vorschein kam.

Kortschnoi griff in die Vertiefung und zog drei sorgsam in ein Tuch gewickelte graue Metallkästchen daraus hervor. Zwei davon hatten die Größe einer Zigarettenschachtel, das dritte war flacher und breiter. Kortschnoi steckte die beiden kleinen Kästen zusammen und schloss dann den flacheren Kasten, der eine kleine kyrillische Tastatur besaß, mit einem Stecker daran an. Kortschnoi nahm einen Eingabestift aus einem seitlichen Cliphalter und drückte zwei versenkte Knöpfe. Drei winzige LEDs leuchteten auf. Die erste LED für den Akku leuchtete grün. Strom war da. Die zweite LED für die Empfangsbereitschaft der integrierten Antenne für das geosynchrone Nachrichtensatellitensystem US Milstar Block II leuchtete ebenfalls grün. Starkes Signal. Die letzte LED zeigte an, ob der Übertragungsaustausch, das *rukopozhatie*, der Handschlag, abgeschlossen war. Sie leuchtete gelb, Stand-by.

Kortschnoi tippte mit dem Eingabestift auf die Tasten und verfasste eine Routinenachricht. Er schrieb einfach, ohne Leerzeichen und Interpunktion. Ein rationelles Vorgehen, das er sich über die Jahre beim Verfassen verschlüsselter

Nachrichten angeeignet hatte – auch wenn ihm das haptische Erleben beim Verfassen geheimer Depeschen fehlte: das Reiben des Papiers, das Zubereiten der Tinten, das Schreiben der Blockbuchstaben mit federleichtem Druck.

Er saß im Sessel, das Leselicht schien ihm über die Schulter. Wie auf einem Gemälde von Vermeer: ein alter Mann, über die Arbeit gebeugt. Im Zimmer herrschte völlige Stille. Als er die Nachricht verfasst und mit »niko« signiert hatte, dem Frei-von-Zwang-Hinweis, tippte er auf Senden und beobachtete das gelbe Licht. Die Nachricht stieg im Ka-Band im Zentimeterwellenbereich himmelwärts, traf auf die Sensoren des Satelliten und wurde weitergeleitet. Innerhalb von drei Sekunden wurde die bereits gespeicherte Antwort über ein abgeschwächtes Signal auf dem Q-Band zurückgeschickt. Moskau schlief, die Fenster der Lubjanka lagen dunkel, aber Kortschnoi hatte nach oben gegriffen und mit den Fingerspitzen den Erzfeind berührt. Die LED blinkte grün. Handschlag. Erfolgreicher Austausch.

Kortschnoi zog ein Kabel aus einer Aussparung im Tastaturgehäuse und steckte es in die Eingangsbuchse auf der Rückseite eines kleinen Farbfernsehers. Er hatte den Fernseher vor drei Jahren bei einem mitternächtlichen Koffertausch an der M10 von einem CIA-Agenten bekommen. Kortschnoi schaltete den von der CIA modifizierten Fernseher an und wechselte zu einem voreingestellten Kanal. Als er mit dem Eingabestift auf drei Tasten drückte, wurde der schneeige, leere Bildschirm schwarz. In schlechter Schrift erschienen zwei Worte. *Soobschenie: nikto.* Das hieß: *Nachricht: keine.* Dahinter kein Punkt. Das war die eigentliche Nachricht, der Startschuss: Das Spiel war eröffnet.

Kortschnoi schaltete den Fernseher aus, wickelte das Kabel auf und verstaute es in der Aussparung. Dann schaltete er das

Kommunikationsgerät aus, baute es auseinander, wickelte die Einzelteile wieder ein und legte sie in das Versteck zurück. Schließlich klappte er den Deckel zu und schloss ab. Er setzte sich wieder in den Sessel, legte sein Buch auf den Schoß und nippte am Brandy. Dann schaltete er die Leselampe aus. Jetzt war es dunkel in seiner Wohnung, und er sah hinaus auf die Lichter der Großstadt und den schwarzen Fluss. Er war sich sicher, dass der SWR alles gesehen und aufgezeichnet hatte, was er in der vergangenen halben Stunde getan hatte.

———

Von August bis Oktober 1962 hatte der KGB auch Oberst Oleg Penkowski vom GRU in seiner Wohnung mit Blick über die Moskwa rundum überwacht. Der Oberst hatte den Westen damals umfassend mit Informationen über sowjetische Langstreckenraketen versorgt. Die Offiziere der FSB-Überwachungseinheit, die mehr als fünf Jahrzehnte später General Kortschnoi beobachteten, waren zu jung, um sich an diesen Fall aus der Zeit des Kalten Krieges zu erinnern. Um Beweise gegen ihre Zielperson zu sammeln, verwendeten sie aber nahezu die gleichen Mittel wie ihre Vorgänger.

Von einer Wohnung in einem fast fertiggestellten Hochhaus auf der anderen Seite des Flusses aus beobachteten drei Überwachungsteams durch riesige, auf Schultertragen befestigte Marineferngläser, wie Kortschnoi seine Ausrüstung zur verschlüsselten Kommunikation auf einen Azimut von dreizehn Grad ausrichtete, um mit dem Satelliten zu kommunizieren. Von der Wohnung direkt über Kortschnoi hatten sie in drei Zimmern nadellochgroße Löcher durch den Boden gebohrt und diese mit Fischaugenlinsen und Haftmikrofonen versehen, deren Signale von einem Digitalrekorder aufgezeichnet wurden. Sie hatten Kortschnoi dabei beobachtet, wie er an sein Bücherbordversteck ging, die Teile zusammensetzte und seine Nachrichten in die Tastatur tippte. Da ihr Blickwinkel ein direktes Lesen vom Fernsehbildschirm nicht zuließ, benutzten sie eine Videokamera mit abgenommenem Kamerakopf. Sie ließen die Kamera an einem Glasfaserstab an der Fassade hinab, um – durch das Wohnzimmerfenster – den Text auf dem Bildschirm aufzuzeichnen. Anders als im Fall Penkowski dauerte es keine drei Monate, um genug gegen Kortschnoi in der Hand zu haben.

———

Mitternacht. In Jassenewo durchsuchte ein anderes Team Kortschnois Büro im zweiten Stockwerk der Amerika-Abteilung. Sie durchsuchten den Schreibtisch, die Anrichte und Behältnisse, wobei die Techniker mit Tupfern sorgfältig Proben von den Oberflächen nahmen: von der Tastatur, von den Schreibtischschubladengriffen, von den Griffen am Tresor, von den Aktenmappen sowie der Tee- und Untertasse. Am Morgen darauf brachte Sjuganow den Laborbericht, und Egorow schnappte ihn sich gleich aus seiner Hand: Metka *angezeigt in geringen Spuren, Innenseite Türgriff, rechter Rand der Schreibunterlage. Chemische Analyse: Verbindung 234, Charge Nummer 18. Wirt: Nash, N., Amerikanskij posol'stwo.* Amerikanische Botschaft.

———

Über den Bäumen am Fluss war es noch hell, als Kortschnoi in der frühen Dämmerung von der Arbeit in Jassenewo nach Hause kam. Während er von der Haltestelle der Metro aus an der Esplanade entlangging, verspürte er eine Beklemmung in der Brust, und seine Beine fühlten sich bleiern an. Im Haus war es ruhig. Hinter den Türen murmelten die Fernsehgeräte, im Flur hingen starke Essensgerüche. Als MARBLE die Wohnungstür aufschloss, wusste er sofort, dass er in der Falle saß. Denn heute Abend ließ sich der Schlüssel, der sonst immer geklemmt hatte, leicht bewegen. Die hatten das Schloss mit Grafit leichtgängig gemacht.

Angespannt und nervös standen fünf Männer mit groben, hageren Gesichtern, kantigem Kinn und harten Augen hinter der Eingangstür. Sie trugen Jeans, Trainingsanzüge, Lederjacken und umringten den alten Mann, kaum dass er die Tür geöffnet hatte. Er leistete keinen Widerstand, denn er wusste, dass das sinnlos war. Trotzdem packten sie ihn an Armen und Beinen und hoben ihn hoch. Dabei gingen sie schnell, lautlos vor. Der eine hatte ihm den Unterarm um die Kehle gelegt, zwei andere hielten seine Arme fest. *Die heben einen immer hoch*, dachte er, *aber wohin soll ich schon weglaufen?* Er sagte nichts, als sie ihm einen nach Jauche stinkenden Gummikeil zwischen die Backenzähne schoben (*Bitte sehr, damit du keine Zyankalikapsel zerbeißen kannst, Genosse*) und ihn, ohne seine Gliedmaßen loszulassen, bis auf die Unterwäsche auszogen (*Bitte, Genosse, in der Kleidung können Waffen oder Knöpfe oder Nadeln sein*). Sie zwängten ihn in einen schlecht sitzenden Trainingsanzug und schleppten ihn das Treppenhaus hinunter. Auf den Treppenabsätzen standen noch mindestens zehn weitere Männer in Ledermänteln. Er wurde in den Laderaum eines dunkelgrünen Lieferwagens verfrachtet, wobei sie ständig seine Arme und Beine festhielten. Schmerz breitete sich in Kortschnois Körper aus; unter dem festen Griff der Männer verlor er das Gefühl in den Armen. *Es macht nichts*, dachte er und bereitete sich auf das nächste Kapitel vor. Er wusste, was kommen würde.

Es wurde eine lange Fahrt in dem fensterlosen Lieferwagen. Beim Abbiegen wurden sie jedes Mal heftig durchgeschüttelt, wenn es über Gleise ging, rüttelte es, und in den Kreisverkehren neigte sich der Wagen zur Seite. Kortschnoi kannte das Ziel und konnte die Route durch die Stadt nachvollziehen. Als die Türen des Lieferwagens aufgerissen wurden und er herausgezogen wurde, hob er den Kopf. Er wollte einen letzten Blick in den Himmel werfen und die Luft zum vermutlich letzten Mal tief einatmen. Der Himmel war tintenblau, die Großstadt schimmerte orangefarben. Als sie ihn zu einer kleinen Tür schleppten, bestätigte ihm ein rascher Blick, was er bereits wusste. Er sah einen schmutzigen Innenhof, der mit Abfall übersät war. Den Hof umgaben düstere Mauern aus unbehandeltem Betonschalstein, auf denen ein Stacheldrahtgeflecht thronte. Das ockerfarbene, y-förmige, fünfstöckige Gebäude war unverkennbar. Das Lefortowo-Gefängnis.

Kortschnoi wusste, was ihm bevorstand: *wjschaja mere*, die Höchststrafe. Er kannte seine letzte Station: *bratskaja mogila*, ein anonymes Grab. Aber er konnte noch darüber entscheiden, wie er gehen wollte. Er wollte es ihnen nicht leicht machen, was ironischerweise hieß, dass er reden würde, freiweg, aber gerade nicht über das, was sie hören wollten.

Bei seinen Ausführungen wurde den Vernehmungsbeamten zunehmend unbehaglich zumute. Er habe nicht gegen Russland spioniert, erklärte er, *sondern für Russland*. Einst, um dem Sowjetsystem, das seinem Volk fünfzig Jahre lang die Luft zum Atmen genommen hatte, die Stirn zu bieten, und heute, um die *podonki* zu ärgern, die neuen Herren im Kreml. Er sagte den Männern mit den eisigen Mienen, dass er nichts bereue, dass er es wieder tun würde. Dass ausgerechnet ein General als Spion arbeitete, versetzte ihnen einen schweren Schlag. Es würde Jahre dauern, um alle Schäden festzustellen. Er konnte das Unbehagen in den Mienen der Männer lesen.

Beim Gedanken an seine Verhaftung und den sicheren Tod tröstete es ihn, dass es jemanden gab, der seine Arbeit fortführen würde. Zufrieden stellte er bei den Verhören fest, dass Dominika offenbar nicht unter Verdacht stand, denn ihr Name wurde nicht erwähnt. Sie war in Sicherheit.

Kortschnoi beantwortete die Fragen und erstellte eine Liste mit den Informationen, die er in den vergangenen knapp fünfzehn Jahren an die Amerikaner weitergegeben hatte. Obwohl er bereitwillig kooperierte, befahl Sjuganow, »körperliche Maßnahmen« zu ergreifen und einige der alten Techniken, die in den Kellerzellen der Lubjanka praktiziert worden waren, anzuwenden. Das war vielleicht eine kleine Rache, weil Kortschnoi sie betrogen hatte, aber es machte Sjuganow auch Spaß. Da wurden biegsame Zedernsplitter unter die Nägel geschoben, woraufhin es schwarz und rot darunter hervorquoll, da wurden hölzerne Dübel zwischen die Zehen gepresst, und mit öligen Fingerknöcheln wurde in die Vertiefung hinter dem Ohrläppchen gedrückt. In einem anderen Raum sah die Ärztin, eine Urologin, ihm ins Gesicht, während sie den Draht einen Millimeter weit lockerte.

Als die Schinderei plötzlich aufhörte und man ihn einen ganzen Tag lang in seiner Zelle ließ, vermutete Kortschnoi, dass wohl Wanja das angeordnet hatte. Als Kortschnoi am Tag darauf den Verhörraum betrat, wurde er mit seiner CIA-Ausrüstung, die auf dem Tisch lag, konfrontiert. Nach einiger Zeit kam Wanja Egorow herein, schickte die Wachen hinaus und schloss die Tür. Wanja ging langsam um den Tisch herum. Er schaute MARBLE nicht an, während er mit einem leisen Lächeln die Ausrüstung und die Batteriepakete betastete.

»Vor ein paar Monaten habe ich kurz geglaubt, dass du es sein könntest«, sagte Wanja und steckte sich eine Zigarette an. Er bot Kortschnoi keine an. »Aber dann habe ich mir gesagt, es ist ausgeschlossen, dass einer unserer Besten sich an einem derartigen Verrat an Russland beteiligt.«

Kortschnoi schwieg, die Hände auf den Oberschenkeln. »All diese Jahre, all unsere gemeinsame Arbeit, ein Lebenswerk, alles so mühelos zunichtegemacht«, sagte Egorow. »Ich habe dir mein Vertrauen geschenkt und meine Liebe.«

»Es geht hier natürlich um dich«, sagte Kortschnoi. »Es geht immer nur um dich, Wanja.«

»*Salupa*, Schwachkopf«, sagte Egorow und schnippte die Zigarettenasche auf den Fußboden. »Du hast dem Dienst schweren Schaden zugefügt. Du hast deinem Land geschadet, Russland im Stich gelassen.« Er zieht eine Show ab für die Mikrofone, dachte Kortschnoi.

»Was willst du, Wanja? Warum bist du gekommen?«

Wanja sah kurz auf Kortschnoi und dann zur Ausrüstung auf dem Tisch. »Um dir zu sagen, dass meine Nichte, dein Schützling, Dominika, uns die Informationen geliefert hat, die zu deiner Verhaftung geführt haben. Sie ist eine Heldin, und du bist *plodowji tscherw*, Geschmeiß.«

Da war es. Die Nachfolge-*konspiratsia*. Insgeheim schickte Kortschnoi Glückwünsche an Benford.

Wanja beobachtete Kortschnois Reaktion. Zufrieden registrierte er, dass der alte Mann nach unten blickte, als müsste er eine Niederlage hinnehmen. Wanja steckte seine Zigaretten ein und schlug gegen die Zellentür. Während er an den Stahltüren vorbei den Betonflur entlangging, zog er Bilanz. Der Verlust von SWAN wurde durch die Verhaftung Kortschnois wettgemacht. Dominika. *Sie musste zurück*.

━━

*Mjschenije wosnja*. Katz und Maus. Techniker transportierten die Ausrüstung zur verschlüsselten Kommunikation vorsichtig zurück zu MARBLEs Wohnblock in Strogino, damit von den üblichen Koordinaten aus gesendet werden konnte. Lautlos kauerten ein paar Männer auf dem Dach über der blauschwarzen Moskwa. Sie drückten auf SENDEN und warteten auf das *rukopozhatie*, den Handschlag, vom Satelliten über dem Polarkreis. Daraus, dass die Unterschrift »NIKO« in Großbuchstaben geschrieben war, schloss Benford, dass die Nachricht nicht von MARBLE stammte, vielleicht hatte er sie auch unter äußerem Zwang geschrieben. Damit war immerhin klar, dass er schließlich verhaftet worden war. Obwohl er und MARBLE den Plan immer wieder durchgesprochen hatten, erschrak er bei dem Gedanken, dass sein Kontaktmann sich opferte, und betrauerte im Stillen den Verlust.

━━

Mit seinem Mercedes brauchte er zwar nur eine Viertelstunde für die Fahrt auf der leeren Fernstraße Rubljowo-Uspenskoje, doch musste Wanja zehn Minuten am Empfangsgebäude warten, bevor das Dienstfahrzeug eintraf, das ihn durch den schwarzen Fichten- und Kiefernwald zum neoklassizistischen Haupteingang von Nowo-Ogarjowo brachte. Wanja sah auf die Uhr. Fast Mitternacht. Bei der Aufforderung, mitten in der Nacht in der abgelegenen Präsidentendatscha westlich von Moskau zu erscheinen, hatte er eine Gänsehaut bekommen. *So wie bei Du-weißt-schon-wer*, dachte Wanja. Onkel Joe hatte Männer bis drei Uhr morgens in einem von einem lodernden Kamin überheizten Vorraum warten lassen.

Heute ging es allerdings anders zu als zu Stalins Zeiten. Egorow wurde auf einer geschwungenen Treppe ins Kellergeschoss geführt und betrat einen riesigen Fitnessraum, der sich über die gesamte Breite des Gebäudes erstreckte. Der Raum war voll mit Geräten und Gewichten, die im Licht der

Deckenlampen funkelten. Nüchtern registrierte Egorow, dass sein Chef der Abteilung KR, Alexej Sjuganow, neben einer Übungsstation auf einem Stuhl saß. *Ein Zeuge*, dachte Wanja, *schlechtes Zeichen.*

Präsident Putin trug kein Hemd, die Brust war glatt rasiert, die Venen in seinen Armen standen vor. Die Hände lagen in den Griffen zweier an einem Balken befestigter Nylonriemen. Der Präsident hatte die Arme wie Christus ausgebreitet und sich gegen die Spannkraft der Riemen nach vorn gebeugt, sodass sein Körper, das Gesicht einen Fußbreit vom Boden entfernt, fast parallel zur Matte lag. Zitternd vor Anstrengung führte er die Arme zusammen und richtete sich auf diese Weise wieder auf. Dann breitete er die Arme wieder aus und sank nach unten und dann wieder nach oben. Dieser kleine *ulitka*, dieser Schleimer, Sjuganow ließ Putin nicht aus den Augen. Gleich würde er seinem Wohltäter noch den Schweiß von der Brust lecken.

Putin machte weiter, hob und senkte sich und atmete zischend durch die Zähne. Schließlich hielt er mit ausgebreiteten Armen inne, hob den Kopf und sah Egorow mit Augen von der Farbe eines alten Gletschers an. Reglos. Frei schwebend. Im nächsten Moment drückte er sich nach oben.

»Ich will sie aus Griechenland raushaben. Sie soll nach Russland zurückkommen«, sagte Putin leise. Er wischte sich das Gesicht mit einem Handtuch ab und warf es rücklings Sjuganow zu, der es eifrig auffing. Putin schaute Egorow mit bohrendem Blick an. Dieses verunsichernde Stieren, als wäre er ein Hellseher, ein Inselbegabter, das war eine Angewohnheit von ihm. Manche glaubten, der Präsident könne Gedanken lesen.

»Ich lasse verschiedene Verbindungen spielen«, sagte Egorow. »Die Griechen sind in hellem Aufruhr.«

Putin hob die Hand. »Die Griechen sollen sich nicht so aufspielen, das sind aufgeplusterte Vögelchen. Wir werden ihnen Kuskas Mutter zeigen.« *Mit anderen Worten, er wird sie begraben*, dachte Egorow, *sofort nachdem er mit mir fertig ist.*

»Die Amerikaner stecken hinter den Griechen. Die steuern die ganze Sache«, sagte Putin und ging zum nächsten Gerät: einer Bank mit rostfreien Stahlgriffen. »Sie werden versuchen, sie zu benutzen, um Russland zu diskreditieren, *um mich in Verlegenheit zu bringen*.« Das war das größte Verbrechen. Egorow hielt sich mit einer Antwort zurück. Sjuganow wand sich auf seinem Stuhl. Putin legte sich auf die Bank und begann, die Griffe über seinem Kopf zusammenzudrücken. Ein Stapel Gewichte hinter ihm wurde hochgehoben und heruntergelassen, während er pumpte.

»Egorowa ist eine Heldin«, sagte Putin. Das Klirren der Gewichtscheiben hallte durch den riesigen Raum. »Die Details interessieren mich nicht, auch nicht, ob es Fehler bei der Arbeit da draußen gab oder es an bürokratischem Gestümper in Jassenewo lag.«

»Ich …«, klink,

»will …«, klink,

»sie …«, klink,

»zurück.« Klink.

Auf dem ganzen Rückweg nach Moskau klang das Klirren der Gewichte in Wanja Egorows Kopf nach.

Auf dem Rücksitz eines weniger luxuriösen Wagens, der ebenfalls nach Moskau zurückraste, saß Sjuganow. Er wusste, dass ihm eine knapp bemessene Chance blieb, seine Position zu festigen. Seiner Auffassung nach würde es nicht mehr lange dauern, bis Egorow unehrenhaft entlassen, abgeführt und vielleicht eingesperrt werden würde. Putin würde ihn nicht wieder in sein Amt einsetzen, egal, wie die Sache mit

Egorowa ausging. Es hatte zu viele Pleiten, zu viele Pannen gegeben. Wenn es ihm, Sjuganow, gelänge, Egorowa zurückzuholen, würde man ihn befördern und belohnen. Er wäre nie auf den Gedanken gekommen, dass die CIA sich an ihn wenden würde, um gerade diese Angelegenheit mit ihm zu besprechen.

### PASTA ALLA MOLLICA (ANCHOVIS-SALSA)

Semmelbrösel rösten, bis sie die »Farbe einer Mönchskutte« annehmen. In einem separaten Topf die Anchovisfilets in Öl anbraten, bis sie sich auflösen; geschnittene Zwiebeln, Knoblauch und rote Paprikaschnipsel hinzugeben und alles so lange braten, bis die Zwiebeln braun sind. Gekochte, abgetropfte Spaghetti im Topf mit der Anchovis-Zwiebel-Salsa vermengen, dann Petersilie und Zitrone hinzugeben und vermischen. Mit den gerösteten Semmelbröseln bestreuen und servieren.

# 39

Die griechische Polizei hatte Dominika nach ihrer Festnahme ohne viel Aufhebens an Forsyth übergeben, anschließend wurde sie in ein neu angemietetes Safehouse in dem Küstenort Glyfada gebracht. An einem windigen, verregneten Nachmittag teilten Benford und Forsyth ihr mit, dass General Kortschnoi »allem Anschein nach« vom FSB verhaftet worden sei. Sie hatte keine Miene verzogen. Ein weiterer Verlust.

»Wir haben damit gerechnet, dass das geschehen könnte«, sagte Benford.

»Aber warum jetzt?«, fragte Dominika. »Wir hätten zusammengearbeitet. Wie konnte das passieren?« Benford fiel auf, dass sie sich lediglich Sorgen um Kortschnoi machte, aber nicht an sich dachte.

»Das wissen wir nicht genau«, sagte Benford. »Nachdem der US-Maulwurf aufgeflogen war, hat die Abteilung KR nach einem Leck gesucht. Er könnte einen Fehler gemacht haben.«

Dominika schüttelte den Kopf.

»Nach vierzehn Jahren? Das glaube ich nicht. Dafür war er zu gut.« Forsyth vermied es, Benford anzusehen. Forsyths blauer Halo wirkte heute blasser, vielleicht war er müde. Im Gegensatz dazu strahlte Benford ein tintiges Blau aus. *Es arbeitet in ihm. Er denkt nach, plant etwas*, dachte Dominika. Sie merkte, dass etwas nicht stimmte.

Benford sah auf seine Hände, als er redete. »Wissen Sie,

Dominika, Wolodja hat viel von Ihnen gehalten.« Dominika beobachtete genau, wie er seine Hände hielt. Es arbeitete eindeutig in ihm.

»Er hat sich vorgestellt, dass Sie in seine Fußstapfen treten und seine Arbeit fortführen. Wir dachten, dass wir noch zwei, vielleicht drei Jahre Zeit hätten, um das gemeinsam aufzubauen. Wir konnten es nicht voraussehen. Jetzt sind Sie an der Reihe, früher, als wir wollten, aber trotzdem sind Sie jetzt dran.« Dominika drehte sich zu Forsyth um. Er beugte sich vor und wollte ihre Hand tätscheln, aber sie entzog sie ihm. Es ist viel blauer Nebel in diesem Raum, dachte sie.

»Es bricht mir das Herz, dass der General verhaftet worden ist. Ich werde ihn nie vergessen«, sagte Dominika. »Aber Sie sind direkt, *Gospodin* Benford. Sie behaupten also, dass es *otwetstwennost*, wie sagt man, *meine Pflicht*, sei, den Kampf weiterzuführen, nun, da Kortschnoi enttarnt ist. Das meinen Sie doch? Ich kann mich also nur noch entscheiden, ob ich weitermachen will oder nicht.« Sie hielt inne und sah sie an. »*Gospodin* Forsyth. Was denken Sie und *Bratok*?«

»Ich würde Ihnen dasselbe raten wie Marty Gable«, sagte Forsyth. »Folgen Sie Ihrem Herzen, tun Sie, was Sie für richtig halten.« Benford verzog den Mund und warf ihm einen verärgerten Blick zu. Forsyth hätte verdammt noch mal etwas überzeugender sein können. »Sie hatten viele gute Gründe, sich uns anzuschließen«, sagte Forsyth. Er wusste genau, wie er mit ihr reden musste. »Ihre Freundschaft zu Nate, Ihre Verzweiflung über das Verschwinden Ihrer Freundin und darüber, dass Ihr eigener Dienst Sie missbraucht und nicht wertgeschätzt hat; Sie wollten die Kontrolle über Ihr Leben und Ihre Karriere haben. Das ist immer noch so, oder?«

»Sie sprechen wie ein Professor«, sagte Dominika angesichts seiner geschickten Argumentation.

»Wir wollen Sie nicht überfahren«, sagte Forsyth.

»Doch, wollen wir«, sagte Benford. »Verdammt noch mal, Dominika, wir brauchen Sie.« Tintenblau wie ein Pfauenrad.

Sie blickte auf den Verband an ihrem Bein. »Ich bin mir nicht sicher, ob ich zusagen kann. Ich muss mir das noch einmal überlegen.«

»Wir wissen, dass Sie das wollen«, sagte Forsyth. »Wenn Sie sich bereit erklären, wird das Wichtigste sein, dass wir Sie so schnell wie möglich nach Moskau schaffen. Sicher. Deshalb wissen nur wir drei, wo Sie sind.«

»Nicht einmal Nathaniel?«, fragte Dominika.

»Tut mir leid: nein«, sagte Benford, ohne dass sich seine Farbe veränderte. *Wenigstens sagt er die Wahrheit,* dachte Dominika.

———

Dominika war früh wach und stand barfuß im geräumigen Wohnzimmer des Safehouse. Die dreiteilige Balkontür war aufgeklappt, sodass der Raum nahtlos in den breiten Balkon mit Marmorboden überging. Die blaue Markise aus Segeltuch bauschte sich ein wenig in der auflandigen Brise und fiel dann wieder zusammen. Die Sonne stand noch tief am Horizont, jenseits der Küstenstraße von Glyfada funkelte die Ägäis im Morgenlicht. Dominika spürte den warmen Marmorboden unter den Füßen. Sie trug einen Baumwollbademantel mit Gürtel, ihre Haare waren strubbelig. Der Oberschenkel war frisch verbunden. Gable war unterwegs, um Brot zu kaufen.

Als es leise klopfte, schrak sie zusammen. Sie stellte sich seitlich an die Tür und wedelte mit einer zusammengefalteten Zeitung vor dem Türspion. Sie wartete einen Moment, sah dann hindurch. Nate stand mit gesenktem Blick im Hausflur.

Dominika entriegelte die Schlösser und öffnete die Tür. Auf einen Gehstock gestützt humpelte Nate in den Raum. Sie ging zu ihm, schlang die Arme um seinen Hals und küsste ihn. Seit sie damals in Gables Wagen den Infusionsbeutel über seinen Kopf gehalten hatte und im ersten Safehouse eine Nacht bei ihm am Bett gesessen hatte, waren sie einander nicht mehr begegnet. Nach der ersten Nacht war er fort gewesen.

»Wo bist du gewesen?«, fragte sie und zupfte an seinen Haaren. »Ich habe nach dir gefragt.« Beim Anblick seines dunkelroten Gesichtes, das mit dem roten Halo verfloss, erschrak sie. »Du hast mir das Leben gerettet. Es war dumm von mir, dich in mein Hotelzimmer kommen zu lassen. Mein Fehler.« Wieder küsste sie ihn. »Wie geht es dir? Lass mal deine Hand sehen.« Sie zog seine Hand an die Lippen und küsste den Handrücken. »Wieso bist du nicht zu mir gekommen?« Er wich einen Schritt zurück.

»Hättest du mir je etwas von diesem Safehouse erzählt?«, fragte Nate hölzern. »Wolltest du mir mitteilen, wo du bist?« Wie tiefpurpurne Scheiben schleuderte er seine Worte durch die Luft, es war, als ob sie ihren Körper träfen. Sie trat hinaus auf den Balkon.

»Ja, natürlich«, sagte Dominika, »nach ein paar Tagen. Benford wollte, dass ich mich für zwei bis drei Tage bedeckt halte, bis ein wenig Ruhe eingekehrt wäre.« Sie lehnte sich ans Geländer. Nate folgte ihr auf den Balkon und lehnte sich an den Türpfosten. Seine purpurrote Wolke pulsierte, als ob jemand einen Lichtschalter ein- und ausknipste. Als seine Hände zitterten, steckte er sie in die Hosentaschen.

»Wie hast du mich gefunden?«, fragte Dominika.

»Alle Informationen zu diesem Fall – sichere Häuser, Signale, Funkaufklärung – werden ans Hauptquartier gemeldet«, sagte Nate. »Einige Meldungen habe ich selbst verfasst. Aber

Benford und Forsyth haben anscheinend auf geheimen Kanälen auch mit dem Hauptquartier kommuniziert. Auf diese Weise konnte ich verbotenerweise einige der geheimen Berichte lesen. Ich habe übrigens ziemlich viel zu lesen bekommen.«

Dominika sah ihn an, betrachtete seinen Halo, las in seiner Miene und spürte seinen Zorn. Das war Benfords Werk.

»Weißt du, dass Wladimir Kortschnoi in Moskau verhaftet worden ist?«, fragte Nate schonungslos. »Das melden jedenfalls die Funkaufklärung und weitere Berichte. Und in Moskau läuft die Chefleitung heiß. Weißt du, dass er im Lefortowo einsitzt?« Dominika gab ihm keine Antwort.

»Was hast du deinem Onkel erzählt, als du in Moskau angerufen hast?«, fragte Nate tonlos, ohne die Stimme zu heben. Dominika spürte einen dicken Klumpen in der Magengegend.

»Nejt, wir dürfen nicht darüber sprechen. Das hat Benford angeordnet. Er hat sich dabei sehr klar ausgedrückt.«

»In den Depeschen steht, dass du in dem Telefonat mit deinem Onkel gesagt hast, dass wir zusammen gewesen seien. Es steht auch darin, dass ich dir von dem Maulwurf erzählt hätte, den ich in Moskau geführt habe. Wer hat dir gesagt, dass du das erzählen sollst?« Nate hatte die Hände missmutig in die Seite gestemmt, sein farbiger Halo pulsierte. »Ist dir eigentlich klar, dass dieses Gespräch vermutlich zu Kortschnois Verhaftung geführt hat? Was hast du Egorow erzählt?«

»Wovon redest du?« Dominika war verwirrt und verängstigt. Sie merkte, dass sie wütend wurde, vor allem, weil Nate ihr einen solchen Vorwurf machte. Sie musste ihn das jetzt einfach fragen: »Glaubst du, dass ich so etwas *absichtlich* tue?«

»Also hast du nichts davon gewusst? Aber es steht alles in den Depeschen«, sagte Nate.

»Es ist mir egal, was in den Depeschen steht«, sagte sie und trat einen Schritt auf ihn zu. »Glaubst du, dass ich diesem Mann schaden würde?« Dabei dachte sie an Benfords Anweisung, nichts zu sagen.

»Als du untergetaucht bist, hab ich geglaubt, dass du mich aus Sicherheitsgründen nicht anrufst. Aber wieso hast du dich dazu hergegeben, den General zu verraten? Dein Anruf in Moskau hat alles ausgelöst.«

Dominika sah ihn nur ausdruckslos an. »Hat Benford dir gesagt, dass du das tun sollst?«

Nate raufte sich die Haare. »Du hast Befehle befolgt und bist ihnen auf den Leim gegangen. Du bist jetzt die größte Agentin am Platze. Herzlichen Glückwunsch.« Purpur und viele Gefühle.

»Was willst du damit sagen?«, fragte Dominika. »Ich habe niemanden verraten.«

»Also: Deinem Gespräch ist es zu verdanken, dass Kortschnoi im Lefortowo einsitzt. Du bist jetzt die Nummer eins. Ihm kann niemand mehr helfen.«

»Du glaubst, ich habe das getan?«, sagte Dominika. »So darfst du nicht mit mir sprechen.« Am liebsten hätte sie geschrien, aber sie konnte nur flüstern: »Nach allem, was wir durchgemacht haben, nach allem, was zwischen uns ist.« Dominika hätte fast geweint.

»Das hilft Kortschnoi jetzt auch nicht mehr«, sagte Nate. Er streckte sich und ging zur Eingangstür. Ein Wort hätte genügt, um ihn aufzuhalten; sie hätte ihm alles ausführlich erklären können, aber sie schwieg. Die Tür schloss sich hinter seiner phosphoreszierenden Wut.

━━━

Forsyth musste Dominika festhalten, als Benford ihr sagte, dass ihr nach gegenseitiger Absprache geführtes Gespräch mit Onkel Wanja tatsächlich unmittelbar zu Kortschnois Verhaftung geführt habe. »Wie können Sie es wagen, mich so zu missbrauchen?«, fauchte Dominika und wand sich in Forsyths Armen. Er dirigierte sie zu einem Sessel und blieb zwischen ihr und Benford stehen. Sie krallte die Hände in die Sessellehnen. »Sie haben mich benutzt wie einen gewöhnlichen *donoschik*, einen Informanten.« Sie wollte wieder aufstehen, besann sich aber eines Besseren, als Forsyth die Hand hob.

»Wie schlau Sie alle sind. Ist Ihnen denn nichts Besseres eingefallen?«

Benford ging im Wohnzimmer auf und ab und zog dabei eine dunkelblaue Schleppe des Verrats hinter sich her. Die Meeresbrise wehte durch die Balkontüren. »Wir haben uns dazu entschieden, Dominika«, sagte Benford. »Wolodja hat sich diesen Plan ausgedacht, er bestand darauf. Für ihn war es der Höhepunkt seiner Karriere als Agent. Er hatte Sie entdeckt und als seine Nachfolgerin auserkoren und vorbereitet, bevor Sie aus dem Lefortowo entlassen wurden. Er wäre jetzt zufrieden.«

Dominika packte den Sessel. »Sie lassen ihn sterben, bloß um mit den Geheimnissen weiterzumachen? Sind diese albernen Informationen für Sie wichtiger als *dieser* Mann?« Sie stand auf und ging mit ihren zerzausten Haaren und um den Bauch geschlungenen Armen durch den Raum.

»Uns geht es in der Tat um diese ›albernen‹ Informationen. In diesem Spiel bringen wir alle Opfer. Keiner wird dabei verschont«, sagte Benford.

Dominika sah Benford an und fegte mit voller Wucht eine Lampe von einem Beistelltisch auf den Boden. Die Lampe zersprang auf dem Marmorboden. »Ich habe Sie gefragt, ob die Informationen wichtiger sind als der Mann, als Wladimir Kortschnoi«, schrie Dominika. Sie blickte Benford an, als wollte sie ihm an die Gurgel gehen. Forsyth erschrak über ihre Wut und trat einen halben Schritt auf sie zu – für den Fall, dass sie tatsächlich auf Benford losging.

»Um die Wahrheit zu sagen«, Benford sah zuerst Forsyth an, dann Dominika, »nein. Aber wir müssen weiterkommen. Es ist höchste Zeit, dass Sie nach Moskau zurückkehren. Diese Aufgabe ist jetzt wichtiger denn je.«

»Wichtiger denn je? Sie machen mich verantwortlich für den Tod dieses Mannes. Sie haben mich in diese Position manövriert. Jetzt weiß ich, wofür Sie mich benutzt haben; und wenn ich ablehne, dann wäre das Opfer des Generals umsonst.« Sie drehte sich um und ging wieder auf und ab. »Sie sind nicht besser als die.«

»Beruhigen Sie sich. Wir haben keine Zeit für so etwas«, sagte Benford. »Wolodja würde Ihnen das Gleiche sagen. Sie müssen sich jetzt darauf vorbereiten, nach Russland zurückzukehren. Eine bessere Gelegenheit gibt es nicht. Sie kultivieren Ihren Ruhm als die Offizierin, die den Maulwurf identifiziert hat, die die entscheidenden Informationen weitergegeben hat, die zu seiner Verhaftung geführt haben. Dieses Verdienst müssen Sie innerhalb des Dienstes ausnutzen.« Benfords Halo war blau wie ein Alpensee. Er war konzentriert, nervös, ängstlich.

»*Khren*«, sagte Dominika, »Blödsinn. Sie haben mir nicht die Wahrheit gesagt. Ich hätte niemals zugestimmt.«

Keiner sprach. Sie standen im Wohnzimmer, reglos, blickten einander an. Forsyth sah, dass Dominika allmählich wieder zu Atem kam, sah, wie ihre Hände sich öffneten, die Gesichtszüge sich entspannten. Würde sie doch mitmachen? Benford brach das Schweigen.

»Wir müssen schnell handeln«, sagte er. »Dominika, sind

Sie einverstanden? Können Sie das akzeptieren?« Dominika richtete sich auf.

»Nein, Benford, ich werde das nicht akzeptieren, ich kann es einfach nicht. Ich bin eine ausgebildete Nachrichtendienstoffizierin des SWR«, sagte sie. »Ich kenne das Spiel, ich weiß Bescheid über die Opfer, die *gadkij merj*, die abscheulichen Dinge, die man tun muss, um Vorteile bei den Aufträgen herauszuschlagen. Aber es gibt Dinge, die wichtiger sind als diese Pflicht: Respekt und Vertrauen. Zwischen Kollegen und Partnern. Sie verlangen beides von mir; warum sollte ich nicht auch beides von Ihnen verlangen?«

»Bedenken Sie bitte, dass Wolodja diese Situation herbeiführen *wollte*. Ich möchte gar nicht darüber nachdenken, was passiert, wenn dieser Mut vergeudet wird«, sagte Benford, der spürte, dass seine Chancen zunehmend sanken.

Einen Moment lang blickte Dominika die beiden Männer an, dann drehte sie sich um und ging in ihr Schlafzimmer, dessen Tür sie leise schloss. *Das ist gar nicht gut*, dachte Forsyth. Er wandte sich an Benford.

»Glaubst du, dass sie uns verlassen hat?«, fragte er.

»Die Chancen stehen fünfzig-fünfzig.« Benford lehnte sich erschöpft im Sofa zurück. »Uns bleibt nicht mehr viel Zeit. Wenn sie nach Moskau zurückkehrt, muss sie sich innerhalb des morgigen Tages entscheiden. MARBLE war überzeugt, dass sie einverstanden sein würde. Ich möchte gar nicht über den Dreck an unserem Stecken nachdenken, wenn wir MARBLE für nichts über die Klinge springen lassen. Wenn sie sich weigert, nach Russland zurückzukehren.«

»Aber das ist noch nicht alles«, sagte Forsyth. »Oder?«

»Das musst du mir erklären«, sagte Benford.

»Du hast noch einen letzten Trumpf im Ärmel, der sie überzeugen wird weiterzumachen.«

»Ich mag diese Metapher nicht. Das hier ist kein Glücksspiel.«

»Doch, Simon«, sagte Forsyth. »Alles dreht sich hier um Glück.«

———

Benford saß auf einem Sofa unter einer Zimmerlinde im Atrium des Hotels König von Ungarn in Wien, an einer Ecke der Schulerstraße hinter dem Stephansdom. Benford war soeben zurückgekommen, nach einer unterhaltsamen halben Stunde im Hotel Bristol mit dem Chef der Abteilung KR beim SWR, Alexej Sjuganow, der seinen absurden Filzhut mit klappbarer Krempe vorgeführt hatte. Ein junger, dunkelhäutiger Mann von der russischen Botschaft begleitete ihn. Bei einem polnischen Wodka und einem kleinen Teller mit süßsauren Gurken blieb Sjuganow bei seiner Behauptung, von dem Blutbad in Athen nichts zu wissen. Er weigerte sich, über Wladimir Kortschnoi anderes zu sagen, als dass er sich des Vaterlandsverrats schuldig gemacht habe. Er bestand darauf, dass Benford Druck auf die griechische Regierung ausübte, um die sofortige Freilassung von Egorowa und deren Auslieferung an die russische Botschaft in Athen zu erreichen.

Mit regungsloser Miene erzählte Benford Sjuganow, dass die Griechen aufsässig gewesen seien und Egorowa nicht nur über den Tod des früheren SpezNas-Offiziers im Hotel Grande Bretagne befragt, sondern auch darauf bestanden hätten, dass sie an einer Pressekonferenz über *alle ihre Aktivitäten* teilnahm. Dafür sollte sie eine geringere Gefängnisstrafe erhalten. Sjuganow richtete sich auf und wiederholte, dass Egorowa entlassen werden müsse, und in diesem Moment unterbreitete Benford sein Angebot. Eine halbe Stunde später verließ ein zitternder Sjuganow abrupt das Bristol, ohne für seinen Wodka bezahlt zu haben. *Aber das macht nichts*, dachte Benford. *Sie zahlen dafür mehr, als sie glauben.*

━━━

Im Kremlbüro blitzten die blauen Augen auf, der Mund mit dem Cupido-Bogen hob sich ein klein wenig. Als Politiker erkannte er sofort den Nutzen des amerikanischen Vorschlags. Der ehemalige KGB-Funktionär in ihm wusste das Zweckdienliche daran zu schätzen. Aber der Diktator, der entschlossen war, seine uneingeschränkte Macht in seinem neu ausgerüsteten russischen Reich zu konsolidieren, wollte sich nicht mit dem zweiten Platz begnügen, nicht einmal bei diesem Einsatz. Sjuganow stand mit gesenktem Kopf im holzvertäfelten Kremlbüro, während sein Präsident ihm leise etwas zuflüsterte, die väterliche Hand auf seiner schmalen Schulter.

### GURKENSALAT IM HOTEL BRISTOL

Gurken schälen, entkernen, der Länge nach halbieren und in dünne Scheiben schneiden. Eine rote Zwiebel und eine Chilischote dünn schneiden. In einer Schüssel mit Apfelessig, Salz, Pfeffer, Zucker, Dill und einem Tropfen Sesamöl vermengen. Gekühlt servieren.

# 40

Benford, Forsyth und Gable waren in der Athener Station. Sie saßen am Ende eines abgenutzten Konferenztisches im Schutzraum – ein neun Meter langer Acrylglasanhänger auf Acrylglasstützen, der in einen noch größeren Raum einge-kapselt war – im grellen Licht der Leuchtstoffröhren, die an der Decke des Anhängers angeordnet waren. Ihre Becher mit heißem Kaffee fügten dem mit Ringen übersäten Tisch neue Abdrücke hinzu. Nate befand sich am anderen Ende des Flurs, in der Krankenstube, wo ihm ein paar Fäden gezogen werden sollten.

»Das wird ein Heidentheater geben, falls DIVA sich wei-gert zurückzukehren«, sagte Gable. »Die Russen werden derart sauer sein, dass sie uns MARBLE vor lauter Wut abknallen.« Benford stellte eine Umhängetasche auf den Tisch und öffne-te die Schnallen des Verschlusses. Wandte sich zu Gable um.

»Es wird Sie freuen, zu hören, dass Sie der Erwählte sind, der DIVA davon überzeugt, nicht überzulaufen, sondern wie-der zurückzukehren, und zwar einsatzbereit«, sagte Benford. »Abgesehen von unserem jungen Superstar da draußen re-spektiert sie Sie am meisten. Sie sind der Einzige, den sie, wie war das noch gleich, Bratwurst nennt?«

»*Bratok*«, sagte Gable. »Das bedeutet ›Bruder‹.«

»Verstehe. Nun, Bruder, in ihren Augen habe ich sie ver-raten, ich und damit die gesamte CIA. Aus strategischen Gründen wollen wir Nash nicht zu sehr in die Sache reinziehen – nebenbei bemerkt, durch den unüberlegten Körperkontakt zwischen den beiden haben wir eine tödliche Schwachstelle.« Er blickte zu Forsyth und sah dann scharf Gable an. »Und deswegen vertraue ich Ihnen diesen unglaublich heiklen Teil der Operation an«, sagte Benford. »*Bratok*, sorgen Sie dafür, dass DIVA einwilligt.«

Benford öffnete die Tasche und kippte sie aus. Ein Durcheinander von Papieren und schwarz-weißen Hochglanzfotos fiel auf den Tisch. Forsyth formte daraus einen Stapel und schaute sich jedes Blatt an, bevor er es an Gable weiterreichte. Die Fotos zeigten einen Fluss auf dem Lande, spiegelglatt und langsam fließend, oberhalb eines Stauwehrs eine Schaumkrone, darüber eine zweispurige Schnellstraße, die Brücke auf Betonpfeilern, mit zweiarmigen Laternenmasten an den Seiten entlang der Brüstung. Zwei Burgen zu beiden Seiten des Flusses, die eine mit einem rechteckigen Turm, die andere niedrig mit Zinnen. Schlichte kleine Häuschen am Fluss, in der Ferne verrußte Wohnblöcke vor grauem Himmel. Auf der Brücke bildeten Sattelschlepper mit Planenverdeck eine lange Schlange.

»Die Brücke über die Narwa«, sagte Benford und zeigte auf eines der Fotos. »Auf der rechten Seite Russland. Auf der linken der Westen, wenn man Estland denn so nennen will.« Er drehte ein anderes Foto zu ihnen hin. »Die Grenzkontrolle. Dieser Grenzübergang ist ruhig, hauptsächlich Lastwagen, ziemlich schleppende Abfertigung. Sankt Petersburg liegt hundertdreißig Kilometer weiter nördlich.« Benford klopfte auf das Foto. »Hier wird sie die Grenze überqueren.«

»Warum machen wir das überhaupt?«, fragte Gable. »Die Griechen könnten sie doch zum Flughafen eskortieren und in einen Flieger setzen. In drei Stunden wäre sie zu Hause.« Benford sah lang auf ein Foto, dann antwortete er endlich.

»Um es mal flapsig auszudrücken: Wir sind quitt, mehr oder weniger. Einerseits haben wir, dank MARBLE, in Washington eine Spionin neutralisiert. Andererseits haben wir den schmerzlichen Verlust von MARBLE zu beklagen. Im Gegenzug hat DIVA, so hoffen wir, ihre Position um einiges verbessert. Ich möchte noch hinzusetzen«, sagte er, während er einen Schluck Kaffee trank, »dass wir großes Glück hatten, dass DIVA und Nash durch den Angriff dieses SpezNas-Killers keine tödlichen Verletzungen davongetragen haben.

Meiner Ansicht nach ist der einzige unbefriedigende Aspekt an der ganzen Geschichte, dass ein mutiger alter Mann alles verloren hat. Ich habe versucht, ihn davon zu überzeugen, dass er weitermacht wie bisher, dass er keine voreiligen Schritte unternimmt, aber er hat darauf bestanden. Er hat wohl gespürt, dass seine Zeit abläuft.« Benford schaute die Männer um den Tisch an, dann blätterte er wieder in den Fotos.

»Ich weigere mich, die Dinge so stehen zu lassen«, sagte Benford und ließ die Tasche mit einem leichten Knall auf die Tischplatte fallen. »Ich will noch einen letzten Punkt ansprechen.«

»Einen letzten Punkt?«, fragte Forsyth.

»MARBLE. Ich will ihn zurückhaben. Er hat sich seinen Ruhestand verdient«, sagte Benford. Es wurde still in der Acrylblase. Das einzige Geräusch in dem Raum machte die Luft, die durch die Acrylglasventile gepumpt wurde.

Gable schüttelte den Kopf. »Da gibt es das geringfügige Problem seiner derzeitigen Situation. Verhafteter westlicher Spion«, sagte er. »Im Lefortowo gibt es kein Programm, das vorsieht, jemanden zu beurlauben.« Forsyth schwieg; er ahnte schon, was gleich kam.

»Ich glaube, die Zentrale wäre froh, MARBLE auszutauschen«, sagte Benford.

»Auszutauschen?«, fragte Gable. »Und gegen wen …«

»DIVA. Die wollen sie dringend genug, um MARBLE dafür freizulassen. Unter Stalin wäre das nicht so gewesen, auch nicht unter Andropow, aber wir haben es hier mit dem neuen Russland zu tun. Putin sorgt sich um sein Image, daheim und im Ausland. DIVA kennt ein Geheimnis – mehrere Geheimnisse –, die ihm zu Hause Probleme bereiten würden.«

»Niemals würden die Russen dem zustimmen«, sagte Gable. »MARBLE lassen die nie frei. Sie würden an zukünftige Verräter denken, dass man das Gesicht verliert, Schwäche zeigt.«

»Im Gegenteil, sie haben schon eingewilligt. Putin hat vermutlich die Zentrale angewiesen, den Handel abzuschließen.«

»Reden wir Klartext«, sagte Gable. »Sie haben mit den Russen einen Deal für einen Spionaustausch vereinbart, ohne genau zu wissen, ob DIVA zurückkehren wird?«

»Genau deswegen zähle ich auf Sie«, sagte Benford. »Im Übrigen ist es nicht vorstellbar, dass DIVA sich noch weigert, wenn man ihr erst einmal gesagt hat, dass ein Entschluss ihrerseits, *nicht* zurückzugehen, in der Tat die Freilassung von MARBLE annullieren würde.«

»Miese Trumpfkarte«, sagte Gable. Benford schaute verärgert auf. »Das ist doch keine Art, diese Frau als unsere Agentin nach Moskau zu schleusen. Ich meine, falls sie es uns verübelt, uns diese Manipulation übel nimmt, dann zieht sie nachher einfach den Stecker. Dann hören wir nie wieder etwas von ihr.«

»Ich erwarte von Ihnen, dass Sie die negativen Aspekte unserer Manipulation ausschalten. Motivieren Sie sie von Neuem. Setzen Sie sich mit ihr zusammen und bereiten Sie sie auf die Führung in Russland vor. Betonen Sie, dass sie allein den Schlüssel zu MARBLEs Freiheit in Händen hält«, sagte Benford.

»Negatives ausschalten, verstehe. Also gut. In einer Stunde geht's nach Glyfada«, sagte Gable.

»Die Uhr tickt«, sagte Benford. »Ich habe den Russen gesagt, dass wir es eilig haben. Es geht um Tage, Stunden.«

»Narwa«, sagte Gable. »Estland. Jesus, Maria und Josef.«

━━━

Die beiden Georgier standen stramm in Sjuganows Büro, den Blick auf einen Punkt an der Wand über dem Kopf des kleinen Mannes gerichtet. Es waren *tschistilschtschiki* mittleren Ranges, Vollstrecker aus der Abteilung V des SWR, zuständig für die Drecksarbeit, die Nachfolger der Abteilung für Spezialaufgaben unter General Pawel Sudoplatow, die vier Jahrzehnte lang die Gegner der Sowjetunion im In- und Ausland eliminierte. Sjuganow las im soeben erhaltenen Report eines griechischen Polizeiinformanten. Die Schlägertypen verließen das Büro.

Dann ließ Sjuganow Ludmilla Tsukanowa rufen. Gemächlichen Schrittes betrat sie das Zimmer und schaute dabei auf ihre polierten braunen Schuhe. Ihr mächtiger, wenngleich teigiger Busen war in eine allzu enge Uniformjacke eingeschnürt. Ihre braunen Haare waren ungleichmäßig geschnitten und recht kurz. Das runde slawische Gesicht wirkte auf den ersten Blick rosig und gesund, allerdings zeigte sich bei genauerer Betrachtung, dass die Dreißigjährige an Rosazea litt. Die gerötete Stelle am Kinn war offenbar schmerzhaft.

Nervös saß Ludmilla da und hörte zu, während Sjuganow über eine halbe Stunde ununterbrochen auf sie einredete. Obwohl es schien, als wäre ihr unbehaglich zumute, waren Ludmillas schwarze Augen – Haifischaugen, Puppenaugen –

fortwährend auf ihn gerichtet. Als er fertig war, nickte sie nur und verließ den Raum.

━━

Insgeheim hatte Benford, wie Gable später bemerkte, gehöriges Lampenfieber, als er den Einsatzplan vorstellte, und zwar mit einer derartigen Flut von Sätzen, dass einem ganz schwindlig davon werden konnte.

»Forsyth, du musst in der Station bleiben, um den unausweichlichen nervigen Depeschenverkehr vom Ersten Lord der Admiralität, dem Europachef, und den anderen Klugscheißern im Hauptquartier aufzufangen.

Ich fliege vor nach Estland, um mich um den jungen Stationschef vor Ort zu kümmern und mit der Polizei Verbindung aufzunehmen – KaPo heißen die, wurden mal in Russland ausgebildet, jetzt sind die in der NATO und ziemlich aufrichtig und penibel. Ich erwarte, dass die Zentrale aktiv ist, ihre Leute überall in Estland hat, um zu sehen, was sie entdecken können, vielleicht versuchen die sogar, DIVA zu schnappen.

Ihnen, Gable, kommt die entscheidende Aufgabe zu. Verstecken Sie sie, beschützen Sie sie. Überzeugen Sie sie davon, zurückzugehen. Dafür haben Sie ein, zwei Tage Zeit, dann, am Ende des zweiten Tages, bringen Sie sie zur Brücke in Narwa, um siebzehn Uhr Ortszeit.

Bis dahin darf niemand, *unter gar keinen Umständen*, ein Telefon benutzen, weder Handy noch Festnetz. Moskau-Regeln, ist das klar? Die russische Funkaufklärung ist verdammt gut im Orten von Handys, außerdem ist die Zentrale immer noch finanziell beteiligt an dem Satelliten.

Gable, ich schlage vor, dass Sie von Griechenland aus nach Lettland fliegen und dann am frühen Morgen Riga verlassen; von Lettland sind es dreihundertsechzig Kilometer auf der

E67, die KaPo schließt die Narwa-Brücke, sobald der Tagesverkehr nachlässt und bevor der LKW-Nachtverkehr einsetzt.

Gable, Sie müssen jede freie Minute dazu nutzen, DIVA auf den Austausch auf der Brücke vorzubereiten. Die werden sie sich ganz genau anschauen.

Ich will, dass MARBLE innerhalb von zwei Stunden nach dem Austausch aus Estland verschwunden ist, aus der Reichweite der Russen. Der Marine-Attaché hat mir eine C-37 in Tallinn versprochen, aber Forsyth, bitte erinnere ihn daran, dass das Flugzeug bereitstehen muss; ich habe keine Lust, in der Economy Class der Estonian Air nach Trondheim zu fliegen, um ihn rauszuholen.«

Später, als er Benford zum Abflug-Gate des Athener Flughafens begleitete, fasste Forsyth ihn am Arm. »Das ist eine sehr schöne Operation, die du da entworfen hast, Simon«, sagte er. »Da werden die Russen, die Esten, der SWR und die CIA auf der Brücke stehen, alle nervös, mit dem Finger am Abzug. Ich bete zu Gott, dass MARBLE tatsächlich dort im Dunkel der Nacht steht und darauf wartet, ausgetauscht zu werden.«

Benford hielt inne und drehte sich zu Forsyth um. »Tom, Gable und DIVA müssen untertauchen. Keine Handys, kein Kontakt, nichts, was der Zentrale den geringsten Anlass bietet, eine feindliche Aktion zu starten.«

»Gable ist bereits verschwunden«, sagte Forsyth. »Seit gestern Nachmittag weiß sogar ich nicht mehr, wo er steckt.«

Benford nickte. »Uns bleibt keine andere Wahl; es muss alles so weiterlaufen, als ob sie schon zugestimmt hätte. Ich will MARBLE dort haben, persönlich, bevor die beschließen, ihn zu liquidieren. Das ist unsere einzige Chance.« Benford schaute durch das Fenster auf die Rollbahn. »Gable wird sie überzeugen. Er muss es.«

——

In der Station in Tallinn stellte der junge Stationschef seine Kaffeetasse ab und richtete sich auf, während er Benfords Nachricht las, die vom Hauptquartier weitergeleitet worden war. Er steckte den Kopf aus seinem Arbeitszimmer und rief seine Frau herein; nur sie beide waren da. Zusammen lasen sie die Nachricht mehrmals durch. Seine Frau stand hinter ihm, sah ihm über die Schulter und machte eine Liste von allem, was jetzt schnell erledigt werden musste: Hotels, Funkgeräte, Ferngläser.

Benfords Anweisungen folgend rief der junge Stationschef seine Kontaktperson bei der KaPo, der Kaitsepolitsei, an und bat um ein Dringlichkeitstreffen. In Tallinn eskortieren? Dem Auto nach Narwa folgen? Überwachung auf der Brücke? Unseren früheren russischen Mietern in die Eier treten? Sehr gerne, sagte die KaPo. Wir kümmern uns darum.

Benford flog von Athen aus über Tempelhof mit der Lufthansa nach Tallinn. Nach einem kurzen Zwischenstopp im Hotel Schlössle in der Altstadt zog Benford mit dem hilfsbereiten jungen Stationschef eine rasante Tour nach Narwa und zurück durch, um Timing und Terrain zu erkunden. Auf der E20 folgte ihnen sporadisch ein unscheinbarer Lada, aber in den Außenbezirken Narwas war er dann verschwunden. Die Russen wussten, wo sich die Sache abspielen würde. Auf dem Rückweg nach Tallinn hielt Benford an einer Autobahnraststätte, um festzustellen, wie der Lada reagieren würde. Seine Überwacher fuhren zweihundert Meter weiter und warteten dann auf dem Standstreifen. Benford gönnte sich ein ausgedehntes Mittagessen, das aus Bockwurst, eingelegtem Gemüse, Hering, baltischem *Rosolje*-Salat, Schwarzbrot und dunklem Bier bestand. Er hoffte sehr, dass die Schlägertypen im Auto großen Hunger hatten.

In Benfords Hotelzimmer waren sie eingedrungen, aber

sie waren geschickt gewesen. Keine der altbekannten Fallen, die Benford für sie aufgestellt hatte, war berührt worden. Das einzelne Haar, das Talkumpuder, die genau ausgerichteten Ecken des Notizbuches auf dem Schreibtisch. Aber ganz so gut wie Benford waren sie nicht. Fasziniert schaute der Tallinner Stationschef zu, wie Benford ein auf dem Glasrand seiner Armbanduhr eingelassenes linsengroßes Vergrößerungsglas verwendete, um die Rückseite des Handys zu untersuchen, das er im Seitenfach seines Koffers als Köder zurückgelassen hatte. Benford blickte auf, nickte. Die Microscribe-Markierungen am Deckel waren versetzt. Der Deckel war entfernt und die nutzlosen Daten waren vermutlich heruntergeladen worden.

Noch andere Vorkehrungen liefen. In Sankt Petersburg erhielt der Chef des SWR-Büros für die Provinz Leningrad aus Jassenewo einen Anruf, auf der Chefleitung des Direktors. Die einzige Information lautete, dass es einen Austausch geben werde. Er wurde angewiesen, ein Team zusammenzustellen und einsatzbereit zu machen, um einen zur Freilassung bestimmten Häftling in Obhut zu nehmen und anschließend eine »wichtige Person« schnellstmöglich von der Narwa-Brücke nach Iwangorod und anschließend nach Sankt Petersburg zu bringen.

Dem Chef wurde die Befugnis erteilt, vom FSB in Sankt Petersburg und vom Grenzschutz der Provinz Unterstützung während des Austauschs einzufordern. Ein Oberst Sjuganow in Moskau habe befohlen und erwarte, dass es während des Austauschs keine Probleme gebe und dass alles mit größtmöglicher Geheimhaltung stattfinde.

Der Chef in Sankt Petersburg bestätigte die Anweisungen und erbat daraufhin die Genehmigung, die wichtige Person mit dem Hubschrauber der Grenzpolizei von Iwangorod nach Sankt Petersburg zu befördern, was ihm gestattet wurde. In einem Jak-40-Privatjet aus der Flotte des Präsidenten werde die zurückgeführte Person – weiß der Teufel, wer das war, dachte der Leningrader Chef – dann den Rest des Wegs nach Moskau zurücklegen.

———

Der Austausch MARBLEs war für den folgenden Tag um vierzehn Uhr koordinierte Weltzeit angesetzt. Vielleicht, weil sie alle so angespannt waren, vielleicht, weil Forsyth sich Sorgen um Gable machte, vielleicht auch, weil Nate nun aus dem Rennen war und nach Washington geschickt werden sollte, entschloss sich Forsyth, Nate auf ein Bier einzuladen.

Sie saßen unter den hellen Platanen in der Taverna Skalakia in Ambelokipi, ein wenig südlich der Botschaft. Nate war zuvor unruhig im Büro herumgewandert, sehnsüchtig auf seinen Flug wartend, und der Junge hatte Forsyth leidgetan; er hatte viel durchgemacht und hatte einiges einstecken müssen. Forsyth wusste genau, was Nate sonst noch zu schaffen machte, neben seiner üblichen Sorge um Ansehen und Karriere.

Und deshalb begleitete Forsyth ihn über die Mesogeion-Straße und die steile Treppe hinauf zur Eingangstür der Taverne. Dort saßen sie draußen und hörten, wie die Stadt zur Mittagsstunde ruhiger wurde. Nate fragte Forsyth, ob DIVA inzwischen wieder zurück in Russland sei, nachdem sie MARBLE verraten hatte. Dann trank er sein Bier aus und bestellte noch eins.

Forsyth sah Nate derart forschend an, dass dieser gestand, im Büro die geheime Akte gelesen zu haben, als Maggie gerade nicht hingeschaut habe, und über die ganze Geschichte Bescheid zu wissen. Über Benfords Plan. Über Dominikas

Verrat. Versuchen wir denn nicht, unsere Leute zu beschützen? Wie konnte sie nur? Russen. MARBLE hätte das nicht getan. Der spiele in einer anderen Liga.

Forsyth reagierte aufgebracht, als Nate ihm auf den Kopf zusagte, was für ein hirnloser Idiot er sei. Forsyth erwiderte, er denke darüber nach, ihn seine Hirnlosigkeit spüren zu lassen nach der Lektüre des geheimen Dokuments. Dominika habe nichts von dem Plan gewusst, MARBLE auffliegen zu lassen, sagte Forsyth. Sie habe einen Auftrag ausgeführt, tat, was Benford ihr befohlen hatte, wusste nichts von der Kanarienvogelfalle, von den schicksalhaften Worten, die sie wiederholen sollte. Sie habe den Auftrag, Nate nichts davon mitzuteilen. Sie sei diszipliniert, ein wirklicher Profi. Und sie sei zusammengebrochen, als sie ihr schließlich sagten, wie es um MARBLE stand.

Zehn Minuten lang schwieg Nate. Dann sagte er Forsyth, dass er sie im Safehouse aufsuchen wolle. »Sparen Sie sich die Mühe«, sagte Forsyth. »Wir haben es gestern geschlossen. Sie ist bei Gable, und nicht einmal ich weiß, wo Gable sich herumtreibt.« Er erzählte Nate von Benfords Austauschplänen, von der zweispurigen Schnellstraßenbrücke in Estland. »Wir spielen nach russischen Regeln – na ja, zumindest nach Narwa-Regeln –, denn das ist unsere einzige Chance.«

Nates Miene verriet Entschlossenheit. »Tom, ich muss sie sehen. Sie müssen mir helfen.«

»Selbst wenn ich wollte, ich könnte es nicht«, sagte Forsyth. »Es gibt nur einen Punkt auf unserer Erdkugel, wo sie morgen *möglicherweise* auftaucht, und selbst dafür stehen die Chancen nur fünfzig-fünfzig.« Nate begriff, dass Forsyth ihm das sagte, weil er ihn gehen lassen wollte.

—

Für Nate ähnelten die folgenden vierundzwanzig Stunden einem Trip durch Selbsthass und Schuldgefühle. Die geografische Reise trat er an, als er vom Tisch aufstand und sich von Forsyth verabschiedete. Der ließ ihn gehen und wusste, was Nate vorhatte, denn wenn er es nicht versuchte, stünden die Dinge noch viel schlechter als ohnehin schon. Er hatte einen Tag Zeit, um hinzukommen. Der Athener Verkehr stand still. Das weiße ägäische Licht schien durch die Fensterscheiben des Taxis, der Schweiß lief ihm den Rücken herunter, auf den Plastiksitz. Er bezahlte den Taxifahrer, betrat die Abflughalle und kaufte eine Tasche, eine Zahnbürste, ein T-Shirt sowie ein Ticket für den nächsten Flug nach Deutschland, München. Die Menschenschlange vor ihm bewegte sich kaum vorwärts, und beinahe hätte er herumgeschrien, aber dann humpelte er durch die Sicherheitskontrolle und spürte nicht einmal den Auftrieb, als sie abhoben. Er fragte sich, warum das Flugzeug über den Alpen eigentlich derart langsam flog, und in München kurvte der Gelenkbus zweimal um den gesamten Flughafen herum, ehe er vor den Schiebetüren anhielt.

Nate nahm sich vor, auf den Rolltreppen nicht zu schnell zu gehen. Schließlich befanden sich überall Überwachungskameras, außerdem machten sich seine Nähte bemerkbar, juckten. In dem schier endlosen Flughafengebäude in München aß er eine Bockwurst, trank dazu ein Bier. Fünf Minuten später kam ihm das Essen wieder hoch. Den zwei Polizisten mit MP5-Maschinenpistolen, die ihn nach seinem Pass und seiner Bordkarte fragten, hätte er beinahe geantwortet, dass er dafür keine Zeit habe, und dem mit den Achselstücken, der ihn durch die Glasscheibe ein klein wenig zu lange ansah, hätte er die Papiere fast aus der Hand gerissen. Die Wartehalle war voll von übergewichtigen Balten, deren Koffer mit Kordeln und Schnüren zugebunden waren. Er wollte sich zum Gate durchdrängeln, aber die Balten schoben sich zu einer zähen Masse zusammen, und als er die Durchsage hörte, der Flug habe zwei Stunden Verspätung, zog sich Nates übersäuerter Magen zusammen. Er sah wohl zum hundertsten Mal auf die Uhr, während er da auf einem kaputten Plastikstuhl saß, und lauschte dem Gerede der Balten, roch ihr Brot, ihre Wurst. Er schaffte es gerade noch rechtzeitig zur Toilette und übergab sich auf leeren Magen. Als er sein Hemd anhob, um festzustellen, ob vielleicht eine Naht aufgeplatzt war, stellte er fest, dass dem nicht so war, aber die Haut war gerötet und fühlte sich entzündet an. Zurück am Gate, schlief er schweißgebadet ein; Dominikas Gesicht erschien ihm im Traum, und er hörte ihre Stimme.

Irgendjemand stieß ihm im Vorbeigehen gegen die Füße; er wachte auf und reihte sich ein. Nicht ganz klar im Kopf, vom Schädelbrummen geplagt, stand er in der Schlange. Auf dem Rollfeld mussten sie warten, bis ein technisches Problem gelöst worden war, zwanzig Minuten, vierzig Minuten, eine Stunde, aber die Balten hörten einfach nicht auf zu quasseln. Als der Flieger endlich abhob, brummte ihm der Schädel noch mehr, der Druck in den Ohren wollte einfach nicht nachlassen, und die Stewardess fragte ihn, ob alles in Ordnung sei. Zwei Stunden darauf konnte das Flugzeug wegen Nebel nicht landen, vermutlich würden sie nach Helsinki umgeleitet werden. Und da hielt Nate es kaum noch aus. Er schloss die Augen und lehnte den Kopf zurück gegen den Sitz, aber der Nebel verzog sich gerade noch rechtzeitig.

Im Tallinner Flughafen war der Tisch am Zoll aus Edelstahl, das Einweghandy, das er am Flughafen gekauft hatte, funktionierte nicht, und das Lenkrad des Mietwagens wackelte, aber er hatte keine Zeit, den Wagen gegen einen anderen auszutauschen. Der schwachbrüstige Motor klingelte, und er fuhr zu schnell. Im Kreisverkehr außerhalb Tallinns baute er Mist und fuhr auf der E67 nach Süden, bis ein verdammtes Schild ihm zeigte, dass er unterwegs nach Riga war. Allerdings schaffte er es umzukehren und auf die E20 zu gelangen, wo die Lastzüge das schwankende Gefährt fast aus der Bahn geworfen hätten, und dann winkte ihn auch noch ein Polizist mit einer Kelle rechts ran und nahm sich alle Zeit der Welt, bevor er den Strafzettel abriss und Nate weiterfahren ließ. Städte zogen vorüber, fremde Namen in einer befremdlichen Mondlandschaft aus flachen Hügeln und matschigen Bauernhöfen im Windschutz vereinzelter Baumgruppen, und da war Rakvere, dann Kohtla-Järve, dann das heruntergekommene Vaivara und der Außenbezirk Narwas, das schmuddelige Narwa.

Inzwischen war es Nachmittag, der Himmel war wolkenverhangen, und er fand zwar die Burg und die Brücke, Russland auf der anderen Seite des Flusses, aber irgendetwas riet ihm, sich abseitszuhalten: *nicht den Ort des Geschehens aufheizen*, ein letztes bisschen Arbeitsdisziplin. Nate fuhr in der Stadt herum und hielt voller Hoffnung nach Dominika Ausschau, aber das war unrealistisch. Er kämpfte mit seinen Schuld- und Schamgefühlen, holte noch einmal das letzte Quäntchen Arbeitsdisziplin aus sich heraus und stand schließlich auf einem Parkplatz im Zentrum, wobei das Auto jedes Mal bebte, wenn eine Straßenbahn vorbeifuhr, und ihm die Hände zitterten. Er saß hinter der vernebelten Windschutzscheibe, der Minutenzeiger auf dem Armaturenbrett tickte rückwärts, an der Tankstelle spritzte er sich kaltes Wasser auf Gesicht, Achseln und Bauch – die Nähte juckten noch –, er musterte sein Gesicht, die eine Hälfte blau geschlagen, wie das Phantom der Oper, ein toller Liebhaber war er gewesen, streifte das T-Shirt mit der griechischen Flagge über und aß ein Narwa-Sandwich, der Salat am Rand schon bräunlich und das Papier vollgesogen mit Fett.

Forsyth hatte »Sonnenuntergang« gesagt, deshalb startete er jetzt den Wagen, dabei spürte er die Beine und Füße kaum noch auf den Pedalen, fuhr zurück zur Brücke, aber da stand schon eine Straßensperre, und ein Jeep parkte schräg auf dem Mittelstreifen. Er sagte dem Soldaten, dass er Teil des ganzen Klamauks sei, aber Blauauge mit der Feldmütze und der Stoppelfrisur verstand »Klamauk« nicht und schaute nochmals auf Nates Pass, während Nate den ersten Gang einlegte, um die Straßensperre herumfuhr und die Polizeipfeife hörte, aber er glaubte nicht, dass die schießen würden, und da sah er vor sich einen Lieferwagen und einen Jeep, Benford stand auch da, und da wurde sein Blick verschwommen, *keine Ahnung, ob es das wackelige Lenkrad ist oder ich*, er schaltete und glitt im Leerlauf auf Benford zu, leise, mit seinem letzten Quäntchen Arbeitsdisziplin.

## ESTNISCHER ROTE-BETE-SALAT – ROSOLJE

Gekochte Rote Bete, gekochte Kartoffeln, saure Gurken, geschälte Äpfel, hart gekochte Eier, gekochtes Schweine- oder Rindfleisch und Pökelhering (über Nacht eingeweicht und gewaschen) in kleine Würfel schneiden, dann mit saurer Sahne, Senf, Zucker, Pfeffer und Essig vermengen, bis alles gut miteinander verbunden ist. Kühl stellen und servieren.

# 41

Dominika folgte nur widerwillig, als Gable sie aus dem Safehouse zog. Sie tauchten unter. Einen ganzen Tag lang redeten sie in einem Zimmer, das Gable unter einem Decknamen im Astir Palace gebucht hatte, rund zwanzig Kilometer außerhalb von Athen, in Vouliagmeni, mit Blick über die Bucht. Sie hatten sich als Ehepaar eingetragen, um Komplikationen zu vermeiden. Gable erkannte den Polizisten nicht, der an dienstfreien Tagen im Nebenjob an der Rezeption arbeitete, aber der Polizist erkannte den großen Amerikaner und hob den Telefonhörer.

Gable gab dem Ganzen eine fünfzigprozentige Chance. Dominika sagte, dass sie ihn, *Bratok*, nicht mehr respektiere, ihm nicht mehr vertraue; sie alle hätten sie benutzt. Er hörte zu, mit seinem purpurnen Halo, während das Licht der Ägäis durch das Fenster strömte. Sie sagte ihm, dass man ihr seit der Ballettschule alle Wahlmöglichkeiten genommen habe, sie sei herumgeschoben worden, wobei man ihr die Dinge, die ihr am meisten bedeuteten, genommen habe. Daher rühre ihre Entscheidung, mit ihnen zusammenzuarbeiten. Nate, *Bratok* und Forsyth waren wie ihre eigene Familie gewesen; sie wussten, was sie brauchte. Und alle waren so klug, so professionell.

Aber das Ergebnis war das gleiche. Sie hatten sich gegen sie verschworen. Selbst der General hatte die Treue gebrochen. Ihr russischer Verstand sah die Konspiration, ihre russische Seele fühlte den Betrug. Sie würde nicht mit ihnen zusammenarbeiten. Sie erzählte ihm, sie würde auch nicht in Russland bleiben. Sie hatte begriffen, wie sinnlos es war, das System herauszufordern. Die *wlasti* würden immer gewinnen. Sie musste nur noch entscheiden, wohin sie gehen wollte. Sie würde sich in Amerika niederlassen, wenn die Amerikaner es erlaubten; wenn sie ihr den Übertritt verweigerten, würde sie ein Drittland erwägen. Sollte die CIA sie daran hindern, würde sie als Zivilistin nach Russland zurückkehren. Auf jeden Fall hörte sie auf. Sie war raus.

Gable ließ sie reden und machte ihr Tee. Er tat Zitrone ins Perrier-Wasser und hörte zu. Als sie müde wurde, setzten sie sich auf den Balkon, legten die Füße auf die Balustrade und blickten auf das türkisfarbene Meer. Er erzählte ihr Geschichten aus seinen früheren Einsätzen als junger Agent und brachte sie zum Lachen. Es gelang ihm, die gute Laune beim Mittagessen zu bewahren, als sie frittierte Tintenfische mit Petersilie, Zitrone und Öl aßen. Während die Schatten im Laufe des Nachmittags immer länger wurden, gingen sie in den Parks spazieren. Gable versicherte ihr, er werde nicht versuchen, sie zu irgendetwas zu drängen. Dominika lächelte und erwiderte: »Das ist der erste Schritt, mich dazu zu überreden, genau das zu tun, was du möchtest.« Gable lachte, brachte sie zurück in ihr Zimmer, ließ sie ein Schläfchen machen, während er auf dem Balkon saß. An diesem Abend trug Dominika ein Sommerkleid und Sandaletten; sie nahmen einen klapprigen Bus, der entlang der Küste zu einem kleinen Fischrestaurant in Lagonissi fuhr. Dominika bestellte gebackene Sardinen in Weinblättern, Shrimps *yiouvetsi*, gebacken mit Tomaten, Ouzo und Feta, und gegrillten Schwertfisch mit *Latholemono*-Sauce. Gable bestellte zwei Weine, eine Flasche eiskalten Asprolithi und eine Aluminiumkaraffe kräftigen Retsina.

Sie machten noch in einer anderen Taverne auf einen Kaffee halt; Gable bestellte zwei Gläser Mavrodaphne, lieblich und dunkel, aus dem Süden Griechenlands. Die Lichterketten glühten am Sonnendach der Taverne, kleine Wellen glucksten am Strand, unsichtbar in der Nacht. Dominika lehnte sich zurück, blickte auf Gables großes, kräftiges Gesicht und den Bürstenhaarschnitt und wartete darauf, dass er endlich richtig loslegte. »Du willst jetzt mit mir reden, nicht wahr, *Bratok?*« Gable sagte ihr, er wolle, dass sie sich alles gut überlege und ihre eigenen Bedingungen nochmals überdenke. Er werde ihr dann seine Sicht der Dinge erklären und was diese für sie bedeute. Sie war damit einverstanden, wollte ihm zuhören, war auf seine Tricks gefasst, sein beständiger purpurner Flor sagte ihr jedoch, dass er vermutlich die Wahrheit sagen würde. Vermutlich.

Er glaube, sagte Gable, dass ihre ursprünglichen Beweggründe, dem SWR beizutreten, vertretbar, richtig und gut seien. Dadurch hätte sie ihrem Land dienen und sich in einer anspruchsvollen Arbeit auszeichnen können. Wie sich gezeigt habe, sei sie ja gut darin. Aber das große Versprechen habe sich in Luft aufgelöst wegen der Brutalität des Systems. Es sei nichts übrig geblieben. »Habe ich recht so weit?«, fragte er.

Dominika lehnte sich zurück und nickte. Sein purpurner Schein war ruhig und kräftig.

»Gut«, sagte Gable, »und jetzt kommt ein Einsatz, Glück oder Schicksal ins Spiel, und du triffst Nate Nash. Er ist anders als alle, die du je getroffen hast – auch anders als all die anderen gut aussehenden ranghohen CIA-Beamten –, und du tastest dich vorsichtig heran, wie es sich anfühlt, es den Mistkerlen womöglich heimzuzahlen. Es geht dabei nicht um Geld oder Ideologie, es geht um Selbstachtung.« Gable winkte einem Kellner und bestellte noch zwei Gläser Wein.

»Und dann passiert etwas Verrücktes. Du stellst fest, dass du dich durch dieses Leben erst richtig entfaltest – das Risiko und die Finesse, die Eiseskälte, das Gaukelspiel und das Geheimnis jeden Tag in deinem Kopf. Du blühst auf und kommst auf den Geschmack.« Der Wein wurde gebracht, Gable trank einen Schluck. »Und, wie mache ich mich?«, fragte er. Dominika verschränkte die Arme.

»Und plötzlich wirst du erneut verraten, und zwar von ebenjenen Menschen, die du für die Guten gehalten hast, aber so sollte man vielleicht nicht denken.« Dominika betrachtete Gable von der Seite. »Der General, Benford und wir alle wollten, dass du den Posten des Generals übernimmst, unsere Nummer eins in Moskau wirst. Vielleicht hätten wir bei dir anfragen sollen, das ist aber nicht geschehen. Und jetzt sind wir im letzten Akt, und Benford möchte dich zurück in Moskau haben. Und, Süße, du entscheidest. Keiner kann dich zwingen; du musst das selbst entscheiden.« Dominika schaute hinaus aufs dunkle Wasser und dann wieder zu Gable.

»Wie könntest du ohne all diese Dinge leben?«, fragte er. »Was machst du ohne deine Droge?«

Dominika schloss die Augen und schüttelte den Kopf. »Du glaubst, ich kann nicht ohne diese Dinge leben?«

»Vergiss die CIA. Denk an den General; er würde dir das Gleiche sagen. Geh zurück an die Arbeit. Denk in der ersten Zeit, sechs Monate, ein Jahr, nicht an die CIA. Lass den Mistkerlen in der Zentrale nicht den Hauch einer Chance. Überfahre sie. Du bist ihnen jetzt voraus; bau deine Karriere auf. Geh zurück und erledige die Sache mit deinem Onkel. Erzähl der Zentrale, was er getan hat, und sorge dafür, dass er bekommt, was er verdient. Du wirst auf der Siegerseite stehen, und man wird dich für unberechenbar und gefährlich halten. Zuerst hast du Kortschnoi auffliegen lassen, und jetzt vernichtest du deinen eigenen Onkel. Sie werden sich vor dir fürchten.

Triff deine Wahl, stell deine Forderungen und zwinge sie dazu, dir einen wichtigen Job zu geben, irgendetwas mit viel Zugangsmöglichkeiten, irgendwo in der Amerika-Abteilung, Abteilung KR, was weiß ich. Führe deinen Laden, wie du es für richtig hältst. Stell Ausländer ein, stifte Unruhe, enttarne Spione, schaff dir Verbündete, bring deine Feinde aus dem Gleichgewicht. Sei zickig während eurer Besprechungen.«

Dominika unterdrückte ein Lächeln. »Zickig, das bedeutet, glaube ich, *slobnij*«, sagte sie.

»Ein-, zweimal im Jahr suchst du dir einen bestimmten Einsatz aus und kommst raus. Ich werde da sein. Dann erzählst du uns, was du uns erzählen möchtest. Du entscheidest über die interne Kommunikation. Falls du uns in Moskau treffen musst, sorge ich persönlich für deine Sicherheit. Wenn du Kommunikationsausrüstung brauchst, stellen wir sie dir. Du brauchst Hilfe? Kein Problem. Du möchtest uns nicht sehen? Wir verschwinden.«

»Wird Nathaniel in Zukunft dabei sein?«, fragte sie.

»Angesichts eurer Vorgeschichte hält man es für keine gute Idee, euch zusammenarbeiten zu lassen. Aber wenn du möchtest, dass er sich um externe Treffen kümmert, werden wir das arrangieren.«

»Du bist sehr entgegenkommend«, sagte Dominika.

»Diesen Beruf, Dominika, du hast ihn im Blut, du kannst nicht ohne ihn sein. Er sitzt dir in der Nase, unter den Nägeln und wächst aus deinen Haarspitzen, gib es zu.«

»Ich wäre niemals mit dir essen gegangen, wenn ich gewusst hätte, dass du ein *janitschar* bist«, sagte sie. »Hat die CIA dich von Kindesbeinen an trainiert?«

»Gib's zu«, sagte Gable. Die Luft war purpurn.

»Und jetzt bist du *nekulturni*«, sagte sie.

»Du weißt, dass ich recht habe. Gib's zu.« Sie war umhüllt davon.

»*Moschet byt'*«, sagte Dominika. »Vielleicht.«

»Dominika«, sagte er. Seine purpurne Wolke war nach unten, zwischen sie gewandert, befand sich nicht mehr über seinem Kopf.

Dominikas Miene war ruhig und klar. »Vielleicht.«

»Denk darüber nach, was ich gesagt habe. Ich möchte, dass du zustimmst, das weißt du, aber wie auch immer deine Antwort lautet, du musst dich bis morgen entscheiden.«

»Verstehe«, sagte Dominika. »Du verblüffst mich schon wieder. Warum muss ich mich bis morgen entscheiden, mein lieber *Bratok?*«

»Weil wir dich brauchen; Benford benötigt dich morgen in Estland.«

Sie blickte ihn kühl an, die Hände flach auf dem Tisch. »Bitte sag mir, warum.« Gable erzählte ihr von dem Austausch in Estland, während sie ihn forschend ansah.

»Reg dich nicht wieder auf«, sagte Gable. »Ich habe dir nichts davon erzählt, weil ich nicht wollte, dass es während unseres Gesprächs zwischen uns steht.«

»Und du denkst dir das nicht aus?«, fragte Dominika.

»Auf der verdammten Brücke wirst du an ihm vorbeigehen«, sagte Gable. »Das könnte ich mir wohl kaum ausdenken.«

»Ich vermute, die CIA könnte eine Brücke bauen.«

»Bleib ernst«, sagte Gable.

»Schon gut, ich werde ernst sein«, sagte Dominika. »Mit dieser Information machst du mich zum Totengräber des Generals. Ich habe überhaupt keine Wahl.«

»Was habe ich dir gesagt?«, sagte Gable. »Es ist deine Wahl.

Du kannst dich hier und heute entscheiden, ob du aufhören möchtest. Wir schulden dir schon jetzt eine anständige Umsiedlung. Du hast ein Konto. Ich rufe Benford an und werde persönlich mit dir nach Amerika fliegen. Morgen.«

»Und der General?«, fragte sie.

Gable zuckte mit den Schultern. »Der General war unser bester Mann in Russland. Er war vierzehn Jahre lang dabei. Seinen Untergang hat er selbst herbeigeführt, er war am Ende seiner Karriere; er dachte, du wärst ein guter Ersatz für ihn, er wollte, dass es weitergeht. Aber es war seine Entscheidung. Informanten leben und sterben. Man ist nur so weit an die Situation gebunden, wie man es zulässt.«

»Das glaubst du nicht wirklich«, sagte Dominika. »Du hast Nate gesagt, dass das Allerwichtigste – zu allen Zeiten – die Sicherheit und das Wohlergehen deiner Informanten seien. Du könntest es nicht mit deinem Gewissen vereinbaren, ihn aufzugeben.«

»Vielleicht hast du recht«, sagte Gable. »Den General aus den Kellern des Lefortowo zu befreien wäre ein guter Anfang, um unsere Zusammenarbeit wieder aufzunehmen.« Dominika schaute ihn an und trank einen Schluck Wein. Gable zog eine Augenbraue hoch und sah ihr in die Augen. Sie wusste, dass er die Wahrheit sagte.

»Ihr seid doch alle Mistkerle.«

»Der Flieger nach Lettland geht um zehn Uhr.«

»Dann wünsche ich dir einen guten Flug«, sagte sie.

———

Sie nahmen den letzten Bus zum Astir Palace. Während der fünfzehnminütigen Fahrt saßen sie nebeneinander, sprachen aber kein Wort. Schweigend durchquerten sie die Lobby, in der es nach Bougainvillea und Meer roch, und gingen auf die weitläufige Terrasse, wo sie Mineralwasser bestellten und die Lichter der Fähre nach Rhodos am Horizont beobachteten.

Gable glaubte nicht, dass er sie überzeugt hatte, dafür war sie zu aufgebracht, zu wütend. Er merkte, wenn jemand zauderte oder sich entschieden hatte. Dominika hatte das Zeug dazu, aber man durfte sie nicht drangsalieren. Benford würde ein langes Gesicht machen, falls Gable ohne sie auftauchte. Das Schlimmste wäre, den Wachmännern auf der anderen Seite der Brücke zuzusehen, wie sie MARBLE abführten. Kein Austausch. Vollstreckt das Urteil.

Aber er hatte getan, was er konnte, sie wusste, er war ihr Freund, sie wusste, dass sie sich entscheiden musste. Sie fuhren im Lift zu Dominikas Stockwerk. In dem Hotelflur war es still, es schien keine Menschenseele auf dem Stockwerk zu sein. Das einzige Geräusch war das Quietschen des Servomechanismus im Aufzugsschacht.

Dominika schloss die Tür auf und ging ins Zimmer. Keiner der beiden hörte die Schritte. Die beiden Männer hatten ihre Schuhe ausgezogen und schlichen schnell von beiden Seiten des Flurs auf sie zu. Dominika erblickte sie, als sie sich umdrehte. Sie versuchte, Gable in das Zimmer zu ziehen, aber die Männer drängelten sich mit herein und schlugen die Tür zu. Die beiden Nachttischlampen waren die einzige Lichtquelle im Zimmer.

Einer der Männer sagte leise: »*Ne boisja mi s toboi pomotsch'tebe*«, haben Sie keine Angst, wir sind hier, um Sie zu retten; Dominika fiel auf, dass er sie siezte. Alle vier standen einen Moment lang reglos da, die Ruhe vor dem Sturm. Im Gürtel des einen Mannes steckte eine Pistole.

Beide Männer waren groß gewachsen, sie tippte auf Hünen aus Georgien. Dominika schob sich an Gable vorbei und warf sich heulend in die Arme des einen Mannes, als wäre sie erleichtert, gerettet worden zu sein. Der andere Riese warf sich auf Gable, der mit einer Vierteldrehung zur Seite trat und den Mann an sich vorbei gegen einen Beistelltisch samt Lampe rennen ließ, beides riss er nieder. Er war jedoch sofort wieder auf den Beinen, viel zu schnell und zu gewandt für einen Mann seiner Größe, und dann hatten er und Gable sich in den Armen, wickelten ihre Beine umeinander und gingen zu Boden, jeder suchte nach Augen, Gurgel, Genitalien, Gelenken.

Dominika legte einen Arm um den Hals ihres Mannes, bremste ihn, sodass er nicht auch noch schnell auf Gable losgehen konnte. Er roch nach nassem Hund und Knoblauch, und sie würgte und wandte sich zu der wogenden Masse am Boden um, Gable und der Russe. Einer plötzlichen Eingebung folgend begriff sie, dass sie es niemals zulassen würde, dass jemand *Bratok* verletzte. Sie tastete die Hemdbrust ihres Mannes ab, hinab bis zum Gürtel, und spürte den schachbrettartigen Griff der Pistole. Sie verlor keine Zeit damit, sie herauszuziehen, sondern entsicherte sie lediglich und drückte ab, so schnell sie konnte, dreimal, viermal, die dumpfen Schüsse gingen im Schrei des Mannes unter, und dann lag er auf dem Rücken, krümmte sich, Hemdbrust und Hose voller Blut.

Mit der Pistole an der Seite ging Dominika zu dem anderen Russen, der Gable zu Boden drückte, mit dem Unterarm auf seiner Kehle. *Das zweite Mal, dass ein CIA-Mann für mich kämpft*, dachte Dominika, zog den Kopf des Mannes an den Haaren zurück und verringerte so den Druck auf *Bratoks* Kehle. Der Georgier drehte sich jählings um, die Augen weit aufgerissen, um festzustellen, wer ihn da an den Haaren zog, und da schob Dominika den Lauf der Pistole unter sein Kinn, wandte sich ab, um keine Blutspritzer abzubekommen, und drückte – die Mündung von Gable abgewandt – zweimal ab. Der Georgier spuckte Blut, sackte zur Seite und blieb regungslos liegen. Der andere Mann krümmte sich noch immer auf dem mittlerweile blutdurchtränkten Teppich. Gable stand auf und wollte ihr die Pistole abnehmen, aber Dominika drehte sich weg und ließ es nicht zu. Verblüfft beobachtete er, wie sie zu dem Mann ging, sich bückte und, ihr Gesicht mit der freien Hand schützend, den Pistolenlauf an seine Stirn setzte und zweimal abdrückte. Sein Kopf prallte gegen den Boden.

Dominika warf die leere Pistole mit dem wieder eingerasteten Spanner in eine Zimmerecke. Gable hatte einen blauen Fleck unter seinem linken Auge und Kratzer von Fingernägeln an seiner rechten Wange und am Hals. Beide wussten, dass sie bei diesen zwei Vollstreckern keine andere Wahl gehabt hatten. Gable betrachtete Dominika eindringlich in dem nahezu dunklen Zimmer, ihre Brust hob und senkte sich, sie hatte ein bisschen Blut am Arm.

»Von nun an werde ich ein bisschen zickig sein«, sagte sie. »*Slobnij.*«

### SHRIMPS YIOUVETSI

Zwiebeln mit Cayennepfeffer und Knoblauch anbraten. Gehackte Tomaten, Oregano und Ouzo hinzugeben und zu einer dicken Sauce einkochen. Shrimps hinzufügen, gehackte Petersilie einrühren und kurz aufkochen; in eine ofenfeste Form füllen, mit Feta bestreuen und bei mittlerer Hitze im Ofen backen, bis sich Blasen bilden.

# 42

Am darauffolgenden Abend um siebzehn Uhr, bei einem ansonsten klaren Abendhimmel, legte sich über die Narwa eine dichte Nebelbank. Dick und zottig wie ein abgerissener Bausch Verbandswatte schob sie sich von Zeit zu Zeit über die Brücke. Die Lampen auf der Brücke gingen an und erhellten die Nebelschwaden, die von rechts nach links trieben – es sah aus, als ob sich die Brücke auf Laufrollen entlang der Uferpromenade bewegte. Oberhalb der Nebelbank, am Westufer, ragte die Hermannsburg auf, gegenüber den verlassenen Mauern der Festung Iwangorod am Ostufer.

Auf der russischen Seite der Brücke waren zwei Leichtlastkraftwagen quer über die Straße gestellt. Sechs Grenzbeamte in Tarnkleidung standen um die Wagen herum. Hinter ihnen stand ein kleiner, gepanzerter Truppentransporter, ein Tigr; auf einem Turmdrehkranz auf seinem Dach war ein leichtes Maschinengewehr montiert. Niemand war am Maschinengewehr, das auf seinen Zapfen arretiert war, den Lauf gegen den Himmel gerichtet. An der Straße, die hinter diesen Fahrzeugen an einem Supermarkt und einem Verwaltungsgebäude vorbeiführte, parkten fünf Autos des Sankt Petersburger SWR – zwei Mercedes und drei BMWs. Die Fahrer standen zusammen und unterhielten sich in der Dunkelheit. Die anderen SWR-Männer befanden sich im Grenzgebäude, warteten außer Sicht und befolgten den Befehl, sich unauffällig zu verhalten. Am Uferhang unter der Brücke standen zwei Grenzposten, völlig vom Nebel eingehüllt und klitschnass.

Auf der estländischen Seite saß Benford fünfzig Meter entfernt von der Brücke in einem Transporter, der mitten auf der Straße parkte. Er konnte geradeaus die Straße hinunter auf die geparkten russischen Fahrzeuge auf der anderen Seite blicken. Neben seinem Auto parkte ein kleiner KaPo-Jeep auf dem Seitenstreifen. Vier Staatsbeamte in schwarzen Anzügen saßen in dem Jeep und rauchten. Die KaPo hatte vorgehabt, zwei Beobachter in der Turmbastei der Hermannsburg zu positionieren, aber für Nachtsichtgeräte hatte der Etat des Ministeriums nicht gereicht. Die Lampen auf der Brücke mussten also genügen.

———

Das Geräusch von quietschenden Bremsbelägen und knirschenden Reifen auf dem Kies des Seitenstreifens war zu hören, ein Fahrzeug im Leerlauf hielt an. Benford sah Nate aus einem kleinen grünen Wagen steigen, das Haar in der Stirn, ein lächerliches blau-weißes Abzeichen – nein, es war die griechische Flagge – auf dem T-Shirt. Benford stieg aus seinem Transporter und ging zu dem Wagen. »Was machen Sie hier, Nash?«, fragte Benford mit ruhiger Stimme. »Und was ist das für ein lächerliches T-Shirt? Wissen Sie eigentlich, was sich hier in einer halben Stunde abspielen soll? Seien Sie also bitte so freundlich, steigen Sie in den Transporter und halten Sie sich außer Sichtweite. Sie sollten übrigens auch mal wieder duschen.« Benford führte Nate in den Transporter und schob die Tür zu. Die KaPo-Beamten im Jeep schauten herüber und fragten sich, was da los war. Benford ging zu ihnen und nahm eine angebotene Zigarette an. Die Beamten waren respektvoll und sagten nichts.

Benford bemerkte die zunehmende Aktivität auf der anderen Seite der Brücke. Die beiden quer auf der Brücke parkenden Leichtlastwagen fuhren ein kleines Stück, und der Tigr stellte sich zwischen sie. Ein Soldat hatte das Maschinengewehr auf dem Dach abgeprotzt. Hinter Benford ertönte das Geräusch eines weiteren Wagens. Gable fuhr in einer unauffälligen schwarzen Limousine vor. Er schien allein im Wagen zu sein. Gable stieg aus und ging auf Benford zu.

»Erzählen Sie, was passiert ist«, sagte Benford. »Sagen Sie mir, dass sie dabei ist.«

»Die Russen haben gestern Abend in Athen versucht, sie zu fassen zu bekommen. Sollte wohl eine Rettungsaktion sein. Ich habe keine Ahnung, wie sie uns gefunden haben, vielleicht haben sie einen Kontaktmann im Hotel, bei der Polizei, keine Ahnung. Sie hat sie beide umgebracht, hingerichtet.« Die KaPo-Beamten waren aus dem Jeep gestiegen, standen hinter ihrem Wagen und beobachteten die russische Seite der Brücke mit Ferngläsern.

»*Sie* hat die umgebracht? Und wo ist sie jetzt?«, fragte Benford. »Haben wir jemanden, den wir gegen MARBLE tauschen können?«

»Sie hat Nein gesagt. Sechs Stunden lang: nein. Unmöglich, ihre Meinung zu ändern. Am nächsten Morgen wollte ich sie Forsyth übergeben, um sie nach Amerika auszufliegen, da stand sie neben dem Wagen. Vielleicht, weil sie die beiden Schlägertypen von der Zentrale kaltgemacht hat, vielleicht klappt es deshalb, ich habe keine Ahnung. Sie ist wirklich wütend.« Benford sah aus, als würde er in Ohnmacht fallen. »Sie liegt auf dem Rücksitz; sie hat sich dort hingelegt, als wir nach Narwa reingekommen sind. Ich wollte schon das Profil ändern.« Benford stieß eine Rauchwolke aus. Fast zweiundsiebzig Stunden hatte er mit der Ungewissheit gelebt.

»Sie hat zugestimmt?«, fragte Benford.

»Jein. Sie hat mich angefahren, ich solle mich zum Teufel scheren, sie würde das nur tun, um MARBLE zu befreien, aus keinem anderen Grund. Sagte, sie kehre zurück, um darüber nachzudenken, ob sie mit uns zusammenarbeitet. Bis dahin beabsichtigt sie, in der Zentrale Krach zu schlagen. Vielleicht haben wir eine Informantin, vielleicht auch nicht. Sie wird es uns wissen lassen.«

»Was soll das heißen?«, fragte Benford.

Gable ignorierte seine Frage. »Noch etwas ganz anderes. Nash ist ein Thema. Sie hat nach ihm gefragt.« Benford lachte los.

»Was ist?«, fragte Gable.

»Nash sitzt im Transporter. Keine Ahnung, wie er es angestellt hat, aber er ist aus Athen gekommen, auf einmal war er da. Das ist sein Wagen, hinter dem Transporter.«

»Geisteszustand?«, fragte Gable.

»Aufgewühlt, emotional, erschöpft. Was meinen Sie?«

»Ich glaube, wir sollten die beiden sich ein paar Minuten unterhalten lassen – ist vielleicht gut für sie. Damit sie eine Erinnerung mitnehmen und er sich beruhigen kann. Ich könnte den Wagen näher ranfahren, dann kann sie unbemerkt in den Transporter steigen.«

»Okay, wir warten ja sowieso. Aber einen Moment noch, ich rede nur kurz mit Nash.« Benford schob die Tür des Transporters auf, stieg ein und setzte sich auf die mittlere Bank neben Nate. Nash hatte auf dem Rücksitz eine Jacke gefunden und sich mit den Fingern die Haare gekämmt. Er sah müde, aber präsentabel aus. Benford schloss die Tür ein wenig und lehnte sich im Sitz zurück.

»DIVA und Gable sind angekommen. Sie ist im Wagen. Gestern Nacht haben die Russen versucht, sie zu schnappen, und sie hat zwei Männer umgebracht. Sie akzeptiert ihre Rückkehr nach Russland nur wegen des Austauschs, um MARBLE zu befreien. Was ihre Rolle als unsere Agentin betrifft, hat sie sich noch nicht entschieden.

Wir haben ein paar Minuten Zeit, und Gable glaubt, dass es gut für DIVA wäre, mit Ihnen zu sprechen. Ich möchte, dass Sie noch einmal als ihr Rekrutierungsoffizier fungieren. Sie müssen sie begeistern. Ich möchte, dass Sie mit ihr über Pflicht, Einsatz und langfristige Spionage sprechen. Nur so können Sie ihre Verhaftung auf der anderen Seite der Brücke verhindern – als Führungsoffizier, der seine Informantin vorbereitet. Sonst wird sie die Fassung verlieren. Können Sie das tun?«

Nate nickte. Benford stieg aus dem Transporter, und Nate hörte Motorengeräusche und das Schlagen einer Tür. Die Hecktür des Transporters öffnete sich, und Dominika stieg schnell ein. Die Tür schlug hinter ihr zu. Sie zwängte sich am Rücksitz vorbei und setzte sich neben ihn. Sie trug ein einfaches dunkelblaues Kleid mit einer leichten Jacke in der gleichen Farbe. Gable hatte auf vernünftigen schwarzen Schnürschuhen und beigefarbenen Strümpfen bestanden. Sie hatte ihr Haar hochgesteckt und war ungeschminkt – eine Matrone, direkt aus der CIA-Gefangenschaft. Sie sah Nate an, betrachtete sein Gesicht. Ein fahler purpurner Schein umgab ihn; das zeigte ihr, dass er litt.

Zum ersten Mal in seiner kurzen Karriere dachte Nate nicht automatisch an die Folgen, die ein Verstoß gegen die Regeln haben würde; Benford ignorieren, seinen guten Ruf beschädigen. Er beugte sich vor, packte Dominika bei den Schultern und küsste sie. Sie erstarrte, dann entspannte sie sich und schob ihn sanft weg.

»Wir haben nicht genug Zeit – nicht im Entferntesten –,

aber ich muss dir sagen, dass es mir leidtut, was ich zu dir gesagt habe«, sagte Nate. »Ich habe nicht einmal genug Zeit, um dir zu sagen, wie viel du mir bedeutest, als Frau, als Geliebte, als Partnerin. Und ich habe nicht die Zeit, um dir zu sagen, wie sehr du mir fehlen wirst.

Ich sollte mit dir eigentlich über die Fortführung unserer Geheimdienstbeziehung sprechen, darüber, dass du weiterhin für die CIA in Moskau arbeiten sollst. Das ist mir aber im Moment egal. Ich weiß, dass du nur zurückgehst, um den General zu befreien; ich würde dasselbe tun. Was auch immer geschieht, du hast ihn gerettet. Aber ich möchte dich in Sicherheit wissen; nichts von alledem hier ist es wert. Du bist das Einzige, was zählt, zumindest für mich.«

Nate wandte sich verlegen ab und blickte durch die Windschutzscheibe auf die neblige Straße: ein Zeittunnel nach Russland. Dominika schaute in die gleiche Richtung und traf eine Entscheidung.

»Du musst dir keine Sorgen um mich machen, Nejt«, sagte sie matt. »Ich kehre zurück in meine Heimat, zu meinen eigenen Leuten. Mir wird es gut gehen. Wie überaus praktisch, dass du hier bist, um dich bei mir zu entschuldigen und mir zu sagen, wie sehr du dich um mich sorgst, fünf Minuten bevor ich die Grenze überschreite. Tu mir bitte einen Gefallen, verschwende keinen Gedanken mehr an mich.« Duschka, *lass mich gehen*, dachte sie.

Sie stand auf, ging in Richtung Hecktür und klopfte an die Scheibe. Nate schaute ihr nach. Die Hände hinterm Kopf verschränkt, starrte er in den Nebel.

Als Gable ihre Augen sah, wusste er, dass sie nicht mehr konnte. Verdammter Nash. Sie musste gestützt werden, und das schnell. Abgeschirmt von dem Transporter führte er sie zum Wagen.

»Steig ein«, sagte Gable, »ich möchte mit dir reden.« Sie schob sich auf den Rücksitz, Gable setzte sich neben sie und schlug die Tür zu. Er war grob und tat, als ob er ihre Augen nicht sehen würde.

»Sobald du aus diesem Fahrzeug steigst, wird man dich mit ungefähr einem Dutzend Ferngläsern beobachten«, sagte Gable. »Die Wachen kümmern sich um die Sicherheit, aber es gibt andere, die dich beobachten. Die Typen von der Spionageabwehr werden dich *ganz genau* unter die Lupe nehmen. Hast du verstanden?« Dominika wich seinem Blick aus und nickte.

»Überquer die Brücke in einem gleichmäßigen Tempo. Nicht zu schnell, aber auch nicht zögernd. Wichtig ist, dass du Kortschnoi nicht anschaust, wenn du an ihm vorbeigehst. Er ist ein Verräter, und du hast ihn ins Gefängnis gebracht«, sagte Gable.

»Möglicherweise befehlen die euch, in der Mitte der Brücke stehen zu bleiben. Ein Strich auf dem Asphalt markiert die Stelle, eine kleine Bodenwelle. Das ist vollkommen normal. Die Wachen sind nicht zufrieden, wenn sie nicht wenigstens einmal in ihr Megafon geschrien haben. Sie werden vermutlich Videoaufnahmen von dir an die Zentrale schicken, um deine Identität zu überprüfen.« Dominika ging es besser. Gable merkte, dass sie jetzt über den vor ihr liegenden Weg nachdachte und nicht mehr über Nash.

»Gleichmäßiges Tempo bis hin zu den Lastern. Ein Banause aus Leningrad in einem schlechten Anzug wird dich begrüßen und dir sagen … Was wird er wohl sagen?«

»*Dobro poschalowet*«, sagte Dominika und blickte starr aus dem Fenster. Willkommen daheim.

»Ja, okay, tu mir den Gefallen und tritt ihm zwischen die Beine. Von da an ist dein Verhalten entscheidend. Denk daran«, sagte Gable, »du kommst nach Hause, befreit aus der CIA-Haft. Du bist erleichtert und, na ja, *sicher*. Nicht gerade redselig, das wäre unangebracht. Du bist für den Tod von drei Männern verantwortlich, deine eigenen verdammten Leute haben versucht, *dich umzubringen*, du bist wütend. Im Auto, Zug, oder wie auch immer sie dich nach Sankt Petersburg bringen, wirst du von einem Haufen Leningrader Schläger-typen umzingelt sein.«

»Diese Spezies kenne ich«, sagte Dominika. »Damit kann ich umgehen. Ich komme gerade von einem Einsatz *für die Zentrale*. Die Einzigen, mit denen ich spreche, befinden sich in Moskau.«

»Ganz genau. Und sobald du da bist, zeig ihnen deine grie-chischen Wunden und beschwer dich über den SpezNas-Ir-ren und über Kortschnoi und darüber, dass man so lange ge-braucht hat, dich da rauszuholen. Du bist zurück, Baby, du bist wieder da.«

»Stimmt«, sagte Dominika, »ich bin zurück.«

»Und wir sehen uns in sechs Monaten«, sagte Gable.

»Verlass dich nicht darauf«, sagte Dominika.

»Hast du die globale Bereitschaftsnummer im Kopf?«

»Ich hab sie weggeschmissen«, sagte Dominika.

»Nachdem du sie auswendig gelernt hast«, sagte Gable.

Sie ging nicht auf ihn ein. »Grüß noch einmal Forsyth von mir«, sagte sie.

———

Ludmilla Michailiwna Pawlitschenko war eine berühmte Heckenschützin der Roten Armee, die tödlichste weibli-che Schützin der Geschichte, mit dreihundertundneun be-stätigten Tötungen während des Krimfeldzugs im Zweiten Weltkrieg. An diesem Abend bezog ihre Namensschwester

Ludmilla Tsukanowa, erste Scharfschützin des SWR-Spezialteams B, auf dem verfallenen Südturm der Festung Iwangorod am russischen Ufer in Bauchlage ihre Stellung. Sie trug einen weiten schwarzen Overall, die Kapuze über ihren Kopf und fest um ihr kirschrot geflecktes Gesicht gezogen. Ihre gespreizten Beine mit den filzbesohlten Schuhen lagen flach am Boden ausgestreckt. Sie legte das VSS-Vintorez-Gewehr, den »Fadenabschneider«, an die entzündete, rissige Wange und zielte durch das NSPU-3-Nachtsichtgerät dreihundert Meter schräg über das Wasser auf das Westende der Narwa-Brücke – das würde ein leicht durchzuführender Nachtschuss werden. Sie suchte nach einem Profil – eine dunkelhaarige Frau, die leicht hinkte.

━━━

Der mittelgroße Mi-14-»Haze«-Hubschrauber mit der schwarzen Mickey-Mouse-Nase war ein Modell für den zivilen Transport, gestrichen in Rot und Weiß. Sachte landete er auf dem leeren Parkplatz des Bahnhofs in Iwangorod. Die Lichter des Helikopters ließen die senffarbenen Wände der barocken Bahnhofsfassade rosa aufleuchten. Während der Hubschrauber federnd auf seinem Fahrwerk landete, ging das Motorengeräusch von einem Schreien in ein Jammern und schließlich in ein Schnurren über. Die gewaltigen Rotorblätter hörten auf, sich zu drehen, und senkten sich ab, heiß in der kalten Nachtluft. Die Türen öffneten sich erst, als zwei der SWR-Wagen, die weiter unten gewartet hatten, nah an den Helikopter heranfuhren. Dann öffnete sich die Beifahrertür, zwei Männer in Anzügen klappten lautstark die Metalltreppe auf und führten eine gebrechliche weißhaarige Gestalt zum vorderen Wagen.

Die beiden Wagen fuhren langsam die Straße entlang zu

den Lastern, die die Brücke blockierten. Die drei Männer stiegen aus, der kleinere Mann auf jeder Seite gestützt von den beiden anderen. Sie schoben sich an den Lastwagen vorbei und blieben schweigend stehen, während sie die schemenhaften Personen auf der anderen Seite beobachteten. Die Grenzwachen brachten ihre Gewehre in Stellung, die Suchscheinwerfer auf den Lastern gingen an und erhellten die russische Seite der Brücke. Das Geländer und die Laternenmasten warfen schräge Schatten auf die Straße. Im Fenster des Grenzgebäudes leuchteten rund ein halbes Dutzend kleiner roter Punkte auf. Die Jungs aus Leningrad rauchten, beobachteten und schwiegen.

━━

Sie stiegen aus dem Transporter und stellten sich vor ihn, den Russen zugewandt. Die russischen Suchscheinwerfer wurden angeschaltet, und Benford machte dem KaPo-Jeep ein Zeichen, seine Scheinwerfer und einen einzelnen Suchscheinwerfer ebenfalls einzuschalten. Die russische Seite war jetzt von einer blendenden Mauer aus Licht verdeckt, hinter der der Nebel weiterhin waberte.

»Wir begleiten dich bis zum Anfang der Brücke«, sagte Gable und hielt Dominika am Arm. Benford kam näher, stellte sich an ihre andere Seite und hielt sie am Oberarm. Nate war aus dem Transporter gestiegen und stand daneben. Gable und Benford gingen los.

»Einen Moment«, sagte Dominika. Sie beugte sich zu Nate und versetzte ihm eine Ohrfeige.

»Braves Mädchen«, sagte Gable. Die KaPo-Beamten stießen sich gegenseitig an.

Dominika und Nate schauten sich einen Moment lang an, die vernebelte Welt blieb außen vor. Dominika flüsterte:

»*Poka*, bis bald.« Sie richtete sich auf und zog Gable und Benford nach vorne. »Auf geht's«, sagte sie.

»Entspann dich, Baby«, sagte Gable. Er und Benford führten Dominika an den Armen, wie Gefängniswärter. Die Hände zu Fäusten geballt, wehrte sie sich gegen ihren Griff. Sie liefen zum Anfang der Brücke und warteten dort, während die Nebelschwaden zwischen den Laternenmasten vorbeizogen. Am anderen Ende der Brücke blitzten die Lichter verschiedener Autos auf, aber es war nicht möglich, Genaueres zu erkennen. Es tat sich etwas, und dann erschienen auf der anderen Seite drei Silhouetten: in der Mitte eine kleinere. Ein Suchscheinwerfer blinkte aus, dann wieder an, und Benford gab den Beamten ein Zeichen, das gleiche Signal zu senden. Die KaPo-Scheinwerfer spiegelten sich in einem Dutzend Ferngläser, die sie beobachteten. »Bleib stehen, wenn du in der Mitte bist«, sagte Gable.

Dominika befreite sich verachtungsvoll aus ihrem Griff, sagte »*Job tuwoju mat'*«, glättete ihren Mantel und trat vor. Leicht hinkend, mit erhobenem Kopf schritt sie in den Nebel. Die kleine Gestalt auf der anderen Seite der Brücke setzte sich ebenfalls in Bewegung.

»Was hat sie gesagt?«, fragte Benford.

»Es klang ziemlich obszön«, sagte Gable.

Dominikas Silhouette wurde immer undeutlicher, je weiter sie sich durch die Lichtkreise auf der Straße entfernte. Sie stand nun fast auf gleicher Höhe mit der anderen Gestalt.

»Sie ist in der Mitte, bei MARBLE«, sagte Gable leise. Etwas wurde durch ein Megafon gerufen, die beiden Gestalten blieben stehen. In der Mitte der Brücke, unter dem Lichtstrahl einer der Lampen standen die zwei wie Silhouetten nebeneinander, Nebel wallte zwischen ihnen, durchnässte sie. Dominika schaute geradeaus, gebieterisch, geringschätzig. Sie drehte nicht den Kopf zur Seite, aber sie konnte seine majestätische purpurne Präsenz spüren; es war das letzte Mal, dass sie seine Nähe fühlen würde. MARBLE schaute Dominika an, sein weißes Haar leuchtete im Schein der Lampe. Er zog den Mantel aus und hielt ihn ihr hin, ein Angebot von Spion zu Spion. Dominika nahm den Mantel und ließ ihn auf die nebelnasse Straße fallen. MARBLE hatte gehofft, dass sie das tun würde. Das Licht spiegelte sich in einem Dutzend Ferngläser.

MARBLE schaute nach vorn und sah das Leuchten der Stadt Narwa, den sich abzeichnenden Burgfried, das Blinken eines Sterns am westlichen Himmel, die Scheinwerfer und die Umrisse der Männer am anderen Ende der Brücke. Als die Scheinwerfer an beiden Brückenenden wieder aufblendeten, setzte er sich in Bewegung. Er hörte Dominikas Schritte hinter sich verhallen. Er fühlte sich leicht, die Schmerzen waren vertraut, aber die Beklemmung in seiner Brust war fort. Seine Gedanken waren klar, und er konzentrierte sich darauf, nicht zu schnell zu gehen; er würde ihnen bis zuletzt zeigen, wie ein Profi aufhört. Als er näher kam, wurden die Umrisse zu Gesichtern, Gesichtern, die er kannte. Für ihn war es wichtiger, seine Freunde zu sehen, als frei zu sein. Benford. Nathaniel. Ein Spionaustausch. Fast musste er lachen.

Die 9-x-39-mm-Patrone aus Ludmillas Gewehr durchbohrte MARBLEs Hals an der linken Seite und durchtrennte seine Halsschlagader, bevor sie aus seinem rechten Brustmuskel unterhalb seiner Achselhöhle wieder austrat. Tsukanowa hatte auf den Kopf gezielt, war etwas zu tief geraten, denn die kalte Nachtluft hatte die Flugbahn der Unterschall-SP-5-Patrone beeinflusst. Sie war schon aufgestanden und auf dem Weg nach draußen, entlang der Südfestung, als MARBLEs Beine nachgaben. Die Russen auf der anderen Seite der Brücke wussten nicht, dass etwas passiert war.

Benford fing ihn auf, aber er glitt ihm aus den Händen, so-dass der alte Mann auf dem nassen Asphalt zusammenbrach. Nate saß auf der Straße und wiegte MARBLEs Kopf an sei-nem Oberschenkel, doch der alte Spion rührte sich nicht. Er war tot, die Augen geschlossen, das Gesicht seltsam gefasst. Benford schaute auf seine Hände, rot von Kortschnois Blut.

Die KaPo-Beamten legten ihre Gewehre an, aber Gable schrie »Halt!« und gab ihnen das Zeichen wegzutreten. Auf der anderen Seite der Brücke wandte Dominika sich kurz um – sie hatte Gables Schrei gehört –, aber sie wurde vom gleißenden Scheinwerferlicht verschluckt. Als sie eine An-sammlung dunkler Gestalten um eine schwarze Masse auf dem Boden ausmachte, wusste sie, was passiert war.

Sie schrie einmal *Nein!* in Gedanken und zwang sich dann, ein gefasstes Gesicht zu machen und ihre Schultern zu ent-spannen. Sie wurde in ein wartendes Auto gedrängt, ein ge-heizter Mercedes, herrlich warm, der auf der Schnellstraße stand und sofort losfuhr. Der Wagen neigte sich in den Kur-ven, aber sie behielt den Schrecken für sich, immer wieder sah sie Bilder von Kortschnoi vor ihrem geistigen Auge. Sie unterdrückte ihren Zorn, während ein gelb umhüllter Oberst aus Leningrad den Wagen mit dem Qualm seiner Zigarette füllte.

Benford blickte auf MARBLE hinunter, er war wie ge-lähmt, konnte sich nicht bewegen, nicht nachdenken. Nates Kopf war vornübergebeugt, seine Hände zitterten, während er MARBLEs Kopf weiter auf den Oberschenkeln hielt. Es war zu grausam: Sie waren sprachlos, empfindungslos ob die-ser Endgültigkeit und Unwiederbringlichkeit: MARBLE hatte sein Leben verloren. Der gewaltige Verrat des Despoten und die Ungeheuerlichkeit der skrupellosen Tat erschütterten sie.

Alle außer Gable. Mit raschem Schritt trat er auf die Straße und hob sein Fernglas. Auf der russischen Seite bewegte sich ein Durcheinander von Silhouetten; die Rücklichter einer luxuriösen Limousine entschwanden in die Nacht. Gable wusste nicht, ob Dominika gesehen hatte, was passiert war, aber er hoffte, dass dem so war. *Bitte, Gott, lass sie wissen, was passiert ist.*

Der Nebel umgab sie, durchnässte ihre Haare, berührte MARBLEs ruhiges Gesicht. Auf der Mitte der Brücke lag vergessen der nasse Mantel des alten Mannes.

# Danksagung

Wenn ich die Personen zähle, die mir auf die eine oder andere Weise beim Schreiben dieses Buches geholfen haben, stelle ich erstaunt fest, wie viele es waren. Ihnen allen schulde ich Dank.

Beginnen muss ich mit meinem literarischen Agenten, dem unvergleichlichen Sloan Harris vom International Creative Management, der, als ich das Buch zu schreiben begann, als mein Ratgeber und Mentor wirkte und später dann als unnachgiebiger Befürworter des Manuskripts. Ich bin mir sicher, dass Sloan in einem früheren Leben ein weitsichtiger venezianischer Doge oder ein siegreicher byzantinischer Sultan war. Ohne ihn wäre das Buch nicht entstanden.

Ich danke dem übrigen Team von ICM, darunter Kristyn Keene, Shira Schindel und Heather Karpas, sie alle verkörpern Geduld als Tugend.

Zu Dank bin ich auch meinem Lektor bei Scribner verpflichtet, dem legendären Colin Harrison, der das Manuskript mit der Genauigkeit eines Kartografen redigierte und mich lehrte, wie man gut schreibt. Sein Engagement für die Wissenschaft und Kunst des Schreibens ist grenzenlos, er hat das Endprodukt über die Maßen verbessert. Ohne ihn wäre das Buch nicht vollendet worden.

Dank gebührt allen Mitarbeitern bei Scribner und Simon & Schuster, unter ihnen Carolyn Reidy, Susan Moldow, Nan Graham, Roz Lippel, Brian Belfiglio, Katie Monaghan, Tal

Goretsky, Jason Heuer, Benjamin Holmes, Emily Remes und Dave Cole, für ihre Unterstützung, Ermutigung und die herzliche Aufnahme in die S-&-S-Familie. Besonders danke ich Kelsey Smith für all die harte Arbeit. All diese Personen haben am Entstehen des Buchs mitgewirkt, auch wenn ich gleich hinzufügen möchte, dass ich jeden Fehler, ob nun faktischer oder sprachlicher Art, allein zu verantworten habe.

Ich muss eine Reihe von Freunden erwähnen, die mir zu Beginn meines Projekts geholfen haben und von denen ich einige nicht namentlich nennen darf. Sie wissen, wer gemeint ist: der scharfsinnige Dick K. aus Beverly Hills; der belesene Mike G. von der Universität von Kalifornien sowie der Anwalt Fred Richman, ebenfalls aus Beverly Hills.

Natürlich wäre das Buch nicht ohne eine Laufbahn in der CIA entstanden, ein Leben, das ich mit Hunderten Kollegen geteilt habe und das mit meiner Ausbildung begann und lebenslange Freundschaften zu Menschen in Langley und auf all den Auslandsposten einschließt, die ich über dreiunddreißig Jahre bekleidete. Mehrere dieser Personen sind relativ jung. Ich grüße sie alle.

Als junger CIA-Offizier profitierte ich von der (mitunter) gar nicht so sanften Anleitung und Unterstützung durch eine Reihe leitender Beamter wie zum Beispiel Clair George, Paul Redmond, Burton Gerber, Terry Ward und Mike Burns, Menschen von überragendem Talent und unerschütterlichem Patriotismus. Zu danken habe ich darüber hinaus dem lakonischen Jay Harris, einem Atomphysiker, der zum Führungsoffizier wurde; gemeinsam erfanden wir die internen Operationen in Castros Kuba neu.

Mein Bruder und meine Schwägerin, William und Sharon Matthews, machten entscheidende Vorschläge, und meine Töchter Alexandra und Sophia haben den Autor mehr als einmal daran erinnert, dass Achtspur-Kassettenspieler bei Woolworth's nicht mehr verkauft werden.

Schließlich danke ich meiner Frau Suzanne – die selbst vierunddreißig Jahre für die CIA tätig war – dafür, dass sie mein ständig sich änderndes Leben mit mir geteilt hat, für die langen Arbeitszeiten und die Überwachungsnächte und die Evakuierungsnächte und dafür, dass sie zwei großartige Töchter großgezogen hat und viel Geduld aufbrachte, während ich an diesem Buch schrieb.

# John Matthews
# Das vergessene Kind

512 Seiten
ISBN 978-3-641-14767-9

***Exklusiv als E-Book:***
Provence, August 1963: Auf dem Weg nach Hause wird der kleine Christian überfallen und getötet. Sein Mörder wird nie gefasst. Dominic Fornier, der mit den Ermittlungen betraut war, hatte stets gehofft, das Verbrechen aufklären zu können. Und nun, nach über dreißig Jahren, scheint die Chance gekommen. Er hört von Eyran, einem Jungen aus England, der von seltsamen Träumen heimgesucht wird. Eyran sieht wogende Weizenfelder und einen kleinen Jungen, der ihm etwas mitteilen möchte. Außerdem spricht er in Trance Französisch – in einem Dialekt jener Gegend, in der Christian ermordet wurde. Skeptisch, aber dennoch fasziniert besucht Fornier den Jungen – und hofft, der Wahrheit endlich auf die Spur zu kommen …

www.goldmann-verlag.de
www.facebook.com/goldmannverlag

**GOLDMANN**
Lesen erleben